Russland
Moskau
Kiew
Ukraine
MD
Bukarest
Georgien
Tiflis
Armenien
Jerewan
Baku
Aserbaidschan
Ankara
Türkei
Zypern
Syrien
Libanon
Israel
Jordanien
Kairo
Ägypten
Irak
Bagdad
Kuwait
Bahrain
Katar
VAE
Saudi-Arabien
Riad
Maskat
Oman
Jemen
Sanaa
Sokotra (Jemen)
Eritrea
Asmara
Dschibuti
Dschibuti
Sudan
Khartum
Süd-sudan
Juba
Addis Abeba
Äthiopien
Somalia
Mogadischu
Uganda
Kampala
Kenia
Nairobi
Dodoma
Tansania
Victoria
Seychellen
Komoren
Moroni
Malawi
Lilongwe
Sambia
Harare
Simbabwe
Mosambik
Antananarivo
Madagaskar
Réunion (Fr.)
Mauritius
Port Louis
Pretoria
Maputo
Mbabane
Eswatini
Lesotho
Kasachstan
Astana
Usbekistan
Taschkent
Bischkek
Kirgisistan
Turkmenistan
Aşgabat
Duschanbe
Tadschikistan
Teheran
Iran
Kabul
Afghanistan
Islamabad
Pakistan
Neu-Delhi
Nepal
Kathmandu
Bhutan
Indien
Dhaka
Bangladesch
Naypyidaw
Myanmar (Birma)
Lakkadiven (Ind.)
Malediven
Malé
Colombo
Sri Lanka
Andamanen (Ind.)
Nikobaren (Ind.)
Mongolei
Ulan-Bator
China
Peking
Nordkorea
Pjöngjang
Seoul
Südkorea
Japan
Tokio
(von Japan beansprucht)
Taipeh
Taiwan
Hanoi
Laos
Vientiane
Vietnam
Thailand
Bangkok
Phnom Penh
Kambodscha
Manila
Philippinen
Kuala Lumpur
Malaysia
Brunei
Singapur
Jakarta
Indonesien
Dili
Timor-Leste
Ngerulmud
Palau
Mikronesien
Nördliche Marianen (USA)
Guam (USA)
Marshallinseln
Papua-Neuguinea
Port Moresby
Salomonen
Neukaledonien (Fr.)
Australien
Canberra
Neuseeland
Wellington
Pazifischer Ozean
Indischer Ozean
Antarktika

Jugend und Recht 182

Industrialisierung 208

Globalisierung 240

Globale ökologische Herausforderungen 270

Anhang 304

Tipps zur Arbeit mit dem Buch

AUFGABEN

1 *Blaue Aufgaben sind normale Aufgaben.*
2 *Grüne Aufgaben findet ihr auf den Extra-Seiten oder diese weisen auf die Erarbeitung vertiefender Inhalte hin.*

3 *Orange Aufgaben sind aufwendiger oder du benötigst weitere Materialien, z. B. aus dem Internet.*
* *Ein Stern (*) vor einer Aufgabe sagt euch, dass es eine Starthilfe gibt, die euch beim Lösen der Aufgabe hilft (siehe S. 305ff).*

Weil manche Begriffe besonders wichtig sind, werden sie im Text fett hervorgehoben: Die Erklärungen zu den Begriffen findest du entweder in einer Box auf der Seite oder im Minilexikon (ab S. 311).

M1 Wichtige Begriffe: Grundbegriffe und Fachbegriffe

Auf manchen Seiten im Buch findest du ganz unten Atlaslinks. Sie stehen meist auf der linken Schulbuchseite. Schau nach, ob du folgenden Atlaslink auf dieser Doppelseite findest:

100389-030-1
schule.diercke.de

Die Zahl **100389** verweist auf den Atlas, auf den sich der Link bezieht. Die **030** meint Seite 30 im Atlas. Auf *www.schule.diercke.de* findest du weitere Informationen zur Karte sowie Zusatzmaterial, wie z. B. Animationen und Rätsel.

M2 Atlaslinks

Auf manchen Seiten gibt es zusätzlich QR-Codes, die du mit einem Smartphone oder Tablet einscannen kannst. Hier findest du weitere zum Thema passende digitale Ergänzungen, wie z. B. Videos. Zugehörige Aufgaben sind dabei mit dem Digital+-Zeichen gekennzeichnet.
Eine weitere Möglichkeit, um diese Inhalte einsehen zu können, sind Web-Codes. Sie befinden sich neben den QR-Codes. Gib den Code, z. B. WES-112462-007, auf

www.westermann.de/webcode ein.

Digital+
WES-112462-011

M3 QR-Codes

Die Sonderseiten und besondere Materialkästen

Manchmal gibt es in deinem Schulbuch verschiedene farbig markierte Sonderseiten und Boxen, so wie hier:

METHODE

Auf diesen Seiten lernst du wichtige Methoden kennen und wendest sie an. Mit Methoden sind besondere Arbeitstechniken gemeint. Sie helfen dir dabei, eigenständig arbeiten zu können.

AKTIV

Auf diesen Seiten ist Handeln angesagt. Hier wirst du aktiv und gestaltest selbst etwas zu einem Thema. Du führst einen Versuch durch oder informierst dich vor Ort über etwas.
Neben den AKTIV-Seiten kommen zahlreiche AKTIV-Kästen in deinem Buch vor.

EXTRA

Auf den EXTRA-Seiten findest du Inhalte, die ergänzende Informationen zu einem Thema liefern oder Inhalte vertiefen. Wie schon bei den AKTIV-Seiten gibt es im Buch auch kleinere EXTRA-Kästen wie diesen hier.

ALLES KLAR

Am Ende des Kapitels kannst du das vorher erworbene Wissen noch einmal anwenden und überprüfen, ob du alles verstanden hast.

Leben im Mittelalter

M1 Die Mittelmeerwelt um 740 n. Chr.

Ohne Kaiser in Rom – wer herrscht nun?

Um 500 n. Chr. endete die Herrschaft des Weströmischen Reiches. Die Veränderungen waren sehr groß und dauerhaft. Deshalb beginnt mit dem Untergang des Weströmischen Reiches eine neue Epoche – das **Mittelalter**.

Die Dreiteilung der Mittelmeerwelt

Rund um das Mittelmeer entstanden über mehrere Jahrhunderte drei große Herrschaftsbereiche, die sich z. T. weit nach Norden und Osten erstreckten.

Im Osten bestand das Oströmische Reich als **Byzantinisches Reich** weiter. An der Spitze des Reiches stand ein christlicher Kaiser.

Im Süden entstanden neue Herrschaftsgebiete. Sie wurden von muslimischen Herrschern (**Kalifen**) regiert. Diese drangen bis zur Iberischen Halbinsel vor. Sie wollten ihr Reich noch weiter vergrößern, wurden aber von den **Franken** zurückgeschlagen.

Die Franken sahen sich als Nachfolger des Römischen Reiches. Sie setzten sich im Norden und Westen Europas gegen andere Stämme durch und regierten als christliche **Könige**. Die Grundlage legte der fränkische König Chlodwig aus der Herrscherfamilie der **Merowinger**.

Der Merowinger Chlodwig

In der Vorstellung der Franken musste ein König neben Land auch über besondere, von den Göttern verliehene Kräfte verfügen. Dies nannten die Franken Königsheil. Als Zeichen dieser Fähigkeiten galten ein Vollbart, lange Haare, das Zepter sowie das Herrscherschwert. Aber die fränkischen Könige mussten sich auch durch Taten wie Siege im Krieg, möglichst lange Friedenszeiten und reiche Ernten beweisen.

Chlodwig war zunächst ein fränkischer Herrscher unter vielen. Deshalb musste er sicherstellen, dass die anderen **Fürsten** ihn als ihren König akzeptierten. Grundlage seiner Macht war dabei sein Grundbesitz, den er durch Eroberungszüge und Verhandlungen vergrößerte.

Obwohl Chlodwig die heidnischen Götter verehrte, ließ er sich taufen. Ihm folgten viele seiner Gefolgsleute und Schutzbefohlenen. Die Verbreitung des Christentums führte zu einer Annäherung der Franken an die römischen Bewohner der Region. Chlodwig erlaubte seinen Untertanen aber sowohl den christlichen als auch den heidnischen Glauben. Das verhinderte Aufstände. So sicherte Chlodwig seine Macht.

Die Macht der Merowinger schwindet

Nach Chlodwigs Tod wurde das Reich unter seinen Söhnen aufgeteilt. Aber die tatsächliche Macht der Merowinger schwand im 7. Jahrhundert. Ihre stärksten Konkurrenten waren die **Karolinger**. Sie waren die Hausmeier (= hohe Verwaltungsbeamte) der Könige.
Der erste mächtige Hausmeier war Karl Martell. Er besiegte die Araber und stoppte die Ausbreitung des muslimischen Machtbereichs nach Norden. Unter seinem Sohn Pippin vergrößerte sich die Macht der Hausmeier weiter. Aber Pippin hatte kein königliches Blut. Daher brauchte er eine andere Legitimation (= Rechtfertigung) seiner Macht, um auch den langersehnten Titel des Königs zu erhalten.

Der Karolinger Pippin wird König

Die benötigte Unterstützung fand er beim Papst. Dessen Herrschaftsbereich war nämlich andauernden Eroberungsversuchen ausgesetzt.
Als Gegenleistung für ihren Schutz half der Papst den Karolingern, den damals regierenden König zu entmachten: Die **Adligen** wählten Pippin zum König. Der Papst bekräftigte diese Wahl durch die Salbung Pippins zum neuen König der Franken.
In der mittelalterlichen Vorstellung ging mit dieser Salbung die Macht unmittelbar von Gott auf den König über. Der König wurde also von Gott gekrönt. Diese neue Rechtfertigung der Macht nennt man **Gottesgnadentum**.
Der Papst soll dies mit den Worten „Es soll der herrschen, der die Macht hat" begründet haben. Tatsächlich handelte es sich wohl eher um eine Abmachung zwischen dem Papst und den Karolingern zur gegenseitigen Machtabsicherung.

AUFGABEN

1 *a) Erkläre mithilfe der Karte M1 und des Textes die „Dreiteilung der Mittelmeerwelt".*
b) Ermittle mithilfe des Atlas, welche heutigen Staaten auf dem Gebiet der drei Herrschaftsbereiche liegen (M1). Erstelle eine Tabelle.
c) Markiere in der Tabelle die Staaten, die heute noch muslimisch sind.

2 *a) Vergleiche, wie Chlodwig und Pippin ihre Herrschaft rechtfertigten.*
b) Erkläre anhand deines Vergleichs die Begriffe Königsheil und Gottesgnadentum.

3* *Analysiere M2.*

M2 Childerich III. (sitzend) war der letzte Merowingerkönig. Ein Mönch schneidet ihm die Haare ab, während der neue König Pippin (rechts) und weitere Adlige und Geistliche zusehen.

INFO

In Mitteleuropa lebten um das Jahr 500 viele verschiedene Volksstämme. Einer dieser Stämme waren die **Franken**. Sie siedelten am Niederrhein. Von dort aus eroberten sie große Gebiete und breiteten ihr Herrschaftsgebiet westlich des Rheins bis ins heutige Belgien aus. Das Frankenreich wurde zum größten Reich in Westeuropa.

Der **Papst** ist das Oberhaupt, also der Chef der Katholischen Kirche. Er ist der wichtigste Geistliche der Katholiken und entscheidet über alles innerhalb seiner Kirche.
Außerdem kam ihm im Mittelalter die Aufgabe zu, den König zu salben (**Salbung**). Dabei bestrich er die Stirn des Königs zum Zeichen der von Gott gegebenen Macht mit heiligem Öl.

INTERNET

Von den Merowingern zu den Karolingern – eine Übersicht:

Digital+
WES-112462-011

M1 Reich Karls des Großen um 800 n. Chr.

Ein neuer Kaiser in Europa – wer war Karl der Große?

Karl vergrößert sein Reich

Der erste bedeutende König des Mittelalters war Karl der Große. Sein Reich umfasste weite Teile des ehemaligen Weströmischen Reiches. Er erweiterte mithilfe seines Heeres sein Reich durch zahlreiche Feldzüge. Karl baute seine Macht also durch Eroberungen aus. Dabei ging er sehr brutal vor. Dies zeigt sich auch in den sogenannten Sachsenkriegen. Karls grausames Vorgehen bei der Christianisierung der Sachsen brachte ihm den Beinamen *Sachsenschlächter* ein.

Neben seinen Eroberungszügen sicherte er sein Reich durch geschickte Verträge und Verhandlungen. Außerdem setzte er wichtige kulturelle Veränderungen in Gang: In weiten Teilen Europas wurde eine gemeinsame Währung und eine einheitliche Schrift eingeführt. Es galten die gleichen Gewichtsmaße. Der König förderte die Wissenschaften und das Bildungswesen.

Karl wird römischer Kaiser

Im Jahr 800 war Karl auf dem Höhepunkt seiner Macht angelangt. Er war der mächtigste Herrscher Europas. Doch reichte ihm das nicht. Karl wollte **Kaiser** werden. Die Gelegenheit bot sich ihm, als der Papst Schwierigkeiten mit dem römischen Adel bekam. Der Konflikt spitzte sich immer weiter zu, bis sogar jemand versuchte, den Papst zu töten (Attentatsversuch).

Aus Angst um sein Leben floh der Papst aus Rom und wandte sich hilfesuchend an Karl den Großen.

Karl unterstützte den Papst militärisch. Im Gegenzug krönte der Papst Karl nach seinem Sieg 800 zum Kaiser. Somit ging die römische Herrschaft auf die Könige der Franken über. Sie traten nun für alle sichtbar die Nachfolge der römischen Kaiser an. Zu den kaiserlichen Aufgaben der Franken zählten der Schutz der Kirche und die Verbreitung des Christentums.

Karls Freund und Lehrer Einhard beschreibt den König folgendermaßen:
Er war von breitem und kräftigem Körperbau, hervorragender Größe, die jedoch das rechte Maß nicht überschritt. Seine Augen waren sehr groß und lebhaft. So bot seine Gestalt im Stehen wie im Sitzen eine höchst würdige und stattliche Erscheinung. Er hatte ein freundliches, heiteres Angesicht, einen festen Gang, eine durchaus männliche Haltung des Körpers. Beständig übte er sich im Reiten und Jagen, wie es Sitte seines Volkes war; er übte sich fleißig im Schwimmen. Er trug einen blauen Mantel und stets ein Schwert, dessen Griff [...] von Gold und Silber war.
In Speise und Trank war er mäßig [...] Selten hielt er Gastereien [= Festmahl] und nur bei festlichen Gelegenheiten, dann jedoch in zahlreicher Gesellschaft. Reich und überströmend floss ihm die Rede vom Munde. Es genügte ihm jedoch nicht in der Muttersprache, sondern er widmete sich auch der Erlernung fremder Sprachen. Die edlen Wissenschaften pflegte er mit großer Liebe, die Meister in denselben schätzte er ungemein und erwies ihnen hohe Ehren.
Der christlichen Religion war er mit größter Ehrfurcht zugetan. Auf die Verbesserung des Lesens und Singens in der Kirche wandte er große Sorgfalt. In der Armenfürsorge und im Spenden freiwilliger Gaben bewies er viel frommen Eifer. Von den anderen heiligen und verehrungswürdigen Stätten ehrte er die Kirche des heiligen Apostels Petrus in Rom.

Quelle: Einhard: Das Leben Karls des Großen. Essen, 2016, S. 49–59

M2 Beschreibung Karls des Großen durch einen Zeitgenossen

INFO

König oder Kaiser? Herrschertitel im Abendland

Das Oberhaupt der Franken war ein **König**. Neben dem König der Franken gab es noch weitere Könige anderer Volksstämme. Ein König trat in der Regel eine Erbfolge an, wurde aber auch von den anderen Adligen gewählt. Er herrschte über ein einzelnes Reich. Karl der Große z. B. war von 768 bis 814 König des Frankenreiches.
Den Kaisertitel durfte nur der Herrscher annehmen, der vom Papst gesalbt wurde. Im Mittelalter war der **Kaiser** das weltliche Oberhaupt der Christenheit und sah sich als Beschützer aller Christen. Er war nicht nur der Herrscher eines bestimmten Volksstamms, sondern der höchste weltliche Herrscher. Man könnte ihn den König der Könige nennen. Karl der Große wurde z. B. 800 vom Papst zum Kaiser gesalbt. Der Nachfolger des Kaisers war meist der einflussreichste König.
Aber die Kaiserkrönung Karls des Großen sorgte auch für Spannungen. Da es nur einen Kaiser geben konnte, machte er mit seinem Kaisertitel dem oströmischen Kaiser Konkurrenz. Denn der Kaiser hatte den Anspruch, über das gesamte **Abendland** zu herrschen.
Die Menschen in Europa nannten Europa selbst Abendland und die Länder im Osten Morgenland. Denn im Osten geht die Sonne auf (Morgen) und im Westen geht sie unter (Abend). Heute wird häufig der Begriff Orient für das Morgenland benutzt. Gemeint sind z. B. die Türkei, der Iran oder Ägypten.

AUFGABEN

1 *Ermittle mithilfe des Atlas, welche heutigen Länder das Reich Karls des Großen umfasste (M1).*

2* *Erstelle einen Steckbrief zu Karl dem Großen. Recherchiere dazu auch im Internet.*

3 *a) Einhard beschreibt zwar Karl den Großen, meint jedoch den idealen Herrscher. Arbeite Kennzeichen und Eigenschaften heraus, die ein König seiner Meinung nach haben sollte (M2).*
b) Erkläre, warum diese Eigenschaften für einen Herrscher wichtig sind. Warum stellt Einhard Karl auf diese Weise dar?

4 *Diskutiert in der Klasse, ob der Beiname „der Große“ angemessen ist.*

Digital+
WES-112462-013

100389-060-01
schule.diercke.de

Wie regierte Karl der Große sein Reich?

Karl der Große stützte seine Macht hauptsächlich auf zwei Säulen, das Reisekönigtum und das Lehnswesen.

Das Reisekönigtum

Im Mittelalter gab es keine Hauptstadt. Der Einfluss der Fürsten konnte zur Gefahr für die Macht des Königs werden. Darum reiste der König mit seinem Gefolge durch das Land und regierte es von **Pfalzen** aus. Deshalb spricht man von einem *Reisekönigtum*. Die Pfalzen wurden von einem *Pfalzgrafen* verwaltet.
Karl unterteilte sein Reich in sogenannte Gaue (= normale Grafschaften). Die Gaue wurden durch *Gaugrafen* verwaltet. Die Grenzregionen (= Marken) seines Reiches ließ er durch *Markgrafen* sichern, die besonders loyal sein mussten. Um seine Befehle und Nachrichten an die Grafen zu übermitteln, nutze der König *Sendgrafen* (Königsboten). Diese reisten immer zu zweit, um sich gegenseitig zu kontrollieren. Sie kontrollierten die königlichen Besitztümer, überwachten die Durchführung von königlichen Anordnungen und meldeten Verstöße.

Das Lehnswesen

Im Mittelalter gab es keine immer kampfbereite Berufsarmee, sondern Truppen, die die Adligen stellten. Um seine Herrschaft zu sichern, organisierte Karl sein Reich deshalb als Personenverbandsstaat: Er band seine Untergebenen durch persönliche Beziehungen an sich. Ein wichtiges Mittel war das Lehnswesen. Der König verlieh Lehen (= Land, Ämter, Privilegien) an seine Untertanen. Die Person, die Lehen vergab, bezeichnet man als **Lehnsherr**. Die Person, die Lehen erhielt, nennt man **Lehnsmann** oder **Vasall**. Männer, die ihre Lehen direkt vom König erhielten, waren Kronvasallen. Sie konnten aber ihrerseits ebenfalls Lehen an Untervasallen vergeben. Heute würden wir sagen, Lehnsherr und Lehnsmann schlossen einen Vertrag.
In diesem war klar geregelt, wer welche Rechte und Pflichten hatte: Der Lehnsmann schuldete dem Lehnsherrn Treue und/oder militärische Dienste und/oder Abgaben. Dafür bekam er das Lehen und den Schutz des Lehnsherrn.
Wichtig ist, dass der König nicht nur Lehen an die nächstuntere gesellschaftliche Schicht vergab. Wurde Land als Lehen vergeben, gehörten zu diesem Lehen auch die dort lebenden Bauern und Unfreien, die Dienste und Abgaben leisten mussten. Später konnten Lehen auch vererbt werden.

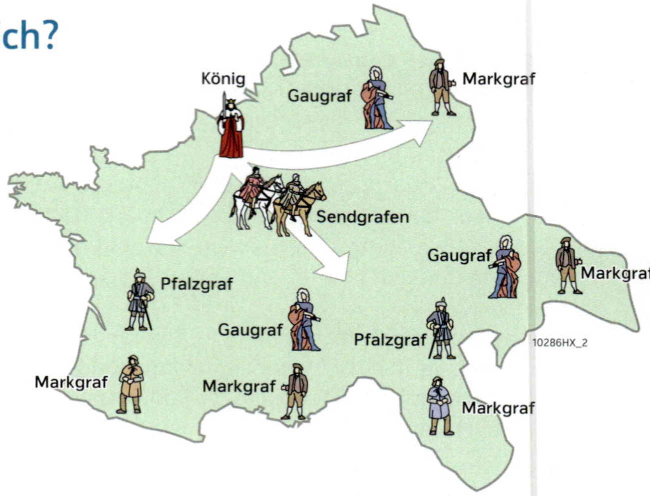

M1 Organisation des Reiches durch Grafen

INFO

Häuser, in denen der König und sein Gefolge auf ihren Reisen übernachten konnten, nennt man **Pfalz**. Da sie viele Menschen beherbergen musste, kann man sich eine Pfalz wie einen großen Bauernhof mit Kapelle vorstellen. Die wohl bekannteste Pfalz ist die Kaiserpfalz in Aachen – die Lieblingspfalz Karls des Großen. Die Unterbringung des Königs und all derer, die mit ihm reisten, war sehr kostspielig, weil viele Menschen z. B. mit Essen verpflegt werden mussten.

AUFGABEN

1 *Beschreibe die Aufgaben der unterschiedlichen Grafen (M1).*

2 *a) Erläutere, was man unter Reisekönigtum versteht.*
b) Diskutiert aus Sicht des Königs bzw. eines Untertanen Vor- und Nachteile des Reisekönigtums.

3 *Erkläre in eigenen Worten das Lehnswesen.*

4 *Erläutere mithilfe von M2 den Begriff Personenverbandsstaat.*

5 *Erkläre das mittelalterliche Sprichwort „Gott segne den König, möge er nie wieder kommen“.*

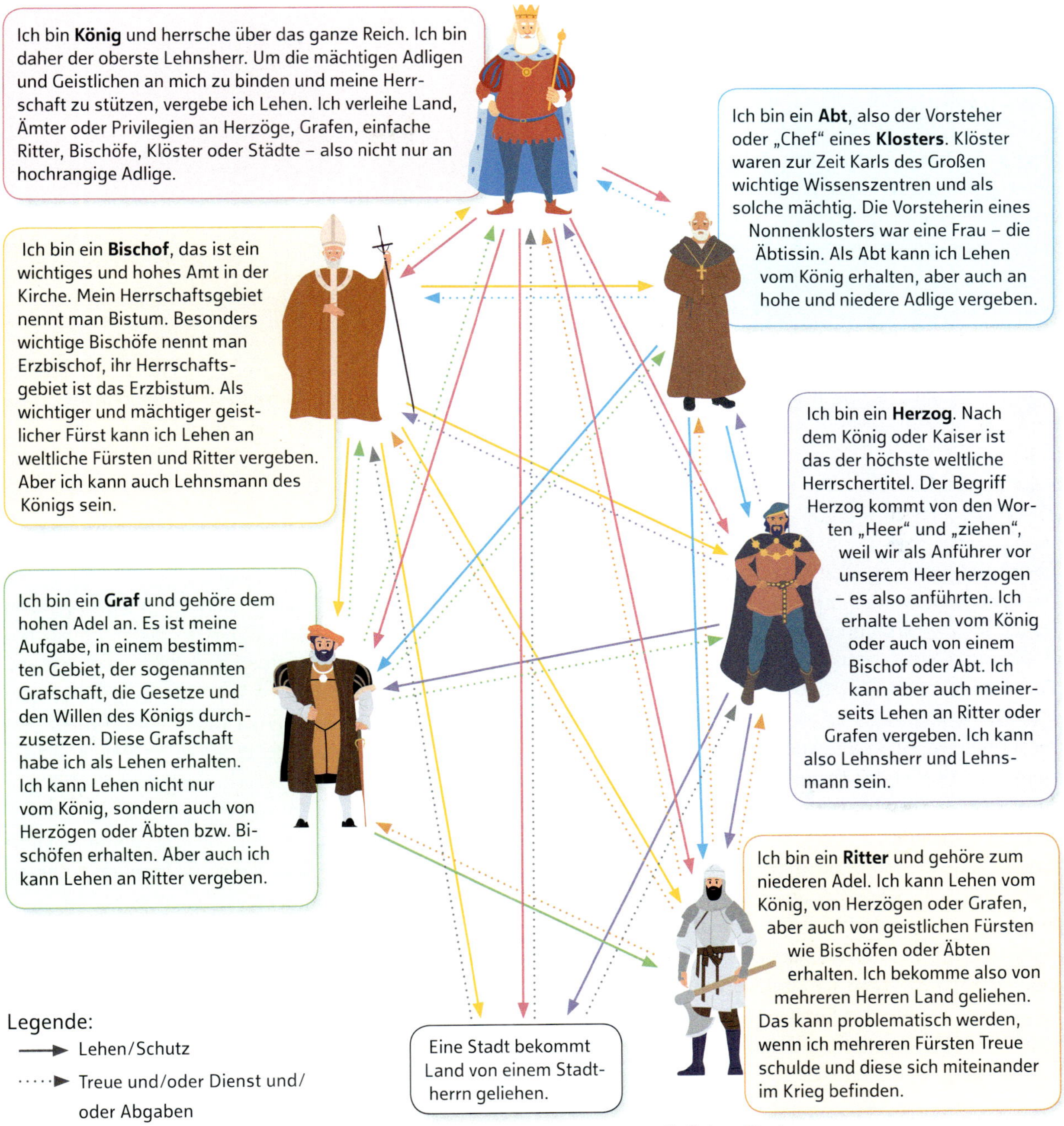

M2 Der Personenverbandsstaat – ein Netz verschiedenster Formen persönlicher Bindungen

M2 zeigt alle im Lehnswesen Karls des Großen möglichen Beziehungen. Der Personenverbandsstaat war ein Netz verschiedenster Formen persönlicher Bindungen. Alle Mächtigen hatten darin auch Kontakt zu Bauern: der niedere Adel direkt, der hohe Adel nur indirekt über die Ritter. Allerdings sah die Realität etwas anders aus. Die einzelnen Personen hatten wohl nicht derart viele Lehnsverhältnisse. Ein Ritter zum Beispiel hatte mit Sicherheit mehrere Lehnsherren. Aber es ist unwahrscheinlich, dass er ein Lehnsverhältnis zu einem Bischof, einem Abt, einem Grafen, einem Herzog und dem König gleichzeitig einging. Je mehr Lehnsherren ein Lehnsmann hatte, desto größer wurde das Konfliktpotenzial.

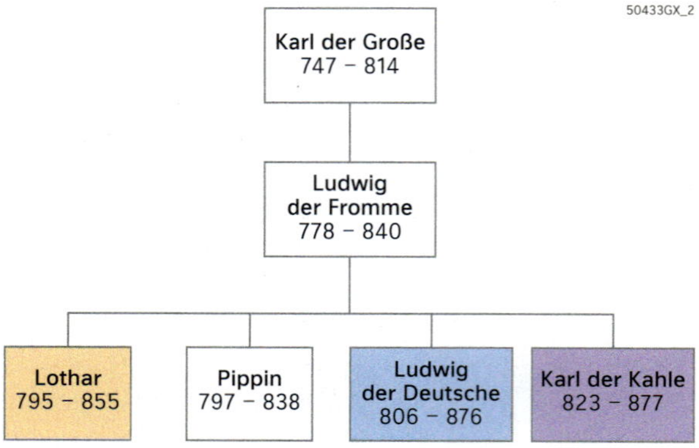

M1 Stammbaum der Nachfolger Karls des Großen

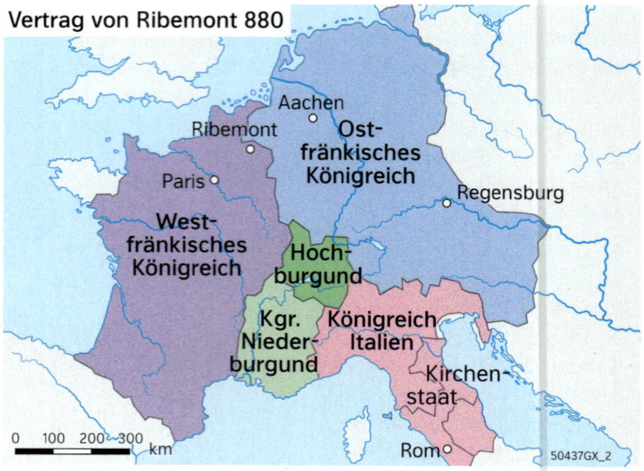

M2 Teilung nach dem Vertrag von Ribemont 880

Der König stirbt – und dann ...?

Die Erbmonarchie der Karolinger

Was passiert, wenn ein König stirbt? Wer regiert das Reich? In einer Erbmonarchie *erbt* ein Nachkomme des Königs dessen Titel und Position. Oft war es nur männlichen Nachkommen möglich, König zu werden.

Karl der Große hatte bereits 806 festgelegt, dass es zwar mehrere fränkische Könige, aber nur einen Kaiser geben dürfe. Seit der Erneuerung der Kaiserwürde erhielt immer der Herrscher des Ostfränkischen Reiches die Kaiserkrone.

Ludwig der Fromme, Sohn Karls des Großen, setzte seine Söhne als Könige ein, um das Reich zusammenzuhalten. Er versprach seinem ältesten Sohn Lothar die Kaiserwürde, änderte dies aber später zugunsten seines jüngeren Sohns Karl und es kam zum Krieg. Infolgedessen zerfiel das Reich in mehrere Teile. Ludwigs Erben wollten ihre jeweiligen Herrschaftsgebiete durch gegenseitige Eroberungskriege vergrößern.

Dies führte dazu, dass viele fränkische Adlige ihr Leben ließen. Endete die Herrschaft eines Adligen (durch Tod oder eine Niederlage), wurden die Lehen neu vergeben. Die Vasallen mussten ihren Lehnseid gegenüber dem neuen Lehnsherrn erneuern. Es herrschte Chaos.

Außerdem teilten Ludwigs Erben ihre Gebiete wieder unter ihren Kindern auf. Letztlich einigte man sich (mehr als 40 Jahre nach dem Tod Ludwigs) darauf, das Fränkische Reich endgültig zu teilen. Aus diesen beiden Reichen gingen später Deutschland und Frankreich hervor. Die beschlossenen Grenzen zwischen dem Ostfränkischen und dem Westfränkischen Reich blieben im gesamten Mittelalter fast unverändert. Im Ostfränkischen Reich gelangte ein neues Herrschergeschlecht an die Macht: die Ottonen. Der erste Herrscher aus dieser Herrscherfamilie war Heinrich I., der Herzog von Sachsen. Die Ottonen verhinderten einen weiteren Zerfall ihres Reiches, indem nur noch der Erstgeborene den Titel und das Land des Königs erbte. So sicherten sie ihre Macht.

FACHBEGRIFF

Fürst ist ein Überbegriff für verschiedene monarchische Herrscher. Der König, aber auch Herzöge oder Grafen waren Fürsten. Es gab neben diesen weltlichen auch geistliche Fürsten, also geistliche Herrscher, Bischöfe zum Beispiel. Der Begriff Fürst stammt aus dem Althochdeutschen und bedeutet „der Erste, der Führende“. Das Wort hat dieselbe Herkunft wie der englische Begriff „first“ (= zuerst).

AUFGABEN

1* *Werte die interaktive Karte aus. Warum gab es keinen Frieden im Reich?*

2 *Erläutere am Beispiel des Fränkischen Reiches, welche Probleme eine Erbmonarchie hinsichtlich der Thronfolge hat und welche Auswirkungen das auf das gesamte Reich haben kann (M1, M2).*

M3 Die sieben Kurfürsten: die Erzbischöfe von Köln, Mainz und Trier, der Pfalzgraf bei Rhein, der Herzog von Sachsen, der Markgraf von Brandenburg und der König von Böhmen

INFO

Goldene Bulle
Eine Urkunde wurde im Mittelalter nicht mit einer Unterschrift beglaubigt, sondern mit einem Wachssiegel. Bei besonders wichtigen Urkunden wurde das Wachssiegel durch eine Kapsel aus Gold ersetzt. Der lateinische Name dieser Kapsel ist „bulla". Daher erhielt das Gesetz Karls IV. seinen Namen: Goldene Bulle.

Die Wahlmonarchie – Karl IV. und die Goldene Bulle

Spätestens im 12. Jahrhundert war das Konzept einer Erbmonarchie gescheitert, weil es immer wieder zu gewaltsamen Konflikten zwischen den Erben kam. Dies führte zur Schwächung des Königs und brachte somit dessen Macht, aber auch die Sicherheit des Reiches in Gefahr.

Deshalb wählten nun die Fürsten den König (Wahlmonarchie). Dies brachte zunächst keine Verbesserung, weil es anfangs noch keine klare Regelung gab, wie diese Wahl ablaufen sollte. Darum kam es immer wieder zu Doppelwahlen. Kaiser Karl IV. erließ aus diesem Grund 1356 die wichtigste Gesetzessammlung des Spätmittelalters – die Goldene Bulle.

Diese regelt den reibungslosen Ablauf der Königswahl, um den Frieden im Reich zu sichern. Es wurde festgelegt, dass nur sieben der zahlreichen Fürsten das Recht haben, den König zu küren, also zu wählen. Als Ort der Wahl bestimmte man Frankfurt am Main. Auch der Ablauf der Wahl und die Rangordnung unter den sieben Kurfürsten wurde geregelt. Außerdem legte die Urkunde fest, welche Rechte der König und welche die Kurfürsten hatten. Zum Beispiel hatten die Kurfürsten – nicht der König – das Recht, **Zölle** zu erheben. Die Macht der (Kur-)Fürsten wuchs also, während die des Königs eingeschränkt wurde.

Schon vor der Goldenen Bulle traf sich der König mit geistlichen und weltlichen Fürsten zur Beratung (z. B. Maßnahmen zur Friedenssicherung). Diese formlosen und unregelmäßig stattfindenden Versammlungen nennt man **Hoftage**.

Als mit der Goldenen Bulle die Macht der Fürsten wuchs, vergrößerte sich auch ihr Mitspracherecht und aus den Hoftagen wurden regelmäßige Treffen – die **Reichstage**. Durch die Goldene Bulle verlor aber nicht nur der König an Macht, sondern auch der Papst verlor seinen Einfluss auf die Königswahl.

AUFGABEN

3 *Beschreibe M3. Welche Gruppe ist die der Bischöfe?*

4* *Beurteilt, ob es sich bei der Königswahl um eine demokratische Wahl handelte.*

5 *Nimm Stellung zur Aussage: „Die Fürsten profitierten am meisten von der Neuregelung."*

INTERNET

Karte zur Entwicklung des Fränkischen Reiches nach Karl dem Großen

Digital+

WES-112462-017

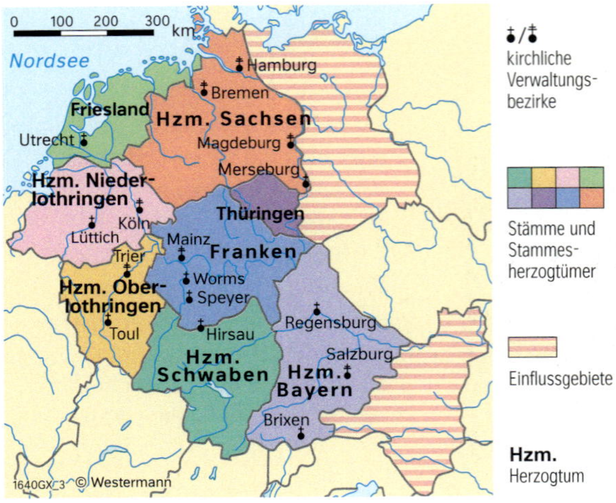

M 1 Ein Reich mit vielen Herren – das Ostfränkische Reich zu Beginn des 10. Jahrhunderts

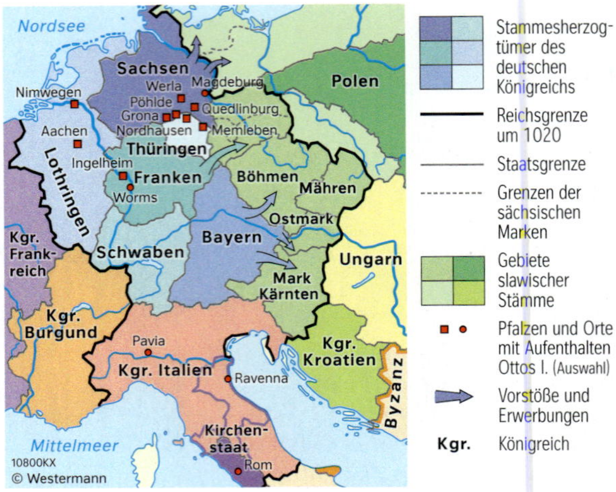

M 3 Das Heilige Römische Reich um 1000 n. Chr.

Ein neues Herrschergeschlecht – die Ottonen

Die Entstehung des Heiligen Römischen Reiches

Die ersten Könige aus der Familie der Ottonen mussten ihr Herrschaftsgebiet zunächst nach außen gegen die gefürchteten Ungarn verteidigen. Die Siege, die Heinrich und auch sein Sohn Otto erringen konnten, führten zu einem Einheitsgefühl zwischen den Herzogtümern und festigten damit die Macht der Ottonen.

Außerdem konnten sie ihr Reich durch zahlreiche Eroberungskriege vergrößern. Neben dem ostfränkischen Reich umfasste es nun auch Burgund und Teile des heutigen Italiens. Deshalb nennt man das Herrschaftsgebiet **Heiliges Römisches Reich (HRR)** und seine Herrscher römisch-deutsche Kaiser.

M 2 Die Reichskrone des Heiligen Römischen Reiches. Sie zeigt unter anderem Christus mit zwei Engeln. „Durch mich herrschen Könige" steht auf Latein darauf.

Das Reichskirchensystem

Auch Otto war auf die Zusammenarbeit mit dem mächtigen Adel angewiesen. Er war zwar der oberste Lehnsherr, aber seine Vasallen wollten ihr Gebiet möglichst selbstständig regieren. Dies führte häufig zu Konflikten, da der König seine Macht ausweiten und die der Herzöge einschränken wollte. Aus diesem Grund begründete Otto das **Reichskirchensystem**:

Er übertrug Lehen, also weltliche Macht, verstärkt an geistliche Fürsten (Bischöfe und Äbte), um die Macht der weltlichen Fürsten zu schwächen. Außerdem konnten Geistliche ihre Lehen nicht vererben. Die Kirche war auch deshalb wichtig, weil sie reich war. Zudem war sie durch Bischöfe, Klöster und Kirchengemeinden im ganzen Reich vertreten. Die kirchlichen Würdenträger waren dem König verpflichtet und er konnte auf ihre Unterstützung vertrauen. So war auch der König im ganzen Reich vertreten.

AUFGABEN

1 *Stellt Vermutungen auf: Vor welchen Herausforderungen stand Heinrich I. zu Beginn seiner Herrschaft (M1)?*

2 *Ermittle die Gebiete, die zum Heiligen Römischen Reich gehörten (M3).*

3 *Erkläre, auf wen sich Otto bei der Ausübung der Königsherrschaft stützen konnte.*

EXTRA

Königskrönung Ottos I.

Der Mönch Widukind berichtet über wichtige Ereignisse des 10. Jahrhunderts. Da er die Krönung Ottos I. nicht persönlich miterlebte, beruht sein „Bericht“ vermutlich auf der Beobachtung einer späteren Königserhebung:

Als Ort der [...] Wahl nannte und bestimmte man die Pfalz Aachen. [...] Und als man dorthin gekommen war, versammelten sich die *Herzöge* und obersten Grafen mit der übrigen Schar vornehmster Ritter [...], setzten den neuen Herrscher auf einen dort aufgestellten Thron, [...], gelobten ihm Treue, versprachen ihm Unterstützung gegen alle seine Feinde und machten ihn nach ihrem Brauch zum König.

Während dies die Herzöge [...] vollführten, erwartete der *Erzbischof* mit der gesamten Priesterschaft und dem ganzen Volk im Inneren der Basilika den Auftritt des neuen Königs. Als dieser erschien, ging ihm der Erzbischof entgegen, [...] schritt vor bis in die Mitte und blieb stehen.

Er wandte sich *zum Volk* um, das ringsumher stand [...] und sagte: „Seht, ich bringe euch den von Gott erwählten und von dem mächtigen Herrn Heinrich einst designierten [= bestimmten], jetzt aber von allen Fürsten zum König gemachten Otto; wenn euch diese Wahl gefällt, zeigt dies an, indem ihr die rechte Hand zum Himmel emporhebt.“
Da streckte das ganze Volk die Rechte in die Höhe und wünschte unter lautem Rufen dem neuen Herrscher viel Glück.

Dann schritt der Erzbischof mit dem König [...] hinter den Altar, auf dem die königlichen **Insignien** [= Zeichen der Macht] lagen [...].
Derselbe [...] wandte sich an den König und sprach: „Nimm dieses *Schwert*, auf dass du alle Feinde Christi verjagst, die Heiden [= Nichtchristen] und schlechten Christen, da durch Gottes Willen dir alle Macht im Frankenreich übertragen ist, zum [...] Frieden für alle Christen.“

Dann [...] legte [er] ihm den *Mantel* um und sagte: „Durch die bis auf den Boden herabreichenden Zipfel seist du daran erinnert, mit welchem Eifer [= Energie] du [...] bis zum Tod für die Sicherung des Friedens eintreten sollst.“

Darauf nahm er *Zepter und Stab* und sprach: „Durch diese Abzeichen bist du aufgefordert, [...] deine Untertanen zu leiten und [...] die Hand des Erbarmens [= Hilfe] zu reichen [...]“. Auf der Stelle wurde er [...] gesalbt und mit dem goldenen *Diadem* gekrönt [...]

und nachdem die rechtmäßige Weihe [= gemeint ist der religiöse Teil der Krönung] vollzogen war, wurde er von denselben Bischöfen zum *Thron* geführt, [...] und der war so [...] aufgestellt, dass er von da aus alle sehen und selbst von allen gesehen werden konnte.

Nachdem man dann das Lob Gottes gesungen [...] hatte, ging der König hinunter zur Pfalz, trat an die marmorne, mit königlicher Pracht *geschmückte Tafel* [= feierlich gedeckter Tisch] und nahm mit den Bischöfen und dem ganzen Adel Platz [...].
Der König aber ehrte danach einen jeden Fürsten [...] mit einem passenden Geschenk und verabschiedete die vielen Leute mit aller Fröhlichkeit.

Quelle: Ekkehart Rotter/Bernd Schneidmüller (Hg./Übers.): Widukind von Corvey: Res gestae Saxonicae/Die Sachsengeschichte (lat./dt.), Stuttgart: Reclam 1981, S. 105 – 109.

M4 Königskrönung Ottos I.

AUFGABEN

4* *Arbeite den genauen Ablauf der Königskrönung in Aachen (M4) heraus.*

5* *Analysiert M4 mithilfe von Standbildern.*

6 *Arbeitet aus der Quelle M4 heraus, wie Otto seine Herrschaft legitimierte.*

7 *Benennt die Herrschaftsinsignien und erklärt deren Bedeutung (M4). Geht besonders auf die Krone ein (M2, M4).*

M 1 Christus übergibt Schlüssel und Schwert, Buchmalerei 13. Jh.

INFO

Als **Investitur** bezeichnet man die Einsetzung eines Abtes oder Bischofs in sein Amt. Papst Gregor VII. forderte das Recht der Investitur für sich, um an Macht und Einfluss zu gewinnen. König Heinrich IV. aus der Herrscherfamilie der Salier sah darin eine Einmischung in seine Regierungsgeschäfte. Die Kirche war für die Verwaltung des Reiches besonders wichtig, weil die Bischöfe vom König oder Kaiser als Oberverwalter eingesetzt wurden. Deshalb setzte er weiter die Männer als Bischöfe ein, denen er vertraute. Den Machtkampf zwischen König und Papst nennt man **Investiturstreit**. Einen klaren Sieger hatte der Investiturstreit zunächst nicht, obwohl es vorübergehend so aussah, als sei Ruhe eingekehrt.
Beendet wurde der Streit mit einem Kompromiss – dem Wormser Konkordat (1122).

Wer ist mächtiger – König oder Papst?

„Gott, ist das kalt!", dachte er. Seit drei Tagen stand König Heinrich nun schon in ärmlicher Kleidung und ohne Schuhe im Schnee vor der Burg Canossa. „Das muss einfach Erfolg haben, Gregor kann sich nicht ewig querstellen. Er muss den Bann einfach lösen!", sagte er zu niemand Bestimmtem. Aber was war passiert?
Eigentlich fing alles ganz harmlos an. Heinrich IV. ernannte – wie die Könige vor ihm – Bischöfe und Äbte. „Also kein Grund zur Aufregung ...", meinte Heinrich. Aber dieses Verhalten missfiel Papst Gregor VII., denn er war der Meinung, dass Geistliche nicht von Laien, also Nichtgeistlichen, eingesetzt werden sollten. Deshalb drohte er Heinrich sogar mit der Exkommunikation. So etwas hatte Heinrich sich einfach nicht bieten lassen können, weshalb er den Papst kurzerhand abgesetzt hatte. Immerhin war Gregor selbst noch nach altem Brauch zum Papst ernannt worden. Aber Gregor hatte nicht wie gedacht klein beigegeben. Stattdessen hatte er den Konflikt weiter eskalieren lassen. Er hatte doch tatsächlich Heinrich aus der Kirche ausgeschlossen und seine Untertanen von der Treue gegenüber ihrem König entbunden. Eine Frechheit!
Und genau das war der Grund, weshalb Heinrich nun im Jahr 1077 in der Kälte stand. Die deutschen Fürsten hatten ihm ein Ultimatum gestellt: Entweder er schaffte es, dass der Papst den Kirchenbann löste, oder er konnte kein König mehr sein. Ein von Gottes Gnaden eingesetzter Herrscher musste schließlich Mitglied der Kirche sein!
Also hat Heinrich sich diesen Plan ausgedacht. Er erscheint als Büßer vor Gregor und dieser hat keine andere Wahl, als den Kirchenbann zu lösen. Denn als Geistlicher war Gregor dazu verpflichtet, Sündern, die ihre Sünden bereuten, zu vergeben. „Genial," lobte Heinrich sich selbst für seinen Einfallsreichtum.
Und tatsächlich! Gregor empfing Heinrich und löste den Kirchenbann. Erleichterung machte sich in Heinrich breit. Sein Plan war aufgegangen! Oder?

AUFGABEN

1 * *Analysiere M1.*
2 *Erkläre die Bedeutung der Redewendung „nach Canossa gehen".*
3 *Nenne die Ursachen für den Investiturstreit.*
4 *Recherchiere den weiteren Verlauf des Investiturstreits und erstelle einen Zeitstrahl bis 1122 (Internet).*
5 *Erstellt in Gruppen ein Plakat zur Frage: Wer ist mächtiger – der Papst oder der König?*

EXTRA

Wer ist mächtiger – der Kaiser oder die Fürsten?

M2 Angeblicher Fußfall Kaiser Friedrich Barbarossas (links, kniend) vor Heinrich dem Löwen (rechts zu Pferd) in Chiavenna 1176

Friedrich I. wird König

1152 wurde Friedrich I. in Frankfurt a. M. zum König gewählt. Wegen seines roten Bartes nannte man ihn Barbarossa (= Rotbart). Damit die anderen Fürsten ihn als König akzeptierten, musste der König Zugeständnisse machen. Barbarossa sicherte seine Herrschaft (wie die Könige vor ihm) durch das Lehnswesen. Um seine Machtposition zu festigen und zu sichern, baute Barbarossa viele Burgen und Kaiserpfalzen, z. B. Gelnhausen in Hessen.

Kaiser Friedrich I. unterliegt dem Papst

1159 wurde Friedrich I. römisch-deutscher Kaiser. Um die kaiserliche Macht zu stärken, führte er mehrere Italienfeldzüge. Dafür benötigte er die Hilfe seines Cousins und Vasallen Heinrichs des Löwen. Doch dieser weigerte sich und brach damit den Lehnseid. Ohne die Unterstützung seines Cousins musste der Kaiser die Macht des Papstes anerkennen. Das schwächte seine Position weiter.

Friedrich I. gegen Heinrich den Löwen

Heinrich der Löwe war ein mächtiger Rivale des Königs geworden. In Norddeutschland herrschte der Herzog von Sachsen wie ein König. Er weitete sein Herrschaftsgebiet sehr aggressiv aus. Das gefiel den anderen Fürsten nicht.

Die Fürsten klagten Heinrich an, Rechtsbrüche begangen zu haben. Der Kaiser setzte sich nicht wie früher für seinen Cousin ein. Denn er hatte nicht vergessen, dass dieser ihn im Stich gelassen hatte. Heinrich erschien jedoch nicht vor Gericht, um zu zeigen, dass er die Anklage für ungerechtfertigt hielt. Dieser Ungehorsam war eine Missachtung des Kaisers und der Fürsten. Auf dem Reichstag in Gelnhausen wurde Heinrich schließlich verurteilt. Er verlor seine Lehen und wurde ins Exil verbannt. Der König vergab die Lehen an andere Fürsten. Das vergrößerte deren Macht.

Nach dem Tod Friedrich Barbarossas setzte sich die Entwicklung fort: Die Fürsten bekamen immer mehr Privilegien und sogar das Gesetzgebungsrecht. Die Zentralgewalt wurde weiter geschwächt. Das ist die Grundlage des heutigen **Föderalismus**.

FACHBEGRIFF

Föderalismus
Der Begriff Föderalismus stammt aus dem Lateinischen und bedeutet Bündnis. Deutschland ist heute in 16 Teilstaaten (Bundesländer) unterteilt, die sich zur Bundesrepublik Deutschland zusammengeschlossen haben. Jedes Bundesland hat eine eigene Regierung, die Landesregierung, die die Interessen des Bundeslandes und seiner Menschen vertritt. Außerdem darf jedes Bundesland eigene Gesetze erlassen. Die politische Macht ist in Deutschland also zwischen Bund und Ländern aufgeteilt. Das Gegenteil eines förderalistischen Staates ist ein Zentralstaat.

AUFGABEN

6* *Analysiere M2 und formuliere Fragen an die Bildquelle.*

7* *Partnerarbeit: Erstellt mithilfe einer Internetrecherche einen Steckbrief zu Friedrich I. Barbarossa und Heinrich dem Löwen. Stellt euch anschließend die beiden Kontrahenten gegenseitig vor.*

8 *Nenne Gründe, die für bzw. gegen das Verhalten Heinrichs sprechen. Welche waren besonders wichtig?*

9 *Diskutiert, ob der Kaiser oder die Fürsten mächtiger waren.*

M1 Die mittelalterliche Ständegesellschaft (Holzstich von 1488), Hinweis: links „Tu supplex ora“ – „Du sollst demütig beten.“/ rechts: „Tu protege“ – „Du sollst beschützen.“/ unten: „Tuque labora“– „Und du arbeite.“

INFO

Die drei Gruppen der Geistlichen, des Adels und der Bauern nennt man auch **Stände**. Jeder Stand hatte bestimmte Regeln und Pflichten. Und weil die Gesellschaft in Stände unterteilt war, spricht man von einer **Ständegesellschaft**.
Menschen außerhalb dieser Ständeordnung galten als unehrenhaft oder unehrlich.

INTERNET

Die christliche Religion war zwar der Wegweiser der Menschen im Mittelalter, wurde aber auch durch die Mächtigen zur Machtsicherung ausgenutzt. Das QR-Code-Material erklärt die vermeintlich durch Christus legitimierte Ständegesellschaft.

Digital+

WES-112462-022

Gesellschaft im Mittelalter

Im Reich bildeten sich Gruppen heraus, denen man bestimme Aufgaben zuteilte: Die **Geistlichen** waren für das Seelenheil der Menschen verantwortlich. Klöster waren außerdem die Wissens- und Bildungszentren (= Lehrstand). Ritter boten Schutz (= Wehrstand) und die Bauern erwirtschafteten die Nahrungsmittel (= Nährstand). Diese Gesellschaftsordnung wurde als gottgewollt dargestellt. Ein Mensch wurde in den jeweiligen **Stand** (Ausnahme: Klerus) hineingeboren. Jeder Stand hatte bestimmte Regeln und Pflichten.
Die strikte Unterteilung der mittelalterlichen Gesellschaft aufrechtzuerhalten, wurde immer schwieriger, weil die Vielfalt größer wurde. Ein armer Landpfarrer hatte mehr mit den Bauern als mit einem reichen Erzbischof gemeinsam. Er lebte von den Dingen, die er in seinem Garten anbaute, oder vom Fleisch seiner Tiere.

Der christliche Glaube als Wegweiser

Eine wichtige Rolle spielte in der mittelalterlichen Gesellschaft das Christentum. Häufig drohte den Menschen ein früher Tod durch Krieg, Hunger, Krankheit oder Naturkatastrophen. Die Menschen sorgten sich daher, was nach dem Tod auf sie zukommen würde, und hatten Angst vor der Hölle. Deshalb strebten sie nach einem gottgefälligen Leben. Eine Anleitung zu diesem Leben lieferte die Kirche. Alle Bereiche des Lebens waren vom Glauben beeinflusst und die Menschen verstanden sich als Teil der göttlichen Ordnung. Deshalb akzeptierten sie ihre gesellschaftliche Stellung als von Gott gewollt. Allerdings gab es während des Frühmittelalters noch lange Zeit ein Nebeneinander von Heidentum und Christentum. Die Menschen beteten zwar in der Kirche, verehrten aber gleichzeitig weiter heidnische Götter oder baten diese in Krisenzeiten um Beistand.

AUFGABEN

1* *Beschreibe die Personen und deren Aufgaben in M1 und überlege, was die verschiedenen Abstände der Personen zu Christus aussagen sollen.*

2 *Erkläre, wie die Zeitgenossen die Ständegesellschaft begründeten.*

3 *Beurteile die mittelalterliche Ständegesellschaft aus heutiger Sicht.*

Leben auf dem Land

M 2 Bauernhaus im Mittelalter (Rekonstruktionszeichnung)

Das Leben der Bauern im Dorf

Viele Dörfer im Mittelalter hatten oft nur knapp 150 Einwohner. Die Bauernhöfe lagen meist direkt neben den Feldern, um die Ernte vor wilden Tieren oder Dieben zu schützen. Welches Getreide auf einem Feld angebaut werden sollte, bestimmte die Dorfgemeinschaft zusammen. Die Bauern innerhalb einer Dorfgemeinschaft waren entsprechend voneinander abhängig. Sie mussten miteinander arbeiten, um das eigene Leben und das Leben der Familie zu sichern.

Die Dorfbewohner besaßen und nutzten neben den umliegenden Feldern auch Wälder und Wiesen gemeinschaftlich, die als **Allmende** allen gehörten. Die daraus erwirtschafteten Erträge wurden unter der gesamten Gemeinschaft aufgeteilt. Es gab dabei oft Streitigkeiten. Deswegen versammelten sich die Dorfbewohner regelmäßig, um Auseinandersetzungen beizulegen. Der Dorfvorsteher bemühte sich dabei um gerechte Lösungen und die Organisation des Zusammenlebens.

Lebenserwartung

Die Sterblichkeit der Menschen im Mittelalter war hoch. So wohnten die meisten Bauern mit ihren Tieren in einem Gebäude, um die Raumtemperatur im Winter zu erhöhen, was lebensnotwendig war. Dieses enge Zusammenleben begünstigte jedoch die rasche Ausbreitung hochansteckender Krankheiten aufgrund der mangelnden Hygienebedingungen. Beides trug, besonders bei Kindern, zu einer hohen Sterblichkeit bei. Knapp die Hälfte der Kinder erreichte nicht das Erwachsenenalter. Dadurch war die Lebenserwartung der Menschen im Mittelalter generell recht niedrig.

Fortschritte in der Landwirtschaft

Bei der Bewirtschaftung der Felder fiel Bauern auf, dass sich durch die dauerhafte Nutzung der Böden der Ertrag des Getreides verringerte. Um einen höheren bzw. gleichbleibenden Ertrag zu erhalten, musste der Boden immer wieder brach liegen, damit er nicht zu viele Nährstoffe verlor. Durch die Dreifelderwirtschaft war das möglich: Jeder Bauer bearbeitete zeitgleich drei Felder. Auf dem einen wurde Sommergetreide angebaut (Hafer, Gerste), auf einem anderen Wintergetreide (Weizen, Roggen, Dinkel). Auf dem dritten Feld wurde nichts angebaut (Brache). Der unbebaute Boden erholte sich und die Bauern konnten jedes Jahr auf zwei Feldern ernten. Das brachte höhere Ernten, mit denen die wachsenden Städte versorgt werden konnten. Auch neue technische Geräte erleichterten die Feldarbeit: Der Räderpflug zum schnelleren und tieferen Ackern, Sensen aus Eisen zum Mähen von Getreide und Gras sowie hölzerne Dreschflegel zum Lösen der Getreidekörner aus den Ähren wurden entwickelt.

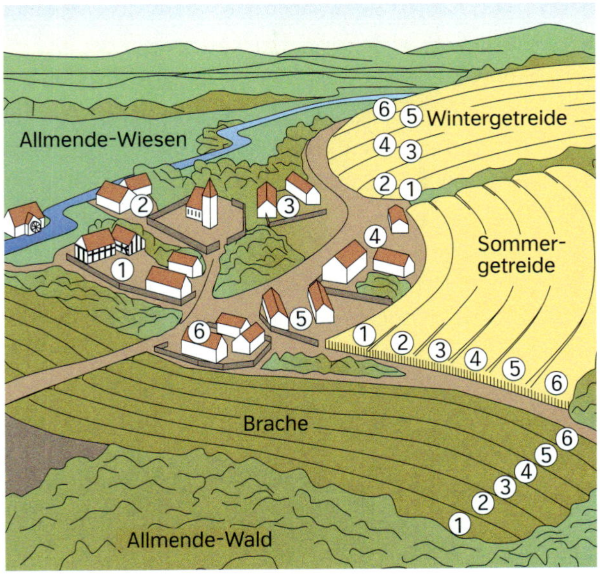

M 3 Schematische Darstellung der Dreifelderwirtschaft; zu jedem Bauernhof gehören drei Felder.

AUFGABEN

4 *Nenne Gründe für die hohe Sterblichkeit der Menschen (M2).*

5 *Erkläre die Dreifelderwirtschaft (M3).*

6 *Erkläre die Bedeutung der Dorfgemeinschaft für die Nutzung der Allmende (M3).*

Die Grundherrschaft

Grundherr und Grundhörige

Die meisten Bauern im Mittelalter waren nicht frei – sie unterstanden einem Grundherrn, dem das Land gehörte, auf dem sie lebten. Die sogenannte **Grundherrschaft** bezeichnet ein Herrschaftsverhältnis im ländlichen Raum zwischen einem Grundherrn und einem Hörigen (mehrheitlich unfreie Bauern). Ein Grundherr konnte der König, ein Adliger, ein Bischof oder auch ein gesamtes Kloster sein. Hörige waren mehrheitlich Bauern, die arm und vollkommen abhängig oder gelegentlich wohlhabender und weniger abhängig vom Grundherrn waren. Der Grundherr überließ dem Hörigen ein Stück seines Landes (**Hufenland**) zur Bewirtschaftung, sorgte für den Schutz des Hörigen und seiner Familie und hielt für diesen Gericht (rechtlicher Beistand). Wichtige Entscheidungen wie Heirat oder Umzug durfte der Bauer nur mit der Genehmigung seines Grundherrn treffen. Die Hörigen waren dem Grundherrn im Gegenzug bis zu 35 Tage pro Jahr zu Frondiensten verpflichtet, welche vor allem Arbeiten auf den Feldern und dem Hof des Grundherrn umfassten. Zusätzlich mussten die Hörigen Abgaben an den Grundherrn leisten, die meist ein Drittel der erwirtschafteten Einkünfte umfassten. Zusätzlich mussten die Hörigen eine verbindliche Abgabe an die Kirche bzw. den örtlichen Pfarrer leisten. Diese Abgabe wurde als Zehnt bezeichnet, also ein Zehntel der Einkünfte des Hörigen.

Freie Bauern

Die freien Bauern hatten die Pflicht, dem König im Heer zu dienen, was jedoch mit hohen Kosten, wie z. B. für die Ausrüstung, verbunden war. Die Kriegszüge waren oft lang und fielen häufig in die Erntezeit, was die Situation zusätzlich erschwerte. Trotzdem genossen die freien Bauern gewisse Vorrechte: Sie hatten die Möglichkeit, sich frei zu bewegen und über ihre Höfe und Felder zu verfügen. Zudem waren sie vor willkürlichen Verhaftungen geschützt und konnten nicht ohne angemessenen Grund vor Gericht zu Körperstrafen wie Prügel verurteilt werden.

Diese Rechte standen jedoch oft im Widerspruch zur Realität ihres Lebens. Denn obwohl sie formal als frei galten, waren sie oft an einen Grundherrn gebunden und mussten mindestens als Vasallen dienen, wenn nicht sogar in gewisser Weise Knechtschaft ertragen. Diese Bindungen beschränkten ihre Freiheit und machten sie abhängig von den Entscheidungen ihrer Grundherren.

M 2 Hörige Bauern arbeiten unter Aufsicht für ihren Grundherrn (Buchmalerei, um 1300).

M 1 Leben auf dem Land. links: ein mittelalterliches Dorf; rechts: Bauern bringen dem Grundherrn Geld, Nutztiere und Naturalien (Rekonstruktionszeichnungen).

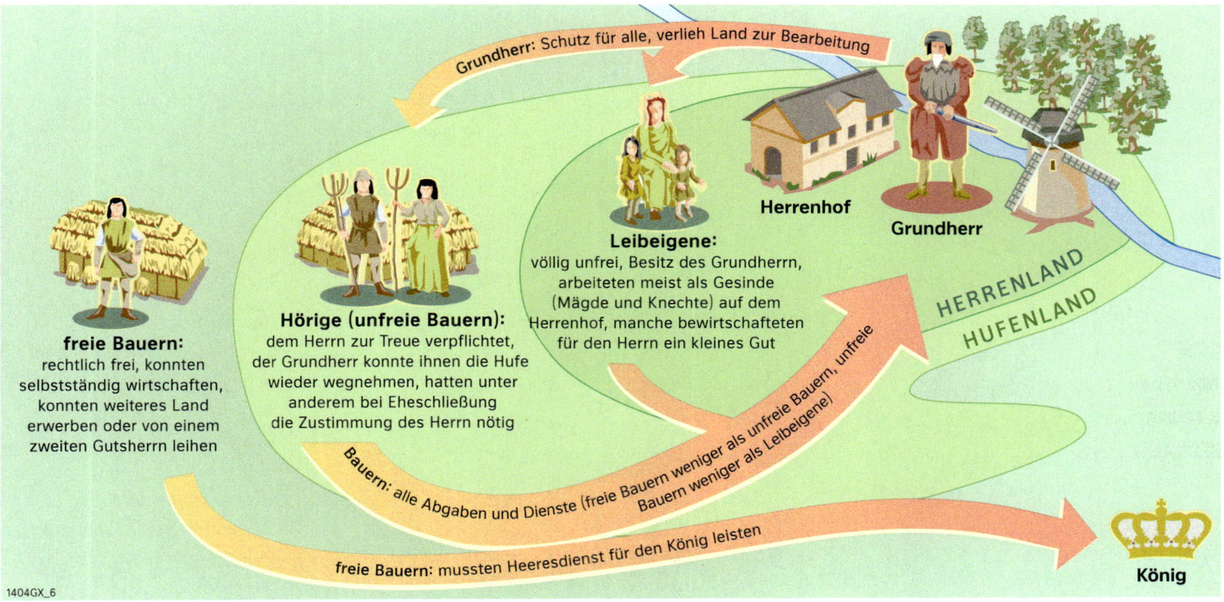

M 3 Die Grundherrschaft

Wilhelm: „Grüß dich, Georg, hast du einen Moment Zeit für mich? Ich muss dringend etwas loswerden, was mich die letzten Tage sehr beschäftigt hat. Ich habe beschlossen, meine Freiheit aufzugeben und dem Grundherrn zu dienen."

Georg: „Das überrascht mich! Warum möchtest du deine Freiheit aufgeben?"

Wilhelm: „Es ist eine Frage des Überlebens, Georg. Trotz meiner vermeintlichen Freiheit bin ich in Wirklichkeit recht schutzlos. Das Bewirtschaften meines kleinen Stückes Land erfordert unermüdliche Arbeit. Die Felder zu bestellen, das Vieh zu versorgen – all das ist eine tägliche Herausforderung. Und im Leben selbst ... Krankheiten, Verletzungen, plötzliche Probleme können alles zunichtemachen. Denk nur an die Dürre ... Letztes Jahr vernichtete sie meine Ernte, und ich stand allein da. Doch wenn ich dem Grundherrn als Höriger diene, erhalte ich in Zeiten der Not von ihm Unterstützung und vor allem Schutz. Außerdem kann ich mit seiner Hilfe ein größeres Stück Land bewirtschaften, um meine Familie besser zu versorgen."

Georg: „Doch bedeutet das nicht, dass du deine Selbstbestimmung aufgibst und dem Willen eines anderen unterwirfst?"

Wilhelm: „Gewiss, Georg. Doch betrachte es als eine Entscheidung zum Wohl meiner Familie. In diesen unsicheren Zeiten müssen wir manchmal Opfer bringen, um das Überleben unserer Lieben zu sichern."

Georg: „Deine Worte sind wohlbedacht, Wilhelm. Auch wenn ich deine Entscheidung nicht vollständig nachvollziehen kann, so ist sie verständlich."

M 4 Nach dem Sonntagsgottesdienst unterhält sich der freie Bauer Wilhelm mit dem unfreien Bauern Georg.

AUFGABEN

1 * *Erstelle eine Tabelle, in der die Leistungen der unfreien Bauern, der freien Bauern und der Grundherren genannt werden (M1, M2).*

2 *Erkläre, warum sich viele Bauern freiwillig für das Leben als Hörige entschieden haben (M4).*

3 *Erkläre das in M1 und M2 dargestellte Geschehen. Was sagt die Körperhaltung der Personen über das Verhältnis von Grundherren zu dem Bauern aus?*

4 *Bewerte das Leben eines freien Bauern im Mittelalter (M3, M4).*

Ⓐ Turmverlies
Ⓑ Bergfried (mächtigster und sicherster Turm der Burg)
Ⓒ Herrenhaus (Palas)
Ⓓ Kapelle
Ⓔ Burgmauer
Ⓕ offener Wehrgang
Ⓖ Zinnen mit Schießscharten
Ⓗ Toilettenerker
Ⓘ Ziehbrunnen
Ⓙ Viehstall
Ⓚ Burggarten
Ⓛ Waschküche
Ⓜ Schmiede
Ⓝ Burgtor mit Fallgatter
Ⓞ Zugbrücke
Ⓟ Burggraben

M 1 Eine Burganlage des Mittelalters (Rekonstruktionszeichnung)

Leben auf der Burg

Die Burgen des Mittelalters waren große befestigte Anlagen, die sich aus verschiedenen Gebäuden zusammensetzten. Burgen dienten in erster Linie zur Bewachung und zum Schutz von Handelswegen und Grenzen. Sie waren außerdem Verteidigungsanlagen und wurden deshalb immer an sicheren Plätzen gebaut: Auf Bergkuppen oder an schwer zugänglichen Steilhängen standen die Höhenburgen. Die Wasserburgen waren durch tiefe, breite und mit Wasser gefüllte Gräben geschützt.

Funktionen einer Burg

Um wichtige Burgen herum entstand im Laufe der Zeit oft ein Dorf oder eine kleine Stadt. Deren Bewohner konnten die Burg bei Gefahr oder im Krieg als Zufluchtsort nutzen. Burgen dienten nicht nur der Verteidigung und dem Schutz. Sie waren auch wichtige Verwaltungs- und Handelszentren und somit der politische und wirtschaftliche Mittelpunkt für eine Region.

Die Bewohner der Burg

In der Burg lebten neben dem Burgherrn Köche, Mägde und Knechte, bewaffnete Dienstleute und Handwerker. Der Burgherr war in der Regel ein Ritter, der die Burg und das dazugehörige Land verwaltete. Als Vasall eines Königs oder Fürsten musste er hauptberuflich als Reiterkrieger dienen. Um diese Berufung finanzieren zu können, überließ der Burgherr ansässigen Bauern seine Ländereien und erhielt als Gegenleistung Abgaben und forderte Frondienste ein (Grundherrschaft). Die Frau des Burgherrn war mehrheitlich für die Erziehung ihrer Töchter zuständig. Sie unterrichtete die Mädchen im Lesen, Schreiben, Musizieren, in Dichtkunst und gesellschaftlichen Umgangsformen. Ziel war es, dass die Töchter auf ihre Rolle als zukünftige Ehefrau eines Ritters vorbereitet wurden.
Die Angestellten auf einer Burg kümmerten sich um die Versorgung der Menschen und Tiere, die Lagerung von Lebensmitteln und sie erledigten Reparaturen und die Instandhaltung der Burganlage.

M 2 Die Ronneburg bei Hanau

M 3 Ritter und Knappe, Buchmalerei, Anfang 14. Jahrhundert

Die Erziehung eines Jungen zum Ritter

Jeder Sohn eines Burgherrn musste mit sieben Jahren das Elternhaus verlassen: Als Page kam er auf die Burg eines befreundeten Ritters und lernte dort reiten, fechten, aber auch singen, tanzen und Anstandsregeln. Ab dem 14. Lebensjahr diente der Junge dem Burgherrn als Knappe und lernte in dieser Zeit den Schwertkampf, das Bogenschießen und das Reiten mit Rüstung. Mit 21 Jahren wurde der Knappe durch den Ritterschlag zum Ritter. Dabei leistete er den Rittereid (Schwur): Er werde tapfer, treu und mutig den christlichen Glauben verteidigen, Frauen höflich behandeln und alle Schwachen, Waisen und Witwen beschützen. Von nun an durfte der Ritter sein eigenes Wappen tragen, musste aber für die gesamte Ausrüstung wie Schwert, Schild, Rüstung und Pferd selbst aufkommen.

Fehden und Raubrittertum

Als erstgeborener Sohn hatte ein Ritter das Recht, nach dem Tod des Vaters die Burg und das Umland zu übernehmen. Kompliziert wurde es dann, wenn ein Burgherr mehrere Söhne hatte, denn durch das Erstgeborenenrecht erbte nur der erste Sohn die Burg, wodurch die jüngeren Brüder leer ausgingen. Im Verlauf des Mittelalters spannte sich diese Lage immer weiter an, da die Anzahl der Ritter stetig wuchs und kaum neue Burgen gebaut wurden.

Aus dieser Situation heraus entwickelten sich viele gewaltsame Konflikte zwischen Rittern und Burgherren (Fehden). Viele burgenlose Ritter wurden deshalb Raubritter. Sie zogen durch das Land, raubten meist gewaltsam Dörfer aus, brannten diese nieder oder versuchten, Burgen zu zerstören oder zu erobern.

Gleichgültig, ob eine Burg auf einem Berg oder in der Ebene steht, so ist sie auf jeden Fall nicht für die Behaglichkeit, sondern zur Wehr erbaut, mit Gräben und Wall umgeben, innen von bedrückender Enge, zusammengepfercht mit Vieh- und Pferdeställen, Dunkelkammern vollgepfropft mit [...] Waffen und Kriegsgerät. Überall stinkt [es]. Und welch ein Lärm! Da blöken die Schafe, brüllt das Rind, bellen die Hunde, auf dem Feld schreien die Arbeiter, die Wagen und Karren knarren [...]

Quelle: Heinrich Pleticha: Ritter, Burgen und Turniere. Würzburg 1969, S. 25

M 4 Bericht des Ritters Ulrich von Hutten

INTERNET

Spurensuche in einer mittelalterlichen Ritterburg

Digital+

WES-112462-027

AUFGABEN

1* *Ordne den Zahlen in der Burganlage M1 die richtige Benennung zu (A–P).*

2 *Nenne die Funktionen einer mittelalterlichen Burg.*

3 *Beurteile, wie der Alltag auf einer Burg gewesen sein muss (M4).*

4 *Begründe, warum sich das Fehdewesen im Mittelalter im Verlauf der Epoche immer stärker ausprägte.*

5* *Laut Duden bedeutet ritterlich sein, sich anständig und fair zu verhalten. Beurteile diese Definition kritisch.*

① Geflügelzucht; ② Gemüsegarten; ③ Friedhof; ④ Spital; ⑤ Arzt und Apotheke; ⑥ Abthaus; ⑦ Klosterschule für die Söhne des Adels, Bibliothek, Schreibstube; ⑧ Schlafsaal; ⑨ Kornscheune; ⑩ Wohnhäuser der Handwerker; ⑪ Brauerei, Mühle, Bäckerei; ⑫ Küche; ⑬ Herberge für vornehme Gäste; ⑭ Klosterkirche; ⑮ Stallungen (Pferde, Kühe, Ziegen, Schweine, Schafe); verdeckt sind Kreuzgang, Bad, Wirtshausgebäude

M 1 Rekonstruktionszeichnung des mittelalterlichen Klosters in St. Gallen (Schweiz)

Leben im Kloster

Bete und arbeite!

Im europäischen Mittelalter war das gesamte Leben vom christlichen Glauben geprägt. Um ihre Seele zu retten, schenkten viele Menschen ihren Besitz der Kirche. Andere wollten oder mussten mit ihrem ganzen Leben nur Gott dienen. In einem Kloster hatten Menschen die Möglichkeit dazu. Dort lebten und arbeiteten sie nach den strengen Regeln eines **Ordens**. Durch die zu dieser Zeit übliche Trennung der Geschlechter entstanden reine Frauenklöster mit Nonnen bzw. Männerklöster mit Mönchen. Das Klosterleben war so geregelt, dass sich die Klostergemeinschaft selbst versorgen konnte und sich alles Notwendige innerhalb der Klostermauern befand. Außerdem mussten sich die Nonnen und Mönche an einen streng geregelten Tagesablauf im Kloster halten, der je nach Orden variierte.

Der Beitritt ins Kloster

Eltern schickten ihre Töchter und Söhne oft in ein Kloster. Diese Entscheidung war mehrheitlich unfreiwillig und hatte oft finanzielle Gründe. Gaben Eltern ihr Kind in ein Kloster, konnten sie die finanzielle Verantwortung abgeben, was für arme Familien eine enorme Erleichterung war. Ein weiterer Grund war, dass die Kinder im Kloster für das Seelenheil der Familie außerhalb der Klostermauern beten mussten. Zusätzlich dazu gaben auch Adlige ihre Kinder dort ab, um z. B. Erbstreitigkeiten bei mehreren Söhnen zu vermeiden.

Bevor jemand in die Klostergemeinschaft als Nonne oder Mönch aufgenommen wurde, musste der Neuankömmling (Novize) eine dreijährige Prüfungszeit im Kloster durchlaufen. Nach Ablauf der Probezeit legte der Novize ein Gelübde (ein Versprechen an Gott) ab. Dieses Versprechen umfasste drei Dinge: (1.) In Zukunft ohne Besitz und damit in Armut zu leben, (2.) sexuell enthaltsam zu sein und nicht zu heiraten und (3.) dem Abt bzw. der Äbtissin (= Vorsteher/-in des Klosters) zu gehorchen und dem Kloster immer treu zu bleiben.

FACHBEGRIFF

Unter einem **Orden** versteht man einen Zusammenschluss von Männern oder Frauen, die gemeinsame religiöse Ziele verfolgen. Christliche Orden leben z. B. in Klöstern. Die Anhänger folgen festen Regeln. Man bezeichnet sie als Ordensgemeinschaft.

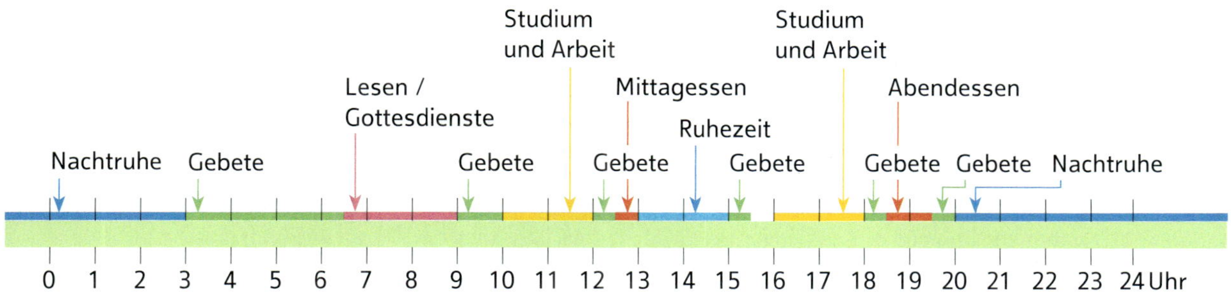

M 2 Tagesablauf in einem Kloster im Mittelalter

Klöster als Ort des Wissens

Klöster waren aber nicht nur Stätten des Gebets und der Arbeit, sondern auch Orte, an denen Wissen über verschiedene Lebensbereiche aufbewahrt und weitergegeben wurde. In vielen Klöstern gab es Schreibstuben (Scriptorien), in denen Mönche oder Nonnen Bücher sorgfältig von Hand abschrieben und kunstvoll verzierten, da der Buchdruck zu diesem Zeitpunkt noch nicht erfunden worden war. Viele Klöster besaßen umfangreiche Büchersammlungen, oft wurden aber auch Bücher aus anderen Klöstern ausgeliehen, abgeschrieben oder übersetzt, um den eigenen Buchbestand zu vergrößern. Dabei handelte es sich um Schriften über Religion, Landwirtschaft, Musik, Medizin oder die Liebe.

(Kloster-)Schulen entstehen

Ein Mindestmaß an Bildung war für die Novizen eines Klosters notwendig, um sich später mit den Schriften auseinandersetzen zu können. Deshalb entwickelten sich in vielen Klöstern Schulen, wo Mönche als Lehrer die Novizen beschulten. Manche Klöster ermöglichten auch Kindern außerhalb der Klostermauern die Teilnahme am Unterricht. Das war aber meist nur für adlige Kinder und mehrheitlich Jungen möglich, da diese häufig nicht bei der Arbeit helfen mussten.

EXTRA

Hildegard von Bingen (1098 – 1179)

Hildegard von Bingen war eine deutsche Nonne und Äbtissin, die sich mit verschiedenen Themen wie Religion, Medizin, Ethik und Musik beschäftigte. Als größte Leistung wird Hildegard zugesprochen, dass sie das damalige Wissen über Krankheiten und Pflanzen aus den griechisch-lateinischen Gelehrtentexten mit dem Wissen aus der Volksmedizin zusammenführte. Sie suchte nach Gemeinsamkeiten und Unterschieden aus der Wissenschaft und der mittelalterlichen Lebenswelt der einfachen Menschen und führte in ihren Schriften die deutschen Pflanzenbezeichnungen ein, die vorher nur in lateinischer Sprache verwendet wurden. Zwar entwickelte sie keine eigenen medizinischen Verfahren, aber sie verschriftlichte persönliche Ansichten über die Entstehung von Krankheiten, Körperlichkeit und Sexualität. Hildegard von Bingen vertrat außerdem die Meinung, dass körperliche und mentale Beschwerden miteinander zusammenhängen und sich wechselseitig beeinflussen.

AUFGABEN

1* *Erstelle mithilfe des Textes und M1 eine Mindmap zum Thema „Das Kloster im Mittelalter".*

2 *Der Eintritt ins Kloster bedeutete, dass viele strenge Regeln eingehalten werden mussten. Nenne solche Regeln.*

3 *Erkläre die Aussage „Ein Kloster war wie eine unabhängige Stadt" mithilfe von M1.*

4 *a) Stelle deinen eigenen Tagesablauf in Form eines Zeitstrahls dar.*
b) Vergleiche deinen Tagesablauf mit M2.

5 *Erkläre, warum Klöster im Mittelalter Orte der Wissenschaft waren.*

6 *Erkläre, welche besonderen Leistungen der Nonne Hildegard von Bingen zugesprochen werden.*

Der Islam – eine neue religiöse Macht entsteht

Mohammed – Begründer des Islam

Mohammed wurde um das Jahr 570 n. Chr. in Mekka geboren. Mekka war im Mittelalter eine reiche Handelsstadt auf der Arabischen Halbinsel. Mohammed lernte den Beruf des Kaufmanns. Auf seinen Reisen begegnete er Juden und Christen, die ihm von ihren Religionen erzählten. Um das Jahr 610 n. Chr. soll ihm im Schlaf der Erzengel Gabriel erschienen sein. Dieser ließ Mohammed in einem Buch, dem Koran, lesen. Von nun an verkündete Mohammed, dass es nur einen Gott gibt: Allah. Mit der Zeit konnte er immer mehr Menschen von diesem neuen Glauben überzeugen. Er wurde so zum religiösen Führer des Islam. Gleichzeitig ernannten ihn Pilger aus Medina zu ihrem weltlichen Herrscher, der über den westlichen Teil der Arabischen Halbinsel regierte.

Der islamische Glaube

Das Wort „Islam" bedeutet „Unterwerfung unter Gott". Es handelt sich um eine monotheistische Religion, deren heilige Schrift der Koran ist. Das gesamte Leben eines Muslims orientiert sich daran. Im Koran sind die wichtigsten Regeln des Islam verschriftlicht.

Im muslimischen Glauben ist Mohammed der Prophet, der von Allah beauftragt wurde, die islamische Religion zu verkünden. Mekka, der Geburts- und Wohnort von Mohammed, ist seit dem Tod des Propheten das höchste Heiligtum der Muslime.

Das gemeinsame Gebet findet mehrheitlich in Moscheen statt. Diese religiösen Begegnungsorte sind in Richtung Mekka gebaut. Frauen und Männer beten getrennt voneinander, um sich ohne Ablenkung auf das Gebet einlassen zu können.

M 2 Der Erzengel Gabriel erscheint Mohammed. In dieser muslimischen Darstellung wird Mohammed bewusst nicht gezeigt.

In der muslimischen Religion gibt es ein Leben nach dem Tod. Nachdem ein Muslim gestorben ist, muss er sich vor Allah in Hinblick auf den eigenen Glauben und die eigenen Überzeugungen rechtfertigen. Nur wenn beides auf der Erde gewissenhaft gelebt wurde, gelangt der Tote in das Paradies, andernfalls führt sein Weg in die Hölle.

M 1 Die fünf Säulen des Islam

M3 Die Ausbreitung des Islam

Im Namen Allahs – die Ausbreitung des Islam

Nach dem Tod Mohammeds 632 n. Chr. übernahmen Kalifen als dessen „Nachfolger" die religiöse und weltliche Herrschaft über die muslimischen Gebiete. Genau wie bei Mohammed wollten viele Kalifen eine Ausbreitung des Islam begünstigen, da die Verbreitung der Religion im Koran als Verpflichtung aufgeführt wird. Mithilfe von bewaffneten Kriegern eroberten sie innerhalb kurzer Zeit weitreichende Gebiete bis nach Europa. Viele Muslime legten den Koran so aus, dass die Teilnahme am „heiligen Krieg", also das aktive Vorgehen gegen Andersgläubige, eine Aufgabe für jeden muslimischen Menschen sei. Aufgrund dessen waren viele Muslime sehr motiviert, sich an den Eroberungen zu beteiligen. Aber nicht nur deshalb breitete sich der Islam so rasch aus.

Ihr erhaltet Schutz und wir verpflichten uns, euch zu verteidigen unter der Bedingung, dass ihr jedes Jahr für jeden erwachsenen Mann Steuern gemäß euren Möglichkeiten entrichtet. Wenn wir jemanden von euch um Unterstützung bitten, so gilt diese Unterstützung anstelle der Bezahlung als Steuer. Die Bewohner erhalten Sicherheit für sich und ihren Besitz, ihre Religionen und ihre Gesetze. Alles wird beibehalten wie bisher, solange ihr Abgaben leistet.

Quelle: Lewis, B.: Der Islam von den Anfängen bis zur Eroberung von Konstantinopel. 1. Band, Die politischen Ereignisse und die Kriegsführung. Zürich 1981, S. 329.

M4 Vertrag von 639

Glaubensfreiheit für Andersgläubige

Während der Expansion versuchten die meisten Muslime nicht, Andersgläubige gewaltsam zum Islam zu zwingen. Stattdessen duldeten sie, dass Christen und Juden ihre Religion ausübten, solange sie Steuern zahlten. Dies geschah, weil der Islam gewisse Gemeinsamkeiten mit dem Judentum und dem Christentum hat, was dazu führte, dass Muslime diese Religionen in gewissem Maße tolerierten. Trotzdem waren Christen und Juden rechtlich und sozial den Muslimen untergeordnet. Viele Angehörige dieser Glaubensrichtungen konvertierten deshalb zum Islam, um gewisse Privilegien zu erlangen. Jedoch war die Religionsfreiheit für Anhänger anderer Glaubensrichtungen stark eingeschränkt; sie mussten zum Islam konvertieren oder riskierten den Tod.

AUFGABEN

1 *Überlege dir, welche der Regeln schwer im Alltag einzuhalten sein könnte (M1).*

2* *Erkläre, warum auf M2 Mohammed nicht gezeigt wird.*

3 *Beschreibe mithilfe von M3 die Ausbreitung des Islam.*

4* *Erstelle eine Mindmap zur Religion des Islam.*

5 *Die Textquelle M4 zeigt dir ein besonderes Verhältnis der muslimischen Eroberer zu Juden bzw. Christen auf. Beschreibe ihr Verhältnis zueinander.*

M1 Die Alhambra in Granada (Spanien) ist eine riesige Burg. Sie ist etwa 740 m lang und 220 m breit. Erbaut wurde sie von muslimischen Herrschern und war ihr Palast.

Islamische Einflüsse in Europa

Christen und Muslime leben zusammen

Das Zusammenleben von Christen und Muslimen in Europa war mehrheitlich von Spannungen geprägt. Es kam immer wieder zu Konflikten, Ausgrenzung, Gewalt und Diskriminierung zwischen den beiden religiösen Gruppen. Dennoch gab es zeitlich und räumlich begrenzte Ausnahmen, insbesondere in einigen spanischen und sizilianischen Städten sowie Regionen. Dort herrschte zeitweise eine ruhigere Atmosphäre unter muslimischer Herrschaft, bis diese Gebiete im 15. Jahrhundert von christlichen Herrschern zurückerobert wurden.

Toleranz und kultureller Austausch

Vor allem in Spanien und Sizilien entstand trotz der vorherrschenden Spannungen ein gewisses Miteinander zwischen Muslimen und Christen in den besetzten christlichen Regionen. Muslimische Herrscher ließen dort zahlreiche Gebäude errichten, die auch den europäischen Christen und Juden zugänglich waren. In Schulen, Badehäusern, Bibliotheken und Krankenhäusern trafen die verschiedenen religiösen Gemeinschaften aufeinander und es kam zu einem gewissen kulturellen Austausch.

Toledo und Córdoba

Insbesondere in den Städten Toledo und Córdoba kam es zu einem bedeutenden kulturellen Austausch zwischen Christen und Muslimen. In diesen Städten wurden Bibliotheken errichtet, die zu Zentren des Wissens und der kulturellen Vielfalt wurden. Christliche Wissenschaftler erlangten Zugang zu den Schriften antiker Philosophen und Wissenschaftler, die zuvor im Arabischen verfügbar waren. Durch Übersetzungen aus dem Arabischen ins Lateinische konnten christliche Gelehrte das Wissen von antiken Mathematikern, Medizinern und Astronomen nutzen. Diese Übersetzungen trugen zu einem bedeutenden Wissensaustausch zwischen den Kulturen bei und hatten einen nachhaltigen Einfluss auf die Entwicklung des europäischen Denkens.

Viele Christen lesen die arabischen Dichtungen und Geschichten oder studieren die Schriften der moslemischen Theologen [= Glaubenslehrer] und Philosophen [= Denker] [...], um zu lernen [...]. Alle gebildeten jungen Christen kennen die arabische Sprache und Literatur und sammeln mit großen Kosten eine solche Bibliothek.

Quelle: Orlandi, E. (Hrsg.): Mohammed und seine Zeit. Wiesbaden 1967. S. 52

M2 Aus einem Bericht des Bischofs von Córdoba aus dem Jahr 850

INFO

Toleranz bedeutet, dass man einen anderen Menschen so achtet, wie er ist. Man erkennt fremde Überzeugungen, Sitten, Handlungsweisen oder auch Religionen an, obwohl sie den eigenen Überzeugungen widersprechen.

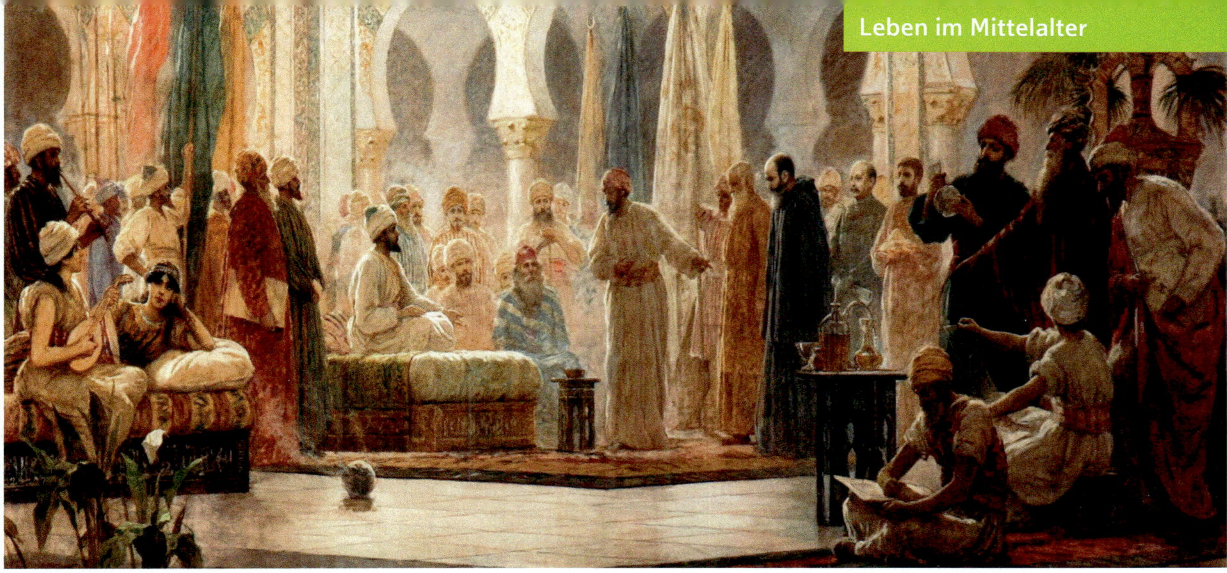

M3 Versammlung von christlichen und muslimischen Gelehrten (Gemälde von Dionisio Baixeras, 1885)

Europäer und Araber lernen mit- und voneinander

Antike römische und griechische Schriften gelangten durch Eroberungszüge muslimischer Heere in die Hände arabischer Gelehrter. Diese beschäftigten sich intensiv mit den Schriften und entwickelten die darin enthaltenen Ideen in den Bereichen der Medizin, der Philosophie, der Mathematik und der Geografie weiter und verschriftlichten ihre neu gewonnenen Erkenntnisse.

Arabische Ärzte erforschten Heilpflanzen und deren Wirkung, führten schwierige Operationen mithilfe von chirurgischen Instrumenten an Menschen durch und gaben ihr Wissen an Universitäten weiter. Erste öffentliche Krankenhäuser gab es in muslimisch geprägten Regionen bereits im 9. Jahrhundert.

In der Mathematik schafften es arabische Wissenschaftler, die Umlaufbahnen von Sonne, Mond und den Planeten zu berechnen. Dies war die Grundlage zur Veränderung des Weltbildes zu Beginn der Neuzeit. Der italienische Mathematiker Leonardo Fibonacci machte die arabischen Zahlen (1, 2, 3, 4 ...) sowie die bis dahin unbekannte Zahl Null in Italien bekannt. Kurze Zeit später wurden diese arabischen Zahlen anstelle der lateinischen (I, II, III, IV ...) in ganz Europa verwendet.

Eine Innovation im landwirtschaftlichen Bereich war die Entwicklung von Bewässerungssystemen für regenarme und trockene Regionen. Mithilfe von Wassermühlen konnten karge Landschaften das ganze Jahr über mit Wasser versorgt und landwirtschaftlich betrieben werden.

Viele der arabischen Schriften wurden im 12. Jahrhundert ins Lateinische übersetzt, wodurch das darin enthaltene Wissen nun auch für europäische Gelehrte und Wissenschaftler zugänglich wurde und sich in Europa ausbreitete.

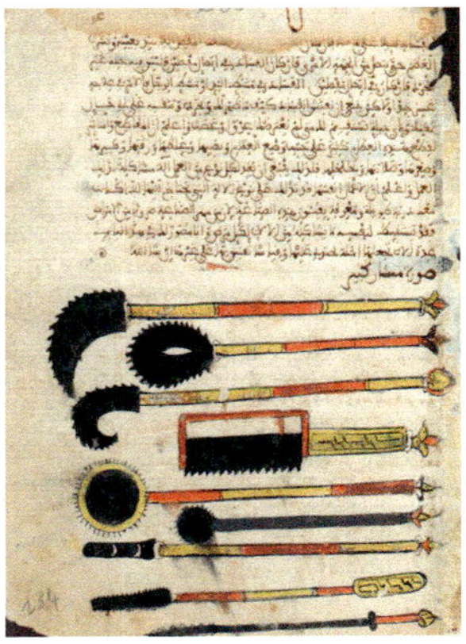

M4 Das Manuskript des Al-Tasrif ist ein 30 Bände umfassendes Lexikon aus dem 11. Jh.
Der muslimische Arzt Albucasis schreibt in dem Werk über unterschiedliche medizinische Themen. Auch Zeichnungen und Anwendung von medizinischem Werkzeug sind dort zu finden.

AUFGABEN

1 *Nenne Errungenschaften, die sich in Europa erst durch muslimische Gelehrte etablierten.*

2 *Erkläre, warum sich einige Christen mit den arabischen Schriften auseinandersetzten (M2).*

3 *Erkläre, warum die dargestellte Situation in M3 eine absolute Ausnahme gewesen sein muss.*

4 *Bewerte am Beispiel von M4 die Bedeutung des kulturellen Austausches.*

M1 Jerusalem – heiliger Ort dreier Religionen: ① Islam: Al-Aqsa-Moschee; ② Judentum: Klagemauer; ③ Christentum: Grabeskirche

Die Kreuzzüge

Jerusalem – heiliger Ort für drei Religionen

Die Stadt Jerusalem ist ein zentraler religiöser Ort für die drei großen monotheistischen Religionen. Für Christen gilt sie als heilig, da diese glauben, dass Jesus hier gekreuzigt wurde und von den Toten auferstand. Juden betrachten Jerusalem als heiligen Ort, da König Salomon hier einst einen prächtigen Tempel zu Ehren ihres Gottes errichtete. Zudem hat Jerusalem eine bedeutende Stellung im Islam, da es der Ort sein soll, von dem aus der Prophet Mohammed in den Himmel aufgefahren sei.

Christen folgen dem Aufruf des Papstes

Im 7. Jahrhundert wurde Jerusalem im Zuge der schnellen Ausbreitung des Islam im Jahr 638 von muslimischen Arabern erobert, was dazu führte, dass die Stadt unter muslimische Herrschaft geriet. Mit dem Vorrücken der Seldschuken wurde Kaiser Alexios I. von Byzanz zunehmend besorgt, da er eine Bedrohung seiner Reichsgrenzen sah. Um Unterstützung gegen diese Bedrohung zu erhalten, bat er Papst Urban II. 1095 um Hilfe.

Urban II. entschied sich, auf den Hilferuf einzugehen, weil er die Gelegenheit sah, seine eigene Macht zu stärken und die Einheit der Christenheit zu festigen. Durch die Mobilisierung eines Kreuzzuges konnte er seine Autorität als Oberhaupt der Kirche festigen und gleichzeitig die weltlichen Herrscher unter dem Banner des christlichen Glaubens vereinen.

Aus Jerusalem kam schlimme Nachricht: Ein gottloses Volk hat die Länder der Christen besetzt und durch Raub, Mord und Brand entvölkert. Es hat die Kirche Gottes zerstört und befleckt die Altäre mit seinen Abscheulichkeiten. Euer Land ist dicht bevölkert, es liefert kaum genug Nahrung. Jerusalem ist der Mittelpunkt der Erde, das fruchtbarste aller Länder, ein zweites Paradies. Macht es euch untertan! Jerusalem ersehnt Befreiung, es erfleht eure Hilfe. Tut das zur Vergebung eurer Sünden. Ewiger Ruhm ist euch im Himmelsreich gewiss.

Quelle: Borst, Arno: Lebensformen im Mittelalter, Frankfurt am Main 1979, S. 318

M2 Auszug aus dem Ausruf von Urban II.

Selbst die Armen wurden von einem so glühenden Eifer entflammt, dass keiner von ihnen sich damit aufhielt, an seine bescheidenen Einkünfte zu denken, oder zu überlegen, ob er es sich leisten könnte, sein Haus, seine Weingärten oder seine Felder aufzugeben.

Quelle: Pernoud, Régine: Die Kreuzzüge in Augenzeugenberichten, Übersetzer: Hagen Thürnau, Düsseldorf 1961, S. 23 ff.

M3 Der Aufbruch ins Heilige Land 1096, geschildert von dem Mönch Guibert de Nogent

M4 Die Routen der Kreuzzüge ins Heilige Land

Der erste Kreuzzug

Der Aufruf zum ersten Kreuzzug verbreitete sich schnell und löste eine regelrechte Massenbewegung aus. Die ersten Kreuzfahrer verstanden sich als bewaffnete Pilger, die im Auftrag Gottes handelten. Der versprochene Sündenerlass durch den Kreuzzug und die Vorstellung von einem wohlhabenderen Leben waren nicht nur für landlose Ritter, sondern auch für einfache und arme Menschen reizvoll. Allerdings waren die meisten Kreuzritter ahnungslos, wie weit und beschwerlich der Weg nach Jerusalem überhaupt war und welches Konfliktpotenzial das Aufeinandertreffen der christlichen und muslimischen Kulturen mit sich bringen konnte.

Die Eroberung Jerusalems

1096 brachen die ersten Kreuzfahrer in Richtung Jerusalem auf. Auf dem Weg dorthin wurden viele Kreuzfahrer übermütig und raubten Häuser oder ganze Dörfer aus, brannten diese nieder und brachten deren Bewohner im Namen Gottes um. Generell war der Weg nach Jerusalem äußerst schwierig: Hunger, Durst und Krankheiten führten zu zahlreichen Todesfällen. Nach drei Jahren erreichte das Kreuzfahrerheer schließlich Jerusalem und eroberte die Stadt nach einem fünfwöchigen blutigen Kampf.

M5 Zerstörung Jerusalems

Die weitere Entwicklung

Bis 1270 versuchten Christen in insgesamt sieben Kreuzzügen, das Heilige Land dauerhaft in Besitz zu nehmen. Zu diesem Zweck errichteten sie Kreuzfahrerstaaten, die sie mit mächtigen Burgen absicherten. Dennoch eroberten die Muslime bereits 1187 Jerusalem zurück. Bis 1300 wurden alle Kreuzfahrerstaaten durch muslimische Truppen eingenommen.

AUFGABEN

1 *Erkläre, warum Jerusalem für Christen, Muslime und Juden ein wichtiger Ort ist (M1).*

2 *Nenne Gründe, die Papst Urban II. für die Eroberung Jerusalems formulierte (M2).*

3 *Erkläre, warum die Kreuzzüge für landlose Ritter so reizvoll gewesen sind (M3).*

4* *Berechne die Strecke des ersten Kreuzzuges. Überlege, wie lang ein Mensch zu Fuß für die Strecke benötigte (M4).*

5 *In der Bibel steht: „[...] Du sollst deinen Nächsten lieben wie dich selbst.“ (Matthäus 22:37-39.). Betrachte M5 und vergleiche das Zitat mit dem Gemälde.*

METHODE

Perspektivische Darstellung

Eine alltägliche Situation: Etwas ist passiert, viele haben zugesehen und jeder erzählt das Geschehen etwas anders. Der eine erfindet etwas dazu, der andere stellt eine bestimmte Sache in den Vordergrund und ein dritter, der gar nicht dabei war, beschreibt den Vorfall bis ins letzte Detail.
Das ist ganz normal. Ein Geschehen wird immer aus einem bestimmten Blickwinkel wahrgenommen und weiter erzählt. Auch schriftliche Quellen wie Briefe, Tagebücher, Reisebeschreibungen, Gesetzestexte oder Zeitungen zeigen dies deutlich. Der Verfasser einer solchen Quelle gehört immer einer bestimmten Zeit oder einem Glauben an, ist Mann oder Frau, Adliger, Bischof oder Bauer. Auch seine Stellung in der Gesellschaft und seine Anschauungen bestimmen seinen Textinhalt.
Außerdem haben viele Menschen später über besondere Ereignisse geschrieben, obwohl sie selbst gar nicht dabei waren. So war das auch bei den Kreuzzügen.
Daher müssen solche Quellen immer kritisch überprüft werden.

Wilhelm von Tyrus (gest. 1186) war Kind von Kreuzfahrern in Palästina und arbeitete als Erzieher am Hofe des Königs von Jerusalem. In seiner Geschichte der Kreuzzüge berichtet er:
[...] Sofort durchzogen der Herzog und die Seinen [...] die Straßen und Plätze der Stadt; alle Feinde, die sie finden konnten, streckten sie mit der Schärfe des Schwertes nieder [...] Und es lagen überall so viele Erschlagene [...] umher, dass man keinen anderen Weg [...] mehr finden konnte als über Leichen. [...] Es geschah sicherlich nach dem gerechten Urteil Gottes, dass die, welche das Heiligtum des Herrn mit ihren abergläubischen Bräuchen entweiht hatten, es mit ihrem eigenen Blut reinigen [...] mussten [...]. Als endlich auf diese Weise die Ordnung der Stadt hergestellt war, legten sie die Waffen nieder, wuschen sich die Hände, zogen reine Kleider an und gingen dann mit demütigen und zerknirschten Herzen an den ehrwürdigen Orten umher [...]

Quelle: Wolfgang Lautemann (Hrsg.): Geschichte in Quellen 2, 2. Auflage München: BSV, 1978, S. 369f., verändert

Der arabische Geschichtsschreiber Ibn al-Athir (1160–1233) berichtet in seinem Hauptwerk, einer Gesamtdarstellung der islamischen Welt, über die Eroberung Jerusalems:
Die Franken wandten sich also gegen Jerusalem, nachdem sie Akkon erfolglos belagert hatten, und hielten es nach ihrer Ankunft mehr als vierzig Tage lang eingeschlossen. [...] Die Franken nahmen sie tatsächlich [...] am Freitag [15. Juli 1099]. Die Einwohner wurden ans Schwert geliefert, und die Franken blieben eine Woche in der Stadt, während derer sie die Einwohner mordeten. [...]
In der Al-Aqsa-Moschee töteten die Franken mehr als 70000 Muslime, unter ihnen viele [...] Religionsgelehrte, Fromme und Menschen, die ihr Land verlassen hatten, um in frommer Zurückgezogenheit an diesem heiligen Ort zu leben.

Quelle: Die Kreuzzüge aus arabischer Sicht. Aus den arabischen Quellen ausgewählt und übersetzt von Francesco Gabrieli. Zürich/München: Artemis, 1973. S. 49, Übersetzer: Francesco Gabrieli; verändert

INFO

Belagerung von Jerusalem
Die Belagerung von Jerusalem im Jahr 1099 war ein entscheidendes Ereignis des ersten Kreuzzugs, bei dem christliche Kreuzfahrer die Stadt eroberten. Die Belagerung begann im Juni 1099 und endete mit der Einnahme Jerusalems am 15. Juli 1099. Die Stadt wurde von einer gemischten Bevölkerung verteidigt, bestehend aus Muslimen, Juden und anderen Gruppen. Die Eroberung Jerusalems war begleitet von intensiven Kämpfen und einem Massaker an der muslimischen und jüdischen Bevölkerung. Dieses Ereignis führte zur Gründung des Königreichs Jerusalem und markierte den Beginn der Kreuzfahrerherrschaft im Nahen Osten.

So gehst du vor

1. Schritt: Lesen und Verstehen
Lies die Texte durch, schlage unbekannte Wörter nach und schreibe die wichtigsten Aussagen in Stichpunkten heraus.

2. Schritt: Auswertung der Einzeltexte
- Wer schrieb den Text? (Vorsatz beachten): Beteiligter, Beobachter, Geschichtsschreiber, Forscher, ...
- Wann wurde der Text geschrieben? Zur Zeit des Geschehens, kurz danach oder viel später?
- Welches Thema wird behandelt?
- Was möchte der Autor mit dem Text zu dem Geschehen sagen?
- Welche Haltung/Perspektive nimmt der Autor ein?

Gehe nach diesem Schema bei den zwei Texten vor.

3. Schritt: Vergleich und kritische Überprüfung
- Wo finden sich Gemeinsamkeiten? Wo gibt es Unterschiede?
- Warum stellt jeder das Ereignis anders dar?
- Wie würde ich aus meiner heutigen Sicht das Ereignis deuten?

M1 Die Eroberung Jerusalems am 15. Juli 1099 (Miniaturmalerei aus dem 13. Jahrhundert)

Herrschaft im Mittelalter

Das Reisekönigtum war im Mittelalter die übliche Form der Herrschaftsausübung.
Historiker rekonstruierten anhand von Urkunden folgende Reisestationen von Kaiser Heinrich VI. und seinem Gefolge zwischen dem 28. Januar und dem 20. Dezember 1193:
Regensburg – Würzburg – Speyer – Hagenau – Boppard – Mosbach (Neckar-Odenwald-Kreis) – Würzburg – Gelnhausen – Koblenz – Worms – Kaiserslautern – Worms – Haßloch – Straßburg – Kaiserslautern – Würzburg – Sinzig – Aachen – Kaiserswerth – Gelnhausen – Frankfurt am Main – Gelnhausen.

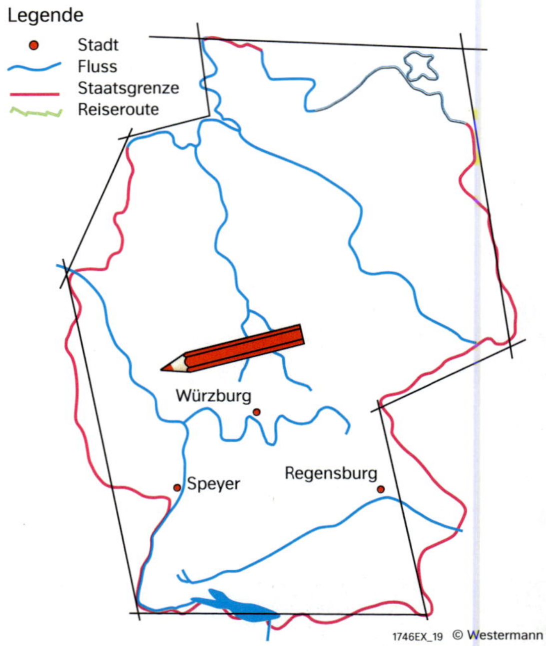

a) Erstelle mithilfe des Atlas eine Kartenskizze und trage die Reiseroute Heinrichs VI. ein.
b) Schätze die Länge der Strecke. Nutze dazu einen Atlas.
c) Das Reisekönigtum war die vorherrschende Form der Herrschaftsausübung im Mittelalter. Erläutere Vor- und Nachteile dieses Prinzips.
d) Heutzutage reisen Politiker um die ganze Welt. Nenne Gemeinsamkeiten und Unterschiede zu der mittelalterlichen Reisetätigkeit des Königs.
e) Diskutiert, ob euch diese Reisetätigkeit in der heutigen, mit modernen Kommunikationsmitteln ausgestatteten Zeit noch sinnvoll erscheint.

Chlodwig – Karl – Otto – Heinrich – Friedrich: Wer hat die Macht? Und wie wird sie gesichert?

Herrschaft im Mittelalter wandelt sich, die Fragen, wie die Herrschaft gerechtfertigt und gesichert wurde sowie wer sie bedrohte, wurden im Laufe der 1 000 Jahre unterschiedlich beantwortet. Übertrage folgende Tabelle in dein Heft und vervollständige sie.

Herrscher (Wer herrscht?)	**Herrschaftslegitimation** (Wie rechtfertigt er die Herrschaft?)	**Sicherungssysteme** (Wie sichert er seine Herrschaft?)	**Bedrohung der Macht** (Wer bedroht die Herrschaft?)
Chlodwig	...	...	...
Karl der Große	...	...	...
Otto der Große	...	...	...
Heinrich IV.	...	...	...
Friedrich Barbarossa	...	...	...

Lebensbereiche im Mittelalter

Jedes Bild zeigt für jeden Monat eine Tätigkeit der Menschen auf dem Land. Schreibe in eine Tabelle links die Monate und rechts die Tätigkeiten (M2). Ergänze eine dritte Spalte, in die du die Arbeitsgeräte einträgst.

Monat	Tätigkeiten	Arbeitsgerät
Januar	den Boden aufhacken	Hacke
…	…	…

M1 Arbeiten der Bauern in den zwölf Monaten des Jahres (1460)

- Getreide dreschen
- Schafe scheren
- Weintrauben mit Füßen auspressen
- Heu mit der Sense machen
- mit der Sichel Getreide ernten
- Weinreben schneiden
- auf die Jagd gehen (mit Pferd)
- schlachten
- Schweine zum Fressen in den Wald treiben
- Wintergetreide säen
- Erde mit dem Spaten umgraben
- den Boden aufhacken

M2 Tätigkeiten der Menschen auf dem Land

Fehler berichtigen

Dem Schulbuchautor sind bei der Zusammenfassung leider ein paar Fehler unterlaufen. Finde in jedem Satz einen Fehler und schreibe die Sätze verbessert ab.

a) Durch Eroberungen herrschten im 8. Jahrhundert auf der britischen Halbinsel arabische Herrscher.
b) Das Zusammenleben von Christen und Muslimen im Mittelalter war mehrheitlich tolerant.
c) Durch die Araber gelangten zahlreiche Erfindungen nach Amerika.
d) Im 11. Jahrhundert rief der Kaiser dazu auf, das „Heilige Land“ zu erobern.

Das schwarze Schaf

a) Nenne jeweils den Begriff, der nicht in die Aufzählungsreihe passt:

1. Dreifelderwirtschaft – Brache – Wintergetreide – Allmende
2. Nonne – Lehen – Mönch – Kloster
3. Abgaben – Frondienste – Höriger – Dorfvorsteher
4. Burg – Fehde – Ritter – kultureller Austausch

b) Erkläre, warum der jeweilige Begriff nicht passt.
c) Formuliere mit den drei passenden Begriffen einen kurzen Sachtext.

Städte: gestern – heute – morgen

Das Wissenschafts- und Kongresszentrum Darmstadtium in Darmstadt verbindet Mittelalter und Gegenwart.

M1 Korbach im Mittelalter – Kupferstich von Wilhelm Dilich in der Hessischen Chronica (1605)

Die Stadt im Mittelalter

„Korbach ist eine ansehnliche und hervorragende Stadt, stark ummauert und wohl befestigt, würdig, dass in ihr ein neuer Bischofssitz gegründet werde", so heißt es in einem Brief des Bistums Paderborn von 1434. Der Brief verdeutlicht, welche Bedeutung die Stadt im Mittelalter hatte. Grund dafür war ihre Lage am Schnittpunkt der Handelswege Heidenstraße (Köln – Leipzig) und Weinstraße (Frankfurt – Bremen). Deshalb wurde der Ort 1188 zur Stadt erklärt. Korbach blühte auf und wurde zu einer bedeutenden Handelsstadt, in der Märkte stattgefanden. Der Marktplatz war das Zentrum der Stadt. Hier stehen meist auch das Rathaus, ein Brunnen und ein Pranger, an dem Verbrecher öffentlich zur Schau gestellt wurden. Neben dem Marktplatz gibt es noch weitere typische Merkmale einer mittelalterlichen Stadt, z. B. die Stadtmauer mit ihren Wehrtürmen sowie die Gräben und Wälle, die um die Stadt herum errichtet wurden, um sie zu schützen – so auch in Korbach mit seiner Stadtmauer und fünf Stadttoren.

Da viele Städte sehr schnell wuchsen, platzten sie bald aus allen Nähten. Innerhalb der Stadtmauer lebten die Menschen deshalb auf engstem Raum. Die Gassen waren sehr eng, es drang kaum Licht ein und die hygienischen Zustände waren katastrophal, es gab noch keine Kanalisation und Müllabfuhr. Vor der Stadtmauer entstand in Korbach deshalb die Neustadt, die sich dann im 14. Jahrhundert mit der Altstadt vereinigte und 1414 von einer gemeinsamen Stadtmauer umschlossen wurde. Viele Städte waren religiöse Zentren mit bedeutenden Kirchen. Einige Mönchsorden errichteten auch Klöster in der Stadt, z. B. die Dominikaner und Franziskaner. Wurde in der Stadt ein Heiliger begraben, zog diese Stadt auch Pilger an und wurde zum Wallfahrtsort. Das trug ebenfalls zum Reichtum einer Stadt bei. War die Stadt ein Bischofssitz, gab es auch einen großen Dom, auch Münster oder Kathedrale genannt. Dass Korbach auch Bischofssitz würde, blieb jedoch ein Wunsch.

M2 Mittelalterlicher Markt (Zeichnung von Jörg Müller)

M3 Stadtmauer mit Tylenturm

M4 Luftbild von Korbach heute

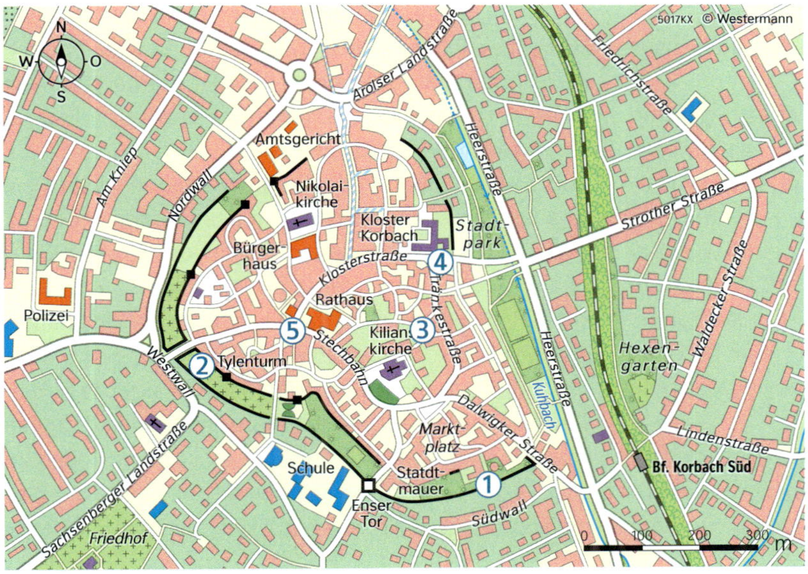

M5 Stadtplan von Korbach heute

M6 Rathaus von 1377 mit Rolandsfigur an der Ecke, die ein Symbol für das Stadtrecht darstellt

AUFGABEN

1 *Nenne Merkmale einer mittelalterlichen Stadt.*

2 *Überprüfe, welche Merkmale einer mittelalterlichen Stadt heute noch in Korbach erkennbar sind (M3 – M6). Tipp: Achte auf die Nummerierung in M5.*

3 *Auf Märkten wurde nicht nur gehandelt. Untersuche mithilfe des QR-Codes das Bild M2 genauer und notiere, was auf dem Markt alles passierte.*

4 *Stelle Vermutungen auf, vor wem oder was Stadtmauern schützen sollten.*

5 *Erkunde deine Stadt oder eine Stadt in deiner Nähe. Gibt es dort auch Gebäude aus dem Mittelalter?*

Digital+
WES-112462-043

M1 Wo Städte entstehen

Stadtgründungen im Mittelalter

Um das Jahr 1000 gab es in Europa nur wenige Städte. Fast alle Menschen lebten auf dem Land. Wenige Ausnahmen bildeten die alten Römerstädte wie Trier, Köln, Mainz, Augsburg und Regensburg.

Technische Fortschritte und eine natürliche Erwärmung des Klimas führten zu einer Steigerung der Ernteerträge in der Landwirtschaft. Dies begünstigte das Bevölkerungswachstum. Kleine Dörfer wuchsen, vor allem in der Nähe bedeutender Burgen oder Klöster. So wie *Eppstein*, wo 1122 eine Burg gebaut wurde, um die dann ein Ort entstand. Im 13. Jh. wurde dieser zur Stadt erhoben. Solche Stadtgründungen erfolgten durch eine Urkunde des Grundherrn, das konnten der König, Adlige, Bischöfe oder Klöster sein.

Die Städte und ihre Bewohner erhielten damit besondere Rechte, z. B. dafür Märkte abzuhalten, Münzen zu prägen und Zölle zu erheben. Symbole für das Marktrecht waren z. B. das Marktkreuz oder eine Rolandstatue.

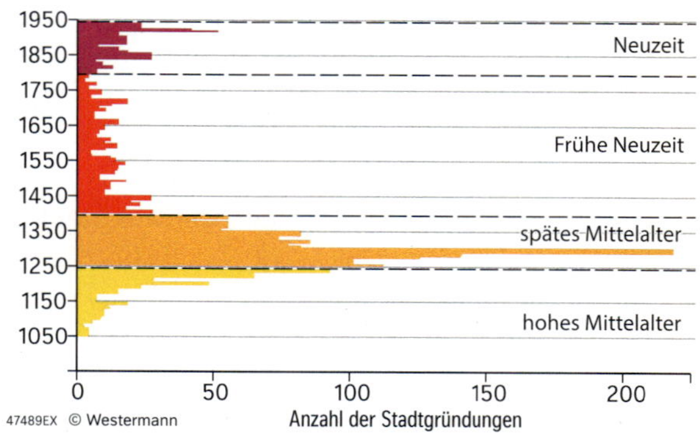

M2 Stadtgründungen in Mitteleuropa

Mit dem Wachstum blühte auch der Handel. Die Geldwirtschaft setzte sich immer weiter durch und löste den Tauschhandel ab. In größeren Städten wurden Messen und Jahrmärkte abgehalten, die auch Händler aus der Ferne anzogen. Diese kamen mit besonderen Waren, die es sonst nicht gab.

An den Kreuzungen der Handelswege, auf denen die Fernhändler reisten, entstanden neue Städte. Im 12. Jh. erhielt z. B. *Melsungen* das Stadtrecht, das an einer Kreuzung dreier Handelsrouten lag, darunter der „Sälzerweg", auf dem das damals kostbare Salz transportiert wurde. Besonders wichtig für den Handel waren aber die Wasserstraßen, denn schwere Waren ließen sich besser per Schiff transportieren. Viele Städte entstanden daher an Flüssen, vorzugsweise dort, wo es seichte Stellen im Wasser gab (Furten), an denen man den Fluss überqueren konnte. So entstand z. B. Frankfurt, das im 12. Jh. erstmals als stadtähnliche Siedlung erwähnt wurde.

AUFGABEN

1 *a) Beschreibe mithilfe von M1, an welchen Orten Städte entstanden.*
b) Erkläre mithilfe des Textes, warum die Städte dort entstanden.

2* *Beschreibe die Grafik M2.*

3 *Recherchiere im Internet, an welchen Standorten die folgenden Städte gegründet wurden und in welchem Bundesland sie heute liegen: Schweinfurt, Eisenach, Ulm, Erfurt, Nürnberg, München, Dortmund, Lüneburg, Leipzig, Rotenburg an der Fulda, Felsberg.*

Es sei den lebenden und zukünftigen Geschlechtern bekannt, dass ich, [Herzog] Konrad, auf meinem Besitz Freiburg einen Markt eingerichtet habe im Jahre des Herrn 1120. [...]
Jedem Kaufmann habe ich ein Grundstück zum Bau eines eigenen Hauses gegeben und bestimmt, dass von jedem dieser Hausgrundstücke jährlich am St. Martins-Tag mir und meinem Nachfolger ein Schilling Zins gezahlt werden soll. [...]
Ich verspreche allen jenen, die zu meinem Markt kommen, Frieden und Schutz. Wenn einer in diesem Bereich beraubt worden ist und er nennt den Räuber, soll er den Schaden ersetzt bekommen. [...]
Wenn einer meiner Bürger stirbt, soll seine Frau mit seinen Kindern alles besitzen, ohne jeden Einspruch, was er hinterlassen hat.
Allen Kaufleuten erlasse ich den Zoll. Meinen Bürgern will ich keinen anderen Vogt [= eine Art Bürgermeister] oder Priester geben außer dem, welchen sie selbst gewählt haben. Wenn ein Streit oder Rechtsfall entsteht, soll nicht von mir und meinen Richtern darüber entschieden werden, sondern nach Gewohnheit und Recht aller Kaufleute [...].
Jede Frau wird dem Mann gleichgesetzt und umgekehrt.
Wenn der Mangel am Notwendigsten jemanden dazu zwingt, darf er seinen Besitz verkaufen, an wen er will. [...]
Jeder, der in diese Stadt kommt, darf sich hier frei niederlassen, wenn es nicht der Leibeigene irgendeines Herren ist [...]. Wenn aber ein Leibeigener seinen Herrn verleugnet, kann der Herr mit sieben Zeugen beweisen, dass der Leibeigene ihm gehört. Dann soll der Leibeigene ihm gehorchen. Wer aber über Jahr und Tag in der Stadt gewohnt hat, ohne dass irgendein Herr ihn als seinen Leibeigenen gefordert hat, der genieße von da an sicher die Freiheit. [...]
Die Bürger sind nicht verpflichtet, bei einem Kriegszug oder sonstigen Unternehmungen den Herrn länger als eine Tagesreise weit zu begleiten, so dass sie in der nächsten Nacht wieder in die Stadt zurückgelangen können. [...]

Quelle: Buhr, Hermann; Sozialgefüge und Wirtschaft des Mittelalters am Beispiel der Stadt, 3. Aufl., Frankfurt 1976, S.17

M3 Gründungsurkunde von Freiburg 1120

M4 Blick auf Freiburg

INFO

Stadtgrößen im Mittelalter
Im späten Mittelalter gab es zwischen 3000 und 4000 **Städte** in deutschen Gebieten. Die meisten davon hatten weniger als 1000 Einwohner, nur ein paar Hundert waren größer. Gerade einmal etwa 20 deutsche Städte hatten mehr als 10000 Einwohner. In ganz Europa waren es 60–70, davon waren rund zehn „Großstädte“ mit über 50000 Einwohnern. Heute spricht man erst bei über 100000 Einwohnern von einer Großstadt. Millionenstädte, wie wir sie heute kennen, gab es nicht.

	14. Jahrhundert	heute
Berlin	8500	...
Frankfurt am Main	10000	...
Hamburg	17000	...
Köln	40000	...
London	40000	...
Rom	40000	...

M5 Einwohnerzahlen

AUFGABEN

4 *Arbeite aus der Quelle M3 heraus, welche Vorteile die Einwohner einer Stadt hatten.*

5 *In der Geschichtswissenschaft wurde der Satz „Stadtluft macht frei“ geprägt. Finde die Stelle in der Quelle M3, die diese Aussage belegt, und erkläre kurz die Bedeutung.*

6 *Stelle Vermutungen an, welche Vorteile eine Stadtgründung für den Stadtherrn hatte.*

7 *Übertrage M5 in deinen Hefter und recherchiere die aktuellen Einwohnerzahlen. Was fällt dir auf?*

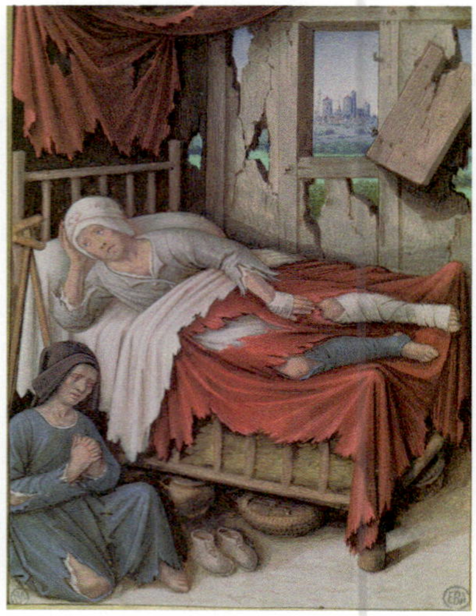

M1 Menschen in der Stadt, Gemälde von Jean Bourdichon

Wer lebte in der mittelalterlichen Stadt?

Handel und Märkte prägten die Städte des Mittelalters. Kaufleute gehörten daher zu den wichtigsten Bevölkerungsgruppen. Dazu zählten sowohl die Kleinhändler (Krämer) als auch die reichen Fernhandelskaufleute. Letztere werden als **Patrizier** bezeichnet. Sie imitierten das Leben der Adligen: Sie trugen wertvolle Kleidung, die andere nicht tragen durften, und gaben sich selbst Familienwappen. Doch stellten sie nur einen geringen Teil der Bevölkerung.

Die Handwerker, die den größten Anteil an der Stadtbevölkerung bildeten, stellten die Waren her, mit denen die Kaufleute handeln konnten. Je nach Beruf waren diese Handwerker besser oder schlechter angesehen. Die meisten von ihnen zählten zur Mittelschicht. Diejenigen, die sogenannte unehrliche (= unehrenhafte) Berufe ausübten, gehörten aber zur Unterschicht. Sie wurden zum Teil verachtet.

Ebenfalls Teil der Unterschicht waren Knechte, Mägde und Tagelöhner. Sie gehörten zu der Masse an armen Menschen. Not und Elend waren weit verbreitet. Es gab viele Bettler. Am Rande der Gesellschaft standen noch Dirnen (Prostituierte) sowie Spielleute und Gaukler, die die Menschen belustigten, aber als nicht vertrauensvoll galten.

Die sozialen Unterschiede, das heißt die Unterschiede zwischen Arm und Reich, waren also gewaltig.

Eng damit verbunden war, dass die Stadtbewohner unterschiedliche Rechte hatten. Im Gegensatz zum einfachen Einwohner genossen Bürger einige Freiheiten. Sie mussten z. B. nicht an Kriegszügen teilnehmen und durften frei entscheiden, wen sie heiraten. Wer in den Bürgerstand aufsteigen wollte, musste gewisse Voraussetzungen erfüllen, die sich je nach Stadt und Zeitpunkt unterschieden. Dazu gehörten z. B. ein bestimmtes Vermögen, Grundbesitz und dass man ehelich geboren worden war. Zudem musste eine Aufnahmegebühr gezahlt werden, deren Höhe je nach Stadt und Zeitpunkt variierte. Auch ein erfolgreicher Handwerker konnte so zum Bürger aufsteigen. Im Gegensatz zum eigentlich starren Ständesystem war die Gesellschaft einer Stadt also durchlässig. Die Nachkommen mussten das Bürgerrecht jedoch neu erwerben.

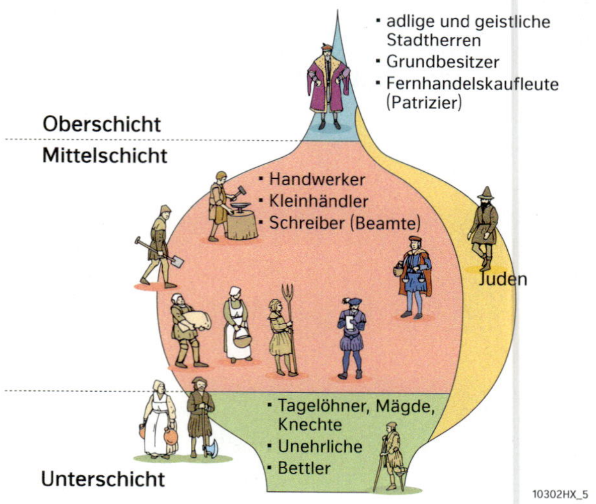

M2 Gesellschaftszwiebel

Patrizier

Wir sind die eigentlichen Herren der Stadt. Es gibt keine reicheren und mächtigeren Bürger in einer Stadt als uns. Die meisten von uns sind Kaufleute, einige stammen auch aus einem alten Adels- oder Rittergeschlecht. Durch den Handel mit Gold, Pfeffer, Salz und Seide habe ich viel Geld verdient. Dass wir Kaufleute reich sind, das zeigen wir auch. Ich besitze schon vier große Häuser in meiner Stadt. Meine Frau trägt nur die besten Kleider aus Venedig und Seidentücher aus China. Wir helfen aber auch den armen Menschen in unserer Stadt, indem wir Geld spenden und kostenlos Essen verteilen. Meine älteste Tochter wird bald heiraten – da kommt aber nur ein Kaufmann in Frage. Schließlich kann ich es nicht erlauben, dass sie jemanden aus einem niedrigeren Stand heiratet.

Knecht/Magd

Ich arbeite im Haus eines angesehenen Kaufmanns als Knecht, meine Frau als Magd. Täglich müssen wir die Straße vor seinem Haus kehren, den Ofen reinigen und das Haus von oben bis unten fegen. Dazwischen werden wir auf den Markt geschickt oder müssen etwas zu einem Handwerker bringen. Geld bekommen wir für unsere Arbeit fast keines – dafür dürfen wir im Haus des Kaufmanns schlafen und essen. Da geht es uns besser als den Bettlern. Wenn ihnen niemand etwas gibt, müssen sie hungern.

M 3 Menschen in der mittelalterlichen Stadt

INFO

Welche Berufe zu den **unehrlichen Berufen** gehörten, war im Laufe der Zeit und regional unterschiedlich. Meistens zählten folgende Berufe dazu:

1. Berufe, die mit Schmutz, Gestank und Tod zu tun hatten, z. B. Abortreiniger, Henker, Totengräber, Abdecker, aber auch Bader, Barbiere und Köhler
2. Berufe, in denen leicht betrogen werden konnte, also in denen man den Menschen tatsächlich vorwarf, unehrlich zu sein, z. B. Müller
3. Berufe, in denen die Menschen umherzogen und von Stadt zu Stadt reisten, z. B. Kesselflicker, Hausierer und Spielleute

Henker im Wirtshaus

M 4 Bettler lebten von Almosen, die die Christen laut ihrem Glauben geben mussten (Zeichnung aus dem 14. Jh.).

AUFGABEN

1 *a) Beschreibe die Gesellschaftszwiebel M2.*
b) Erkläre, warum diese Form gewählt wurde.

2* *Erstelle einen Steckbrief zu den verschiedenen Bevölkerungsschichten der Stadt (M1, M3, M4).*

3* *Erläutere die Aussage „Stadtluft macht frei, aber nicht gleich".*

4 *Beschreibe das Bild M4.*

5 *a) Erkläre, was es bedeutet, wenn die Gesellschaft sozial durchlässig war.*
b) Diskutiert, ob das heute auch so ist.

6 *Recherchiere im Internet nach den im Info-Kasten genannten Berufen. Welche Aufgaben hatten sie und warum galten diese als „unehrlich"?*

Digital+
WES-112462-047

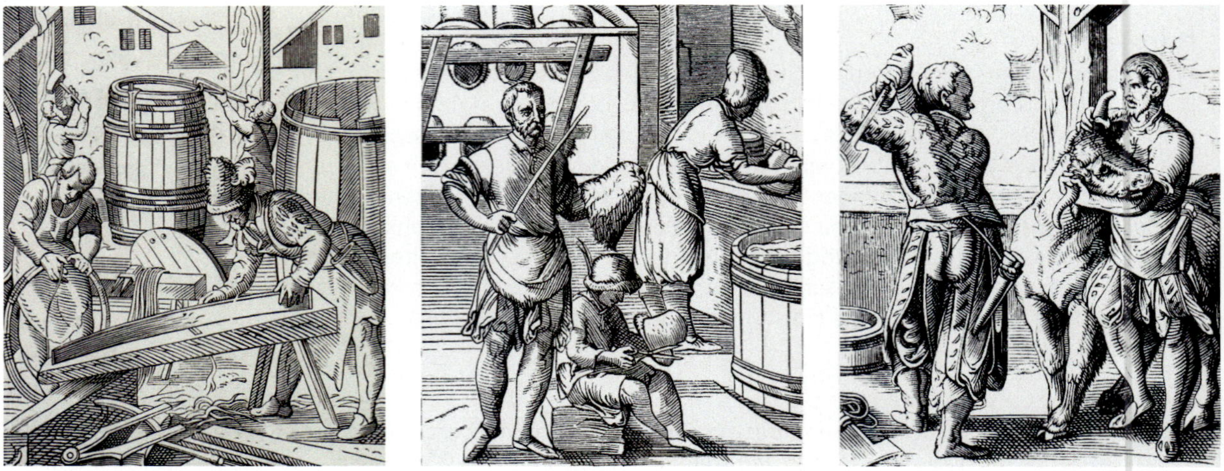

M1 Typische Berufe im Mittelalter (Kupferstiche von Jost Amman)

Gemeinsam stark – die Zünfte

Die Handwerker stellten die größte Gruppe innerhalb der mittelalterlichen Stadt dar. Ungefähr ab dem 12. Jh. schlossen sich diese Handwerker zu Gemeinschaften zusammen, die man **Zünfte** nannte. Jedes Handwerk hatte seine eigene Zunft. Sie hatte die Aufgabe, Regeln zu beschließen. So wurden z. B. die Preise für ein Brot festgelegt sowie die Größe und die Verkaufsmengen. Auch die Löhne waren einheitlich. Wer ein Handwerk ausüben wollte, musste Mitglied der Zunft sein, es herrschte Zunftzwang. Die Anzahl der Mitglieder war begrenzt. Wer gegen die Zunftordnung verstoßen hatte, erhielt eine Strafe oder wurde aus der Zunft entlassen. Als Zeichen dafür, dass der Handwerker unehrlich war, hat man ihm seinen Ohrring, an dem man ihn als Mitglied der Zunft erkennen konnte, herausgerissen. So entstand der Begriff Schlitzohr für einen Menschen, dem unerlaubte Mittel recht sind, um seine Ziele zu erreichen. Neben ihrer wirtschaftlichen Funktion übernahmen die Zünfte auch gesellschaftliche Aufgaben.

Die Zünfte wurden von den Handwerksmeistern geleitet. Diese waren auch für die Ausbildung zuständig. Anders als heute bekam der Lehrling aber kein Geld dafür. Die Eltern mussten den Meister für die Ausbildung ihres Kindes bezahlen. Dafür lebte der Lehrling beim Meister und wurde von diesem versorgt, bis er mit der Ausbildung fertig war und Geselle wurde.

Die Bedeutung der Handwerker spiegelt sich in vielen heutigen Familiennamen wider, die im Mittelalter entstanden sind. So weisen die meisten der häufigsten Namen auf mittelalterliche Berufsbezeichnungen hin.

Gerber (Lederer) | Bäcker | Maurer | Schmied | Maler | Schiffer | Weber | Sattler | Zimmermann | Schneider | Kürschner (Pelzmacher) | Fischer | Schuster | Schlachter | Müller | Dachdecker

M2 Wappen der verschiedenen Handwerkerzünfte

Zum Ersten haben wir eine gemeinsame Stube, Haus und Hof, die uns zur Verfügung stehen. In dieser Stube kommen wir zusammen, um miteinander zu essen und zu trinken. Dort empfangen wir auch Gäste. [...] [Der Vorsteher und vier Meister leiten die Zunft. Fünf weitere Handwerker übernehmen folgende Aufgaben]: Diese fünf müssen schwören, alle Tuche zu prüfen, die guten, die keine Fehler aufweisen, besiegeln, außerdem diejenigen, die kleine Fehler haben, mit besonderem Siegel kennzeichnen und den ganz fehlerhaften Tuchen ein Siegel verwehren. [...]
Weiterhin lassen wir auch jede Nacht ein Zunftmitglied mit seinem einfachen Harnisch[1] und Gewehr zusammen mit anderen aus den anderen Zünften auf Wache gehen. [...] Weiterhin ist uns zusammen mit zwei anderen Zünften eine Stelle an der Stadtmauer übergeben worden, um [...] zu schließen und zu öffnen. [...]
Wenn jemand das Handwerk ausüben will, so muss er die Zunftmitgliedschaft mit dem dafür erforderlichen Betrag [...] erwerben. Dieses Geld wird zum Nutzen der gesamten Zunft verwandt.[2] [...]
Wenn jemand [...] die Zunftmitgliedschaft erwirbt oder einem von uns Freud oder Leid widerfährt, so bewirten wir ihn auf unserer Stube. [...]
Weiterhin [...] sind wir verpflichtet, wenn [...] ein Aufruhr in der Stadt ausbricht, unter unserem Banner mit unserem ganzen Harnisch samt unseren Zunftvorstehern auf einen Platz zu den anderen Zünften zu ziehen [und die Stadt zu verteidigen]. [...] Außerdem sind aus allen Zünften etliche Leute dazu bestimmt, bei einem Feuer herbeizueilen, um zu löschen und das zu tun, was dann notwendig ist. [...]

Quelle: Zit. nach: Ketsch, Peter / Schneider, Gerhard: Handwerk in der mittelalterlichen Stadt, Stuttgart 1985, S. 10 – 12

[1] Rüstung

[2] Es gab eine Zunftkasse, aus der die Hinterbliebenen eines verstorbenen Meisters (Witwen und Waisen) unterstützt wurden. Ebenso wurde bei schwerer Krankheit oder in anderen Notfällen geholfen.

M3 Bestimmungen der Straßburger Tuchmacherzunft (15. Jh.)

M4 Brotmaß am Freiburger Münster

Was hältst du von den Zünften?

„[Die] Zünfte sind [...] sehr gewaltig geworden, und [es gibt welche], die man strafen sollte [...] – Metzger, die das Fleisch zu teuer geben, oder Bäcker, die das Brot zu klein backen, oder Schneider, die zu großen Lohn nehmen und dergleichen."

Gelten nicht feste Regeln? Wie kann man da so einfach von abweichen?

„[Es] hilft doch mächtig eine Zunft der anderen. [Nach dem Motto]: „Hilf mir, ich helfe dir [auch] mit Übersehen." Damit ist dann die Gemeinde betrogen. [...]"

Und was soll man dagegen tun?

„Will man [...] wirklich Besserung herbeiführen und haben, [...] so schaffe man die Zünfte ab."

Antworten zit. nach: Gottfried Guggenbühl / Otto Weiss (Hg.): Quellen zur allgemeinen Geschichte des Mittelalters, Zürich 1946, S. 282f.

M5 Ein fiktives Gespräch mit Antworten aus einer anonymen Schrift von 1476

AUFGABEN

1. *Beschreibe die Kupferstiche. Erkennst du, um welche Berufe es sich handelt (M1)?*
2. *Ordne die Wappen den einzelnen Zünften zu (M2).*
3. *Nenne die Aufgaben, die die Zünfte in der Stadt übernahmen (M3, M4).*
4. *Arbeite heraus, welche Kritik in M5 geäußert wird.*
5. * *Nimm Stellung zur Frage, ob die Zünfte eine gute oder eine schlechte Einrichtung waren.*
6. *Ermittle mithilfe des QR-Codes die häufigsten Familiennamen in Deutschland und auf welche Berufe sie verweisen.*

Digital+
WES-112462-049

M1 Christen und Juden diskutieren über die Auslegung der Heiligen Schrift.

INFO

Das **Judentum** ist die älteste der drei monotheistischen Weltreligionen und zugleich diejenige mit den wenigsten Mitgliedern. Dies liegt unter anderem daran, dass Juden nicht missionieren, also nicht versuchen, andere zum Judentum zu bekehren. Nach jüdischem Verständnis gilt jemand als Jude, wenn er jüdische Vorfahren hat oder freiwillig zum Judentum konvertiert ist. Die Heilige Schrift der Juden ist die Thora, die dem Alten Testament entspricht. Was für die Christen der Sonntag ist, ist für die Juden der Schabbat, der am Freitag mit Sonnenuntergang beginnt. Am folgenden Morgen folgt ein Gottesdienst in der Synagoge, in dem aus der Thorarolle gelesen wird. Der Vorsteher einer jüdischen Gemeinde ist der Rabbiner.
Nach dem Tod steigt die Seele nach jüdischer Vorstellung zu Gott auf, wird dabei von den Sünden befreit und lebt dort weiter.

Juden in der mittelalterlichen Stadt

Juden hatten in der mittelalterlichen Stadt aufgrund ihres Glaubens eine besondere Stellung, da ansonsten alle Menschen auf deutschem Gebiet Christen waren. Die ersten jüdischen Gemeinden auf dem Gebiet des heutigen Deutschlands entstanden im 10. Jahrhundert in Mainz, Worms und Speyer. Hier am Rhein sowie an dessen Nebenflüssen entwickelte sich das Zentrum jüdischen Lebens in den deutschen Gebieten.
Könige und Bischöfe förderten im frühen Mittelalter die Ansiedlung der Juden, indem sie diesen besondere Rechte (Privilegien) gewährten. Sie versprachen sich davon wirtschaftliche Vorteile, da viele Juden als Fernkaufleute tätig waren. Zudem waren die Juden willkommene Geldgeber der Stadtherren, denn ab 1179 galt für Christen ein Verbot, Geld gegen **Zinsen** zu verleihen. Da es den Juden wiederum verboten war, einer Zunft beizutreten, verdienten diese häufig als Geldverleiher ihren Lebensunterhalt. Nicht selten wurde ihnen vorgeworfen, zu hohe Zinsen zu nehmen, weshalb sie als **Wucherer** galten. Andere Juden arbeiteten als Krämer oder Ärzte, deren Heilkünste sehr geschätzt waren. Die meisten Juden konnten im Gegensatz zu den Christen lesen und schreiben. Bildung hatte einen hohen Stellenwert.
Wenngleich Christen und Juden häufig friedlich miteinander lebten, legte die Kirche Wert darauf, dass Juden an ihrem äußeren Erscheinungsbild zu erkennen sein sollten. 1215 legte der Papst fest, dass Männer einen gelben, spitzen Hut mit einem Kugelende sowie einen gelben Kreisring auf der Jacke tragen müssen. Frauen mussten einen blaugestreiften Schleier tragen.
Von Beginn an wohnten die Juden zusammen in bestimmten Vierteln oder Straßen in Marktnähe. Zunächst war dies freiwillig, aber ab dem 15. Jh. wurde es den Juden verboten, außerhalb solcher Viertel zu wohnen, die nun häufig am Rand der Stadt lagen und mit einer Mauer umgeben wurden. Diese Viertel nannte man **Ghetto** (benannt nach dem Judenviertel in Venedig). Hier befanden sich auch gemeinschaftliche Gebäude wie die Synagoge oder ein Ritualbad.

M2 Verbrennung von Juden (Zeichnung 1493)

Juden als Sündenböcke

Vor allem im 13. und 14. Jahrhundert kam es fast im gesamten Reich zu gewaltsamen Übergriffen und Verfolgungen. Diese sogenannten **Pogrome** erfolgten jedoch unter falschen Vorwänden.
Viele Christen machten die Juden für alles Unheil verantwortlich, z. B. für Missernten. Sie warfen den Juden zudem vor, für den Tod von Jesus Christus verantwortlich zu sein. Außerdem hieß es, dass sie Christen ermorden würden, um ihr Blut für ihre Rituale zu verwenden.
Der Höhepunkt der Verfolgung im Mittelalter lag in den Jahren 1348–1350, als die **Pest** Tausenden Menschen das Leben kostete. Angeblich hätten die Juden Brunnen vergiftet und wären daher für den sogenannten Schwarzen Tod verantwortlich. Tatsache ist, dass die Pest durch Flöhe oder Nagetiere übertragen wurde.
In der Folge wurden insgesamt zwei Drittel der jüdischen Gemeinden und Bewohner vernichtet. Zwar wandte sich der damalige Papst gegen diesen Vorwurf, aber zahlreiche seiner Vorgänger hatten die Ablehnung der Juden durch ihre Beschlüsse und Predigten gefördert.
Die wahren Motive für die Verfolgung der Juden waren häufig wirtschaftlicher Natur, denn der Erfolg einiger Juden weckte Neid und Missgunst. Man wollte sich an den Juden bereichern.
Das späte Mittelalter war vom wirtschaftlichen Niedergang und der Ausgrenzung der Juden geprägt. Der Hass gegen sie äußerte sich in zahlreichen Bildern. Viele Juden wanderten nach Osteuropa aus.

> Im selben Jahr [1349] wurden die Juden in Erfurt entgegen dem Willen des Rates von der Bürgergemeinde erschlagen, hundert oder mehr. Die anderen aber haben sich, als sie sahen, dass sie den Händen der Christen nicht entkommen konnten, in ihren eigenen Häusern verbrannt. Man sagt, sie hätten die Brunnen vergiftet und auch die Heringe, sodass niemand in der Fastenzeit davon essen wollte. Ob sie Recht haben, weiß ich nicht. Eher glaube ich, der Anfang des Unglücks war das unendlich viele Geld, das Ritter, Bürger und Bauern ihnen schuldeten.
>
> Quelle: Chronica St. Petri Erfordensis moderna. Ausgewählte Quellen zur deutschen Geschichte des Mittelalters. Freiherr vom Stein Gedächtnisausgabe. Bd. 37. Quellen zur Wirtschafts- und Sozialgeschichte mittel- und oberdeutscher Städte im Spätmittelalter, Darmstadt 1982, S. 199.

M3 Ein Mönch berichtet über die Judenverfolgung in Erfurt (1349).

M4 Drei Personen, davon zwei durch ihre Kopfbedeckung als jüdisch kenntlich gemacht, binden den heiligen Andreas an das Kreuz (13. Jahrhundert).

INTERNET

Judentum heute

Digital+

WES-112462-051

AUFGABEN

1. *Vergleiche die beiden Bilder M1 und M2.*
2. * *Erstelle mithilfe des Info-Textes und des QR-Codes eine Mindmap zum Judentum.*
3. *Beschreibe das Leben der Juden in einer mittelalterlichen Stadt.*
4. *Die Juden mussten bestimmte Kleidungsstücke tragen. Erkläre, was dies für Folgen hatte.*
5. *Erkunde in deiner Umgebung, ob es auch hier Hinweise auf jüdisches Leben im Mittelalter gibt.*
6. *Nenne die vorgeschobenen und die wahren Ursachen, die zu Ausschreitungen und Übergriffen gegen Juden geführt haben (M3, M4).*

M1 Villenviertel und Hochhausviertel in Wiesbaden

Wer wohnt wo? Segregation früher und heute

Im Mittelalter lebten die Menschen einer Stadt getrennt nach ihrer gesellschaftlichen Stellung und ihrem Vermögen in verschiedenen Bereichen. Kaufleute wohnten direkt am oder in der Nähe des Marktplatzes und errichteten sich dort prachtvolle Häuser. Handwerker dagegen wohnten je nach Beruf in bestimmten Vierteln in engeren und dunkleren Gassen. Noch heute weisen Straßennamen wie Fleisch-, Brot-, Gerber- oder Töpferstraße darauf hin. Juden standen am Rande der Gesellschaft und lebten daher in eigenen Judenvierteln.
Auch zur Zeit der Industrialisierung im 19. Jahrhundert gab es Wohnviertel, in denen Menschen mit ähnlichen Berufen wohnten. So entstanden Arbeiterviertel mit sogenannten Mietskasernen.
Heute kennen wir zwar seltener eine wohnliche Trennung nach bestimmten Berufen, aber der Beruf entscheidet über das Einkommen und dieses ist entscheidend für die Frage, wer wo wohnt. So gibt es große Unterschiede zwischen Villenvierteln und Hochhausvierteln.

In diesen Hochhausvierteln sind die Bauformen sehr ähnlich und daher ist auch die Durchmischung von Menschen mit unterschiedlichen Einkommen gering. Dies bezeichnet man als **Segregation**.
Grund dafür sind die unterschiedlich hohen Mieten. Dies führt dazu, dass in Hochhausvierteln vor allem Menschen mit geringen Einkommen leben. Das bedeutet wiederum, dass hier häufiger Menschen mit geringeren Bildungsabschlüssen wohnen und seltener Akademiker, also Menschen mit einem Hochschulabschluss.
Auffällig ist auch, dass es Stadtviertel gibt, in denen der Anteil an Ausländern und Menschen mit Migrationshintergrund höher ist. Diese Form der Segregation kann aber auch freiwillig sein, da die Bewohner z. B. in der Nähe von anderen Menschen aus demselben Kulturkreis und mit derselben Sprache wohnen wollen. Auch in anderen Staaten gibt es solche Viertel, z. B. Chinatown in New York City, USA.

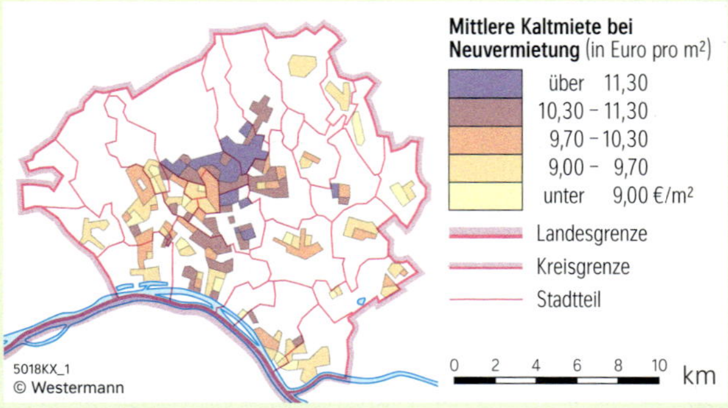

M2 Mietpreise in Wiesbaden

M3 Grafitti mit Botschaft

Die Trennung [...] verläuft nicht in allen Städten gleich. In manchen Städten drängen die Einkommensstarken an den Stadtrand [z. B. Wolfsburg, Aachen, Nürnberg], in anderen leben dort eher die Einkommensschwachen, die im Zentrum keinen Wohnraum mehr finden [z. B. Berlin, Frankfurt]. Es gibt Städte, die wie Mosaike aussehen, die scheinbar keinem Muster folgen. Und es gibt Städte, in denen soziale Kanten das Stadtbild durchziehen: Straßen, Schienen oder Flüsse. [...]

Vor allem reiche Haushalte neigen [...] dazu, hohe Mieten in Kauf zu nehmen und sich abzugrenzen. Das bringt für sie Vorteile. Sie profitierten von einer Nachbarschaft mit hoher Bildung [...] und Kontakten. Für Ärmere hat es hingegen Nachteile, mit anderen Armen zusammenzuleben. Am stärksten trifft soziale Segregation Kinder aus Familien, die Transferleistungen [z. B. Bürgergeld] beziehen [...]. Ballen sie sich in einer Nachbarschaft, kann sich das negativ auf die Gesundheit, Bildung und Berufschancen von Kindern auswirken. [...]

Wissenschaftler fordern deshalb, die soziale Durchmischung in den Städten zu fördern. [...] Helfen könnten [...] mehr Sozialwohnungen in wohlhabenderen Vierteln.

Quelle: Jakob Bauer u.a.: Einkommensverteilung in Großstädten. Die Muster der Ungleichheit, ZEIT Online, 30.01.2023

M4 Das Problem

Soziale Durchmischung kann unterschiedlich umgesetzt werden: im Viertel, in der Nachbarschaft oder im Haus. Eine Möglichkeit ist der sogenannte Drittelmix. Ein Drittel sind Eigentumswohnungen und zwei Drittel sind Mietwohnungen. Die Hälfte der Mietwohnungen sind wiederum öffentlich geförderte Sozialwohnungen. Für diese wird eine geringere Miete als üblich verlangt. Sie werden nach einer Prüfung beispielsweise an Alleinerziehende, Familien oder auch Menschen mit geringem Einkommen vergeben. Eine andere Möglichkeit ist es, verschiedene Wohnungsgrößen und Gebäudetypen zu errichten (z. B. Einfamilien- und Hochhäuser).
Diese soziale Durchmischung soll zu Begegnungen und zur Kommunikation zwischen Menschen in unterschiedlichen Lebenslagen und mit verschiedenen finanziellen Möglichkeiten führen. Damit die Nachbarschaft nicht anonym bleibt und da der gewünschte Austausch nicht automatisch zu Stande kommt, werden dafür Treffpunkte geschaffen und Events veranstaltet. Parks, Spielplätze, Gemeinschaftsräume sowie Feste und Tauschbörsen können z. B. Stätten für Begegnung und Kommunikation sein.

M6 Die Lösung?

Für eine lebenswerte Innenstadt muss dafür [...] gesorgt werden, dass möglichst eine Durchmischung der sozialen Schichten [...] stattfindet, weil damit auch Leben und Treiben in die Innenstadt zurückkehrt [...] und Ghettobildung vermieden wird.

Es wird mehr bezahlbarer Wohnraum benötigt, damit die Stadt für junge Leute bzw. Familien attraktiv ist und diese dann nicht in den Taunus ziehen müssen, weil Wohnen dort billiger ist, aber anschließend mit ihren Autos die Straßen von Wiesbaden auf dem Weg zur Arbeit verstopfen.

Günstiger Wohnraum für Studenten und Familien mit Kindern und Geringverdiener, bunte Durchmischung von Wohnvierteln mit Alt und Jung, mit Menschen aus unterschiedlichen Herkunftsländern, behinderten- und altengerechter Wohnungsbau [...]

Quelle: Wie wollen wir zukünftig in Wiesbaden wohnen und leben? Online-Dialog. Wiesbaden 2023, 2017, Landeshauptstadt Wiesbaden

M5 Forderungen Wiesbadener Bürger

AUFGABEN

1 *Vergleiche die Fotos in M1.*

2* *Diskutiert, wie sich das Wohnen in einem Villenviertel von dem Wohnen in einer Hochhaussiedlung unterscheidet.*

3* *Ermittle, in welchen Stadtteilen das Wohnen teuer und in welchen es günstig ist (M2).*

4 *Fasse die Forderungen aus M3 und M5 zusammen.*

5 *Erkläre, von welchen Merkmalen Segregation abhängig ist.*

6 *Arbeite mithilfe des Textes und M4 heraus, welche Vor- und Nachteile Segregation mit sich bringen kann.*

7 *Arbeite heraus, welche Methoden der sozialen Durchmischung dienen (M6).*

M 1 Rat der Stadt Augsburg 1358: Patrizier empfangen eine Abordnung der Handwerker (zeitgenössische Buchillustration). Die Quelle M4 verrät dir, was besprochen wurde.

Wer regierte die mittelalterliche Stadt?

Bis zum 13. Jahrhundert wurden die allermeisten Städte von ihren Stadtherrn regiert, also denjenigen, in deren Machtbereich die Stadt lag. Städte, die direkt dem Kaiser unterstanden, hießen **Reichsstädte** (z. B. Frankfurt). Die meisten Städte waren aber landesfürstliche Städte. Sie unterstanden z. B. Herzögen. Darüber hinaus gab es Bischofsstädte. Da die Stadtherren aber nicht in all ihren Städten persönlich vor Ort sein konnten, wurde die Herrschaft häufig stellvertretend von **Vögten** oder Schultheißen ausgeübt.

Mit steigendem Reichtum und Einfluss beanspruchten aber die wohlhabenden Kaufleute ein Mitspracherecht. In einigen Städten kamen die Stadtherren dieser Forderung nach, wie z. B. in Aachen. In anderen wiederum führte dies zu gewalttätigen Auseinandersetzungen, wie z. B. in Köln. In Straßburg kam es sogar dazu, dass der Bischof aus der Stadt vertrieben wurde. Straßburg wurde von einer Bischofsstadt zu einer sogenannten freien Stadt.

Das Patriziat (lateinisch für „Väter der Stadt") übernahm als neue städtische Oberschicht in vielen Orten die führenden Ämter. Statt eines Vogts gab es nun einen Bürgermeister und einen Rat der Stadt, in dem beraten wurde und Beschlüsse gefasst wurden. Damit wurde der Grundstein für eine Stadtherrschaft gelegt, wie wir sie bis heute kennen (kommunale Selbstverwaltung). Rund ein Jahrhundert später strebte in vielen Städten eine weitere Bevölkerungsgruppe nach Mitbestimmung: die Handwerker. Hier gab es zum einen Zugeständnisse, zum anderen aber Zunftkämpfe. In Köln und Ulm übernahmen die Zünfte die Macht. Aber nicht überall waren die Zünfte erfolgreich. Am Ende des Mittelalters wurden die Städte also sehr unterschiedlich regiert: von den Patriziern, von den Zünften oder von beiden.

M 2 Aufstand der Weberzunft (rechts) gegen die Patrizier (links) in Köln 1371 (Buchillustration 1499)

Die Meister der Bäcker von Braunschweig schrieben einen Brief an die Bäckerzünfte Lüneburg, Hamburg und Lübeck und erklärten, warum sie 1374 die Patrizier vertrieben haben:
Wisst nun aber, liebe Freunde, dass alle Zünfte und die gesamte Bürgerschaft in Braunschweig in außergewöhnlichem Maße von dem früheren Rat beschwert und bedrückt worden sind, indem seine Mitglieder uns und anderen Zünften und der gesamten Bürgerschaft gegenüber oftmals große Willkür gezeigt haben und uns in vielen Dingen nicht zu unserem Recht verhalfen. Auch wurden wir und die gesamte Bürgerschaft vom Rat in übler Weise bevormundet, denn die Ratsherren hatten viele Jahre lang durch Sondersteuern [...] viel Geld von uns eingenommen und hatten die Stadt trotzdem zu großem Schaden und den großen Schulden gebracht, was wir wohl beweisen können. Darüber hinaus hatte der Rat zuletzt den Zünften und der Bürgerschaft neue Abgaben und Pflichten auferlegt [...].

Zitiert nach: Die Chroniken der niedersächsischen Städte, Braunschweig, Band 1, 2. Aufl., Göttingen 1968, S. 133 ff.

M3 Quelle aus Braunschweig 1374

Wir [haben] unseren Rat folgendermaßen geordnet, besetzt und gemacht [...], dass wir aus allen Handwerken der Stadtgemeinde 18 Zünfte aufstellen, die jede einen Zunftmeister haben soll, der in den Rat geht. Und wenn die Zunft so groß und ehrbar ist, so soll noch einer aus der Zunft mit dem Zunftmeister in den Rat gehen, sodass also zwei aus dieser Zunft in den Rat gehen sollen. [...] Und so haben wir es geordnet und gemacht, dass aus den genannten 18 Zünften 29 Mann in den Rat gehen; und diese 29 Mann sollen fünfzehn Bürger [= Patrizier] wählen [...], die in diesem Jahr mit ihnen in den Rat gehen sollen, und so werden zusammen 44 in den Rat gehen. Und dann sollen die 29 Zunftmeister [...] zwei Bürgermeister wählen, einen von den Bürgern und einen von den Zünften der Gemeinde, welche sie am besten finden [...].

Quelle: Christian Meyer (Hrsg.), Urkundenbuch der Stadt Augsburg II, Augsburg 1874, S. 146–152

M4 Augsburger Zunftbrief von 1368

M5 Braunschweiger Rathaus: Hier fanden die Sitzungen des Rates statt. Nachdem die Zünfte die Patrizier vertrieben hatten, gelang es ihnen 1380, wieder einen Teil der Macht zurückzubekommen. Man einigte sich darauf, dass sowohl Patrizier als auch Handwerker an der Stadtregierung beteiligt werden.

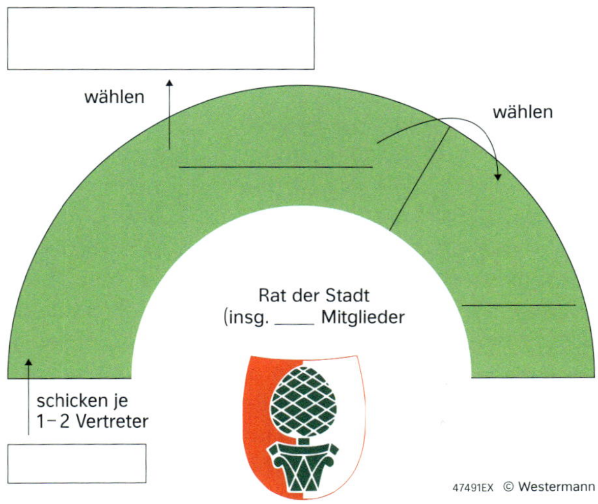

M6 Ein Beispiel: Stadtherrschaft in Augsburg

AUFGABEN

1 *Beschreibe, wie sich die Stadtherrschaft im Laufe des Mittelalters verändert hat.*

2 *Arbeite aus der Quelle heraus, warum die Handwerker 1374 die Patrizier vertrieben haben (M3).*

3 *Übertrage Schaubild M6 und fülle es mithilfe der Quelle M4 aus.*

4 *a) Erkläre, welche Folgen die Zunftkämpfe in Augsburg hatten (M1, M4).*
b) Überprüfe mithilfe des Textes, ob dies der Normalfall war.

5 *Beschreibe das Bild M1 mithilfe der Erkenntnisse aus den vorherigen Aufgaben.*

M 1 Stadtverordnetenversammlung Frankfurt

Wer regiert die Stadt heute?

Hessen ist einzigartig! Zumindest was die Funktionsweise der Städte angeht, denn das System in den hessischen Städten ist anders aufgebaut als in allen anderen Bundesländern.

Die **Stadtverordnetenversammlung (SVV)** ist das „Parlament" der Gemeinde. Die Abgeordneten werden alle fünf Jahre direkt vom Volk gewählt. Sie fassen Beschlüsse (die „Gesetze" der Gemeinde) und wählen die Beigeordneten des Magistrats. Sowohl die Stadtverordneten als auch der Magistrat können Beschlussvorlagen einbringen und versuchen, dafür eine Mehrheit zu bekommen. Darüber hinaus kontrolliert die SVV die gesamte Arbeit der Verwaltung und des Magistrats, insbesondere die Verwendung der Einnahmen. Die Sitzungen sind öffentlich, sodass jeder Bürger zuschauen kann.

Die Anzahl der Stadtverordneten hängt von der Einwohnerzahl ab. Bei den hessischen SVV handelt es sich um reine „Feierabendparlamente", deren Mitglieder sich neben dem Beruf ehrenamtlich politisch engagieren. Sie bekommen also kein Gehalt, sondern lediglich eine Aufwandsentschädigung.

Der **Bürgermeister** ist das Oberhaupt einer Stadt. Hat eine Stadt mehr als 50 000 Einwohner, ist die Amtsbezeichnung **Oberbürgermeister (OB)**. Er wird alle sechs Jahre direkt gewählt. Wahlberechtigt sind dabei alle EU-Bürger über 18, die in der Stadt wohnen, das heißt Deutsche und Ausländer aus einem Mitgliedsstaat der EU.

Der Bürgermeister repräsentiert die Stadt nach außen und leitet die Verwaltung der Stadt. Sie befindet sich meist im Rathaus und besteht aus unterschiedlichen Ämtern.

In Hessen leitet der Bürgermeister die Verwaltung nicht allein. Im Vergleich zu anderen Bundesländern ist er daher weniger mächtig. Er teilt sich die Leitung mit den **Beigeordneten** (auch **Stadträte** genannt), die von der SVV gewählt werden. Manche machen dies hauptberuflich, andere ehrenamtlich.

Der sogenannte Erste Beigeordnete oder Erste Stadtrat ist der Stellvertreter des Bürgermeisters. In Großstädten darf sich der Erste Beigeordnete als Vertreter des OB auch (Erster) Bürgermeister nennen.

Der Bürgermeister und die Beigeordneten bilden zusammen den **Magistrat**. Innerhalb des Magistrats bekommt jeder einen Aufgabenbereich. Je nach Zuständigkeit spricht man z. B. vom Stadtschulrat, Stadtbaurat oder Stadtkämmerer (verantwortlich für die Finanzen). Zu den Aufgaben des Magistrats gehört es, die Beschlüsse vorzubereiten, über die in der SVV entschieden wird. Dafür greift er auch auf die Verwaltung zurück. Zum Beispiel sind viele Berechnungen und Pläne notwendig, wenn die Stadt ein neues Baugebiet ausweisen, eine neue Straße bauen oder die Schulen renovieren möchte.

Nach dem Beschluss sorgt die Verwaltung für dessen Ausführung, das heißt, der Magistrat muss sich darum kümmern, dass die Beschlüsse auch umgesetzt werden.

M 2 Die Organe einer hessischen Stadt

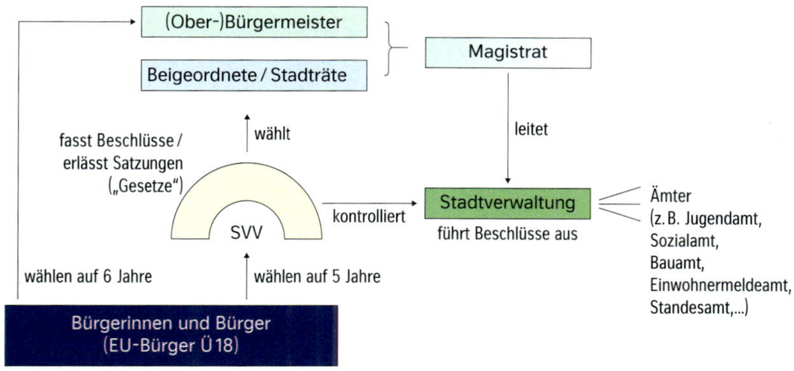

M 3 Schaubild der hessischen Magistratsverfassung

M 5 Das Rathaus in Fritzlar gilt als ältestes Amtshaus Deutschlands.

Frau Söllner, warum wollten Sie Bürgermeisterin werden?

Nach langjähriger politischer Tätigkeit war es reizvoll, mehr Gestaltungsmöglichkeiten zu bekommen.

Welchen Gestaltungsspielraum haben Sie als Bürgermeisterin?

In Hessen obliegt die Verwaltung einer kollegialen „Regierungsmannschaft“ aus Bürgermeister und Magistrat. In regelmäßigen Sitzungen werden die wichtigsten Entscheidungen getroffen. Der Bürgermeister ist Vorsitzender des Gremiums und hat damit die Möglichkeit, Themen zu setzen und voranzutreiben, die dann auch in die politische Diskussion gelangen.

Es gibt mehr Bürgermeister, die Thomas heißen, als Frauen in diesem Amt. Wie erklären Sie sich das?

Ich denke, dass sich vor allem jüngere Frauen, die sich auch eine Familie wünschen, dieses Amt nicht zutrauen, weil sie an der Vereinbarkeit von Bürgermeisteramt und Familie zweifeln. Es ist tatsächlich nicht immer einfach, alles unter einen Hut zu bringen, aber – es ist möglich und vor allem wünschenswert, dass mehr Frauen auf kommunaler Ebene entscheiden.

M 4 Interview mit Eva Söllner, Bürgermeisterin von Liederbach (2024)

FACHBEGRIFF

Ein **Parlament** ist eine Volksvertretung. Hier sitzen also Menschen, die vom Volk gewählt werden, um dessen Interessen zu vertreten. Man nennt diese Vertreter häufig auch Abgeordnete. Das Wort Parlament kommt vom französischen „parler“, was „reden“ bedeutet. Im Parlament wird nämlich über politische Entscheidungen diskutiert und anschließend abgestimmt.

INFO

Wann wird eine Gemeinde zur Stadt?
Hessische Gemeinden können den Status einer Stadt heutzutage ab einer Einwohnerzahl von ungefähr 13 000 erhalten. Es gibt aber auch kleinere Städte, die bereits vor langer Zeit zur Stadt erhoben wurden und diesen Titel deshalb weiterhin tragen dürfen.

AUFGABEN

1 *Arbeite heraus, welche Aufgaben die SVV und der Magistrat haben (M2).*

2 *Beschreibe das Schaubild M3.*

3 *Beurteile mithilfe von M2 und M4, wie viel Macht der Bürgermeister hat.*

4 *Korrigiere diese folgenden Sätze mithilfe von M3.*
a) Der Bürgermeister wird von der SVV gewählt.
b) Der Magistrat kontrolliert die Stadtverwaltung.
c) Alle 6 Jahre wird die SVV neu gewählt.

5 *Arbeite aus M2 und M4 heraus, warum Frauen seltener in der Kommunalpolitik tätig sind als Männer.*

6* *Erstelle einen Steckbrief deiner Gemeinde.*

Kommunen sollen stärker bei Straßenbau unterstützt werden

Hessen will mehr Polizisten einstellen

Bildungspolitik: Länder müssen zusammenarbeiten

Altenpflege
Die Kommunen sind gefordert

Bund beschließt Erhöhung des Kindergeldes

Rhein-Main
Beim Fluglärmschutz sollen Kommunen mehr Mitsprache erhalten

M1 Schlagzeilen

Deutschland – ein Mehr-Ebenen-System

Politik wird nicht nur in Berlin gemacht. Deutschland ist nämlich ein **Föderalstaat**. Neben dem **Bund** gibt es noch 16 Bundesländer (kurz: **Länder**), die ihre eigenen Regierungen und Parlamente haben und auch Gesetze erlassen dürfen.

Eine Besonderheit stellen die drei Stadtstaaten Berlin, Hamburg und Bremen dar, da sie gleichzeitig ein Bundesland und eine Stadt sind.

Städte gehören zur dritten Ebene im politischen System – den **Kommunen**. Auch sie haben ihre eigenen Aufgaben und Zuständigkeiten. Doch um sich Stadt nennen zu dürfen, braucht es meist eine gewisse Einwohnerzahl. Was nicht als Stadt zählt, ist „nur“ eine Gemeinde. Jede Stadt ist also auch eine Gemeinde, aber nicht jede Gemeinde eine Stadt. Von den 10753 Gemeinden in Deutschland sind etwas mehr als 2000 Städte.

Zu den Kommunen gehören auch die **Landkreise**. Landkreise sind Zusammenschlüsse mehrerer Städte und Gemeinden zur gemeinsamen Erfüllung von Aufgaben. Vor allem kleine Dörfer wären nicht in der Lage, ihre Aufgaben allein zu erfüllen. Nicht jeder Ort braucht z. B. eine eigene Kläranlage oder ein eigenes Krankenhaus. Daher ist es sinnvoll, sich Aufgaben zu teilen und gemeinsam zu finanzieren.

Große Städte sind meist kreisfrei, gehören also keinem Landkreis an. Dies betrifft meist Städte mit einer Einwohnerzahl von über 100000.

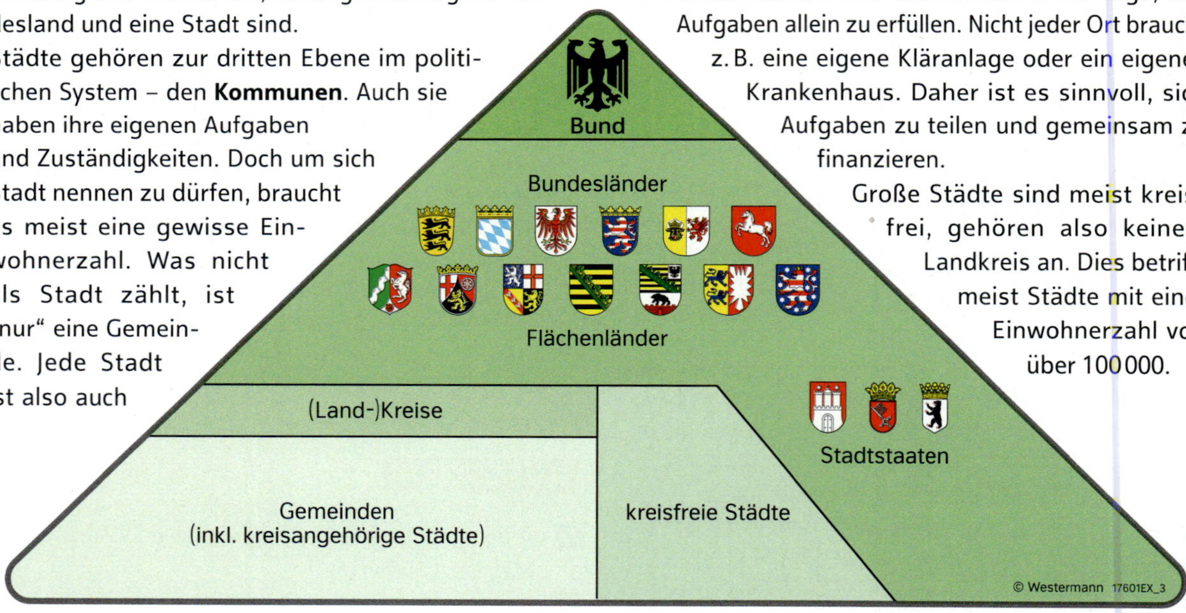

M2 Das Mehr-Ebenen-System in Deutschland

	Gemeinde	Stadt	Kreis
Verwaltungschef	Bürgermeister	(Ober-)Bürgermeister	Landrat
„Parlament“	Gemeindevertretung	Stadtverordnetenversammlung (SVV)	Kreistag
„Regierung“	Gemeindevorstand	Magistrat	Kreisausschuss

M3 Der politische Aufbau der Gemeinden und der Kreise ist identisch. Es gibt jedoch unterschiedliche Begrifflichkeiten.

Das Mehr-Ebenen-System am Beispiel des Bildungssystems

In öffentlichen Schulen sind die **Kommunen**, genauer gesagt die Landkreise oder die kreisfreien Städte, zuständig für das Schulgebäude. Der Bau oder die Sanierung von Schulen werden von ihnen bezahlt. Die Kommunen tragen auch die Betriebskosten, also die Kosten für Strom, Wasser oder Heizung. Auch die Ausstattung, z. B. Tische und Stühle oder Tafeln und Whiteboards, wird von den Kommunen finanziert. Nicht zuletzt werden auch Sekretärinnen und Hausmeister von der Kommune bezahlt.

Das **Land** ist zuständig für die Bildungspolitik. Auf Landesebene wird darüber entschieden, welche Schulformen es gibt (Hauptschule, Realschule, Gymnasium, Integrierte Gesamtschule etc.), welche Voraussetzungen zu einem Abschluss führen (Mittlere Reife, Abitur etc.), welche Fächer unterrichtet werden und was in den Fächern gelehrt werden soll und vieles mehr. Das Land ist außerdem für die Ausbildung und Einstellung von Lehrerinnen und Lehrern zuständig. Diese werden also vom Land bezahlt.

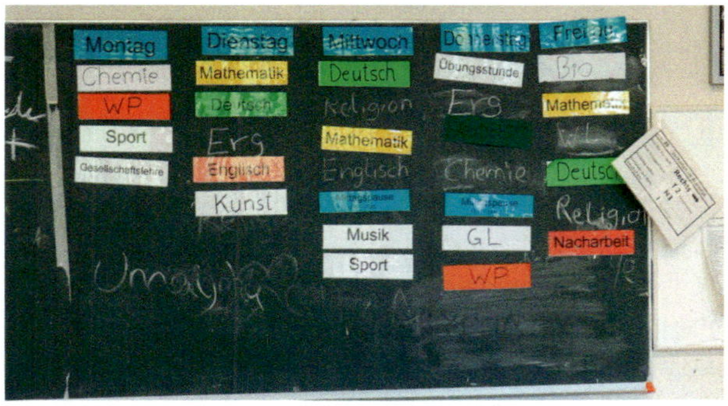

Der **Bund** hat in der Bildungspolitik grundsätzlich nichts zu sagen. In der Vergangenheit hat er aber immer wieder mal Geld zur Verfügung gestellt, z. B. für die digitale Ausstattung, also z. B. Beamer oder Tablets.
Wofür das Geld dann aber konkret ausgegeben wird, entscheiden die Kommunen.

M4 Geteilte Zuständigkeiten im Bildungswesen

AUFGABEN

1. *Untersuche die Schlagzeilen in M1. Was erfährst du über die Zuständigkeiten und Aufgaben?*
2. *Beschreibe das Schaubild M2.*
3. *Erkläre den Begriff Landkreis.*
4. *Zeichne das Schaubild M3 von S. 57 ab und ersetze die passenden Begriffe für den Landkreis mithilfe von M3.*
5. *Recherchiere, welche kreisfreien Städte es in Hessen gibt (Atlas).*
6. *Finde deinen Landkreis im Atlas und nenne alle Nachbarkreise.*
7. *a) Entscheide, welche Ebene in M5 zuständig ist.*
   b) Diskutiert, welche Ebene für die Bildungspolitik die wichtigste ist (M4).

(a) Die Heizung der Schule ist defekt.

(b) Die GL-Fachschaft fordert mehr Stunden zur politischen Bildung.

(c) Die Schulleitung wünscht sich Glasfaseranschluss.

(d) Der Schulelternbeirat will sich über den Zustand der Toiletten beschweren.

(e) Kian findet, dass zu viele Klausuren geschrieben werden.

(f) Frau Hamm will mehr Grün auf dem Schulhof.

M5 Wer ist zuständig?

M1 Stimmabgabe und Auszählung der Stimmzettel

Ganz schön viele Kreuzchen – Kommunalwahlen

Alle sechs Jahre werden in den hessischen Kommunen die (Ober-)Bürgermeister und Landräte gewählt. Hier stellen sich Kandidaten verschiedener Parteien zur Wahl. Häufig gibt es aber auch unabhängige, also parteilose Bewerber. Die Wahl der zukünftigen Amtsträger funktioniert nach dem **absoluten Mehrheitswahlsystem**: Wer über die Hälfte der Stimmen bekommt, ist gewählt. Sollte keiner der Kandidaten mehr als 50 Prozent erreichen, gibt es eine **Stichwahl** zwischen den beiden Bewerbern mit den meisten Stimmen. Dabei kann es durchaus passieren, dass der Zweitplatzierte aus dem ersten Wahlgang im zweiten Wahlgang dennoch gewinnt.
Die Wahl der Gemeindevertreter bzw. der Stadtverordneten findet alle fünf Jahre statt. Der Wähler hat genau so viele Stimmen, wie es Sitze gibt. Die Anzahl der Sitze ist abhängig von der Einwohnerzahl (mind. 15 Sitze, max. 93 Sitze).

Die Wähler können nun einfach eine Parteiliste oben ankreuzen und vergeben damit alle ihre Stimmen an die Kandidaten, die dort stehen. Da es sich aber um eine Wahl mit offenen Listen handelt, können sie ihre Stimmen auch direkt an einzelne Kandidaten geben. Dabei können sie Kandidatinnen und Kandidaten aus verschiedenen Parteien wählen (**panaschieren**). Sie haben zudem die Möglichkeit, jemandem bis zu drei Stimmen zu geben (**kumulieren**).
Kreuzt jemand nur eine Parteiliste an, mag aber einen bestimmten Kandidaten nicht, kann er den Namen durchstreichen.
Wahlberechtigt sind in Hessen alle EU-Bürger über 18 Jahre mit Erstwohnsitz in der Gemeinde. Das gilt auch bei Bürgerentscheiden. Hier haben die Bewohner der Gemeinde die Möglichkeit, über ganz konkrete Sachfragen abzustimmen.

Partei **ABC**		◯		
101	Zwick, Anissa			
102	Aslan, Sevket Can	X	X	X
103	Kautz, Luna			
104	Abadi, Derya			
105	Schiller, Henriette			
106	Pavlov, Roman			
107	McKie, Pekka			
108	Chaberimis, Nio			
109	Schlagmann, Sara			
110	Nour, Ellias			

Partei **DEF**		◯		
201	Specht, Arved			
202	Moor, Jekaterina			
203	Samahodaj, Michel			
204	Rychlik, Helena			
205	Shahin, Licianda	X	X	X
206	Kuli, Aram			
207	Roussy, Maxime			
208	Richter, Edward			
209	Hadyk, Edgar			
210	Bazerbashi, Zarkaria			

Wählergruppe **GHI**		ⓧ		
301	Mueller, Jan			
302	Brunn, Fina			
303	Seegers, Amira			
304	Nguyen, Thi Minh			
305	Klingauf, Yasemin			
306	Püschel, Sergej			
307	Jonassen, Marten			
308	Tarakci, Kadir			
309	Johans, Kora			
310	Mehic, Emina			

M2 Beispiel eines Wahlzettels

INFO

Wenn Bürger ähnliche Interessen verfolgen, können sie sich zu **Parteien oder Wählergruppen (WG)** zusammenschließen, um ihre Interessen besser durchsetzen zu können. Bei Wahlen stellt jede Partei auf einem Parteitag, auf dem sich die Parteimitglieder treffen, ihre Kandidatinnen und Kandidaten oder eine entsprechende Liste auf.

Vor der Wahl erhalten die Wählerinnen und Wähler eine **Wahlbenachrichtigung**, auf der steht, wann und wo die Wahl stattfindet. Gleichzeitig erhalten sie auch einen Antrag auf **Briefwahl**. Man kann sich also die Wahlunterlagen schon vorher zuschicken lassen, zu Hause ausfüllen und wieder ans Wahlamt zurückschicken. Außerdem gibt es die Möglichkeit, mit der Wahlbenachrichtigung ins Rathaus zu gehen und dort schon vor dem eigentlichen Wahltermin zu wählen.

M3 Vor der Wahl

M4 Der Wahlvorgang

INFO

Damit die Wahl reibungslos stattfinden kann, ist die Gemeinde auf die Unterstützung ihrer Bürger angewiesen. Freiwillige können sich hierfür als **Wahlhelfer** registrieren lassen. Sie regeln den Ablauf im **Wahllokal** und zählen am Ende des Tages die Stimmen aus. Dafür enthalten sie eine kleine Aufwandsentschädigung (auch Erfrischungsgeld genannt).

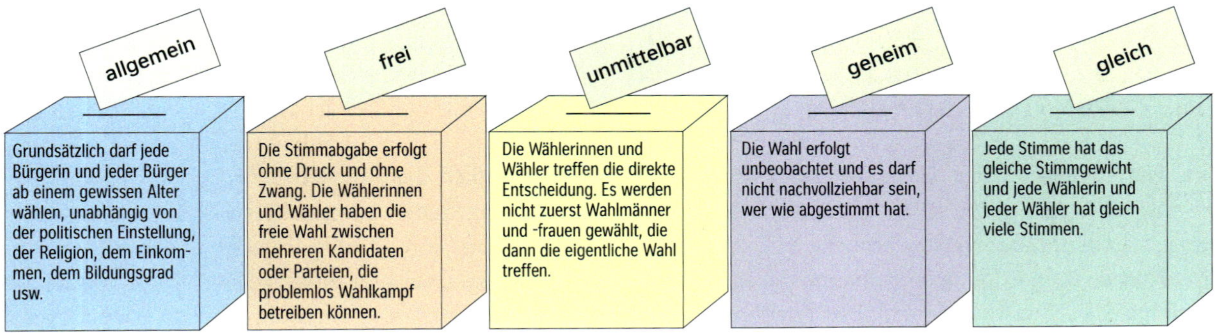

M5 Diese Wahlgrundsätze müssen bei Wahlen in Deutschland eingehalten werden.

Nach der Wahl bilden die gewählten Abgeordneten **Fraktionen**, meist entsprechend ihren Parteien. Seltener schließen sich auch Mitglieder mehrerer kleiner Parteien zu einer Fraktion zusammen. Anschließend bilden die Fraktionen häufig **Koalitionen**, um im Parlament eine Mehrheit zu haben, denn um Beschlüsse zu fassen, müssen mehr als die Hälfte der Mitglieder zustimmen.
Die Parteien, die nicht Teil einer Koalition sind, nennt man **Opposition**.

M6 Nach der Wahl

AUFGABEN

1 *Erkläre, warum die Wahlzettel zur Wahl der SVV so groß sind (M1, M2, siehe S. 56: M2).*

2 *Beschreibe, was vor, während und nach dem Wahltag passiert (M3 – M6).*

3 *Diskutiert, warum es wichtig ist, dass die Wahlgrundsätze eingehalten werden (M5).*

4 *Überprüfe, ob die Wahl zum Klassensprecher / zur Klassensprecherin den Kriterien aus M5 entsprach.*

5 *Recherchiere das letzte Kommunalwahl-Ergebnis und erstelle ein Diagramm.*

M1 Ein Blick in die Stadt

Aufgaben der Kommunen

Eine Gemeinde sollte ein lebenswerter Ort sein, ein Ort, an dem man sich gerne aufhält, der attraktiv ist und einiges zu bieten hat. Hierzu braucht es eine gute **Infrastruktur**. Damit das gelingt, haben die Kommunen so einige Aufgaben zu erledigen. Dazu gehören Pflichtaufgaben, die gesetzlich vorgeschrieben sind. Hier geht es vor allem um die **Daseinsvorsorge**. Bestimmte Aufgaben muss die Kommune im Auftrag des Bundes oder des Landes erledigen. Viele andere Projekte kann sie aber freiwillig umsetzen.

INFO

Daseinsvorsorge und Infrastruktur
Der Staat garantiert eine gewisse Grundversorgung mit den Gütern und Dienstleistungen, die für das menschliche Dasein gebraucht werden. Er sorgt also dafür, dass für die Menschen alles Lebensnotwendige im Alltag da ist (Daseinsvorsorge). Die Güter und Dienstleistungen, die der Staat dafür zur Verfügung stellt, nennt man öffentliche Infrastruktur.

Wer erledigt die Aufgaben?

Um ihre Aufgaben zu erledigen, verfügen viele Kommunen über kommunale Unternehmen, wie z. B. die **Stadtwerke** oder Wasserwerke. Welche Aufgaben sie übernehmen, ist aber von Kommune zu Kommune unterschiedlich. Statt die Aufgaben selbst zu erledigen, kann die Kommune auch private Unternehmen dafür bezahlen. Sie vergibt also Aufträge und erhält dafür eine Rechnung.

Zur Infrastruktur gehören nicht nur kommunale Einrichtungen, sondern auch private Unternehmen. Ein Supermarkt ist z. B. wichtig für die Nahversorgung, aber die Kommunen selbst bauen und betreiben keine eigenen Geschäfte. Sie können höchstens die Rahmenbedingungen dafür schaffen, indem sie z. B. Baugebiete dafür zur Verfügung stellen. Bei anderen Einrichtungen gibt es ein Nebeneinander von privaten und öffentlichen, das heißt kommunalen Anbietern, z. B. bei Schwimmbädern, Museen und Krankenhäusern.

kommunale Selbstverwaltungsaufgaben		Auftragsangelegenheiten
Pflichtaufgaben *Aufgaben, die die Kommunen laut Gesetz wahrnehmen müssen* *Die Kommunen entscheiden nicht ob, aber wie sie handeln.* Straßenbau, Straßenreinigung, Müllentsorgung, Wasserversorgung, Energieversorgung, Abwasser, Kanalisation, Kläranlagen, Kitas, Schulen, Feuerwehr, Friedhöfe, Geflüchtetenunterkünfte	**freiwillige Aufgaben** *Aufgaben, die die Kommunen wahrnehmen können* *Die Kommunen entscheiden frei, ob und wie sie handeln.* Theater, Sportstätten, Schwimmbäder, Bibliotheken, öffentlicher Personennahverkehr (ÖPNV), Jugendarbeit, Jugendtreff, Spielplätze, Museen, Parks/Grünflächen, Krankenhäuser, Veranstaltungen (z. B. Feste, Konzerte), Seniorenheime	*Aufgaben, die die Kommunen nach genauer Vorgabe im Auftrag von Bund oder Land erfüllen müssen* *Die Kommunen entscheiden weder ob, noch wie sie handeln.* Organisation von Wahlen, Ausstellung von Ausweisen und Pässen, Registrierung der Einwohner

M2 Aufgaben der Gemeinde

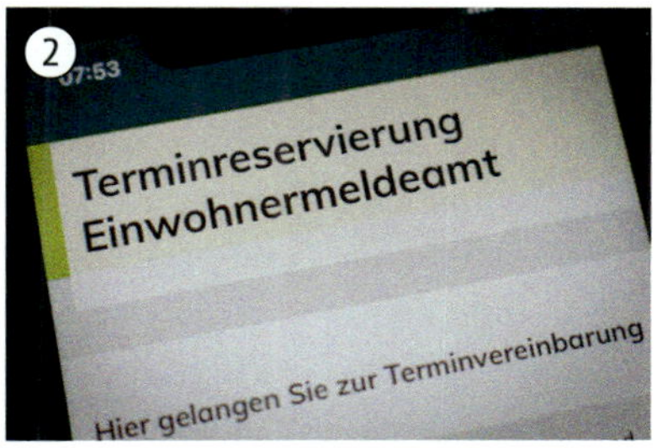

M3 Für welche Dinge sind die Kommunen zuständig?

AUFGABEN

1 *Untersuche das Bild M1 und notiere deine Vermutungen, welche Aufgaben der Kommunen dort zu sehen sind.*

2 *Überprüfe deine Vermutungen mithilfe von M2. Ordne zu, ob es sich dabei um Pflichtaufgaben oder freiwillige Aufgaben der Kommunen handelt.*

3 *a) Ermittle mithilfe von M2, auf welchen Fotos Aufgaben der Kommunen abgebildet sind (M3).*
b) Ordne zu, ob es sich um Pflichtaufgaben, freiwillige Aufgaben oder Auftragsangelegenheiten handelt (M2).

4 *Arbeite aus dem Text heraus, welche Akteure für eine gute Infrastruktur in den Kommunen sorgen.*

M1 Karikatur von Jan Tomaschoff

M3 Das Hallenbad Erlensee im Main-Kinzig-Kreis soll geschlossen werden. Auch in Nidderau und Freigericht drohen Schließungen.

Ohne Moos nix los – das Geld der Kommunen

Damit die Kommunen ihre Aufgaben erfüllen können, brauchen sie viel Geld. Das kommt in erster Linie aus **Steuern**, die die Bürger zahlen. Dazu zählen z. B. die Einnahmen aus der Einkommensteuer und der Mehrwertsteuer, die sich die Kommunen mit dem Bund und den Ländern teilen. Darüber hinaus kassieren die Kommunen eigene Steuern, deren Höhe sie selbst festlegen können. Dazu gehören die Gewerbesteuer für Unternehmen, die Grundsteuer für Immobilienbesitzer (Grundstücke, Häuser, Wohnungen) und die Hundesteuer. In den beiden hessischen Gemeinden Schlangenbad und Kirchheim gibt es auch eine Pferdesteuer.
Zusätzlich bekommen die Kommunen regelmäßig Geld vom Bund und vom Land (Zuweisungen) und Zuschüsse für bestimmte Projekte.

Weitere Einnahmequellen sind Eintrittsgelder und Gebühren für bestimmte Dienstleistungen. Die Gebühren, die die Bürger für Abwasser und Abfallentsorgung zahlen, decken weitestgehend die Kosten. Anders sieht es bei den Gebühren für Kitas und Bibliotheken oder bei den Eintritten für Museen, Theater und Bäder aus. Diese decken nur einen Bruchteil der Kosten. Das bedeutet, dass die Ausgaben aus anderen Einnahmen bezahlt werden müssen.
Viele Gemeinden kommen mit dem Geld, das sie einnehmen, nicht aus. Sie müssen entweder Schulden aufnehmen, die später mit Zinsen zurückgezahlt werden müssen. Oder sie müssen ihre Ausgaben kürzen. Was passiert aber, wenn die Kommunen so viel sparen, dass sie immer weniger Aufgaben erfüllen können?

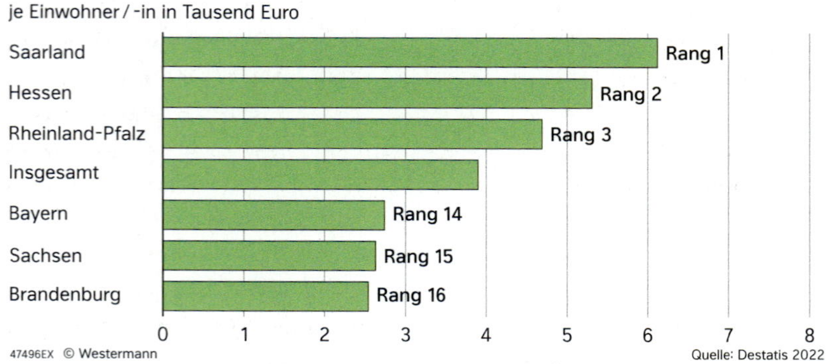

M2 Pro-Kopf-Verschuldung der Gemeinden nach Bundesländern (Auswahl). Alle Gemeinden zusammen haben insgesamt rund 300 Mrd. Euro Schulden.

FACHBEGRIFF

Steuern
Steuern sind Abgaben, die die Bürger an den Staat zahlen, damit dieser seine Ausgaben finanzieren kann. Es gibt direkte Steuern, die dem Arbeitnehmer direkt vom Lohn abgezogen werden (Einkommensteuer), und indirekte Steuern wie die Mehrwertsteuer, die wir zahlen, wenn wir etwas kaufen.

Reich, reicher, Eschborn!

Günstige Kita-Plätze, ein neues Rathaus und eine neue Stadthalle, die Sanierung von Sportanlagen – das alles kostet viel Geld, doch für Eschborn ist dies kein Problem. Die 20 000-Einwohner-Stadt gehört zu den reichsten Gemeinden Hessens. So reich, dass sie sogar Kultureinrichtungen in der Nachbarstadt Frankfurt bezuschusst.
Insgesamt hat die Stadt 310 Mio. Euro Rücklagen angespart. Pro Jahr verdient Eschborn allein 200 Mio. Euro an Gewerbesteuer. Grund für die hohen Gewerbesteuereinnahmen sind zahlreiche große Unternehmen, die hier ihren Sitz haben, unter anderem Deutsche Bank, IBM, LG und Vodafone. Auch die Zentrale der Deutschen Börse liegt hier. Dies liegt zum einen an der Lage im Großraum Frankfurt und den damit verbundenen sehr guten Verkehrsanbindungen mit dem größten deutschen Flughafen und wichtigen Autobahnen. Zum anderen lockt der geringe Gewerbesteuersatz, den jede Kommune selbst festlegt, denn im angrenzenden Frankfurt müssten die Unternehmen mehr Steuern zahlen.

Finanzielle Lage weiter angespannt

Das Krankenhaus musste schließen, das Freibad muss saniert werden, das Museum braucht ein neues Dach und die Wasserleitungen sind marode. In Lindenfels ist die finanzielle Lage angespannt. Große Unternehmen gibt es nicht, sodass es auch keine hohen Gewerbesteuereinnahmen gibt. Die Stadt sitzt auf einem Schuldenberg von fast 10 Mio. Euro. „Ohne große finanzstarke Programme sparen wir uns kaputt", sagte Bürgermeister Michael Helbig (SPD) der Zeitung Darmstädter Echo und hofft damit auf Unterstützung vom Land Hessen.
Zwar gelang es der Stadt zuletzt, einen Haushalt ohne neue Schulden aufzustellen, doch jede Investition muss genau durchdacht und kalkuliert werden. Lindenfels liegt im Odenwald, umgeben von schöner Natur auf einem Berg. Die Einwohner genießen einen tollen Ausblick, doch müssen sie für viele Dinge weite Wege in Kauf nehmen. Vielleicht ist dies auch ein Grund für die rückläufige Bevölkerungszahl. Seit 2005 ist diese von 5 300 auf 5 000 gesunken.

M 4 Reiche und arme Kommunen in Hessen

AUFGABEN

1 *Nenne die verschiedenen Einnahmequellen einer Kommune.*

2* *Beurteile mithilfe der Grafik M2 die Finanzlage der hessischen Kommunen.*

3 *Diskutiert, welche Folgen es hat, wenn eine Kommune immer weiter sparen muss. Berücksichtigt dabei auch die vorherige Doppelseite.*

4 *Sollten die Eintrittspreise für Schwimmbäder angehoben werden? Braucht eine Stadt überhaupt ein öffentliches Schwimmbad? Diskutiert.*

5 *Vergleiche die finanzielle Lage der Städte Eschborn und Lindenfels und erkläre sie (M4).*

6 *Interpretiere die Karikatur M1.*

FACHBEGRIFF

Haushalt/Budget
In einem Haushalt werden die Einnahmen und Ausgaben (z. B. Gehälter, Sozialausgaben, Investitionen) festgehalten. Jede Gemeinde stellt einen Haushaltsentwurf auf, um die Einnahmen und Ausgaben für das nächste Jahr zu planen.

Investitionen sind Ausgaben, von denen man sich einen Gewinn verspricht. Wenn die Stadt z. B. neue Straßen für ein Gewerbegebiet baut, erhofft sie sich davon, dass sich Unternehmen ansiedeln, die dann Arbeitsplätze schaffen und Steuern zahlen.

M1 Die Frankfurter Skyline

Metropolregion Rhein-Main

Zentral gelegen – mit großer Ausstrahlung

Die **Metropolregion** Rhein-Main ist eine der größten Deutschlands. Ungefähr zwei Drittel aller Menschen, die in Hessen leben, wohnen dort. Das Gebiet ist sehr weit und umfasst Städte aus drei verschiedenen Bundesländern.

Der Kernraum dieser Region wird auch Regionalverband Frankfurt-Rhein-Main genannt und umfasst Frankfurt und die Kommunen im Umland. In der gesamten Metropolregion leben etwa 5,8 Mio. Menschen. Allein der Kernraum umfasst bereits 2,8 Mio. Einwohner.

Vor allem durch den Frankfurter Flughafen ist das Rhein-Main-Gebiet ein bedeutender Verkehrsknotenpunkt. Zahlreiche Unternehmen haben sich deshalb in der Region angesiedelt. Außerdem befindet sich hier der Sitz der Europäischen Zentralbank. Die Frankfurter Messe existiert bereits seit dem Mittelalter. Sie ist gemessen an ihrer Ausstellungsfläche die drittgrößte der Welt. Die jährlich stattfindende Buchmesse gehört zu den größten. Darüber hinaus ist Frankfurt ein bedeutender Wirtschaftsstandort mit zahlreichen großen internationalen Unternehmen aus der Finanzbranche, der Pharmaindustrie, der chemischen Industrie und der Automobilindustrie. Auch das kulturelle Angebot ist groß. So gibt es etwa 60 Museen und Ausstellungshäuser.

M2 Metropolregion Rhein-Main

Zusammenarbeit in der Region

Warum wurde die Metropolregion von der Politik geschaffen? Es wurde erkannt, dass bestimmte Aufgaben und Probleme nur durch Gespräche und Zusammenarbeit zwischen den Gemeinden gelöst werden können. Dazu gehören große Verkehrsprojekte, die Aufteilung der Ausgaben für Kulturangebote, die Schaffung von Wohnungen, die Ansiedlung von Firmen und die Zusammenarbeit von Universitäten und vieles mehr. Allerdings gibt es auch Themen, bei denen die Meinungen auseinandergehen können. Zum Beispiel gibt es Diskussionen über Flugrouten, Windkraftanlagen, den Bau neuer Bahnverbindungen oder die Müllentsorgung.

Ein Beispiel für ein Großprojekt in der Region ist die geplante Regionaltangente West (RTW). Will ein Pendler von seinem Wohnort zu seinem westlich von Frankfurt gelegenen Arbeitsplatz fahren (z. B. Industriepark Höchst), muss er bisher in der Regel erst nach Frankfurt fahren und dort in eine stadtauswärts fahrende Bahn umsteigen. Dies führt dazu, dass der ÖPNV in Frankfurt überlastet ist, insbesondere sind es die Haltestellen Hauptbahnhof und Hauptwache. Viele Pendler fahren deshalb mit dem Auto, was regelmäßig für Staus auf den Autobahnen sorgt.
Die Regionaltangente West soll an dieser Stelle für Abhilfe sorgen: Geplant ist eine Bahnstrecke, die ab 2028 vor allem am westlichen Rand von Frankfurt verläuft und etliche Städte und Gemeinden im Umland Frankfurts, einige Stadtteile der Stadt Frankfurt sowie den Frankfurter Flughafen miteinander verbindet. Es wird insgesamt 26 Haltestellen geben, die meisten davon auf Frankfurter Stadtgebiet. Ein Vorteil der Bahn ist, dass sie zur Hälfte auf schon bestehende Bahnstrecken zurückgreift. Die Planer erhoffen sich, dass durch die neue Bahnlinie viele Pendler vom Pkw auf die Bahn umsteigen. Doch es gibt auch Kritik an der neuen Strecke: Die eingesetzten Wagen wären zu klein, um die Strecke kostendeckend betreiben zu können, Naturlandschaften würden zerstört und die für den Nahverkehr wesentlich wichtigere Südostumgehung würde zurückgestellt.

M3 Die Regionaltangente West

M4 Flughafen

M5 Stadion

M6 Industriepark Höchst

AUFGABEN

1 *Recherchiere im Internet und finde zur Metropolregion Rhein-Main Folgendes heraus:*
a) Notiere die beteiligten Bundesländer und die zehn größten Städte der Metropolregion.
b) Nenne fünf dort ansässige Unternehmen, die international wichtig sind.

2 *Erkläre, warum sich Kommunen zum Regionalverband Frankfurt-Rhein-Main zusammengeschlossen haben.*

3 *Begründe, warum der Bau der Regionaltangente West für die Region hilfreich sein könnte (M3).*

Stadt und Nachhaltigkeit

Im Jahr 2015 wurden von den Vereinten Nationen (United Nations; UN) die Agenda 2030 beschlossen. Im Zentrum dieser stehen 17 Ziele für nachhaltige Entwicklung, mit denen wirtschaftliche, soziale und ökologische Entwicklungen vorangebracht werden sollen. Diese Ziele sind Leitlinien für alle Regierungen, die Mitglied in den UN sind. Weltweit lebt jeder zweite Mensch in einer Stadt, in Deutschland sind es sogar drei von vier Menschen. Die Städte sind für rund 75 Prozent des weltweiten CO_2-Ausstoßes verantwortlich. Daher ist es wichtig, das Thema **Nachhaltigkeit** in den Städten anzugehen. Zu den großen Aufgaben gehören der Klimaschutz und die Anpassung an den Klimawandel, aber auch die Verbesserung der Lebensqualität der Menschen.

M1 Die Ziele der Agenda 2030

Verbesserung der Luftqualität
Eine saubere Luft und eine Reduzierung des Verkehrsaufkommens, vor allem von Pkw und Lkw, werden für die Lebensqualität in Städten immer wichtiger. Durch den Ausbau des ÖPNV und die Förderung von umweltfreundlicheren Verkehrsmitteln (Leihrädern oder E-Scooter) und -konzepten (z. B. Carsharing) könnte die Luftqualität in der Stadt verbessert werden. Dies kann die Gesundheit der Bewohner schützen und die Belastung für die Umwelt reduzieren.
Durch den Einsatz von nutzerfreundlichen Apps im ÖPNV und die Verbindung verschiedener Verkehrsmittel kann auch die Mobilität verbessert werden. So ist ein Wechsel zwischen den Verkehrsmitteln (z. B. von S-Bahn auf E-Scooter) immer öfter unkompliziert möglich.
Auch bieten viele Unternehmen ihren Angestellten Jobtickets (Jahreskarten für den ÖPNV) an, sodass Arbeitnehmer für den täglichen Arbeitsweg den ÖPNV nutzen können statt des Pkw.

Diskutiert in eurer Gruppe und notiert:
a) Welche Verkehrsmittel nutzt ihr in eurem Alltag? Welche eure Eltern?
b) Was müsste getan werden, damit ihr als junge Erwachsene auf ein eigenes Auto verzichten könntet?

M2 Vernetzung und Digitalisierung könnten helfen, die Mobilität in den Städten nachhaltiger zu gestalten, glauben Verkehrsexperten.

Radschnellwege

In der Metropolregion Rhein-Main sind neun Radschnellwege geplant. Mit ihrer Fertigstellung steht Pendlern aus der Umgebung eine umweltfreundliche Möglichkeit der Fortbewegung zur Verfügung. Die Fahrtkosten sind im Gegensatz zur Nutzung des Pkw oder ÖPNV deutlich geringer. Gleichzeitig fördert die Bewegung an der frischen Luft die Gesundheit und stärkt die körperliche Fitness. Diesen Vorteil haben auch Unternehmen erkannt, fördern den Ausbau des Radverkehrsnetzes und bieten zudem ihren Angestellten Dienstfahrräder anstelle von Dienstwagen an.
Viele Menschen sind gerne mit dem Fahrrad unterwegs, wünschen sich jedoch bessere Bedingungen wie breite und schlaglochfreie Radwege, aber auch mehr Sicherheit. Abschnitte der Radschnellwege werden daher so geplant, dass diese baulich vom motorisierten Verkehr getrennt sind, um die Sicherheit für Radfahrende zu erhöhen und das Risiko von Unfällen zu minimieren. Dies kann dazu motivieren, auf das Fahrrad umzusteigen und somit die Umweltbelastung der Region zu reduzieren.

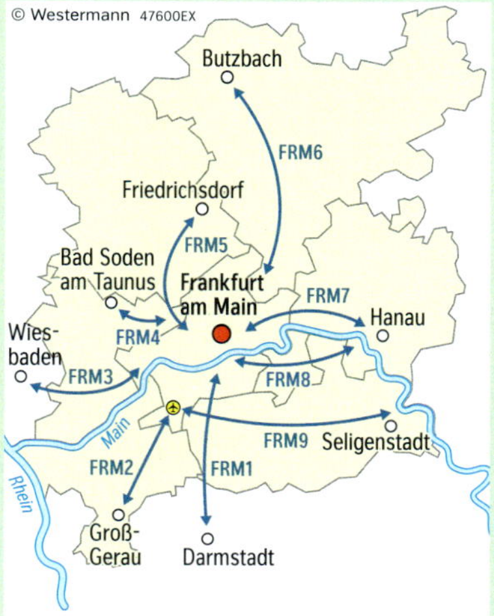

FRM1: Darmstadt – Frankfurt
FRM2: Groß-Gerau – Frankfurt
FRM3: Wiesbaden – Frankfurt
FRM4: Taunushang
FRM5: Vordertaunus
FRM6: Wetteraus – Frankfurt
FRM7: Hanau – Frankfurt
FRM8: Hanau – Frankfurt (Süd)
FRM9: Kreis Offenbach Quer

Diskutiert in eurer Gruppe und notiert:
a) Wie fühlt ihr euch als Radfahrer in eurer Umgebung?
b) Was muss getan werden, um das Radfahren attraktiver zu machen?

M 3 Radschnellweg

Urban Gardening

Urban Gardening bedeutet Gartenbau in der Stadt auf kleinstem Raum. Durch den Anbau von Nutzpflanzen auf Balkonen, Dachterrassen und versiegelten Flächen kann die Luftqualität nachhaltig verbessert werden. Zudem kann Urban Gardening dazu beitragen, die Hitzeinseln in städtischen Gebieten zu reduzieren. Die Grünflächen bieten für Mensch und Tier Schatten. Gleichzeitig wirken sich die Pflanzen positiv auf das lokale Klima aus. So sorgen vor allem im heißen Sommer die Verdunstungsprozesse der Pflanzen für angenehmere Umgebungstemperaturen. Häufig werden die Anbauflächen im Rahmen von Gemeinschaftsgärten genutzt. Dies fördert einerseits den Zusammenhalt und das Miteinander in der Gemeinde und andererseits das Bewusstsein für eine nachhaltige Lebensweise. Da die Gärtnerinnen und Gärtner ihr Obst und Gemüse selbst anbauen, wird weniger im Supermarkt gekauft und so der Transport dieser Lebensmittel aus anderen Regionen verringert.
Zudem kann Urban Gardening auch zur Entschleunigung beitragen und den Menschen dabei helfen, bewusster und gesünder zu leben. Durch die Beschäftigung mit der Natur und den Anbau von Nutzpflanzen können die Gärtnerinnen und Gärtner den Stress des städtischen Lebens abbauen und sich auf das Wesentliche konzentrieren.

Diskutiert in eurer Gruppe und notiert:
a) Hat jemand von euch Erfahrung im Urban Gardening? Berichtet in der Gruppe.
b) Erstellt ein Konzept, wie Urban Gardening gestaltet sein müsste, dass es auch für euch interessant wäre. Wie und wo würdet ihr dies umsetzen?

M 4 Urban Gardening

AUFGABEN

1 *Wiederhole, was Nachhaltigkeit bedeutet.*

2 *Gruppenarbeit: Jede Gruppe bearbeitet eines der drei Beispiele für nachhaltige Projekte anhand der Leitfragen. Stellt eure Ergebnisse in der Klasse vor (M2 – M4).*

3 *Leihroller sind umstritten. Paris hat diese 2023 verboten. Recherchiert Pro- und Kontra-Argumente und beurteilt diese Maßnahme (Internet).*

4 *Erstelle ein Ranking und nenne so deine fünf drängensten Ziele (M1). Begründe deinen Platz 1.*

Digital+
WES-112452-069

M1 Smartes Berlin im Jahre 2050?

Smarte Citys – lebenswerte Zukunftsstädte?

Was muss geschehen, um die Probleme von Metropolen zu lösen und die Lebensqualität der Bewohner zu verbessern? Wie kann es gelingen, für Menschen nicht nur ausreichend Arbeitsplätze, sondern auch Versorgungs-, Bildungs- und Freizeitangebote zur Verfügung zu stellen? Diese Fragen werden bei der Stadtplanung gestellt, wenn man wissen möchte, wie Städte in Zukunft aussehen sollen. Städte, die neue Technologien nutzen wie hoch entwickelte Software für saubere Luft, bessere Gesundheit und entspannte Mobilität werden Smart Citys genannt. Mithilfe von Sensoren, die Echtzeit-Daten sammeln, können beispielsweise freie Parkplätze auf Apps angezeigt oder auch die Stromverteilung in Gebäuden angepasst werden.
Städte sollen nicht nur smart werden, sondern auch den Alltag der Bevölkerung erleichtern. Bei dem Konzept der 15-Minuten-Stadt soll es für Menschen möglich sein, in weniger als 15 Minuten zu Fuß, mit dem Fahrad oder dem ÖPNV alle Wege des Alltags zu bestreiten (Einkauf, Arztbesuche, Arbeitsplatz etc.). Gleichzeitig herrscht eine große Durchmischung aller Bevölkerungsgruppen, egal welchen Alters, sozialen Standes oder Lebensstils.

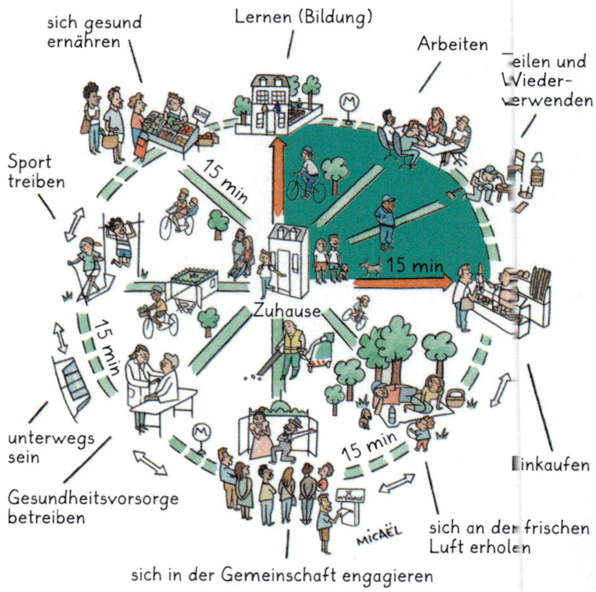

30059EX_2

M2 Leitbild 15-Minuten-Stadt

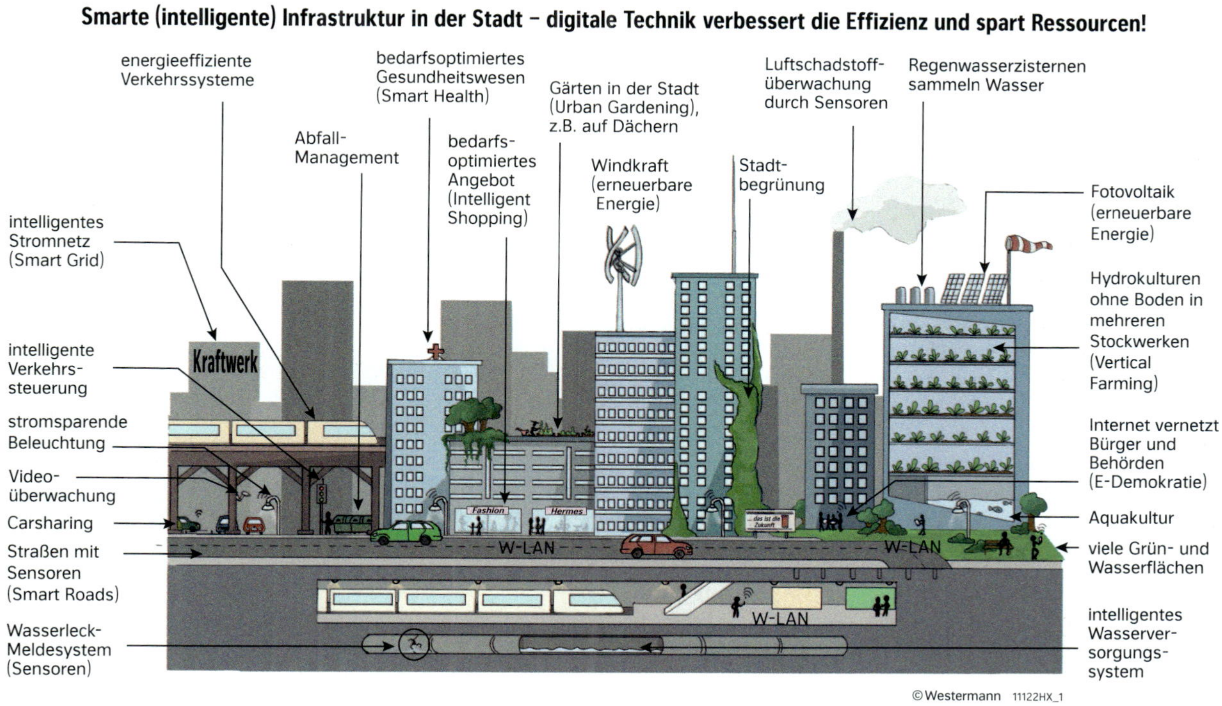

M3 Modell einer Stadt der Zukunft

Die einen sprechen von der grünen, ökologischen Stadt, die anderen von der computerisierten Stadt, in der sich alles mit dem Smartphone regeln lässt, die Dritten von der optimal vernetzten Stadt, in der es keine Verkehrsstaus mehr gibt, die Vierten von intelligentem Stadtmanagement [...] Hauptansatzpunkt: der Verkehr. Der soll durch Nutzungsmischung vermieden werden. Wer im Quartier einkaufen, arbeiten und seine Freizeit verbringen kann, benötigt kein Auto. Möglich sein soll das durch IT-Kommunikation. [...] Alle Stadttechnik soll nachhaltiger und intelligenter werden [...]

Quelle: Falk Jaeger: Smart Cities – Smart macht mobil. www.tagesspiegel.de, 20.5.2015

M4 Was ist eine Smart City?

AUFGABEN

1 *Beschreibe das Bild M1.*

2 *Erkläre das Konzept einer Smart City (M2 – M5).*

3 *Entscheide, ob du gerne in einer smarten City leben würdest. Begründe deine Entscheidung.*

4 *Überprüfe, inwiefern das Konzept der 15-Minuten-Stadt auf deinen Wohnort zutrifft.*

Im Bereich der Abfallentsorgung [...] werden Großbehälter an öffentlichen Plätzen mit Sensoren ausgestattet, die in Echtzeit die exakten Füllstände der Behälter mitteilen. Per Datenübertragung [...] informieren die Sensoren die Mitarbeiter/-innen, wenn die Behälter voll sind und zur Leerung angefahren werden können. Das System erkennt zum einen, welche Mülltonnen wie gefüllt sind, und empfiehlt auf Basis dieser Erkenntnis zum anderen die Routen für die Leerungstour. Ziel ist es, durch dieses technische Erfassungssystem Kosten einzusparen, Emissionen durch die Einsatzfahrzeuge zu vermeiden und Lärm durch die Entsorgungen zu reduzieren, da unnötige Fahrten zur Leerung von noch nicht gefüllten Behältern vermieden werden können.

Quelle: SMART WASTE. Intelligente Mülltonnen teilen ihren Füllstand selbst mit. Digitalstadt Darmstadt GmbH, 17.04.2024

Moderne Mülltonnen in Darmstadt mit Sensoren

M5 Smart Waste

M1 Wohngebiete von Barcelona (Spanien) von oben

Welche Städte brauchen wir?

Städte haben schon immer verschiedene Aufgaben erfüllt: Sie können Siedlungen sein, die Schutz und Wohnraum für ihre Bewohner bieten und auch als Arbeitsumfeld dienen. Gleichzeitig spiegeln Städte die Bedürfnisse und Vorstellungen ihrer Bewohner wider und unterscheiden sich daher von Zeit zu Zeit, von Land zu Land und von Kontinent zu Kontinent. Das Leben in der Stadt bietet für Menschen sowohl Vor- als auch Nachteile. Grundsätzlich ist die Infrastruktur in einer Stadt gut ausgebaut (ÖPNV). Zudem bieten Städte eine Vielzahl an Arbeitsplätzen und Bildungseinrichtungen wie Schulen oder Hochschul- und Fortbildungszentren. Allerdings gehen mit dem Leben in der Stadt oftmals auch hohe Lebenshaltungskosten einher. Durch die Vielzahl der Menschen und das hohe Verkehrsaufkommen ist die Umweltbelastung in der Stadt deutlich höher als auf dem Land. Auch die Entsorgung von Müll und Industrieabfällen ist vielerorts eine Herausforderung.

In der Stadt leben die unterschiedlichsten Menschen: alte und junge, Menschen mit Einschränkungen, wohlhabende Menschen und Menschen mit finanziellen Schwierigkeiten, Einheimische, Zugezogene, Menschen mit Migrationserfahrungen, Singles, Paare und Familien. Diese Vielfalt stellt Stadtplaner vor eine Herausforderung, denn jeder Bewohner hat unterschiedliche Bedürfnisse und Ansprüche.

Städte müssen für ihre Bewohner die Grunddaseinsfunktionen erfüllen. In deutschen Städten gibt es jedoch ein zunehmendes Problem: Aufgrund sozialer Unterschiede und ungleicher finanzieller Möglichkeiten ist zum Beispiel günstiger Wohnraum nicht für alle Menschen verfügbar. Dadurch wird das friedliche Miteinander in der Stadt gefährdet.

Wandel der Familienform

steigende Kosten für städtische Dienstleistungen

Folgen des Klimawandels (hohe Temperaturen, aufgeheizte Stadt)

wachsende Ungleichheit zwischen Bewohnern

Gewalt und Unsicherheit

M2 Probleme und Herausforderungen einer wachsenden Bevölkerung in einer Stadt

M3 Der Oeder Weg in Frankfurt am Main wurde zur Fahrradstraße.

M5 Autonome Elektrobusse in Bad Soden-Salmünster

M4 Aussagen von Städterinnen und Städtern

AUFGABEN

1 *Beschreibe M1.*

2 *Erläutere anhand von Beispielen Probleme und Herausforderungen durch eine wachsende Bevölkerung in Städten für die Stadtplanung (M2).*

3 *Erkläre, welche Lösungen die Bilder M3, M5 und M6 beinhalten.*

4 *Erstelle eine Mindmap zu den unterschiedlichen Bedürfnissen der Bewohner von Städten (M4).*

5* *Ihr seid für das Stadtmarketing zuständig. Erstellt einen Flyer oder Film für junge Familien über die lebenswerten Seiten eurer Heimatstadt oder einer Stadt in eurer Nähe.*

M6 Begrünte Dachterrasse in Frankfurt

M1 Panorama von Kairo

Die Welt wird Stadt – Probleme der Verstädterung

Häufig wird das 21. Jahrhundert als das Jahrhundert der Städte bezeichnet. Lebten die Menschen früher noch in großer Zahl auf dem Land, wohnt heute weltweit über die Hälfte der Menschheit in Städten. Für das Jahr 2030 geht man sogar von über 60 Prozent aus. Nach Schätzungen werden dann über fünf Milliarden Menschen Stadtbewohner sein. Vor allem in vielen Ländern Asiens, Afrikas und Lateinamerikas entwickeln sich neue Megastädte, also Städte mit mehr als zehn Millionen Einwohnern.

M2 Slum in Manila (oben) und Favela in Rio de Janeiro

Oft nimmt die Zahl der Bevölkerung in Megastädten stetig zu. Einige Städte weisen Bevölkerungszunahmen von teilweise über zehn Prozent pro Jahr auf. Das rasante Wachstum der Städte stellt auch Stadtplaner vor große Herausforderungen.
Da der Ausbau der nötigen Infrastruktur (Strom- und Wasserleitungen, ÖPNV, Krankhäuser etc.) in der Regel nicht mit dem Bevölkerungszuwachs mithalten kann, kommt es besonders in größeren Städten zur Entstehung von Armenvierteln (z. B. Slums, Favelas). Dies kann man vor allem in den ärmeren Ländern der Welt beobachten. Erschwerend kommt hinzu, dass in vielen Großstädten Mieten stetig steigen und vor allem die finanzschwache Bevölkerung abgehängt wird.

AUFGABEN

1 *Erkläre, warum das 21. Jahrhundert als Zeitalter der Städte bezeichnet wird.*

2 *Erläutere, vor welche Herausforderungen die Stadtplanung gestellt ist, wenn viele Menschen neu in eine Stadt ziehen.*

3* *Beschreibe die bisherige und prognostizierte Entwicklung der aufgelisteten Städte. Achte dabei auch auf Unterschiede zwischen den Kontinenten (M3 – M6).*

4 *Erläutere die Pläne zu Ägyptens neuer Hauptstadt (M7).*

Rang	1960	2000	2020
1	Tokio (16,7)	Tokio (34,4)	Tokio (37,4)
2	New York (14,2)	Seoul (20,4)	Delhi (29,4)
3	London (8,2)	Mumbai (18,6)	Shanghai (26,3)
4	Paris (7,4)	Mexiko City (17,7)	São Paulo (21,8)
5	Shanghai (6,8)	São Paulo (17,3)	Mexiko City (21,7)
6	Buenos Aires (6,6)	Jakarta (16,9)	Kairo (20,5)
7	Los Angeles (6,5)	New York (15,9)	Dhaka (20,3)
8	Osaka/Kobe (6,2)	Kairo (14,8)	Mumbai (20,2)
9	Chicago (6,2)	Manila (13,9)	Peking (20,0)
10	Moskau (6,2)	Kalkutta (13,8)	Osaka (19,2)

M3 Rangliste

Jahr	Stadt-bevölkerung	Land-bevölkerung
(* Prognose)	in % der Weltbevölkerung	
1950	28,8	71,2
1960	33,0	67,0
1970	36,1	63,9
1980	38,9	61,1
1990	42,6	57,4
2000	46,4	53,6
2010	50,5	49,5
2020	54,4	45,6
2030*	59,0	41,0
2040*	63,9	36,1

M5 Stadt- und Landbevölkerung

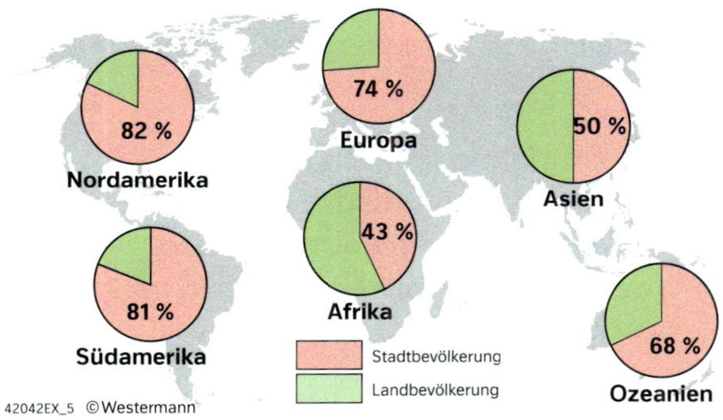

M4 Verteilung von Stadt und Landbevölkerung

Stadt (Land)	2020	2035	Anstieg
1 Bujumbura (Burundi)	1,01 Mio.	2,26 Mio.	123 %
2 Zinder (Niger)	0,49 Mio.	1,06 Mio.	118 %
3 Kampala (Uganda)	3,30 Mio.	7,00 Mio.	112 %
4 Kabinda (D.R. Kongo)	0,47 Mio.	0,98 Mio.	110 %
5 Songea (Tansania)	0,35 Mio.	0,74 Mio.	110 %
6 Mwanza (Tansania)	1,12 Mio.	2,27 Mio.	102 %
7 Gwagwalada (Nigeria)	0,41 Mio.	0,83 Mio.	102 %

M6 Die am schnellsten wachsenden Städte der Welt

Die neue Hauptstadt Ägyptens

Bis zum Jahr 2030 soll Ägyptens Bevölkerung nach Schätzungen um 30 Prozent wachsen und etwa 130 Mio. Menschen umfassen. Bereits jetzt ist das Verkehrsnetz stark ausgelastet, städtischer Wohnraum knapp und die Versorgung mit ausreichend Wasser und Energie schwierig. Die Metropolregion Kairo verzeichnet täglich über 25 Mio. Autofahrten und hat rund 20 Mio. Einwohner. Die Fortbewegung per Pkw ist kaum mehr möglich. Da eine Neugliederung der Stadt zu stark in die Lebenswelt der Bürger eingreifen würde, gingen Stadtplaner zu einem gewagten Konzept über:

Es wurde damit begonnen, rund 50 km östlich der Stadtgrenze eine neue Stadt zu bauen, die Wohnraum für 6,5 Mio. Menschen aus allen Bevölkerungsgruppen bieten soll: vom sozialen Wohnungsbau bis zu **Gated Communities**. Vor allem die Stadtverwaltung soll in der neuen Hauptstadt einen neuen Platz finden. Zwei Schnellbahnlinien und mehrere Autobahnen sollen die Verkehrsbelastung in der neuen Stadt minimieren. Mithilfe einer unterirdischen Pipeline soll die Stadt mit Flusswasser aus dem Nil versorgt werden.

Aufgrund der eingeschränkten Pressefreiheit in Ägypten ist wenig Kritik an dem Projekt zu hören.

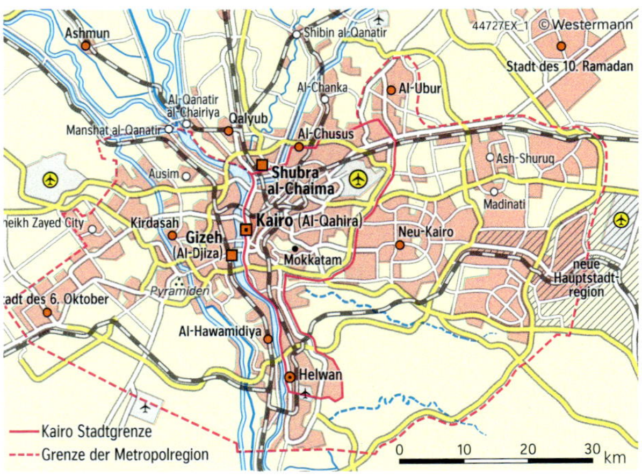

M7 Pläne zu Ägyptens neuer Hauptstadt

ALLES KLAR?

Karikatur-Analysen

a) Analysiere die Karikatur von Gerhard Mester.

b) Analysiere die Karikatur von Agostino Natale.

Ein Tag in Kims Leben

a) Arbeite heraus, mit welchen Aufgaben der Gemeinde Kim konfrontiert wird.
b) Ordne zu, ob es sich um Pflichtaufgaben oder freiwillige Aufgaben handelt.

Kim wohnt in Eschwege und geht in die Anne-Frank-Schule. Um pünktlich im Unterricht zu erscheinen, steht sie um 6:30 Uhr auf, springt schnell unter die Dusche, frühstückt und flitzt um 7 Uhr aus dem Haus, um den Bus rechtzeitig zu bekommen. Auf dem Weg nach draußen nimmt Kim noch den Müllbeutel mit raus, denn die Müllabfuhr kommt gleich.
Aus dem Fenster des Busses sieht Kim, wie einige Mitarbeiter der Stadt die Blumenbeete entlang der Straße pflegen. Beim Umstieg am Bahnhof verzögert sich alles, denn dort wird gerade die Straße neu asphaltiert.
Nach der Schule holt Kim ihre Schwester von der Kita ab. Auf dem Nachhauseweg legen sie noch einen Stopp auf dem Spielplatz ein. Am Nachmittag geht Kim zum Kicken zur Sportanlage Torwiese. Kurz vor Ende des Spiels knickt Kim um. Mit dem Krankenwagen geht es zum Klinikum Werra-Meißner. Zwar hat Kim nur eine Verstauchung, aber das Konzert in der Stadthalle am Abend fällt damit flach.

Judenverfolgung im Mittelalter

a) Arbeite heraus, aus welchem Grund 1348 laut der Quelle Judenpogrome stattfanden.
b) Nenne weitere Gründe für die Judenverfolgung im Mittelalter.

Wegen dieses Sterbens wurden die Juden [...] verleumdet [...], dass sie [...] Gift [...] in Wasser und Brunnen getan hätten [...]. Zu Basel machte sich die Bürgerschaft vor das Rathaus auf und zwang den Rat, sodass die Ratsherren schwören mussten, die Juden zu verbrennen und dass sie in 200 Jahren keine Juden in die Stadt lassen. [...] Da verbrannte man die Juden in ihrem Kirchhof auf einem hölzernen Gerüst. Das waren an die 2000. Die sich aber taufen lassen wollten, ließ man leben. [...] Und was man den Juden schuldig war, das war alles abgegolten und alle Pfänder und Briefe, die sie über Schulden hatten, wurden zurückgegeben. Das bare Geld, das sie hatten, das nahm der Rat und teilte es unter die Handwerke. [...] Das war auch der Grund, aus dem die Juden getötet wurden. Wenn sie arm gewesen wären [...], wären sie nicht verbrannt worden. [...] So wurden die Juden verbrannt in allen Städten am Rhein [...]. In einigen zündeten die Juden ihre Häuser selbst an und verbrannten darin.

Quelle: Die Chroniken der deutschen Städte, Band 9, Straßburg. Göttingen 1961, S. 760 – 763

Wo will ich wohnen?

a) Besorge dir einen Stadtplan eines Ortes deiner Wahl, beispielsweise deiner Heimatstadt. Suche dir eine Straße auf dem Plan heraus, in der du gerne wohnen möchtest. Begründe deine Entscheidung und berücksichtige dabei folgende Dinge:

- Verkehrsanbindung
- Versorgung (Supermärkte, Apotheken, Ärzte etc.)
- Erholung (Parks, Spielplätze etc.)
- Schule / Arbeit
- Freizeit (Kino, Restaurants, Sportplätze etc).

b) Stelle deiner Klasse deinen Wunschort vor.

Fachbegriffe

a) Suche nach den fett markierten Begriffen in diesem Kapitel. Notiere sie auf einzelnen Karteikärtchen und schreibe auf die Rückseite eine kurze Erklärung.

b) Befragt euch anschließend in der Klasse gegenseitig.

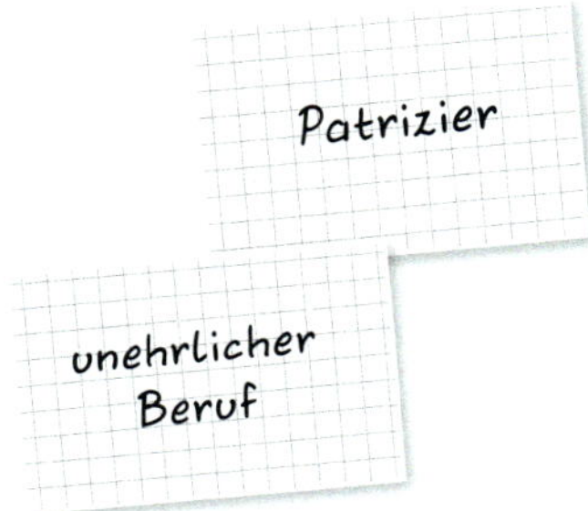

Rätsel

Finde die gesuchten Begriffe zu den Aussagen 1 – 13. Die Buchstaben hinter den Begriffen ergeben in der Reihenfolge der Aussagen das Lösungswort. Erkläre die Bedeutung des Lösungswortes.

1. Zusammenschlüsse von Handwerkern
2. seichte Stellen im Wasser, an denen u.a. Städte gegründet wurden
3. Zusammenarbeit von mehreren Parteien, um gemeinsam zu regieren
4. Mehrere Gemeinden bilden gemeinsam einen ...
5. Sie gehörten zu den unehrlichen Berufen.
6. eine Aufstellung von Einnahmen und Ausgaben
7. Stellvertreter des Stadtherrn, der wie eine Art Bürgermeister war
8. unterste Ebene im deutschen Mehr-Ebenen-System
9. Oberschicht in der mittelalterlichen Stadt
10. offizielle Bezeichnung für die hessische Stadtregierung
11. die Parteien, die nicht regieren
12. Stadtviertel, in denen die Juden im Mittelalter lebten
13. einem Kandidaten mehrere Stimmen geben

Koalition L
kumulieren E
Haushalt D
Furten O
Kommunen S
Opposition T
Landkreis A
Vogt S
Patrizier T
Magistrat A
Zünfte R
Henker N
Ghetto U

Unruhige Erde

Das Foto zeigt einen Ausbruch des Ätna in Italien (Dezember 2015). Bei diesem Vulkanausbruch bildeten sich in der Aschewolke sogenannte vulkanische Gewitter. Unter bestimmten Bedingungen entsteht durch Reibung der Aschekörner ein elektrisches Spannungsfeld, das sich in Blitzen entlädt.

Und sie bewegen sich doch!

NEUE FRANKFURTER ZEITUNG

Montag, 8. Januar 1912

Tollkühne Theorie veröffentlicht: Geophysiker glaubt an „Urkontinent“!

FRANKFURT/Main.

Am 6. Januar 1912 fand in Frankfurt ein Treffen zu aktuellen Fragen der **Geologie** statt. Es wurde geprägt von einer Theorie des Geophysikers Alfred Wegener. Er vertritt die Meinung, dass es vor vielen Millionen Jahren nicht mehrere Kontinente gab, sondern nur eine zusammenhängende Landmasse. Diesen Urkontinent nennt der Forscher „Pangäa“, was so viel bedeutet wie „sämtliche Erde vereint“. Er behauptet, dass dieser Urkontinent zerbrochen sei und die Bruchstücke seitdem als mehrere Kontinente umherschwämmen.

Alfred Wegener wurde 1880 in Berlin geboren. Er studierte Physik, Meteorologie und Astronomie in Berlin. Seit der Teilnahme an einer Grönland-Expedition lehrt Wegener in Marburg.

Viele Geologen sehen die neue Theorie sehr kritisch. Sie merken an, dass ihr Kollege bislang keine Beweise für seine Theorie vorlegen könne. Wegener hingegen unterstützt seine Argumentation mit einer Karte des Urkontinents Pangäa, die er den Experten vorlegte.

M1 Zeitungsartikel

Die Erde entstand vor circa 4,6 Mrd. Jahren. Sie hat einen Durchmesser von etwa 12 740 km. Die Erde ist weder richtig rund noch glatt, wie beispielsweise ein Ball. Auf ihrer Oberfläche gibt es Berge, Täler, Flüsse und Meere. Sowohl von außen als auch von innen wirken Kräfte auf die Erdoberfläche ein, die deren Aussehen verändern und somit unser Leben beeinflussen.

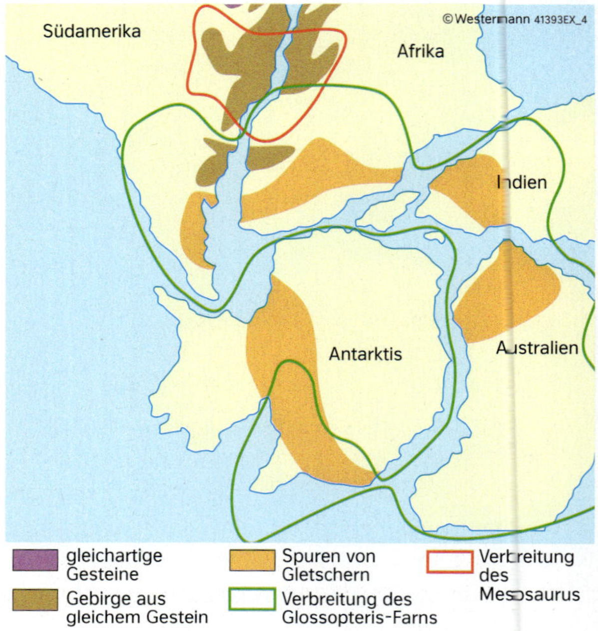

M3 Karte zu Pangäa

AUFGABEN

1 *Beschreibe Alfred Wegeners Theorie.*

2* *Nenne Argumente, die Wegener zu Lebzeiten zum Beweis seiner Theorie genannt haben könnte (M3).*

3 *Erkläre die Entstehung neuen Meeresbodens. Bringe dazu die Sätze aus M5 in die richtige Reihenfolge.*

4 *Benenne mithilfe des Atlas die Erdplatten in M4 (siehe S. 86, M2).*

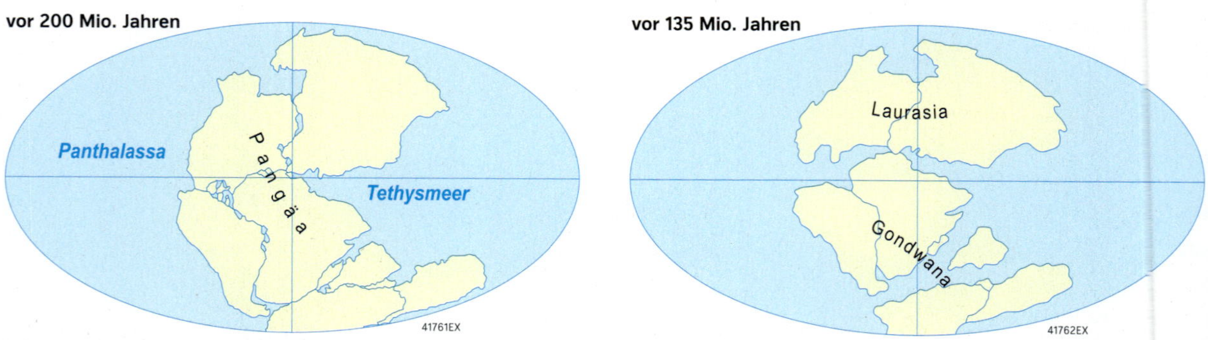

M2 Verschiebung der Kontinente im Laufe der Zeit

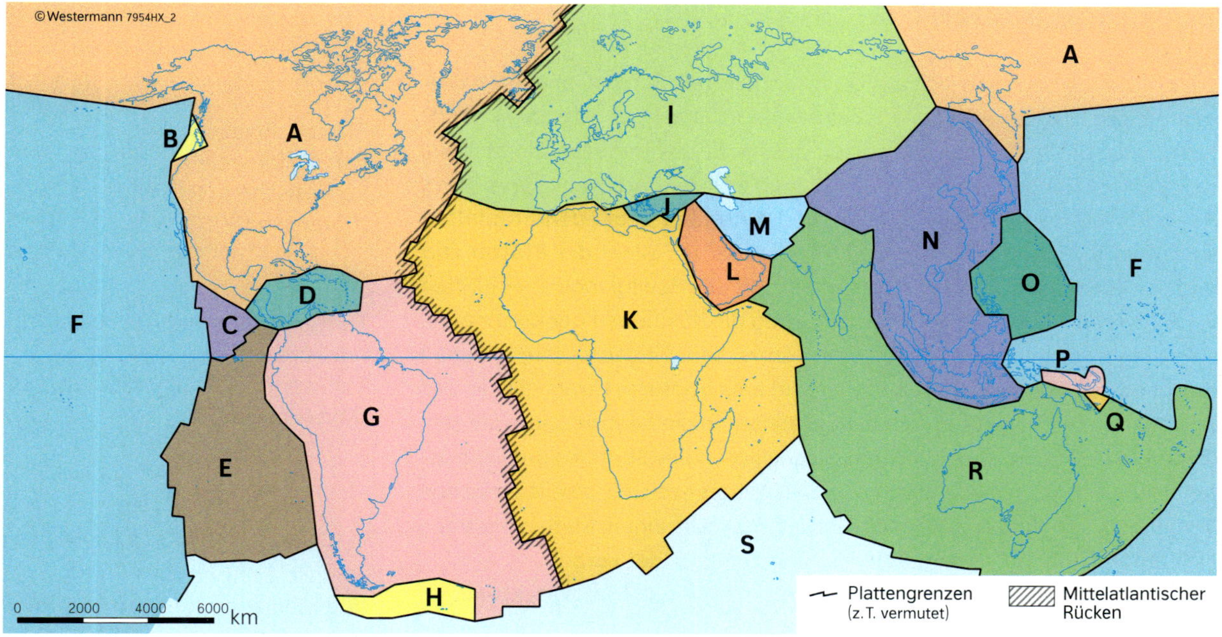

M4 Die Erdplatten (tektonische Platten)

Der abschließende Beweis für Wegeners Theorie?

Bei der Erforschung des Meeresgrundes entdeckten Wissenschaftler zu Beginn der 1960er-Jahre lange vulkanisch aktive Gebirgszüge, die **mittelozeanischen Rücken**. Eines dieser Gebirge auf dem Meeresgrund ist der Mittelatlantische Rücken zwischen Südamerika und Afrika. Er stellt mit 20000 km Länge das längste Gebirge der Welt dar.

Man stellte fest, dass an den mittelozeanischen Rücken **Magma** austritt und daraus neues Gestein entsteht. Je weiter dieses Gestein von den mittelozeanischen Rücken entfernt liegt, desto älter ist es. Die Erdplatten, auf denen die Gesteine liegen, müssen sich demnach bewegen. Diese Entdeckung bewies Wegeners Theorie der **Kontinentalverschiebung** erst nach seinem Tod. Sein Ruf wurde wiederhergestellt.

(a) Spalten und Risse bilden sich.

(b) Neuer Meeresboden bildet sich.

(c) Magma erkaltet im Meerwasser.

(d) Die Erdkruste bricht auf.

(e) Magma steigt auf.

(f) Ältere Gesteine werden nach außen gedrückt.

(g) Erdplatten entfernen sich.

M5 Satzbausteine

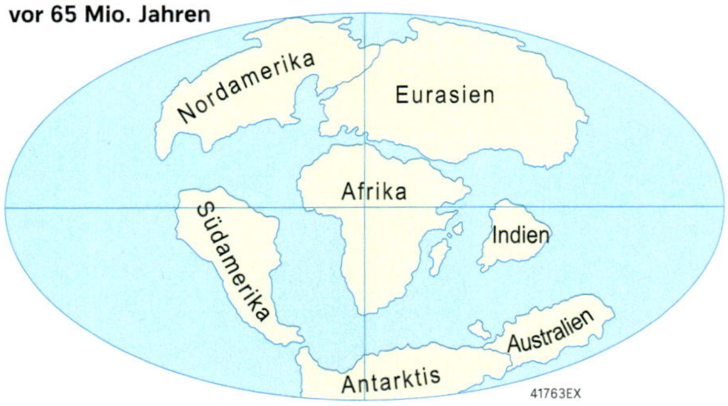

Vorgänge an den Plattengrenzen

Die Erdplatten bewegen sich auf einer zähflüssigen Schicht im oberen Erdmantel, der Fließzone. In der Fließzone gibt es Druck- und Temperaturunterschiede, die zu riesigen Umwälzprozessen des heißen Mantelmaterials, den **Konvektionsströmen**, führen. Lange Zeit glaubte man, dass diese Konvektionsströme für die Bewegung der darüber liegenden Erdplatten verantwortlich wären. Heute weiß man, dass vor allem der **Plattenzug** und der **Rückenschub** diese verursachen. Mit den Bewegungen der Platten verändern sich über Millionen Jahre hinweg die Positionen der Kontinente. Diese können zusammenstoßen oder zerbrechen. Es gab Zeiten, in denen es nur einen Großkontinent (z. B. Pangäa) gab. Später zerbrach dieser und im Lauf der Zeit bewegten sich die Erdplatten in die heutige Lage, die sich weiterhin verändert. Durch die unterschiedlichen Bewegungen der Erdplatten bilden sich verschiedene Arten von Plattengrenzen mit jeweils typischen Vorgängen. Man unterscheidet drei Bewegungsrichtungen: Platten bewegen sich aufeinander zu, voneinander weg und aneinander vorbei.
Die Theorie von der Bewegung der Platten nennt man **Plattentektonik**.

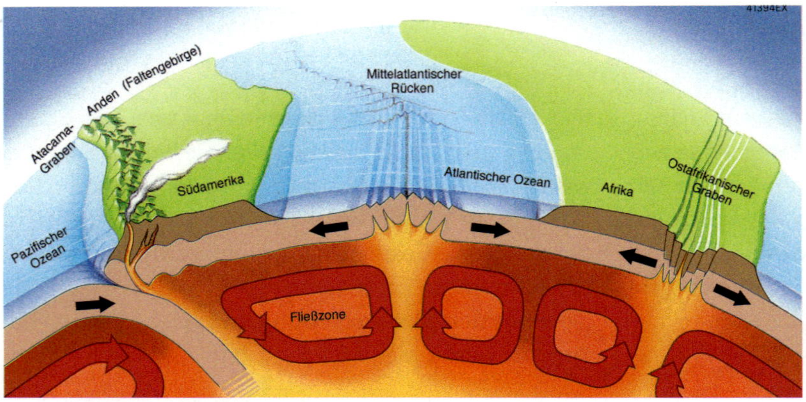

M1 Schnitt durch die Erde zwischen Südamerika und Afrika

ⓐ Bewegen sich zwei ozeanische Platten auseinander, entstehen mittelozeanische Rücken. Vulkanische Inseln bilden sich. (**Divergenz**)

ⓑ Treffen zwei ozeanische Platten aufeinander, entsteht ein Tiefseegraben mit Vulkanen. (**Konvergenz**)

ⓒ Faltengebirge entstehen dort, wo zwei kontinentale Platten aufeinandertreffen. Oft kommt es hier auch zu Erdbeben. (Konvergenz)

ⓓ Bewegen sich zwei kontinentale Platten auseinander, entsteht ein Graben. (Divergenz)

ⓔ Trifft eine ozeanische auf eine kontinentale Platte, entstehen ein Tiefseegraben und ein Faltengebirge. (Konvergenz)

ⓕ Entfernen sich zwei kontinentale Platten voneinander und dringt Wasser ein, kann ein neues Meer entstehen. (Divergenz)

AUFGABEN

1 *Erkläre mithilfe von M1, wie der Antrieb der Erdplatten funktioniert.*

2 *Beschreibe die verschiedenen Vorgänge an den Plattengrenzen.*
a) Ordne den Textbausteinen ⓐ–ⓕ die richtigen Zeichnungen ①–⑥ zu.
b) Ordne diesen dann ein passendes Bild Ⓐ–Ⓕ zu.

3 *Erkläre, warum Plattengrenzen mögliche Gefahrenstellen der Erde sind.*

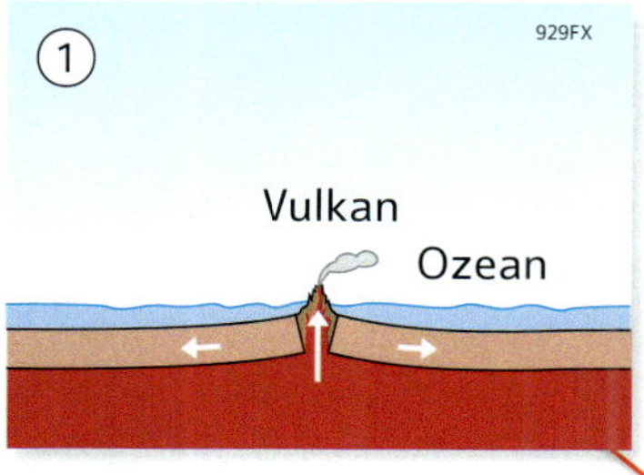

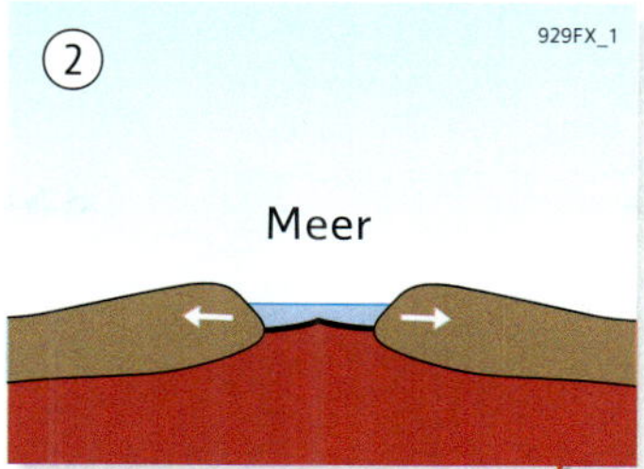

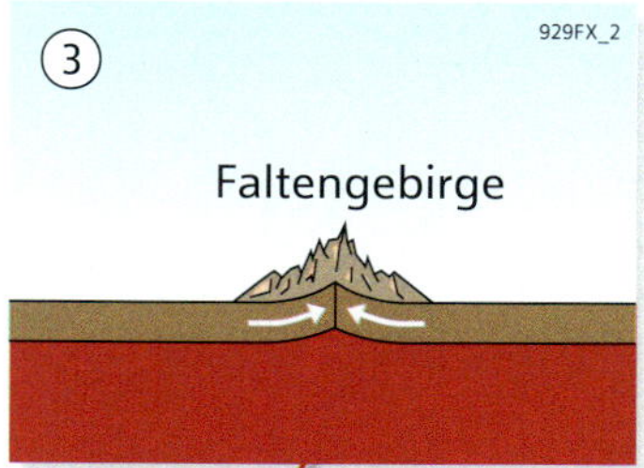

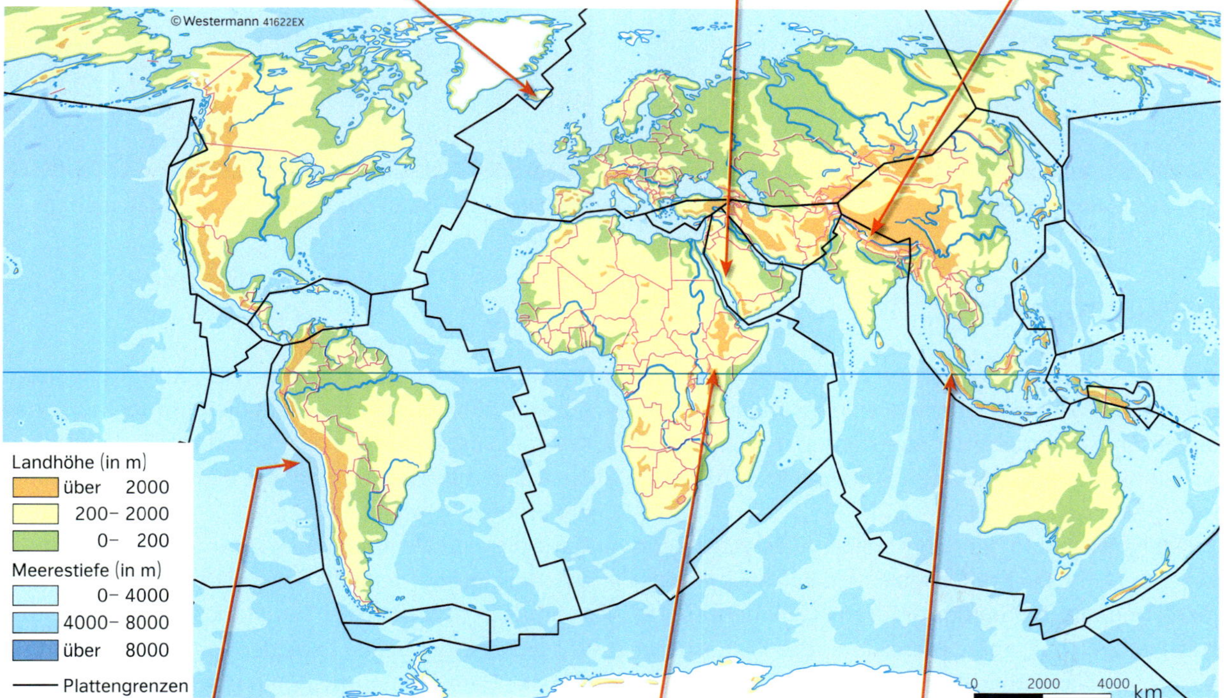

M2 Bekannte Plattengrenzen der Erde

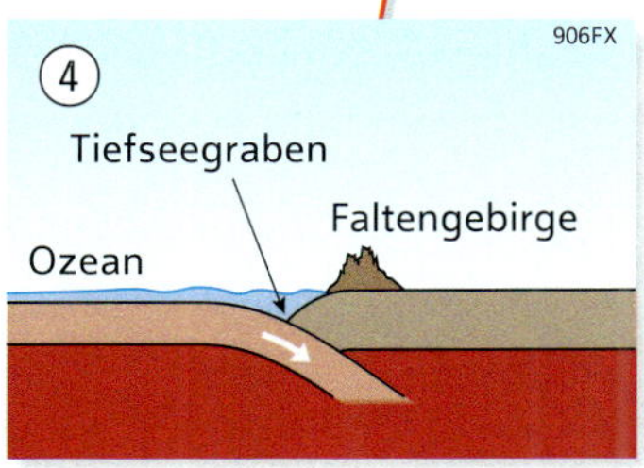

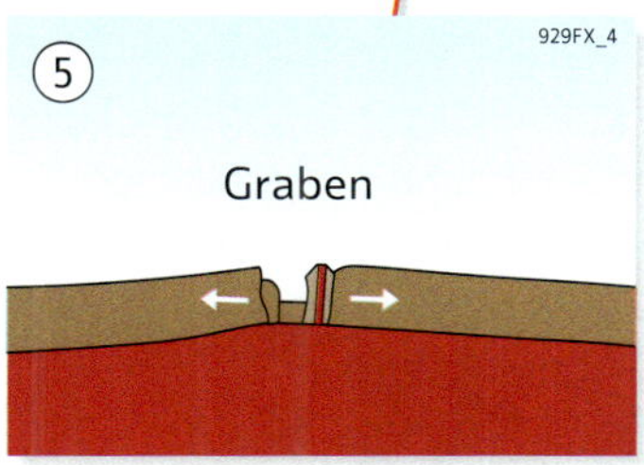

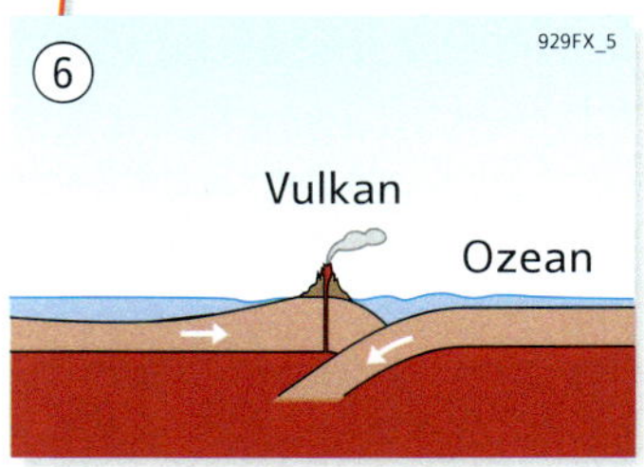

M1 Auf gehts zum Mittelpunkt der Erde.

M3 Der Schalenbau der Erde (nicht maßstabsgetreu)

Schalenbau der Erde

Auf der Erde gibt es verschiedene extreme Regionen, die von den Menschen erforscht wurden. Dabei mussten sie oft große Hindernisse überwinden, um an ihr Ziel zu kommen. Eine Reise zum Mittelpunkt der Erde ist jedoch unmöglich.
Im Jahr 1864 nahm der Schriftsteller Jules Verne seine Leser auf eine Reise mit, die bei dem Vulkan Snaefellsjökull begann und immer tiefer ins Erdinnere führte. Nach zahlreichen Abenteuern unter der Erde wurden die Forscher im Roman durch einen Vulkanausbruch auf der Insel Stromboli (Italien) zurück an die Erdoberfläche geschleudert.
In der Realität ist die Erforschung des Aufbaus der Erde mit mehr Schwierigkeiten verbunden: Im Jahr 1970 begann man auf der russischen Halbinsel Kola mit der bis heute tiefsten Bohrung der Welt. Die Bohrung erreichte im Jahr 1989 eine Tiefe von über 12 000 m. Trotz dieser außergewöhnlichen Tiefe stellt die Bohrung nur einen Kratzer in der **Erdkruste** dar. Sie entspricht nämlich nur 0,2 Prozent der Entfernung, die man zum Mittelpunkt der Erde zurücklegen müsste.
Dass dies jemals einem Menschen gelingen wird, ist ausgeschlossen, denn die Temperaturen und der Druck nehmen zum Erdinneren hin stark zu. So stießen die Wissenschaftler gegen Ende der Bohrung bei zwölf Kilometer Tiefe auf Temperaturen von bis zu 200 °C.
Heute befindet sich das tiefste noch existierende Bohrloch der Welt in Deutschland. Bei Windischeschenbach in Bayern nutzen Wissenschaftler ein Bohrloch von über 9 000 m Tiefe, um mehr über den Aufbau der Erde zu erfahren.

M2 Bohrturm bei Windischeschenbach

AUFGABEN

1 *Erkläre, warum eine Reise zum Mittelpunkt der Erde nicht realisiert werden kann.*

2 *Beschreibe den Schalenbau der Erde (M3, M5).*

3* *Ordne die Textbausteine (M4) den verschiedenen Schichten der Erde zu. Beachte dabei auch M5.*

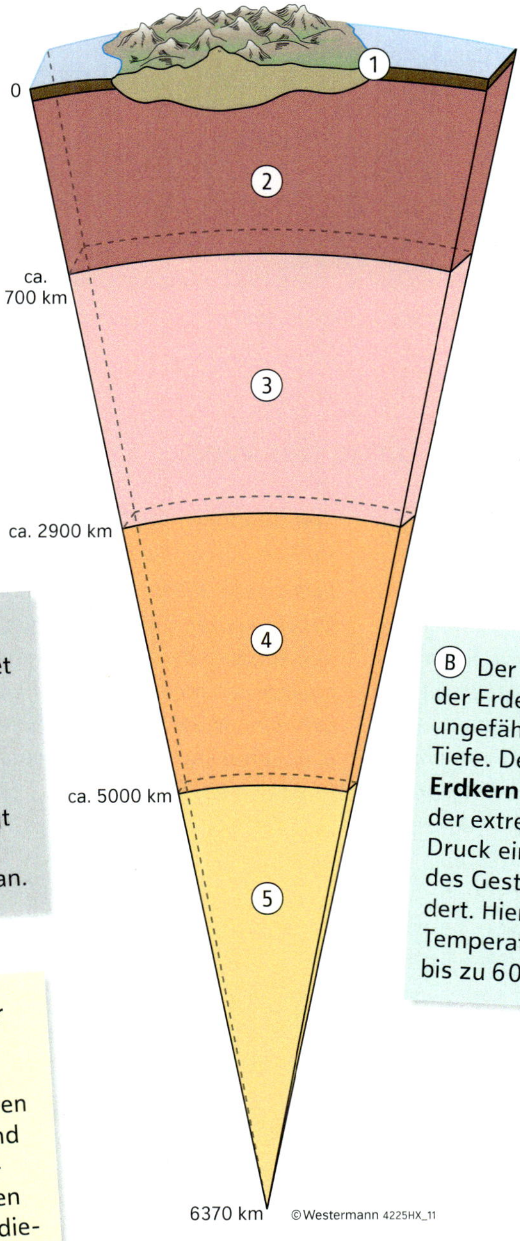

Ⓔ Die dünnste Schicht der Erde bildet die Kontinente und den Untergrund der Ozeane. Sie besteht aus festem Gestein. Die Temperatur steigt in der Erdkruste mit zunehmender Tiefe an.

Ⓑ Der Mittelpunkt der Erde liegt bei ungefähr 6370 km Tiefe. Der innere **Erdkern** ist fest, weil der extrem hohe Druck ein Schmelzen des Gesteins verhindert. Hier herrschen Temperaturen von bis zu 6000 °C.

Ⓒ Die Schicht vor dem inneren Erdkern zeichnet sich durch Temperaturen zwischen 3600 und 4000 °C aus. Wissenschaftler gehen davon aus, dass diese Schicht zähflüssig wie Honig ist.

Ⓓ Hier herrschen Temperaturen zwischen 2000 und 3600 °C. Aufgrund der Erwärmung durch den Erdkern steigt heißes Material nach oben.

Ⓐ Der obere **Erdmantel** befindet sich unterhalb der Erdkruste. Der obere Erdmantel ist nicht fest, sondern zähflüssig. Auf ihm schwimmen die Platten der Erdkruste.

M4 Merkmale der verschiedenen Erdschichten

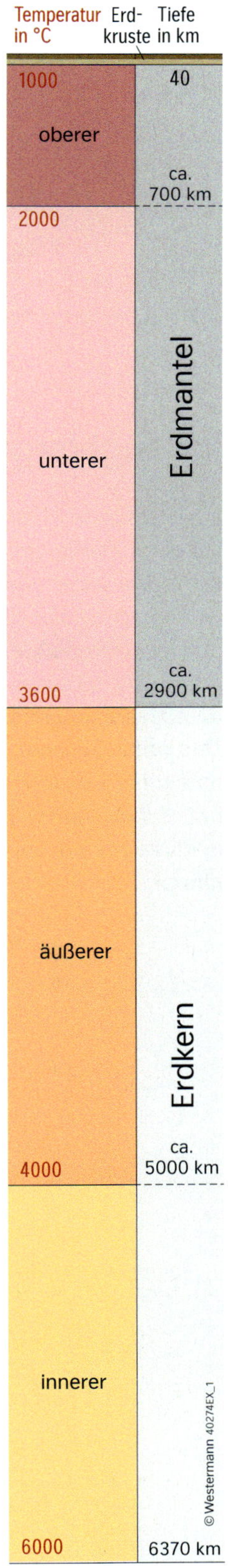

M5 Schalenbau (maßstabsgetreu)

Digital+
WES-112462-085

M1 Versteinerter Ammonit (**Fossil**)

M3 Im Himalaya, dem höchsten Gebirge der Welt

Faltengebirge – die höchsten Gebirge der Welt

Ein Bergführer (Sherpa) im Himalaya berichtet: „*Hätten wir vor 100 Mio. Jahren an dieser Stelle gestanden, so wären wir unter dem Meeresspiegel gewesen. Damals war dieses Gebiet von einem Meer bedeckt.*
Im Meer lebten viele Meeresbewohner (wie z. B. Ammoniten) und Pflanzen. Wenn sie starben, lagerten sie auf dem Meeresgrund ab.
Das hohe Gewicht des Meerwassers und die immer mächtiger werdenden Schichten aus Tieren, Pflanzen und Schutt wandelten die Kalkschalen der Muscheln in Kalkstein um. Dieser Vorgang dauerte Millionen von Jahren.

Seit mehreren Millionen Jahren bewegt sich auch die Indisch-Australische Platte auf die Chinesische bzw. Eurasische Platte in Richtung Norden zu. Durch den Druck werden die Gesteinsschichten der Erdkruste an den Rändern der Platten gefaltet und gehoben. Auch die ehemaligen Meeresablagerungen wurden immer weiter gehoben. Noch heute findet dieser Vorgang statt. Auch in anderen Erdteilen existieren ***Faltengebirge****, doch der Himalaya ist das höchste der Welt.“*

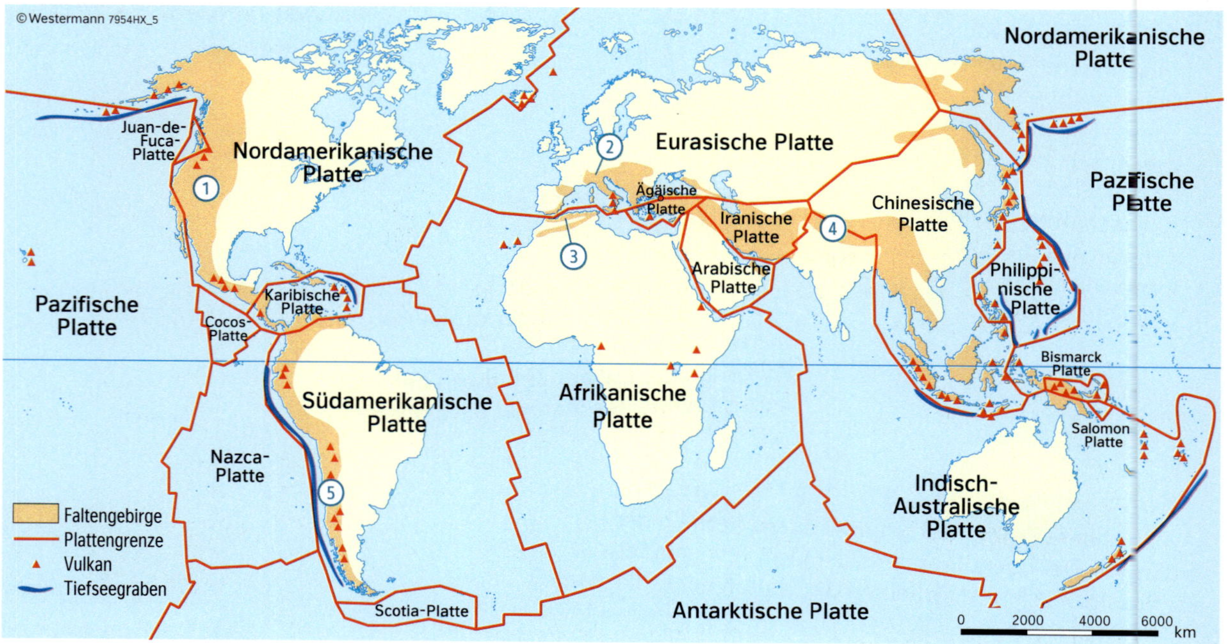

M2 Plattengrenzen und die Lage von Faltengebirgen

AKTIV

Wir stellen die Bildung von Faltengebirgen nach

1. Besorgt euch Handtücher in verschiedenen Farben und legt sie übereinander. Die Handtücher stellen die unterschiedlichen Gesteinsschichten dar.
2. Schiebt die Handtücher von beiden Enden her langsam zusammen.
3. Fotografiert eure Ergebnisse und druckt die Fotos aus.

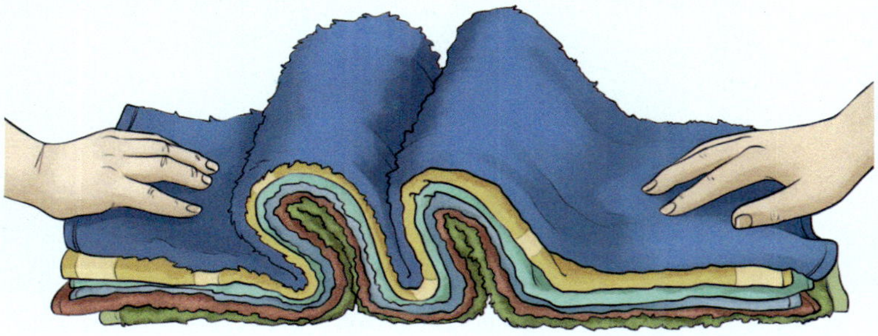

M4 Gesteinsfalten im Hochgebirge

AUFGABEN

1 *a) Erläutere, warum Gebirge „Falten" haben.*
b) Benenne die in M2 gekennzeichneten Faltengebirge (1 – 5).

2 *a) Die Abbildungen unten zeigen die Entstehung des Himalaya. Bringe sie in die richtige Reihenfolge.*
b) Beschreibe die Vorgänge.

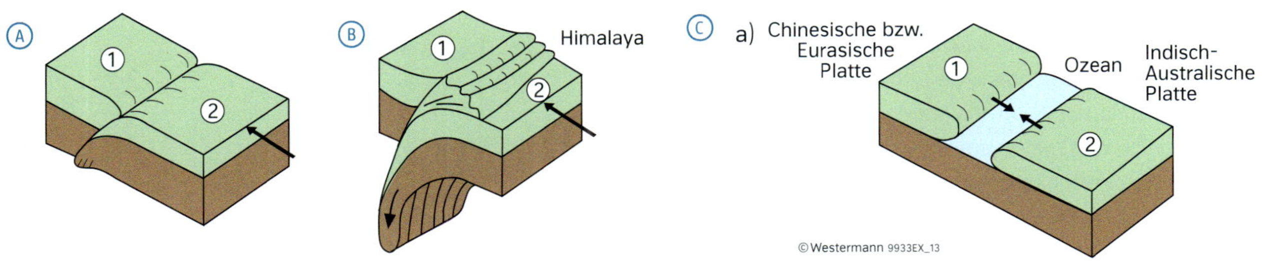

3 *Erkläre, warum man heute Fossilien von Meerestieren im Himalaya findet.*

4* *In Hessen gibt es auch zahlreiche Gebirge, doch keines ist ein junges Faltengebirge. Erkläre (siehe S. 83, M2).*

Digital+
WES-112462-087

Der Ätna – Freund und Feind

Adrano/Sizilien. Trotz der akuten Gefährdungslage weigern sich nach wie vor zahlreiche Bewohner des Ortes Adrano, die Stadt zu verlassen.

M1 Antonio Pucchini auf seinem Land

Landwirt Pucchini berichtet

Der Ätna ist mit über 3300 m Höhe der höchste Vulkan Europas. Seine zahlreichen **Eruptionen** haben ihn im Laufe der Jahrhunderte ständig wachsen lassen. Auch heute ist der Ätna noch sehr aktiv. Antonio Pucchini baut am Fuße des Ätna Obst und Wein an. Er berichtet: *„Im Oktober haben wir beim Ausbruch des Ätna wieder seinen gefährlichen Atem gespürt. Ein Regen aus Asche und Lavabrocken hat viele Felder und Plantagen zerstört. Ich konnte beobachten, wie sich die* ***Lava*** *langsam, aber unaufhaltsam in Richtung meiner Weinberge wälzte. Tun konnte ich dagegen nichts.“*

Wissenschaftler überwachen den Vulkan rund um die Uhr. Der Lavastrom kann nämlich nicht nur aus dem **Krater** am Berggipfel austreten, sondern auch aus kleineren Nebenkratern an den Seiten des Berges. Auch deshalb sind Vulkane wie der Ätna oft unberechenbar.

M2 Lage des Ätna

AUFGABEN

1 *Beschreibe die Gefahren, die vom Ätna ausgehen.*

2 *Erkläre, warum der Ätna als „Freund und Feind der Sizilianer“ bezeichnet wird.*

3 *Beschreibe die Lage des Ätna (M2, Atlas).*

M3 Der Ätna, im Vordergrund die Region Catania

M4 Besucher am Kraterrand

Herr Pucchini berichtet weiter

„Die Schäden haben uns schon schwer getroffen. Doch wegziehen? Undenkbar! Obwohl so etwas immer wieder passiert, würden wir unsere Heimat niemals verlassen. Nicht nur wegen des guten Klimas. Der Ätna zerstört unsere Lebensgrundlage nicht nur, er ist es auch, der sie schafft. Schließlich nutzen wir auch das, was er ausspuckt. Ohne die fruchtbare Vulkanasche würden unsere Pflanzen bei Weitem nicht so gut wachsen. Außerdem speichert der vulkanische Boden ganz hervorragend Wasser, was gut für die Pflanzen ist. Die Erträge beim Wein-, Obst- und Gemüseanbau sind sehr gut. Deswegen können wir die Produkte, die am Ätna wachsen, sogar in andere Länder verkaufen.
Und dann sind da auch noch die Touristen. Ohne unseren Vulkan würden sicher weniger zu uns kommen."

EXTRA

①

②

③

④

Gefahren, die von Vulkanen ausgehen

Lavaströme sind nicht die einzigen Gefahren, die von Vulkanen ausgehen. Je nach Vulkantyp und Art des Ausbruchs können verschiedene vulkanische Phänomene auftreten.

Lavaströme sind bis zu 1 200 °C heiß. Ihre Geschwindigkeit variiert, je nachdem ob die Lava dünnflüssig (über 60 km/h) oder zähflüssig (10 – 100 m/h) ist. Von dieser Eigenschaft ist auch ihre Reichweite abhängig (dünnflüssig: über 80 km; zähflüssig 1 – 2 km).
Vulkanische Bomben werden mit Geschwindigkeiten von bis zu 400 m/s aus dem Vulkan herausgeschleudert. Beim Austritt sind sie oft noch bis zu 1 000 °C heiß. Sie haben Reichweiten bis 5 km.
Ein ***Lahar*** ist ein Schlamm- und Schuttstrom, bei dem sich vulkanisches Material mit Wasser vermischt. Lahare sind bis zu 100 °C heiß und werden bis zu 100 km/h schnell. Sie haben eine Reichweite von bis zu 100 km.
Pyroklastische Ströme bestehen aus Gasen und vulkanischer Asche, die aus dem Vulkan entweichen. Sie bewegen sich mit Geschwindigkeiten von bis zu 1 000 km/h hangabwärts. Pyroklastische Ströme sind mit bis zu 1000 °C extrem heiß. Ihre Reichweite beträgt bis zu 30 km.

AUFGABEN

4 *a) Ordne die verschiedenen vulkanischen Phänomene jeweils den entsprechenden Fotos ① – ④ zu.*
b) Stelle die Gefahren eines Vulkanausbruchs dem Nutzen der Folgen für die Bevölkerung gegenüber.

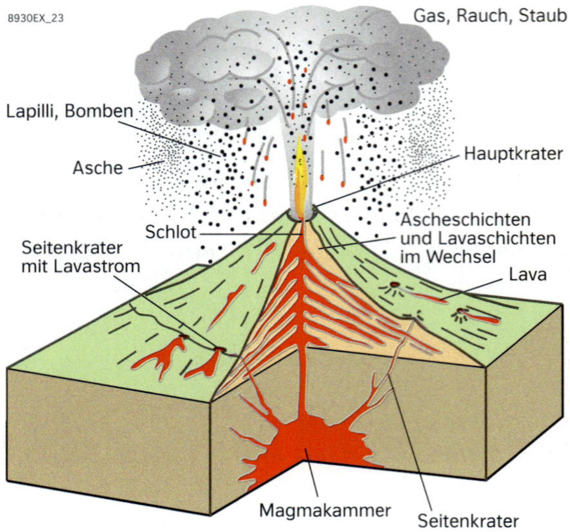

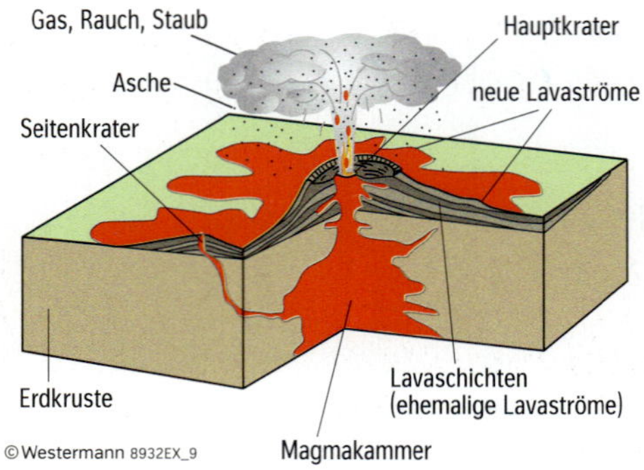

M 1 Vergleich der beiden Vulkantypen

Entstehung und Aufbau von Vulkanen

Schichtvulkan

An Stellen, an denen die Erdkruste eher dünn und brüchig ist, kann Magma mit Temperaturen um 1 200 °C durch Risse und Spalten nach oben gelangen. Dies geschieht häufig an Subduktionszonen. Das Magma sammelt sich in der Magmakammer und steigt durch den Vulkanschlot nach oben.

Über den Krater oder einen Nebenkrater fließt die Lava an den Hängen des Vulkans ab und erstarrt. Beim Ausbruch eines Vulkans werden Gesteinsbrocken (Bomben) und Asche herausgeschleudert. Die Asche lagert sich im Wechsel mit der Lava ab. Aufgrund dieses Wechsels von Asche- und Lavaschichten spricht man von Schichtvulkanen. Je nachdem, wie dickflüssig das Magma ist und wie hoch sein Gasgehalt, gelangt es mit unterschiedlich heftigen Eruptionen an die Oberfläche. Bei manchen Vulkanen verstopft erstarrtes Magma den Weg durch den Schlot. Irgendwann bahnt sich neues Magma dann durch eine heftige Explosion den Weg nach oben.

Schildvulkan

Schildvulkane entstehen häufig an Stellen, an denen sich zwei Erdplatten auseinanderbewegen. Dadurch entstehen Risse und Spalten in der Erdkruste, durch die Magma an die Oberfläche steigen kann. Die meisten Schildvulkane befinden sich am Meeresgrund. Mit ihren zahlreichen Ausbrüchen haben sie im Laufe der Zeit große Inseln geschaffen, wie z. B. Island.

Bei einem Ausbruch fließt sehr dünnflüssige und bis zu 1 200 °C heiße Lava mit hoher Geschwindigkeit aus den Kratern des Vulkans. Aufgrund der hohen Fließgeschwindigkeit kann sie an Land weite Strecken zurücklegen, bevor sie abkühlt.

Schildvulkane sind deshalb eher flach mit einer großen Ausdehnung in alle Richtungen. Sie besitzen oft zahlreiche Nebenkrater, die den Vulkan ebenfalls in die Breite wachsen lassen.

AUFGABEN

1 * *a) Zeichnet und beschriftet in Partnerarbeit jeweils ein Bild vom Aufbau eines Schicht- und eines Schildvulkans.*

b) Beschreibt euch gegenseitig den Aufbau eines Schicht- und eines Schildvulkans anhand eurer Zeichnungen.

c) Notiert in einer Tabelle Gemeinsamkeiten und Unterschiede.

AKTIV

Wir führen eine Internet-Rallye durch

Eine Internet-Rallye zum Thema „Vulkanismus“

In dieser Rallye geht es darum, mithilfe des Internets möglichst viel über Vulkane herauszufinden. Es bietet sich an, dass ihr euch Filme, Videos, Drohnenflüge oder Augenzeugenberichte anschaut. Bei einer Internet-Rallye ist es wichtig, dass ihr euch auf das Wesentliche konzentriert und Informationen gezielt entnehmt.

So geht ihr vor

- Teilt die Aufgaben ①–⑦ in eurer Gruppe auf. Wenn jeder etwas übernimmt, wird es nicht zu viel.
- Notiert eure Quellen.
- Einigt euch auf eine gemeinsame Präsentationsform: Erstellt zum Beispiel eine Folie für eine Bildschirmpräsentation, die ihr am Ende zu einer Gesamtpräsentation zusammenführt. Zusätzlich könnt ihr Plakate, Erklärvideos oder Karteikarten für einen freien Vortrag erstellen.

① Erstellt Steckbriefe zu berühmten Vulkanen weltweit. Diese sollten enthalten:
Name, Lagebeschreibung, Vulkantyp, Höhe, letzter Ausbruch, Besonderheiten.

② Vulkane sind beliebte Ausflugsziele für Touristen. Findet heraus, was man bei einer Vulkanerkundung beachten muss. Fertigt dafür ein Handout an. Die Internetseite www.swisseduc.ch (→ Stromboli online) klärt ausführlich über mögliche Gefahren auf.

③ Erstellt eine thematische Karte, in die ihr mindestens zwölf bekannte Vulkane einzeichnet.

④ Pompeji – was steckt hinter diesem Namen? Formuliert dazu Fragen und beantwortet diese anschließend.
Zum Beispiel:
1. Wo liegt Pompeji?
2. Was war passiert?
3. Wer war daran schuld?
4. Welche Folgen hatte das Ereignis?
5. Könnte es sich wiederholen?

⑤ Wo befinden sich die meisten Vulkane: in Gebirgen, auf Inseln oder unter Wasser? Überlegt euch weitere Fragen, recherchiert die richtigen Antworten und gestaltet ein Vulkan-Quiz.

⑥ Führt eine virtuelle Exkursion auf einen Vulkan eurer Wahl durch. Dazu lädt euch die Internetseite www.swisseduc.ch (→ Stromboli online) ein. Ihr könnt zwischen verschiedenen Vulkanen und Routen wählen. Verfasst anschließend einen Reisebericht.

⑦ Informiert euch über die Arbeit von Vulkanologen und stellt diese vor.

Nützliche Internetadressen

www.vulkane.net
Die Seite hat eine extra Rubrik für Schülerinnen und Schüler, stellt einzelne Vulkane vor, enthält Reportagen und viele Fotos.

www.swisseduc.ch (→ Stromboli online)
Auf dieser Internetseite ist es möglich, virtuelle Exkursionen zu zahlreichen Vulkanen durchzuführen.

www.planet-wissen.de
Auf dieser Seite findet ihr viele Videos zu Vulkanen und Erdbeben.

M2 Blick auf den Stromboli

M 1 Blick in den Krater des Tambora – er hat einen Durchmesser von etwa sieben Kilometern.

Ein Mystery zum Ausbruch des Tambora

Im April des Jahres 1815 bricht auf der Insel Sumbawa, die zum heutigen Indonesien gehört, der Vulkan Tambora aus. Die ersten Eruptionen am 5. April 1815 waren so laut, dass sie von den Einwohnern der Stadt Batavia (heute Jakarta) in 1260 km Entfernung gehört wurden.

?

In den Jahren 1816 und 1817 steigt nach Statistiken der Behörden die Kriminalitätsrate in Teilen Deutschlands um das Dreifache an. Insbesondere Diebstähle werden gemeldet. Die Gefängnisse sind in der Folge völlig überfüllt.

M 2 Wie hängen diese Ereignisse zusammen?

AUFGABEN

1 *Was hat der Vulkanausbruch in Indonesien 1815 mit dem Anstieg der Kriminalitätsrate in Deutschland ein, zwei Jahre später zu tun? Erstellt anhand der vorgegebenen Informationskärtchen auf der rechten Seite ein Mystery, das die Ausgangsfrage beantwortet. Beachtet die Hinweise in M3.*

2* *Erörtere in einem Text die möglichen Folgen eines ähnlichen Vulkanausbruchs in der heutigen Zeit. Stelle dazu gegebenenfalls Recherchen im Internet an.*

- Über den QR-Code findet ihr grundsätzliche Informationen zur Arbeit mit der Mystery-Methode.
- Nicht alle Karten sind zur Beantwortung der Leitfrage gleichermaßen von Bedeutung. Ihr könnt Karten, die ihr unwichtig oder nebensächlich findet, aussortieren.

M 3 Hinweise zur Durchführung von Aufgabe 1

Die beim Ausbruch in die Luft entstandenen Schwefelgase verbanden sich in der **Stratosphäre** mit Feuchtigkeit und wurden zu Schwefelaerosolen. Diese verbreiteten sich über den gesamten Globus und absorbierten dabei das Sonnenlicht.

In Nordamerika und in Mitteleuropa war es im Sommer 1816 durchweg kalt und regnerisch. Im Juli fiel in Süddeutschland sogar Schnee.

Der Getreidepreis stieg bis zum Sommer 1817 um das Fünf- bis Zehnfache an.

Die Durchschnittstemperatur in Deutschland sank 1816 um 3 °C.

Der Handel mit Waren ging stark zurück und viele Handwerker hatten kaum Aufträge.

Die gesamte Bevölkerung der Insel Sumbawa starb in Folge des Vulkanausbruchs. Die durch die Explosion ausgelösten Tsunami-Flutwellen überfluteten die benachbarten Küstenorte. Mindestens 10 000 Menschen starben.

Die Schriftstellerin Mary Shelley lebte 1816 in der Schweiz und schrieb dort unter dem Eindruck von Kälte, Dunkelheit und Elend den Roman „Frankenstein".

Durch den Hunger wurden viele Menschen krank, die Sterblichkeit nahm zu, die Geburten gingen deutlich zurück.

Viele Menschen jagten verbotenerweise Wild im Wald. Doch nicht nur Rehe und Wildschweine landeten auf dem Teller: Auch Eichhörnchen, Dachse, Maulwürfe, Hasen, Vögel, Ratten und Katzen wurden gegessen.

Deutschland erfasste eine Auswanderungswelle. Viele Menschen, besonders aus Süddeutschland, zogen nach Russland oder nach Nordamerika.

Am 10. April ließ eine Eruption den Vulkan förmlich explodieren. Dabei wurde die Hälfte des Berges „weggesprengt", übrig blieb eine riesige Caldera. Der Ausbruch war der stärkste seit dem des Taupo auf Neuseeland etwa 25 000 Jahre zuvor.

Aufgrund der Nässe und Kälte im Frühjahr/Sommer 1816 gab es große Ernteausfälle in vielen Teilen der Welt, besonders aber in Europa, China und an der Ostküste der USA.

In der Hoffnung auf ansteigende Preise versteckten einige Lebensmittelhändler große Warenmengen in ihren Lagerhäusern.

Infolge des hohen Anteils an Staub in der Atmosphäre gab es in der Zeit beeindruckende Sonnenuntergänge zu sehen, welche unter anderem den Maler William Turner inspirierten.

Die Menschen in Europa wussten nichts von einem Vulkanausbuch in Südostasien und konnten sich das kalte Wetter nicht erklären.

Ein starker Ascheregen ging auf die umliegenden Inseln nieder. Auf Java war vom 5. bis 18. April die Sonne nicht zu sehen.

Viele Menschen in Europa hungerten. Es bildeten sich bewaffnete Banden, welche Bauernhöfe und Lebensmitteltransporte überfielen.

M4 Gemälde von W. Turner

M1 Aleppo nach den Erdbeben am 8. Februar 2023

M3 Epizentren der zwei Hauptbeben am 6. Februar 2023

Wenn die Erde bebt

Erdbeben sind Naturereignisse. Jedes Jahr gibt es Tausende Erbeben auf der Erde. Als Naturkatastrophe bezeichnen wir sie, wenn dabei Menschen sterben und hohe Sachschäden entstehen. Viele der weltweit gemessenen Erdbeben sind kleine Beben ohne Todesopfer, über die selten berichtet wird. Alle paar Jahre gibt es jedoch auch größere Erdbeben, wie am 6. Februar 2023 an der Türkisch-Syrischen Grenze. Hier treffen die Ägäische, Arabische und Afrikanische Platte aufeinander. Bei den zwei Beben der Stärke 7,8 und 7,5 wurden nach diesem Tag etwa 60000 Tote geborgen und über 125000 Verletzte registriert.

Mit moderner Technik versuchen Forscher, Ort und Zeit von Erdbeben herauszufinden, um die Bevölkerung rechtzeitig zu warnen. Dies ist jedoch ziemlich schwierig und in der Regel kann vor dem Ausmaß eines Bebens gewarnt, nicht jedoch der genaue Zeitpunkt bestimmt werden. Aus diesem Grund müssen sich die Bewohner von erdbebengefährdeten Gebieten präventiv schützen. Hierzu werden beispielsweise erdbebensichere Häuser gebaut. Diese Bauweise hält Erschütterungen stand, ist jedoch sehr teuer und wird deshalb oft nicht umgesetzt.

Mercalli-Skala	Auswirkungen	Richterskala
I–III	nur durch Instrumente nachweisbar, kaum spürbar, vor allem von ruhenden Menschen bemerkt	1–3
IV	in Häusern spürbar, Fenster klirren, Gegenstände schwanken	3,5–4
V	Menschen werden im Schlaf aufgeweckt, Türen schlagen	5
VI	Möbel können sich verschieben, leichte Gebäudeschäden	5,3–5,9
VII	Menschen laufen ins Freie, mäßige Gebäudeschäden, Kamine stürzen ein	6,0–6,9
VIII	große Schäden an Gebäuden, Bäume schwanken, Felsen stürzen ein	7,0–7,3
IX	Gebäudezerstörungen, Panik, Bodenrisse, Erdrutsche	7,4–7,7
X	katastrophenartige Verwüstungen, bis zu 1 m breite Bodenspalten, Schienen verbogen, Dämme und Deiche beschädigt	7,8–8,4
XI	nahezu alle Gebäude zerstört, Rutschungen, breite Bodenspalten in Straßen	8,5–8,9
XII	völlige Zerstörung von Gebäuden und landschaftsverändernde Zerstörungen	ab 9

M2 Erdbebenskalen

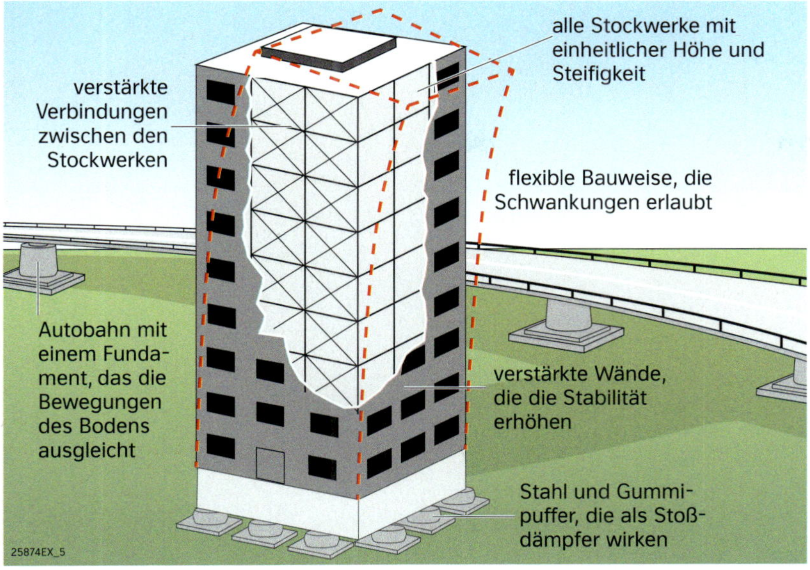

M4 Erdbebensichere Bauweise

M6 Hinweise zum Verhalten bei Erdbeben

① Dadurch verhaken sie sich.

② Gewaltige Erschütterungen lassen die Erde beben.

③ In Kalifornien bewegen sich zwei Erdplatten aneinander vorbei.

④ Dies erzeugt Spannungen, die immer größer werden.

⑤ Werden die Spannungen zu groß, entladen sie sich ruckartig.

⑥ Die Ränder der Erdplatten sind nicht glatt, sondern haben Vorsprünge und Risse.

M5 Textbausteine zur Entstehung von Erdbeben

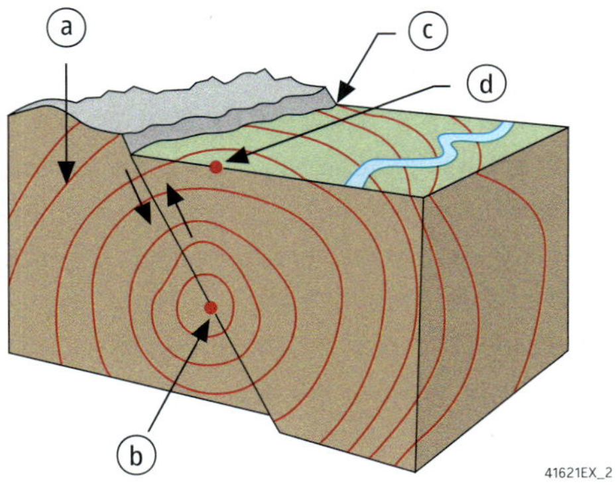

M7 Wirkungsbereich eines Erdbebens

AUFGABEN

1 *Erkläre den Unterschied zwischen Naturereignissen und Naturkatastrophen.*

2 *Ordne mithilfe des Textes die zwei Erdbeben in die Mercalli-Skala ein (M1, M2).*

3 *Ermittle mithilfe des Atlas und M3 zwei weitere Großstädte, die in der Nähe der Epizentren lagen.*

4 *Beschreibe Maßnahmen, die Menschen vor und während Erdbeben schützen (M4, M6).*

5 *Ordne die Textbausteine in M5 in der korrekten Abfolge.*

6 *Ermittle die fehlenden Begriffe a–d im Modell M7 mithilfe des Fachbegriff-Kastens.*

FACHBEGRIFF

Die Stelle, an der sich die Verkantung der Erdplatten löst und die Auslöser der Erschütterungen ist, wird als **Hypozentrum** bezeichnet. Von diesem Ort verbreiten sich die **Erdbebenwellen** in alle Richtungen. Die Stelle an der Erdoberfläche direkt über dem Ausgangspunkt wird **Epizentrum** genannt.
Die **Bruchstufe** ist der Bereich an der Erdoberfläche, an dem eine Erdplatte unter die andere geschoben wird.
Als **Verwerfung** wird der Bereich bezeichnet, an dem sich die Platten aneinander vorbei bewegen. Ein Sonderfall ist die **Transformstörung**. Diese gibt es, wenn sich zwei Gesteinsplatten aneinander vorbei gleiten, ohne dass sich eine unter die andere schiebt.

M1 Ein Tsunami erreicht die Küste Japans und zerstört ganze Landstriche.

Ein Tsunami bedroht die Küste

Japan – ein stark gefährdetes Land

Japan ist eine von Vulkanen geprägte Inselkette. In der Nähe Japans stoßen gleich drei Erdplatten zusammen. Zahlreiche aktive Vulkane und ständige Erdbeben sind Folgen der Lage Japans an den Plattengrenzen. Kleine Erdbeben treten fast täglich auf.

Eine besondere Gefahr für den Inselstaat Japan stellen die **Tsunamis** dar. Solche Riesenwellen können nach Seebeben an allen Küsten der Weltmeere auftreten. In Japan wird diese Gefahr jedoch verstärkt, da ein Großteil der Bevölkerung unmittelbar in tief gelegenen Küstenregionen lebt.

Die Japaner haben sich auf die Gefahren durch Erdbeben eingestellt. Mit einer erdbebensicheren Bauweise gelingt es, selbst hohe Gebäude und die Infrastruktur zu schützen. Tsunamis werden heute mit modernen Messmethoden und einem Tsunami-Frühwarnsystem rechtzeitig erkannt. Die betroffene Bevölkerung kann meistens frühzeitig gewarnt und aus dem Gebiet evakuiert werden. Solch ein System verhindert aber nicht die Zerstörungen an der Küste. Man versucht Siedlungen in gefährdeten Abschnitten mit dem Bau hoher Mauern vor einer Riesenwelle zu schützen.

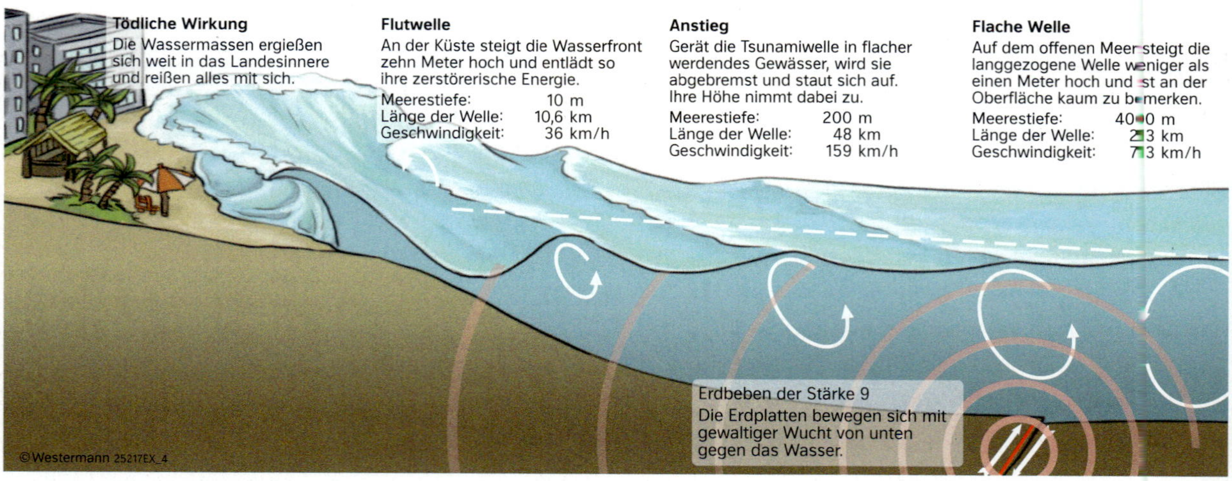

M2 Entstehung eines Tsunamis

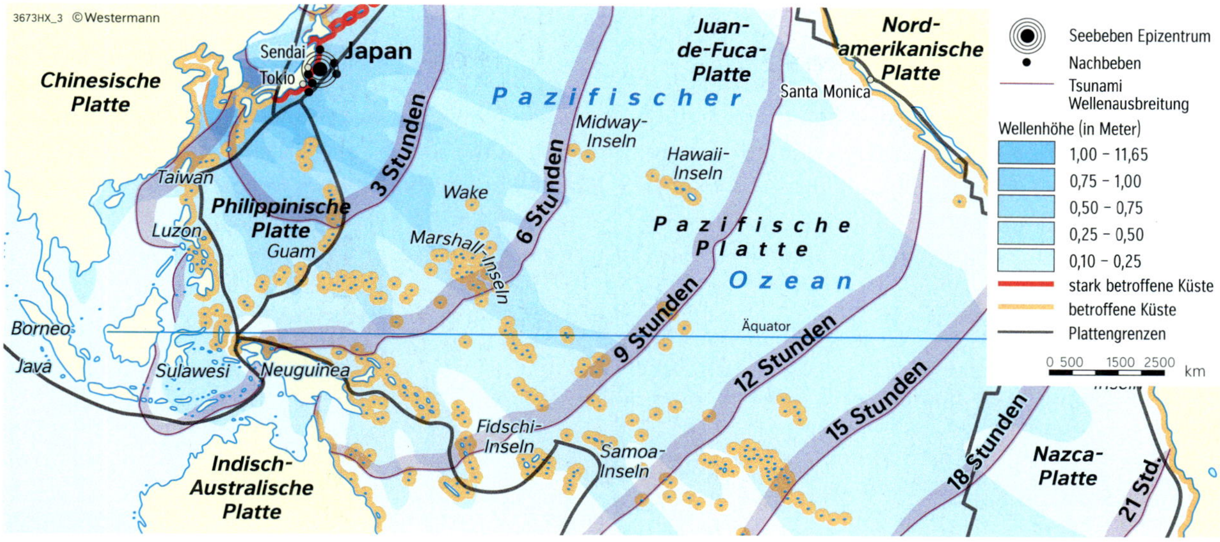

M3 Verlauf des Tsunamis 2011

Die Tsunami-Katastrophe von 2011

2011 kam es vor der Ostküste Japans zu einem starken **Seebeben**. Dieses löste einen schweren Tsunami aus. Beim Auftreffen auf die Küste wurden Schiffe, Autos und Gebäude wie Treibgut bis zu neun Kilometer in das Landesinnere gespült. Trotz des Frühwarnsystems kamen durch das Beben und den anschließenden Tsunami etwa 18000 Menschen ums Leben. 160000 Menschen mussten dauerhaft umgesiedelt werden.

Im Atomkraftwerk von Fukushima kam es zum größten anzunehmenden Unfall. Durch den Tsunami wurde das Atomkraftwerk überspült und es geriet außer Kontrolle. Gefährliche Strahlung gelangte in die Umwelt. Sowohl das umliegende Land als auch das angrenzende Meer wurden verseucht. Tausende von Menschen mussten für immer ihre Häuser verlassen.

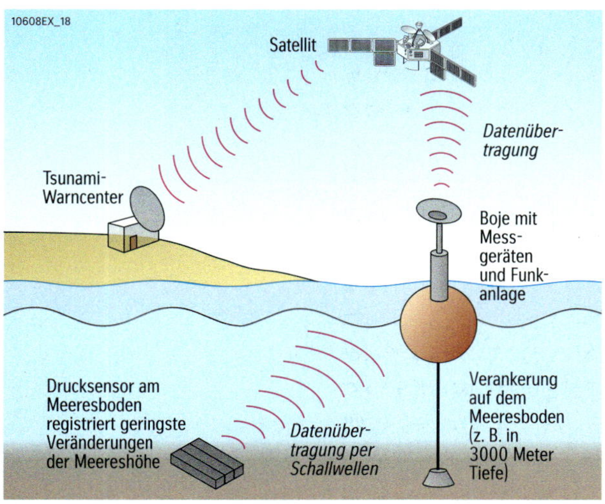

M4 Darstellung eines Tsunami-Frühwarnsystems

FACHBEGRIFF

Tsunamis sind Flutwellen, die zumeist durch Seebeben ausgelöst werden. Der Begriff kommt aus dem Japanischen und heißt so viel wie „große Welle im Hafen“. Auf dem Meer sind die Wellen kaum spürbar. Erst in Küstennähe bauen sich Tsunamis meterhoch auf. Bei einem Erdbeben befindet sich der Erdbebenherd unter dem Festland. Wird das Beben unterhalb des Meeresgrundes ausgelöst, spricht man von einem **Seebeben**.

AUFGABEN

1. *Erkläre die Entstehung eines Tsunamis (M1, M2).*
2. *Beschreibe mithilfe von M3, welche Gebiete vom Tsunami 2011 betroffen waren.*
3. *Erkläre, warum das Seebeben von 2011 in Japan besonders verheerende Folgen hatte.*
4. *Beschreibe Tsunami-Schutzmaßnahmen (M4).*
5. *Ermittle die Entfernung vom Epizentrum zu den Galapagos-Inseln.*

Digital+
WES-112462-097

Exogene Kräfte formen unsere Landschaft

Die Alpen wachsen, ohne höher zu werden

Sobald ein Gebirge zu wachsen beginnt, wirken die **exogenen Kräfte** und beginnen, es wieder abzutragen. Ohne diese Kräfte, die von außen die Landschaft formen, wären das Matterhorn und der Mont Blanc bereits über 12 000 m hoch. Da bei den Alpen die Hebung und die Abtragung heute ungefähr gleich stark sind, behalten die Berge ihre aktuelle Größe. Bei unseren Mittelgebirgen findet kein Wachstumsprozess mehr statt. Die **Erosion** wirkt als einzige Kraft, deswegen schrumpfen sie, allerdings sehr langsam.

① **Gletscher** formen breite U-Täler und an ihren Enden typische Seen, die sich nach dem Rückzug des Gletschereises mit Wasser füllen. So entstanden unter anderem die großen Seen im Alpenvorland.

② Die Wellen der Meere und Ozeane arbeiten stetig an den Küsten. Besonders eindrucksvoll ist dies an Steilküsten zu sehen. Aber es ist auch möglich, dass Inseln abgetragen oder vergrößert werden durch die Kraft des Wassers.

③ Je weniger Vegetation vorhanden ist, desto stärker kann der Wind wirken. Er nimmt Sandkörner auf und transportiert diese in der Luft zum Teil über sehr weite Strecken. Treffen diese Sandkörner auf ihrem Weg auf Felsen aus Sandstein, schmirgeln sie diese ab. Viele dieser Felsen sehen mit der Zeit aus wie Pilze. Lässt die Kraft des Windes nach, werden die Sandkörner an anderen Stellen wieder abgelagert. So können Dünen entstehen.

④ In Gesteinsrisse kann Wasser leicht eindringen. Gefriert das Wasser dort, dehnt es sich aus. So wird der Riss größer und es kann zur Absprengung von Gesteinsteilen kommen. Diesen Vorgang nennt man **Frostverwitterung**. Sie ist besonders stark ausgeprägt in Regionen mit häufigen Temperaturwechseln, die vor allem für kalte Regionen und Hochgebirge typisch sind.

⑤ Keine andere Kraft formt die Gestalt der Erdoberfläche so stark wie das Wasser. Flüsse formen in steilen Flussabschnitten tiefe Täler, mäandrieren und lagern in weniger steilen Gebieten Sedimente ab. So entstehen Flussschleifen (**Mäander**) und breite, weit verzweigte Flussdeltas.

Ⓐ

Ⓑ

Ⓒ

Ⓓ

Ⓔ

AUFGABEN

1 *Ordne den Texten ① – ⑤ die Fotos Ⓐ – Ⓔ zu.*

2 *a) *Benenne die Landschaftstypen ⓐ – ⓗ in M1.*
b) Welche exogenen Kräfte haben zu den jeweiligen Erscheinungen geführt?

3 *Auch in Deutschland kann man den reichen Formenschatz der Natur finden. Recherchiere mithilfe des Internets für jede exogene Kraft ein regionales Beispiel.*

4 *Erkläre, wie exogene Kräfte dafür sorgen, dass die Alpen wachsen, ohne höher zu werden (M2).*

5 *Erstelle eine Übersicht, die zeigt, welche exogenen Kräfte es gibt und wie sie unsere Landschaft formen.*

M1 Die exogenen Kräfte formen unsere Landschaften.

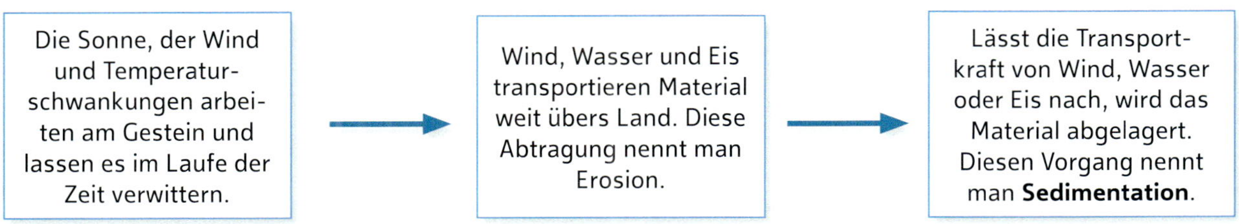

M2 Verwitterung – Erosion – Sedimentation

ALLES KLAR?

Vulkanismus

1.* Beschreibe den Aufbau eines Schichtvulkans. Ordne dazu den Buchstaben A – G die richtigen Begriffe zu.
2. Ordne die folgenden Vulkane den richtigen Kontinenten und Ländern zu: Stromboli, Ruapehu, Ätna, Fujisan, Mount Rainier, Vesuv, Kilimandscharo, Popocatépetl.

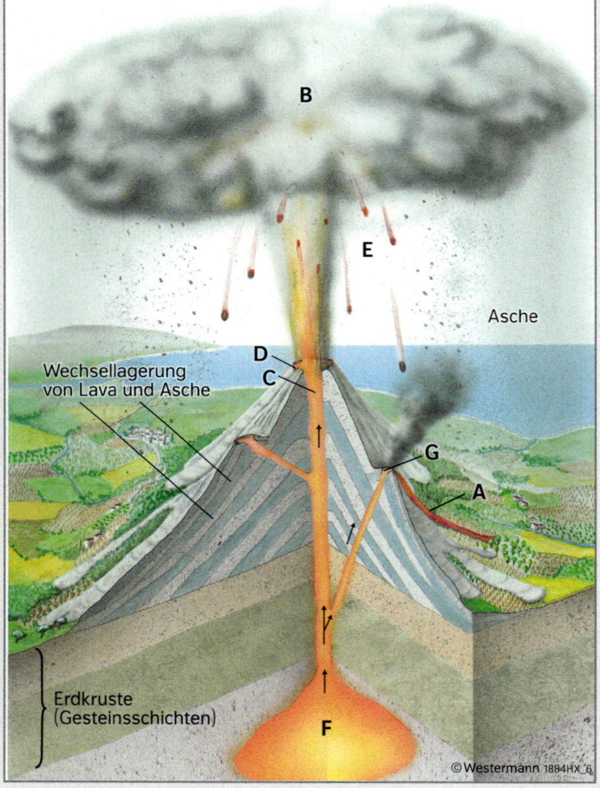

Die Theorie der Plattentektonik

1. Vervollständige Alfred Wegeners Aussagen zur Plattentektonik:
   a) „Ich behaupte … ."
   b) „Meine Beweise … ."
   c) „Die Folgen meiner Theorie … ."
   d) „Meine Widersacher … ."
2. Christoph Kolumbus erreichte Amerika im Jahr 1492 mit seinem Schiff (Santa Maria). Um Amerika heute zu erreichen, müsste er circa 16 m weiter segeln. Erkläre.

Nachbau der Santa Maria

Wenn die Erde bebt

1.* Vervollständige die Sätze.

- Das letzte große Erdbeben in Kalifornien war … .
- Eine Skala, die die Stärke von Erdbeben misst, heißt … .
- In Kalifornien grenzen zwei Erdplatten aneinander. Die dadurch entstandene Verwerfung ist die … .
- Die … Platte bewegt sich in nordwestliche Richtung.
- Die Nordamerikanische Platte bewegt sich in … Richtung.
- Die Stadt … war besonders stark von „the big one" betroffen.
- Mit bis zu … cm pro Jahr bewegen sich die Erdplatten in Kalifornien aneinander vorbei.

Außenseiter gesucht

a) Finde den Außenseiter und begründe deine Wahl.
   A Ätna – Fujisan – Stromboli – Vesuv
   B Lava – Bomben – Asche – Magma
   C Erdkern – Erdhose – Erdkruste – Erdmantel
   D Vulkanismus – Hochwasser – Erdbeben – Tsunami
   E Hypozentrum – Epizentrum – 7,0 – Eurozentrum
   F Wind – Fluss – Meer – Gletscher
   G Oberlauf – Überlauf – Unterlauf – Mittellauf
   H Auffaltung – Verwitterung – Transport – Ablagerung
b) Vergleiche deine Ergebnisse mit denen deiner Mitschüler.
c) Erstelle zwei eigene Außenseiter-Rätsel für deine Mitschüler.

Warnung

a) Erkläre, vor welchem Ereignis das Schild warnt und welcher Rat abzulesen ist.
b) Erläutere die Ursache der Bedrohung.

Naturgefahren und ihre Auswirkungen

a) Ordne den Abbildungen Ⓐ – Ⓒ die entsprechende Naturgefahr zu.
b) Erkläre die einzelnen Naturgefahren und beschreibe ihre Zerstörungskraft.
c) Erläutere den Zusammenhang zur Plattentektonik.
d) Beschreibe mögliche Schutzmaßnahmen.

Aufbau der Erde

Beschreibe den Schalenbau der Erde. Verwende die Begriffe: innerer und äußerer Erdkern, oberer und unterer Erdmantel und Erdkruste.

Aufgaben rund um die unruhige Erde

1. Nenne zwei Vulkane in Europa.
2. Gibt es auch in Deutschland Vulkanismus?
3. Was ist der Unterschied zwischen Lava und Magma?
4. a) Was ist ein Tsunami?
   b) Wie entsteht ein Tsunami?
5. Womit wird die Stärke eines Erdbebens gemessen?
6. Nenne die exogenen Kräfte, die unsere Landschaft formen.

Atlasarbeit

1. a) Notiere drei Flüsse, die in den Alpen entspringen.
   b) Wo münden diese Flüsse?
2. Notiere drei Flüsse, die in die Nordsee münden.
3. Finde heraus, durch welche Länder die jeweiligen Flüsse fließen:
   a) Donau b) Po
   c) Weichsel d) Tajo
   e) Wolga f) Rhône
4. Ordne die Flüsse den richtigen Kontinenten zu:
   a) Murray b) Niger
   c) Ganges d) Lena
   e) Paraná f) Mackenzie
5. Um welche Flüsse handelt es sich?
   a) Ich fließe durch die größte Wüste der Welt.
   b) Den berühmten Grand Canyon habe ich geschaffen.
   c) Für Millionen Hindus gelte ich als der heiligste aller Flüsse.

Neue Zeit – neue Welt

Johannes Gutenberg (um 1400 – 1468)
Er führte mit seiner mechanischen Druckmaschine mit bewegliche Lettern (= Buchstaben) den Buchdruck in Europa ein.

Christoph Kolumbus (1451 – 1506)
Die Erfahrungen seiner Entdeckungsreisen schrieb er auf. Sie wurden gedruckt und erreichten ein Millionenpublikum.

Leonard da Vinci (1452 – 1519)
Er ist berühmt für seine Gemälde, anatomischen Zeichnungen und Proportionsstudien. Die Veröffentlichungen seiner Ergebnisse erreichten schnell Bekanntheit – auch über seine Heimat hinaus.

Druckwerkstatt (Kupferstich 1632)

Friedrich Spee von Langenfeld (1591 – 1635)
Der deutsche Jesuit war ein Gegner der Hexenprozesse. Sein Buch „Cautio Criminalis“ verbreitete seine Kritik.

Martin Luther (1483 – 1546)
Seine Vorschläge zur Reform der Kirche erreichten als gedruckte Schriften viele Menschen und führten unbeabsichtigt zur Spaltung der Kirche.

Galileo Galilei (1564 – 1642)
Seine Erkenntnisse über das Planetensystem verbreiteten sich durch den Buchdruck schnell in ganz Europa.

M1 Schreibender Mönch (Mitte 15. Jahrhundert)

M2 Druckerwerkstatt im 16. Jahrhundert

Eine Erfindung verändert die Welt – der Buchdruck

Im Mittelalter hatten die Menschen kaum Kenntnisse von den Ereignissen in der Welt. Nur sehr wenige Menschen konnten lesen. Bücher wurden von Hand geschrieben oder mit mühsam aus einer Holztafel herausgeschnitzten Druckplatten hergestellt. Deshalb waren sie sehr teuer. Das Abschreiben der Bibel war eine Lebensaufgabe. Eine handgeschriebene Bibel kostete deshalb mehr als ein Stadthaus. Die Erfindung von Johannes Gutenberg, der Buchdruck mit beweglichen Lettern, veränderte daher die Welt nachhaltig.

Der Buchdruck mit beweglichen Lettern

Gutenberg nutzte eine Gießvorrichtung, mit der man beliebig viele Exemplare eines Buchstabens mit immer gleichem Aussehen aus einer Bleimischung herstellen konnte. Diese wurden in Setzkästen sortiert. Ein Setzer nahm dann zur Herstellung einer Buchseite die nötigen Buchstaben aus den Kästen. Er fügte sie spiegelverkehrt zu Zeilen und dann zu Seiten zusammen. Diese Druckvorlagen wurden mithilfe von dicken Lederballen mit Druckerschwärze eingefärbt. Anschließend wurde der Drucksatz mit einer hölzernen Presse auf ein feuchtes Blatt übertragen. Dieses musste anschließend trocknen.

Der Buchdruck verändert die Welt

Ein Buch kostete nun nur noch ein Zehntel des ursprünglichen Preises und konnte wesentlich schneller hergestellt werden. Die Technik verbreitete sich in Windeseile. Viele Adlige, Gelehrte und reiche Bürger richteten sich Bibliotheken ein. Bücher wurden so zu weitverbreiteten Gebrauchsgegenständen. Wissen stand zunehmend größeren Kreisen offen, zumal auch immer öfter die Landessprache statt des Gelehrtenlateins verwendet wurde. Das Leben der Menschen, die lesen konnten, änderte sich durch diese Erfindung erheblich.

Man hatte leichteren Zugang zu den Werken. Forschungsergebnisse konnten schneller veröffentlicht werden. Dies beschäftigte die Mächtigen in Politik und Religion: War eine kritische Meinung erst einmal gedruckt, konnte man sie nur schwer zurücknehmen. Sie verbreitete sich durch Flugblätter immer weiter.

Lesen wurde nun zum Schlüssel für Bildung und damit zunehmend auch für den sozialen Aufstieg. Erst die Erfindung des Computers bzw. des Internets brachte ähnlich weitreichende Veränderungen mit sich (**digitale Revolution**).

Aber der Kreis der lesekundigen Menschen blieb zunächst klein.

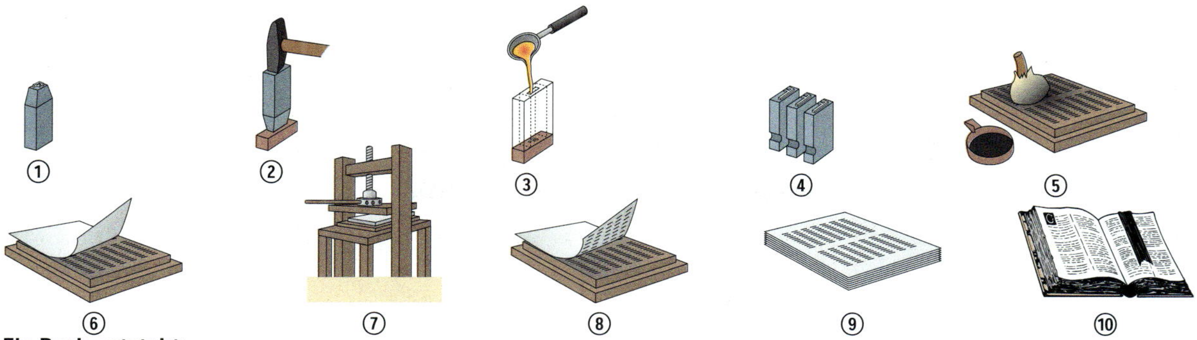

Ein Buch entsteht:

A) Die Bögen wurden zu einem Buch zusammengetragen. B) In die Matrize wurde flüssiges Blei gegossen. C) Der Buchblock erhielt einen Einband. D) Er presste Papier und Druckform zusammen. E) So stellte Gutenberg eine Letter her. Er formte eine Musterletter aus hartem Material. F) Nun war der Bogen bedruckt. G) Daraus entstand dann eine Bleiletter. H) Dann schlug er sie in ein Klötzchen aus weichem Kupfer. So entstand eine Matrize. I) Die Letter setzte er zu einer Druckform zusammen, die er schwarz färbte. J) Darauf legte er einen Bogen Papier.

M3 Arbeitsschritte beim Buchdruck

Papst Alexander nahm 1501 Stellung zum Buchdruck

Da wir erkannt haben, dass durch die Buchdruckerkunst sehr viele Bücher in verschiedenen Teilen der Welt [...] gedruckt worden sind, die viele Irrtümer und der christlichen Religion feindliche Lehren enthalten, verbieten wir [...] allen Buchdruckern [...] in Zukunft Bücher zu drucken, ohne vorher eine ausdrückliche Erlaubnis der Bischöfe oder ihrer Stellvertreter zu haben.
Diesen machen wir zur Pflicht, das zu Druckende sorgfältig zu prüfen und darauf zu achten, dass nichts gedruckt wird, was dem Glauben widerspricht oder gottlos ist.

Quelle: Bulle „Inter curas multiplices" Papst Alexander VI, 1501

M4 Position der Kirche zum Buchdruck

EXTRA

Digitale Revolution

Vor über 50 Jahren verband ein amerikanischer Professor erstmals zwei Computer über eine Telefonleitung miteinander: Das Internet war erfunden! Die Computer waren 1969 noch so groß wie Kühlschränke. Man konnte erst nur einzelne Buchstaben, später kurze Texte von Computer zu Computer schicken. In den 1990er-Jahren wurde das World Wide Web erfunden. Das Internet war nun theoretisch für alle Menschen zugänglich. Heute ist es nicht mehr wegzudenken. Mehr als die Hälfte aller Menschen weltweit nutzt sogar täglich das Internet.

Weil die Digitaltechnik und die Computer einen Umbruch ausgelöst haben, der auf der ganzen Welt zu einer Veränderung in fast allen Lebensbereichen geführt hat, spricht man von der digitalen Revolution. Die Veränderungen vollziehen sich sehr schnell.

Wir können mit unserem Smartphone schnell und einfach aktuelle Informationen erhalten oder nachschlagen, wenn wir etwas nicht wissen. Außerdem erleichtert es uns die Kommunikation, dient der Unterhaltung oder zum Einkaufen. Es entstehen neue Berufe und das Arbeitsleben hat sich spürbar verändert. Unser Leben wurde durch das Smartphone und das Internet in vielen Bereichen deutlich erleichtert. Andererseits verspüren viele Menschen aber auch einen deutlich höheren Druck, immer erreichbar sein zu müssen.

AUFGABEN

1* *Vergleiche die Herstellung eines Buches in einem Kloster (M1) und einer Druckerwerkstatt (M2).*

2 *Beschreibe das Verfahren zur Herstellung eines Buches mithilfe der Erfindung von Johannes Gutenberg, indem du die einzelnen Arbeitsschritte (Buchstaben) den Bildern (Zahlen) in M3 zuordnest.*

3 *Erläutere, warum die Erfindung des Buchdrucks mit beweglichen Lettern so bedeutend war.*

4 *Erkläre die Position der Kirche zum Buchdruck (M4) und nimm Stellung zu den Aussagen des Papstes.*

5 *Diskutiert die Behauptung, die Erfindung des Buchdrucks mit beweglichen Lettern sei mit der digitalen Revolution zu vergleichen.*

Digital+
WES-112462-105

Um 1450
Erfindung des Buchdrucks

1453
Eroberung Konstantinopels

1492
Kolumbus entdeckt Amerika.

1517
Beginn der Reformation

1545
Beginn der Gegenreformation

Mittelalter | Neuzeit

1450 1500 1550 1600 1650

M 1 Zeitstrahl: vom Mittelalter in die Neuzeit

Eine neue Zeit beginnt – ein neues Bild vom Menschen und der Welt

Der Mensch steht im Zentrum des Denkens

Im Mittelalter standen Gott und die Kirche im Mittelpunkt des menschlichen Denkens. Die Menschen betrachteten alles als von Gott gegeben, auch die Ständeordnung. Sie hörten auf das, was die Kirche sagte, und fürchteten sich vor der Hölle.

Im 15. Jahrhundert breitete sich eine neue Denkweise in Europa aus. Die Menschen gewannen eine neue Sicht auf sich selbst und die Natur. Deshalb beginnt zu dieser Zeit eine neue Epoche: die **Neuzeit**.

Vertreter der **Renaissance** und des **Humanismus** waren der Ansicht, dass der Mensch sein Leben selbst bestimmen kann. Sie glaubten, dass er mithilfe seines Verstandes und seiner Sinne die Welt und die Natur erforschen kann.

Die Gelehrten sahen darin keinen Widerspruch zum Christentum. Nun stand aber nicht mehr Gott im Mittelpunkt des Denkens, sondern der Mensch. Das betrachtete die Kirche als Gefahr für ihre Vormachtstellung. Sie versuchte, die Erkenntnisse und vor allem deren Veröffentlichung zu kontrollieren.

Die Sonne steht im Zentrum des Universums

In der Antike wurde die Vorstellung formuliert, dass die Erde ein feststehender Himmelskörper sei, der den Mittelpunkt des Universums bilde. Das nennt man geozentrisches Weltbild. Auch die Kirche vertrat diese Ansicht. Denn sie untermauerte die Überzeugung, dass der Mensch als Spitze der göttlichen Schöpfung im Zentrum steht.

Nicht alle Beobachtungen konnten mit dem geozentrischen Weltbild erklärt werden. Deshalb formulierten Forscher in der Renaissance das heliozentrische Weltbild: Die Erde ist ein Planet, der sich um seine eigene Achse dreht. Sie kreist wie die anderen Planeten um die Sonne.

Heute sind wesentlich mehr Monde und Planeten bekannt, als das heliozentrische Weltbild zeigt. Es wurden außerdem weitere Sonnensysteme in unserer Galaxie, der Milchstraße, entdeckt. Die Forscher kennen heute zudem auch noch andere Galaxien. Das heliozentrische Weltbild zeigt im modernen Weltbild nur unser Sonnensystem.

FACHBEGRIFF

Der Begriff **Renaissance** stammt aus dem Französischen und bedeutet „Wiedergeburt". Gemeint ist die Wiederentdeckung der Antike bzw. der antiken Erkenntnisse. Mit der Renaissance endet das Mittelalter. In diese Zeit fallen große Neuerungen in Kunst, Kultur, Wirtschaft und Wissenschaft. Es ist die Zeit der großen Entdeckungen und der Gelehrten.

Man betrachtet den Menschen in dieser Zeit als einzigartiges Einzelwesen (= Individuum), das über sich selbst nachdenkt. Der menschliche Verstand rückt in den Mittelpunkt und stellt das alte Weltbild infrage. Diese Denkweise nennt man **Humanismus**. Das Wort kommt vom lateinischen Begriff humanitas (= Menschlichkeit).

M2 Das Weltbild des Ptolemäus (geozentrisch)

M3 Das Weltbild des Kopernikus (heliozentrisch)

Wissenschaft und Kirche

Die Durchsetzung der neuen Vorstellungen war ein sehr langsamer Prozess, der viele Jahrzehnte dauerte. Der Großteil der Menschen lehnte die neuen Ansichten (noch) ab.

Nikolaus Kopernikus vertrat die neue Vorstellung vom heliozentrischen Weltbild. Er stützte sich dabei auf theoretische mathematische Berechnungen. Zu seiner Zeit galt diese Vorstellung allerdings noch als Hirngespinst, nicht aber als **Ketzerei**. Die Kirche ermutigte Kopernikus sogar dazu, weiter an seiner Theorie zu forschen. Sie vertrat den Standpunkt, dass nur die Behauptungen, die auch tatsächlich bewiesen werden können, als Tatsache veröffentlicht werden dürfen.

Kurz vor seinem Tod (1543) wurde Kopernikus' Buch mit der Beschreibung des heliozentrischen Weltbilds veröffentlicht. Andere Forscher arbeiteten die Thesen weiter aus. 1687 wurde die physikalische Begründung für die dargestellten Beobachtungen gefunden.

Galileo Galilei

Der Gelehrte *Galileo Galilei* traf sich 1624 mehrmals mit dem Papst. Auch er wurde ermutigt, über das kopernikanische System zu veröffentlichen – solange er dieses nicht als Tatsache beschreibe. Also veröffentlichte Galilei sein Buch über die zwei Weltsysteme. Dabei machte er sich aber über Aussagen, die die Kirche vertrat, lustig. Die **Inquisition** leitete deshalb ein Untersuchungsverfahren gegen Galilei ein. Er wurde mehrfach vernommen und gezwungen, öffentlich zu sagen, dass er sich geirrt habe. Galilei wurde zu lebenslanger Haft verurteilt. Er durfte nach fünf Monaten nach Hause zurückkehren, blieb aber unter Hausarrest und durfte nicht mehr lehren. Sein Buch wurde verboten.

1822 durfte erstmals ein Buch erscheinen, das das heliozentrische Weltbild als Realität, nicht als mathematisches Modell beschreibt. Erst 1992 gab die katholische Kirche zu, dass Galileis Verurteilung ungerechtfertigt war.

FACHBEGRIFF

Als immer mehr Menschen einzelne Aussagen der Kirche kritisierten, ergriff diese Gegenmaßnahmen zur Verteidigung der Kirche und des Glaubens. Die Menschen, die der offiziellen Kirchenlehre widersprachen, nennt man **Ketzer**.

Die Gerichtsverfahren gegen diese Ketzer nennt man **Inquisition**. Der Name bedeutet „Erforschung". Die Inquisition forschte also nach, ob der Vorwurf der Ketzerei berechtigt war. Dazu durfte auch Folter eingesetzt werden.

AUFGABEN

1 *Übertrage den Zeitstrahl M1 in dein Heft und ergänze ihn im Laufe des Kapitels.*

2 *Vergleiche das Menschen- und Weltbild der Neuzeit mit dem des Mittelalters.*

3* *Beschreibe das Weltbild des Ptolemäus, des Kopernikus und das moderne Weltbild. Erkläre die Unterschiede (M2, M3).*

4 *Schreibe eine Anklageschrift als Vertreter des Papstes oder eine Verteidigungsrede als Galilei vor dem Kirchengericht (M2, M3).*

5 *Erkläre, warum die Zeit um das Jahr 1500 als Beginn einer neuen Epoche angesehen wird.*

Digital+
WES-112462-107

Gemälde „Mona Lisa“

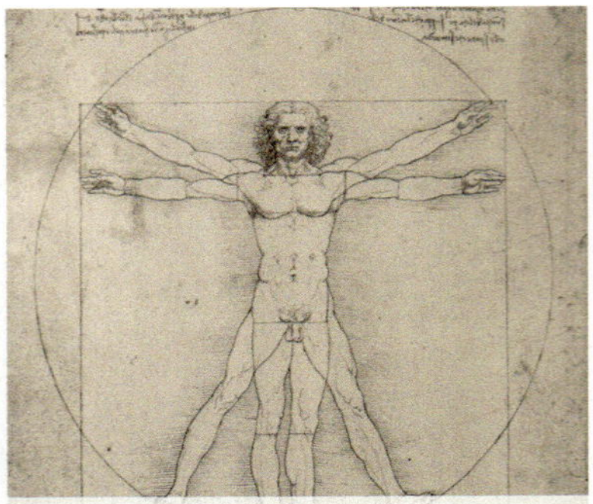

Studien zum menschlichen Körper

Illustration eines Helikopters

M1 Werke von Leonardo da Vinici

Eine neue Zeit beginnt – wissenschaftliche Erkenntnisse setzen sich durch

Wissenschaftlicher Fortschritt verändert die Welt

Der Anbruch der neuen Zeit zeigt sich auch in der genauen Erforschung der Welt durch den Menschen. Forscher entwickelten zahlreiche Erfindungen, die das Leben erleichtern sollten. Viele der wissenschaftlichen Erfindungen waren für die großen Entdeckungsreisen dieser Zeit wichtig, weil sie die Seefahrt erleichterten, wie z. B. die Uhr oder der Kompass. Auch im Bergbau wurde die Arbeit durch die Erfindung neuer Hebewerke sowie Wasserräder und Pumpen erleichtert.

Als das Schwarzpulver nach Europa gelangte, veränderte sich auch die Art und Weise, wie die Menschen Krieg führten. Denn dieses explosive Pulver wurde unter anderem für Waffen benutzt. Man kämpfte nicht mehr mit Schwertern, sondern mit Handfeuerwaffen.

Leonardo da Vinci – ein Universalgenie

Einer der bekanntesten Gelehrten dieser Zeit war Leonardo da Vinci. Er lebte von 1452 bis 1519 in Italien und war Künstler und Wissenschaftler. Weil er auf so vielen Gebieten forschte und in vielen Bereichen wichtige Erkenntnisse gewann, nennt man ihn auch Universalgenie oder Universalgelehrten. Die Menschen bewundern ihn noch heute für seine Werke und Ideen.

Leonardo da Vinci hat eines der bekanntesten Gemälde der Welt erschaffen, die „Mona Lisa“. Die Kunst der Renaissance war bestrebt, die Menschen wesentlich naturgetreuer zu malen, weshalb da Vinci seine genaue Beobachtungsgabe einsetzte, um herauszufinden, wie man das erreichen kann. Er war anwesend, als man Leichen aufschnitt (Obduktion), und zeichnete die Organe präzise nach. So legten seine **anatomischen** Studien auch einen wichtigen Grundstein für die moderne Medizin.

Ganz genau dargestellt sind auch seine technischen Zeichnungen von bereits erfundenen Maschinen und eigenen Erfindungen. Modelle seiner eigenen Flugmaschinen konnten aber kaum fliegen.

M2 Taschenuhr von Henlein

M3 Erfindung des Schwarzpulvers in China im 9. Jahrhundert

M4 Porträt von Leonardo da Vinci

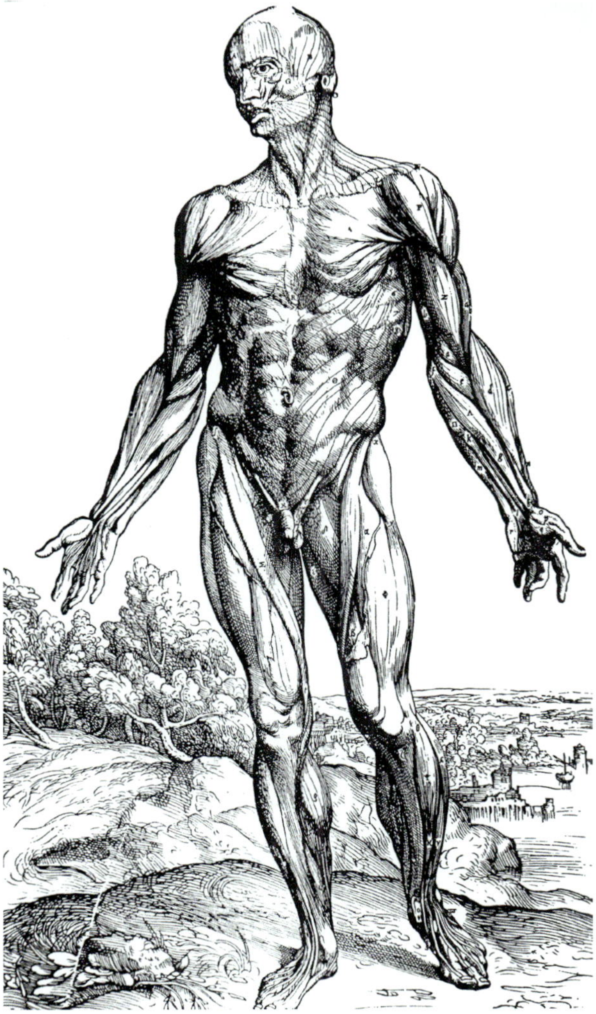

M5 Anatomie (Abbildung nach A. Vesalius, 1543)

Fortschritt in der Medizin

Wollte man mehr über den menschlichen Körper erfahren, musste man ihn öffnen, wie es auch Leonardo da Vinci für seine anatomischen Studien tat. Dazu überließen Gerichte den Anatomen die Leichen von gehenkten Verbrechern. Andere Tote durften wegen der Vorstellung, dass man nur mit einem unversehrten Körper in den Himmel kommen könne, nicht obduziert werden.

Die Menschen waren der Überzeugung, dass im menschlichen Körper vier Flüssigkeiten existieren: Blut, Schleim, gelbe und schwarze Galle. Wenn ein Mensch krank wurde, ging man davon aus, dass die Flüssigkeiten (Säfte) im Ungleichgewicht waren. Dies nennt man Vier-Säfte-Lehre. Die Ärzte glaubten z. B., durch einen Aderlass dieses Ungleichgewicht beseitigen und den Menschen so heilen zu können. Dabei wurden dem Kranken größere Mengen Blut entnommen. Heilung brachte der Aderlass selten. Aber es kam vor, dass Menschen bei der Behandlung verbluteten.

Der Arzt Andreas Vesalius widersprach der kirchlichen Lehre und war wegen seiner Meinung starken Anfeindungen ausgesetzt. Aber seine Erfahrungen brachten der medizinischen Wissenschaft neue Erkenntnisse. Er begründete also 1543 mit seinem Buch „Über den Bau des menschlichen Körpers“ die neuzeitliche Anatomie. In seinem Buch beschreibt er, wo welche Organe liegen, wie die Blutgefäße verlaufen und wie das Gehirn aufgebaut ist. Die Vier-Säfte-Lehre wurde trotz Vesalius' Studien erst im 18. Jahrhundert als offizielle Lehre abgelöst.

AUFGABEN

1. *Erstelle für Leonardo da Vinci ein fiktives Profil in den sozialen Medien (M1, M4).*
2. *Erkläre, warum die Künstler der Renaissance die Anatomie der Menschen studierten.*
3. *Erkläre, was Vesalius am Medizinstudium seiner Zeit kritisierte (M6).*
4. *Beschreibe die Bedeutung von Vesalius' Studien für den Fortschritt der Medizin (M5).*
5. *Beschreibe Veränderungen / Entdeckungen der Neuzeit und erkläre, welche Auswirkungen diese auf die Menschen hatten (M1 – M4).*

Der Arzt Andreas Vesalius beschreibt 1543 das Medizinstudium

Der Dozent [= Lehrer] steht hoch auf seinem Podium und doziert [= lehrt] mit sichtlicher Verachtung über Tatsachen, die er aus eigener Erfahrung nicht kennt, sondern aus den Büchern anderer auswendig gelernt hat oder gar aus dem vor ihm liegenden Buche abliest. [...] Auf diese Weise ist der Unterricht sehr schlecht. [...] und in diesem Durcheinander lernt der Student weniger, als ein Metzger den Professor lehren könnte.

Quelle: Andreas Vesalius, 7 Bücher über den menschlichen Körperbau, Fischer Weltgeschichte Bd. 12, Frankfurt a. M. 1967, S. 178

M6 Vesalius über das Medizinstudium seiner Zeit

Digital+
WES-112462-109

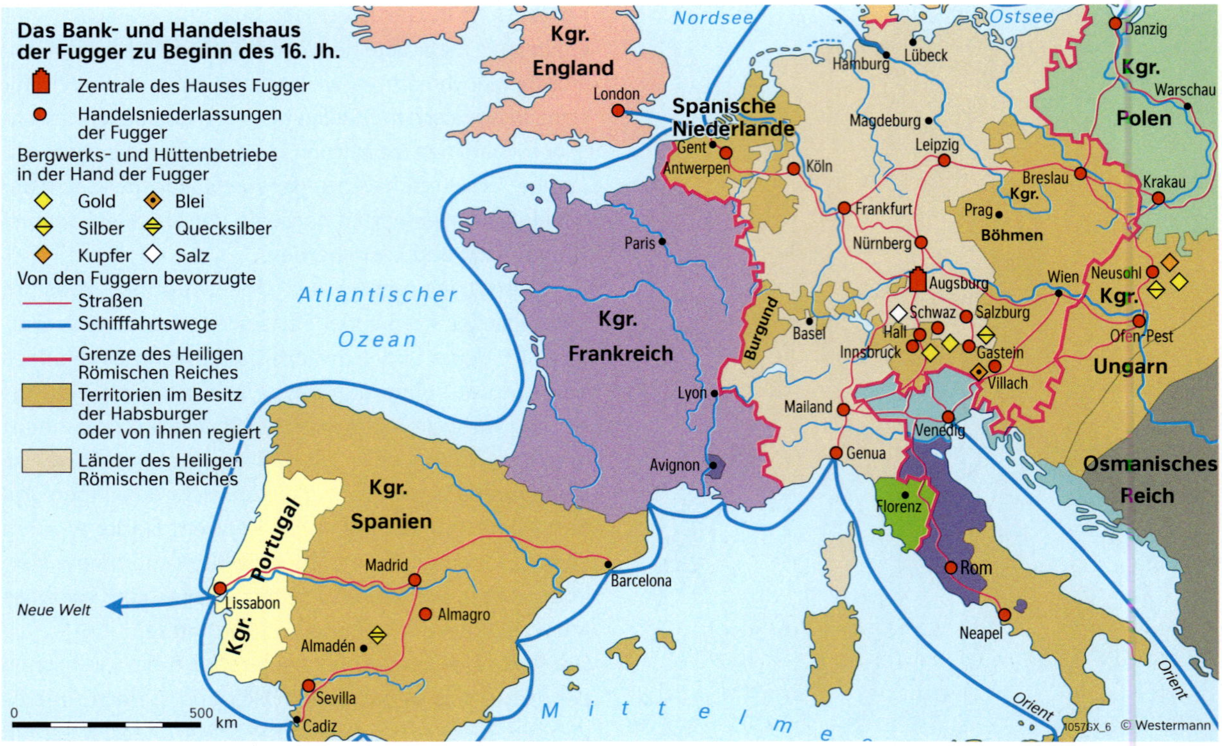

M1 Das Bank- und Handelshaus Fugger zu Beginn des 16. Jh.

Geld regiert die Welt – das Handelsunternehmen der Fugger

Eine neue Sicht auf das Wirtschaftsleben

In der Neuzeit änderte sich auch die Einstellung der städtischen Gesellschaft zum Wirtschaftsleben. Die Gesellschaft wurde durchlässiger und die gesellschaftliche Stellung war Resultat des Leistungsprinzips, das heißt, nicht mehr die Geburt war entscheidend, sondern die persönliche Leistung. Zentren dieses neuen Denkens waren zunächst die norditalienischen Städte. Hier entstand eine neue wohlhabende Schicht aus einflussreichen Familien (z. B. die Medici in Florenz), deren Einfluss auf die Politik sehr groß war. Die neue Einstellung führte auch zum Wachstum und Reichtum der Städte. Das Ziel der Händler war nun die Vergrößerung des Unternehmens. Das erwirtschaftete Geld wurde wieder in das Unternehmen investiert und die Produktion erweitert. Dazu lieh man sich häufig Geld.

Gleichzeitig gab es einen Wandel im Denken der Menschen. Geldverleih wurde nicht mehr als etwas Schlechtes betrachtet. Im Mittelalter wurden Zinsen und **Wucher** als Sünde angesehen. Nun bildete das neue Denken die Grundlage für die Entstehung großer Handelshäuser wie das der Familie Fugger: Hans Fugger war ein Weber, der durch das **Verlegerprinzip** allmählich zu Wohlstand gekommen war. Sein Nachkomme, Jakob, wurde sogar der reichste Mann der Geschichte.

Das Handelsunternehmen der Familie Fugger

Fugger kaufte Rohstoffe wie Wolle in großen Mengen an. Dann verkaufte er diese mit Preisaufschlag an Handwerker, z. B. Weber, weiter. Von diesen ließ er dann die Fertigwaren wie Stoffe produzieren. Anschließend kaufte er den Handwerkern die Waren zum Festpreis wieder ab. Dann verkaufte er die fertige Ware mit Preisaufschlag weiter.

Die Familie gründete Handelsniederlassungen in ganz Europa. Nach und nach konzentrierten sich die Fugger auch auf den Geldhandel. Jakob Fugger gründete eine Bank und beeinflusste sogar die Politik: 1519 bewarb sich Karl aus der Herrscherfamilie der Habsburger um das Amt des deutschen Kaisers. Er lieh sich Geld von Jakob Fugger, um damit die Kurfürsten zu bestechen. Im Gegenzug überließ Karl den Fuggern Silber- und Kupferbergwerke. Dieser Handel brachte Jakob Fugger den Beinamen „Kaisermacher“ ein und machte die Fugger in Europa zur politisch und wirtschaftlich einflussreichsten Familie.

M2 Die Fuggerei

Die Fuggerei – die erste Sozialsiedlung der Welt

1516 ließ Jakob Fugger in Augsburg eine Siedlung bauen, deren Bau ihn 25 000 Gulden kostete (heute ca. 13 Mio. Euro). Ein Interview zur Grundsteinlegung könnte so ausgesehen haben:

Reporter: Herr Fugger, Sie haben hier etwas Einzigartiges vor. Wie groß soll die Siedlung werden?
Fugger: Ja, da haben Sie Recht. So etwas gab es noch nie! Die Fuggerei, so heißt meine Siedlung, soll acht Straßenzüge mit 67 Reihenhäusern und einer eigenen Kirche umfassen.
Reporter: Wie kamen Sie auf diese Idee?
Fugger: Die Bibel fordert, den Armen und Bedürftigen zu helfen. Als guter Christ ist es also meine Aufgabe. Ich möchte ja schließlich in den Himmel kommen.
Reporter: Die Siedlung ist also für die Bedürftigen der Stadt gedacht?
Fugger: Ganz genau! Aber wir nehmen keine Bettler auf, wenn Sie das glauben. Es ist für die Augsburger Bürger gedacht, die ohne eigenes Verschulden in Not geraten sind. Hier können sie günstig wohnen und weiterhin ihrer Arbeit nachgehen, bis sie wieder auf eigenen Füßen stehen können.
Reporter: Und wie sehen die Mietbedingungen genau aus?
Fugger: Die Menschen müssen schon länger in Augsburg leben und katholisch sein. Sie sollen dreimal täglich für mich und meine Familie beten und freiwillig kleine Dienste in der Fuggerei übernehmen.
Reporter: Wohnen die Menschen dafür dann völlig mietfrei?
Fugger: Nein, sie zahlen einen Rheinischen Gulden [heute ca. 0,88 Euro] im Jahr und ebenso viel an die Kirche.

Die Fuggerei ist die älteste bestehende Sozialsiedlung der Welt. 2024 lebten hier 150 bedürftige Menschen. Die Aufnahmebedingungen sind immer noch dieselben, allerdings zahlen die Mieter heute zusätzlich 85 Euro im Monat für die Deckung der Nebenkosten.

M3 Ein fiktives Interview mit Jakob Fugger zur Fuggerei

AUFGABEN

1 *a) Nenne die Zentrale und wichtige Handelsniederlassungen der Fugger. Ergänze die heutigen Länderbezeichnungen (M1, Atlas).*
b) Nenne die Rohstoffe, die die Fugger abbauen ließen. Ergänze die Gebiete, in denen sie abgebaut wurden (M1, Atlas).

2 *Erarbeite mithilfe des Textes und der Karte M1 die geschäftlichen Tätigkeitsfelder der Fugger und die zentralen Gebiete ihrer Unternehmungen.*

3 *a) Erkläre, wie sich der Handel durch das Verlegerprinzip veränderte.*
b) „Verleger verdienen zweimal." Erkläre diese Aussage.*

4 *Erkläre die Überschrift „Geld regiert die Welt".*

5 *Stelle die Mietbedingungen (damals und heute) in der Fuggerei dar (M3).*

6 *Begründe, warum Jakob Fugger die Sozialsiedlung gegründet hat.*

Digital+
WES-112462-111

100389-060-01
schule.diercke.de

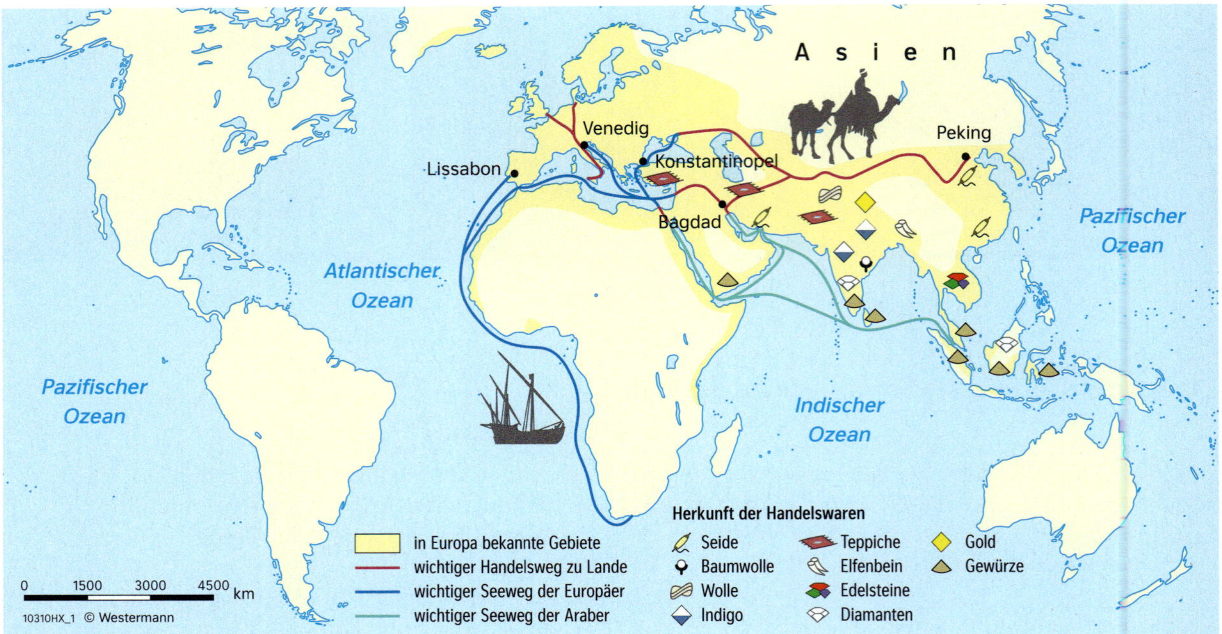

M1 Diese Gebiete waren den Europäern bis 1492 bekannt.

Gepfefferte Preise – Bedeutung von Gewürzen für den Weltmarkt

Heute ist Pfeffer aus unserer Esskultur nicht mehr wegzudenken. Aber noch vor 500 Jahren war Pfeffer unvorstellbar teuer. Er war so teuer, dass er sogar als Zahlungsmittel akzeptiert wurde. Für ein Kilo Pfeffer bezahlte man ein Kilo Gold, also ca. 80 000 Euro. Heute liegt der Preis je nach Sorte bei 7 – 200 Euro pro Kilo. Die Menschen stellten durch das Würzen ihrer Speisen ihren Reichtum zur Schau: Je wohlhabender jemand war, desto mehr Pfeffer war in seinem Essen. Deshalb wurden reiche Kaufleute auch abfällig „Pfeffersäcke" genannt. Aber warum war der Pfeffer so teuer? Pfeffer wächst hauptsächlich auf den Gewürzinseln, die heute zu Indonesien gehören. Der Transport des Pfeffers dauerte fast ein Jahr. Das Gewürz gelangte nur über viele Zwischenhändler, die alle daran verdienen wollten, nach Europa. Die Kaufleute der Stadt Venedig hatten als einzige die Erlaubnis, in Europa mit Pfeffer zu handeln.
Die Eroberung Konstantinopels durch die Osmanen und der damit verbundene Untergang des Byzantinischen Reiches im Jahr 1453 störte den Handel: Sie kontrollierten nun die Seefahrt im östlichen Mittelmeer und erhoben hohe Zölle. So gelangten weniger Fernwaren (wie Gewürze) nach Europa und die Preise stiegen noch weiter an. Deshalb machten sich die Europäer auf die Suche nach Seewegen nach Ostasien.

Vor allem Spanier und Portugiesen lieferten sich zunächst einen erbitterten Wettstreit, wer als erster den Seeweg finden wird. Aber auch die Niederlande wurden später durch den Gewürzhandel reich. Sie eroberten die Gewürzinseln und kontrollierten für lange Zeit den Gewürzhandel.

Safran, auch „rotes Gold" genannt, ist das weltweit teuerste Gewürz. Ein Kilogramm kostet ca. 30 000 Euro. Für ein Kilo Safranfäden erntet man 150 000 bis 200 000 Blüten der Krokusart Sativus.

Vanille, auch „Königin der Gewürze" genannt, wird aus den Schoten von Orchideen gewonnen. Weil echte Vanille selten und der Anbau aufwendig ist, ist sie mit 310 Euro pro kg sehr teuer.

Weiße Trüffel findet man vor allem bei Alba im Piemont. Speziell trainierte Hunde (früher auch Schweine) finden ihn mit ihrem sensiblen Geruchssinn im Boden. Ein Kilogramm kostet ca. 10 000 Euro.

M2 Teure Lebensmittel heute

① Mit dem Instrument ließ sich aus dem Winkel zwischen Sternen und Horizont die Position des Schiffes auf dem Breitengrad ermitteln. Die Positionsbestimmung auf dem Längengrad war noch nicht möglich. War der Winkel bestimmt, konnte man in Tabellen nachlesen, wie weit nördlich/südlich des Äquators das Schiff fuhr.

② Durch Hinweise von Fernhändlern wurden sie vervollständigt. Sie halfen den Seeleuten immer zuverlässiger bei ihren Fahrten.

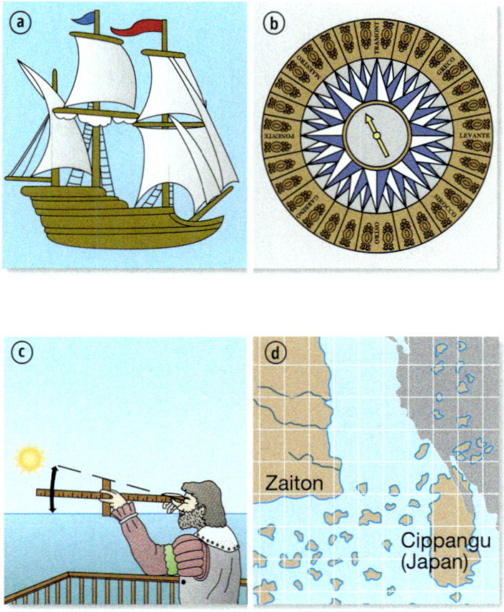

③ Ein wendiges und schnelles Schiff mit drei Masten. Es war hochseetüchtig und es war groß genug, um genügend Verpflegung und Ausrüstung für sehr lange Seereisen aufzunehmen.

④ Die magnetisierte Nadel zeigt immer nach Norden. So konnten die Seefahrer immer sicher die Himmelsrichtungen bestimmen. Mithilfe dieses Gerätes konnte man auch in der Dunkelheit die Fahrtrichtung halten.

M3 Erfindungen erleichterten die Seefahrt: ① Jakobsstab, ② Seekarten, ③ Karavelle, ④ Kompass

Wichtige Voraussetzungen für die Entdecker

Die Ausweitung des osmanischen Machtbereichs zwang also die Europäer, neue Wege auf See nach Osten zu finden.

Voraussetzungen für die nun folgenden Entdeckungsreisen waren technische und wissenschaftliche Neuerungen: Wesentlich war das Durchsetzen der Erkenntnis, dass die Erde eine Kugel ist. Martin Behaim ließ 1492 das erste Kugelmodell der Erde anfertigen, den Globus. Aber auch Erfindungen von Navigationsinstrumenten wie des Magnetkompasses oder des Jakobsstabs erleichterten die Seefahrt. Deshalb gelten sie als wichtige Voraussetzung für die Entdeckungen der Neuzeit. Das gilt auch für die nun wesentlich präziseren Sternentabellen, aus denen man die genaue Position der Sterne zu einem bestimmten Zeitpunkt im Jahr ablesen konnte, und die Seekarten. Nicht zuletzt wurden auch die Schiffe weiterentwickelt.

AUFGABEN

1 *Nenne Gründe, warum sich die Europäer Wege über das Meer suchten.*

2* *Arbeite anhand von M1 heraus, welche Waren Fernhandelskaufleute nach Europa brachten. Aus welchen heutigen Ländern stammten die Waren (Atlas)?*

3 *Ermittle die Routen, über die Waren wie Gewürze nach Europa gelangten. Benenne landschaftliche Schwierigkeiten, denen eine Handelskarawane auf diesen Reisen ausgesetzt war (M1, Atlas).*

4 *a) Benenne mithilfe deines Atlas, welche Gebiete den Europäern vor 1492 bekannt waren (M1).*
b) Nenne die Kontinente, die nicht erforscht waren.

5 *In der Neuzeit zeigten die Menschen ihren Reichtum durch das Würzen ihrer Speisen. Inwieweit ist das heute auch noch so? Diskutiert (M2).*

6 *Ordne die Texte den Bildern zu (M3).*

7 *Stell dir vor, du segelst bei rauem Seegang. Verfasse am Abend des langen Seetags einen Eintrag in das Logbuch und erläutere die Schwierigkeiten des Navigierens mit dem Jakobsstab.*

8 *Erkläre, warum für Fahrten auf dem offenen Meer andere Navigationsinstrumente benötigt wurden als für Fahrten entlang der Küste.*

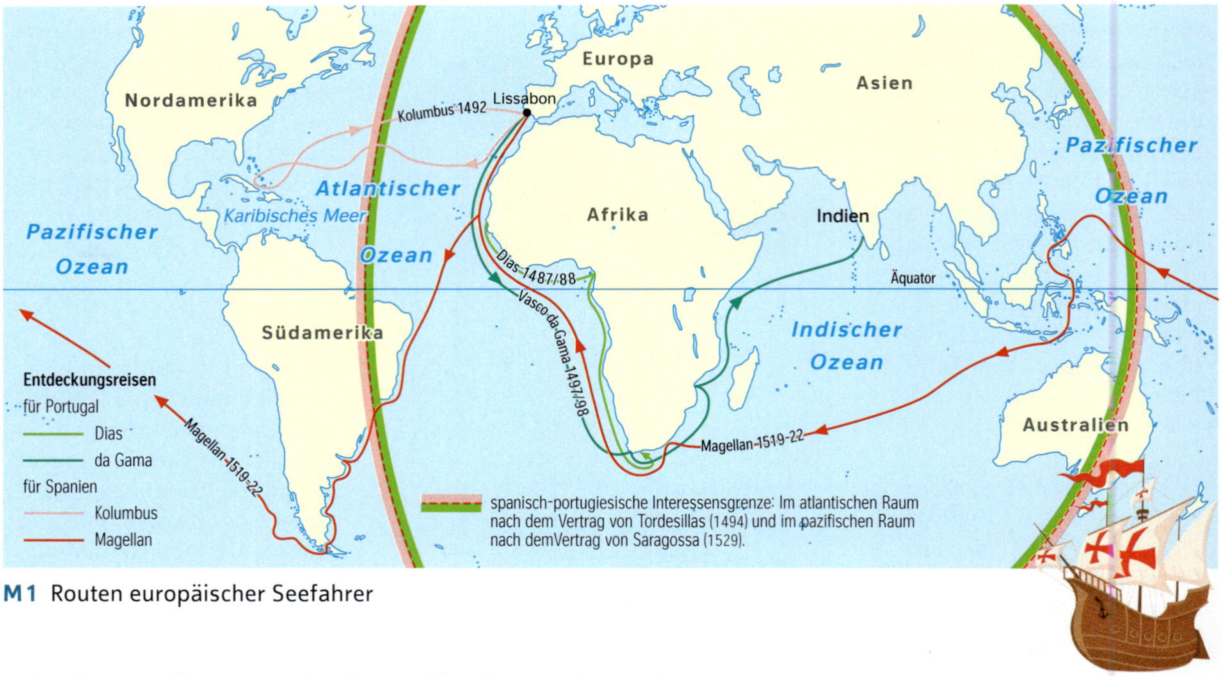

M1 Routen europäischer Seefahrer

Die Europäer entdecken die (Neue) Welt

Portugal liegt am Atlantik, deshalb sammelten vor allem portugiesische Seefahrer schon früh Erfahrung mit der Hochseeschifffahrt. Allerdings waren diese Anfänge noch wenig erfolgreich. Ich habe die Absicht, dies zu ändern. Deshalb sammle ich am Hof Wissenschaftler und andere Fachkräfte, um endlich einen Seeweg nach Indien zu entdecken. Dabei geht es mir v. a. um Sklaven, die wir als billige Arbeitskräfte für die Wirtschaft in Portugal benötigen, aber auch darum, Gewürze und andere Rohstoffe günstiger nach Portugal zu bringen. Mein Name ist Heinrich, ich bin der Sohn des portugiesischen Königs Johann.

Ich entsende Seefahrer nach Süden und beauftrage sie, jede Reise und alle neuentdeckten Gebiete sorgfältig zu dokumentieren. Einen großen Erfolg erzielten sie 1433. Sie umschifften das Kap Bojador in Marokko. Wir konnten nun einen Stützpunkt in Afrika errichten. Die Schiffe mussten seitdem nicht immer wieder nach Portugal zurückkehren.
Obwohl ich selbst nie an diesen Entdeckungsfahrten teilnahm, nennt man mich Heinrich den Seefahrer, weil die portugiesische Seefahrt durch mein Zutun große Fortschritte machte.

M2 Prinz Heinrich von Portugal

INFO

Der Streit zwischen Spanien und Portugal um die entdeckten Seewege und Gebiete wurde 1494 durch den Papst abgeschlossen. Die Herrschaftsbereiche der beiden Konkurrenten im Atlantik wurden im **Vertrag von Tordesillas** neu festgelegt. Der **Vertrag von Saragossa** aus dem Jahr 1529 präzisierte dieses Abkommen, indem er auch eine Grenzlinie durch den Pazifik festlegte.

Nach Heinrichs Tod erteilte der portugiesische König Johann II. mir den Auftrag, die Südspitze Afrikas zu umsegeln, um so auf dem Seeweg Indien zu erreichen. Mein Name ist Bartolomeu Dias. 1488 umsegelte ich nach schweren Stürmen das südliche Kap von Afrika. Ich setzte die Reise aber nicht fort, weil meine meuternde Mannschaft mich zur Umkehr zwang. In der Heimat wurde ich dennoch als Held gefeiert, weil man dem Ziel, den Seeweg nach Indien zu finden, deutlich nähergekommen war. Deshalb gab der König dem von mir entdeckten Kap den Namen „Kap der guten Hoffnung".

M3 Bartolomeu Dias

Portugal beanspruchte die Route um Afrika für sich, weshalb andere Länder diesen Weg nicht nutzen konnten. Mein Name ist Christoph Kolumbus. Ich hatte alle zu meiner Zeit bekannten Seekarten studiert und war der Meinung, dass der Westweg ohnehin der kürzere und deutlich ungefährlichere Weg nach Indien sei. Das spanische Königspaar wollte den Portugiesen bei der Suche nach dem Seeweg nach Indien unbedingt zuvorkommen und finanzierte deshalb meine Reise. 1492 verließen meine Crew und ich den Hafen Palos und segelten westwärts. Obwohl die Reise nur drei Wochen dauern dürfte, nahmen wir vorsichtshalber Verpflegung für ein ganzes Jahr mit. Im Oktober entdeckten wir Land, eine kleine Insel, die ich San Salvador (dt.: Heiliger Erlöser) genannt habe. Die dort lebenden Eingeborenen nannte ich **„Indianer“**. Portugal und Spanien waren zwar Konkurrenten, aber das Vorgehen war dasselbe. Wir nahmen die Länder auf dem Weg zu den Gewürzinseln aufgrund unserer militärischen Überlegenheit in Besitz.

M4 Christoph Kolumbus

Zehn Jahre nach der Entdeckung des Kaps der guten Hoffnung gelang es mir als erstem portugiesischen Seefahrer, mit meiner Mannschaft Indien zu erreichen. Mein Name ist Vasco da Gama. 1498 legte ich mit vier Schiffen in Kalikut, einem der bedeutendsten Zentren des Seiden- und Gewürzhandels, an. Ich bot dem dortigen Herrscher Korallenketten und Hüte zum Tausch an, aber er war nur wenig begeistert und wollte keinen Tauschhandel eingehen. Deshalb kehrte ich mit nur wenig Pfeffer nach Portugal zurück. Dennoch war meine Reise ein großer Erfolg. Der Seeweg nach Indien war entdeckt! Portugal sicherte diesen Handelsweg gewaltsam mit Kriegsschiffen und befestigte Stützpunkte an der afrikanischen Küste.

M5 Vasco da Gama

Kolumbus' Entdeckungsfahrten brachten Spanien nicht den gewünschten wirtschaftlichen Erfolg. Weil Spanien aber immer noch bestrebt war, die portugiesische Vormachtstellung im Gewürzhandel zu brechen, brach ich im Auftrag der spanischen Krone 1519 auf, um die Westroute zu den Gewürzinseln zu finden. Mein Name ist Ferdinand Magellan. Ich segelte an der afrikanischen Küste entlang und überquerte dann den Atlantik. Ich folgte der südamerikanischen Küste bis nach Feuerland. Nach langer Suche fand ich eine Durchfahrt in den Pazifik. So gelangte ich schließlich zu den Philippinen.

M6 Ferdinand Magellan

Der Kapitän wurde von Eingeborenen ermordet. Wir segelten weiter und erreichten 1522 Spanien. Wir waren die ersten Menschen, die die Welt umsegelt hatten.

M7 Juan Sebastián de Elcano

AUFGABEN

1 *Stelle in einer Zeitleiste die Ereignisse von 1433 bis zur Weltumsegelung Magellans dar.*

2 *Vergleiche die Reiseräume der Europäer vor (siehe S. 112, M1) und nach 1492 (M1).*

3 *Beschreibe, wie das Vordringen in neue Räume Europa beeinflusst haben könnte.*

4* *Erstellt arbeitsteilig einen Steckbrief zu einem der genannten Seefahrer (M2–M6) und stellt ihn der Klasse vor. Recherchiert dazu vertiefend im Internet.*

5 *In Brasilien spricht man Portugiesisch, im Rest Süd- und Mittelamerikas sprechen die Menschen Spanisch. Erkläre, warum.*

Digital+
WES-112462-115

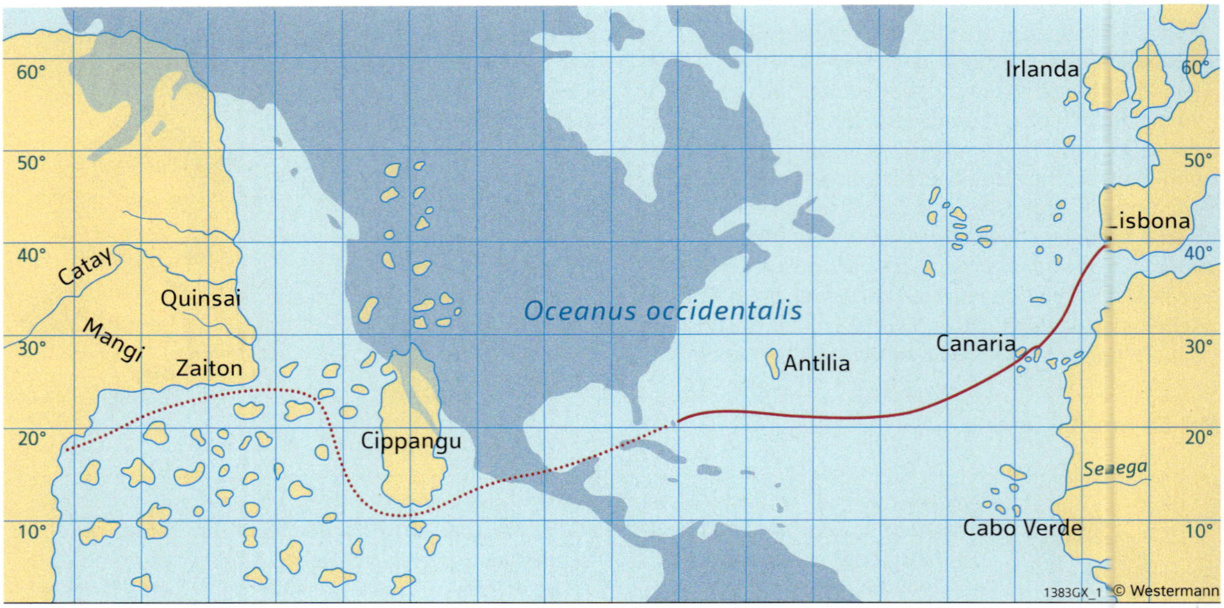

Lage Amerikas
Fahrstrecke von Kolumbus
geplante Fahrstrecke von Kolumbus

Kleines Kartenlexikon
Lisbona = Lissabon
Canaria = Kanarische Inseln
Cippangu = Japan
Mangi = Indien
Oceanus occidentalis = Atlantischer Ozean

M1 Karte des Toscanelli von 1474 (Rekonstruktion mit eingefügter tatsächlicher Lage Amerikas)

Kolumbus – genialer Entdecker, Glückspilz oder skrupelloser Eroberer?

Kolumbus' Idee eines Westwegs nach Indien

Das Jahr 1492 gilt als Wendepunkt in der Geschichte der Menschheit: Kolumbus' Reise bildet den Startschuss für die Entstehung von Kolonialreichen und die Zerstörung hochentwickelter Kulturen. Dabei lag dieser Entdeckung ein großes Missverständnis zugrunde:
Kolumbus orientierte sich bei der Planung seiner Fahrt an der Karte des italienischen Geografen Paolo Toscanelli. Die Karte geht von 4000 km Entfernung zwischen den Kanarischen Inseln und Japan aus. Aber Toscanelli hatte sich verrechnet. Tatsächlich ist die Entfernung gut viermal so lang.
Kolumbus stützte seine Planung auch auf eine Abschrift des Reiseberichts von *Marco Polo*. Der Entdecker soll nach eigenen Angaben schon im 13. Jahrhundert China bereist haben. Heute gibt es allerdings Zweifel an der Echtheit dieses Reiseberichts.
Ende des 15. Jh. gab es einige Hinweise auf Länder westlich von Europa. All das bestärkte Kolumbus' Überzeugung, einen Westweg nach Indien finden zu können. Kolumbus hatte also die richtige Idee, ging bei der Planung aber von völlig falschen Voraussetzungen aus.

Kolumbus entdeckt versehentlich Amerika

Als Unterstützer konnte Kolumbus das spanische Königspaar gewinnen. Sie einigten sich darauf, dass Kolumbus zum Vizekönig und Gouverneur der neu entdeckten Gebiete ernannt wird. Als Gegenleistung nahm er die entdeckten Länder für Spanien in Besitz. Außerdem sollte er das Christentum verbreiten, weil die Europäer sich und ihre Religion für überlegen hielten. So rechtfertigten sie die Unterdrückung der eroberten Völker.
Vor allem aber sollte Kolumbus wertvolle Rohstoffe wie Gold mitbringen. Die Goldgier der Europäer war einer der wichtigsten Beweggründe für weitere Entdeckungsfahrten und die spätere Ausbeutung der Kolonien.
Kolumbus landete 1492 in Guanahani. Seine erste Reise galt in Europa als Triumph. Er reiste noch zwei weitere Male ins vermeintliche Indien. Die späteren Fahrten waren allerdings wenig erfolgreich, da die erhofften Goldfunde ausblieben.
Erst spätere Entdecker bestätigten im 16. Jh., dass Kolumbus einen neuen Kontinent entdeckt hatte. Er selbst glaubte bis zu seinem Tod, den Seeweg nach Indien gefunden zu haben. Die Bordbücher seiner Reisen waren bei den Lesern sehr beliebt und wurden häufig verkauft.

Um zwei Uhr morgens kam das Land in Sicht, von dem wir etwa 8 Seemeilen entfernt waren. […]
Dort erblickten wir also gleich nackte Eingeborene. Ich begab mich […] an Bord eines mit Waffen versehenen Bootes an Land. Dort entfaltete ich die königliche Flagge […].
Ich rief die beiden Kapitäne und auch all die anderen, die an Land gegangen waren, […] zu mir und sagte ihnen, durch ihre persönliche Gegenwart als Augenzeugen davon Kenntnis zu nehmen, dass ich im Namen des Königs und der Königin, meiner Herren, von der genannten Insel Besitz ergreife […].
Sofort sammelten sich an jener Stelle zahlreiche Eingeborene der Insel an. In der Erkenntnis, dass es sich um Leute handle, die man weit besser durch Liebe als mit dem Schwerte retten und zu unserem Heiligen Glauben bekehren könne, gedachte ich, sie mir zu Freunden zu machen und schenkte also einigen unter ihnen rote Kappen und Halsketten aus Glas und noch andere Kleinigkeiten von geringem Wert, worüber sie sich ungemein erfreut zeigten.
Sie gehen nackend umher, so wie Gott sie erschaffen, Männer wie Frauen […]. Einige von ihnen bemalen sich mit grauer Farbe […] oder einer anderen Farbe; […], noch andere bemalen ihren ganzen Körper. Sie führen keine Waffe mit sich, die ihnen nicht einmal bekannt sind; ich zeigte ihnen die Schwerter und da sie sie aus Unkenntnis bei der Schneide anfassten, so schnitten sie sich. Sie besitzen keine Art Eisen. Ihre Spieße sind eine Art Stäbe […], die an der Spitze mit einem Fischzahn oder einem anderen harten Gegenstand versehen sind.

Quelle: Christoph Kolumus. Bordbuch. Aus dem Spanischen von Anton Zahorsky, München 2006, S. 35ff.

M2 Auszug aus dem Bordbuch des Kolumbus, Eintrag für Freitag, den 12. Oktober 1492

M3 Kolumbus' Landung in Amerika 1492, Kupferstich von Theodor de Bry, 1594
Der Kupferstich trägt die Überschrift „Kolumbus wird, als er zum ersten Mal in Indien angekommen, von den Einwohnern mit großen Geschenken verehrt und begabet aufgenommen."

INFO

Kupferstich: Kolumbus' Landung in Amerika
Der in Frankfurt lebende Verleger Theodor de Bry gab von 1590 bis 1634 die Buchreihe „Amerika oder die Neue Welt" heraus. Diese Buchreihe hat er mit Kupferstichen bebildert (M3). Grundlage für die Schilderung der Ereignisse von 1492 bis ca. 1560 waren Reiseberichte. Das wohl bekannteste Bild der Ereignisse entstand also erst 100 Jahre nach der Landung von Kolumbus in Amerika. Bei der Betrachtung muss man daher ganz genau hinschauen:
1. Das Bild hat nichts mit den Texten des Kolumbus zu tun und hat auch keinen Augenzeugenwert.
2. Es werden verschiedene Vorgänge gezeigt, die sich nicht gleichzeitig abgespielt haben können: Landung der Schiffe, Aufstellen des Kreuzes, Aufeinandertreffen mit der indigenen Bevölkerung.
3. Es werden außerdem Dinge gezeigt, die der Bericht/der Text so nicht beschreibt.

AUFGABEN

1 *a) Beschreibe die Route von Kolumbus. Welche Länder findet man heute dort (siehe S. 114 M1, Atlas)?*
b) Vergleiche die Karte Toscanellis (M1) mit einer heutigen (Atlas).

2* *Untersuche M2. Wie stellt Kolumbus sich und seine Männer bzw. die Indigenen dar?*

3* *Vergleiche den Bericht des Kolumbus (M2) mit der Darstellung des Kupferstichs von Theodor de Bry (M3).*

4 *Diskutiert die Darstellung der indigenen Bevölkerung in historischen Darstellungen (M2, M3).*

5 *Beantworte die Frage aus der Überschrift: Ist Kolumbus für dich ein genialer Entdecker, ein Glückspilz oder ein skrupelloser Eroberer? Begründe deine Meinung.*

M1 Ansicht der Stadt Tenochtitlán (Wandgemälde von Diego Rivera im Palacio Nacional, dem Regierungssitz von Mexiko, 1945)

Hochkulturen Amerikas – die Azteken

Mexiko City liegt auf den zugeschütteten Kanälen und Straßen Tenochtitláns, der Hauptstadt des Azteken-Reiches.
Die **Azteken** waren im 12. Jahrhundert ins Hochland Mexikos eingewandert. Sie hatten fast alle benachbarten Völker in kriegerischen Auseinandersetzungen unterworfen. Ihr Reich reichte vom Atlantik bis zum Pazifik. Die meisten Männer waren Bauern, aber einige arbeiteten auch als Handwerker, Kaufleute oder waren Krieger. Frauen spielten im öffentlichen Leben eine untergeordnete Rolle. Ihre Haupttätigkeit war auf den häuslichen Rahmen beschränkt. Bis zum 15. Lebensjahr lebten die Kinder bei ihren Familien. Die Mütter erzogen die Mädchen und die Väter erzogen die Jungen. Kinder nahmen von klein auf an den Arbeiten der Eltern teil, lernten so die Tätigkeiten der Erwachsenen und wuchsen in die Berufe hinein. Die Azteken betrieben eine systematische Landwirtschaft. Dazu legten sie Bewässerungssysteme an und speicherten die Ernte in Silos.
1325 gründeten die Azteken die Hauptstadt Tenochtitlán. Das Stadtbild war von Brücken und Kanälen geprägt. 1519 war Tenochtitlán eine der größten Städte der Erde. Hier lebten ca. 300000 Menschen. Sie wurden durch ein Röhrensystem mit Trinkwasser aus den umliegenden Bergen versorgt. Die große Tempelpyramide ist ein Beleg für die architektonischen Kenntnisse der Azteken. Sie stand auf einem gepflasterten Platz im Zentrum der Stadt. Hier befanden sich auch die Paläste der Priester und das Schloss des Königs Montezuma. Dieser regierte mithilfe von Beamten und Priestern das Land.
Die Azteken hatten einen präzisen Kalender, der von ihrer Religion bestimmt war. Jeder Monat war einer Göttin oder einem Gott geweiht. Religion spielte auch in anderen Bereichen des Lebens eine große Rolle. Sie glaubten an viele Götter (Polytheismus) und ein Leben nach dem Tod. Der bedeutendste Gott war der Kriegs- und Sonnengott Huitzilopochtli. Der Legende nach musste er jede Nacht einen Kampf gegen die Sterne und den Mond bestehen, um am nächsten Tag wieder als lebensspendende Sonne zu erscheinen. Dafür benötigte er Menschenopfer. Deshalb töteten die Azteken ihre Gegner nicht auf dem Schlachtfeld, sondern opferten sie später auf den Pyramiden dem Sonnengott. Außerdem glaubten die Menschen, dass der Gott Quetzalcoatl, der das Land vor Hunderten von Jahren verlassen hatte, zurückkommen und es wieder für sich beanspruchen würde. Die Prophezeiung besagt, dass weiße Boten seine Ankunft melden würden.

Die Spanier im Aztekenreich

Kolumbus entdeckte nie das amerikanische Festland. Das gelang erst *Amerigo Vespucci* 1507. Nach ihm wurde der neu entdeckte Kontinent später benannt: Amerika. Die Suche nach Reichtümern führte zehn Jahre später Hernando Cortez und seine Soldaten in das Gebiet der Azteken. Die Spanier waren begeistert von der Größe und der Pracht der Stadt. Die Azteken hielten sie für die Boten, die die Ankunft des Gottes Quetzalcoatl ankündigten, weshalb sie Cortez und seine Männer freundlich empfingen.

Aber schnell wurde klar, dass die habgierigen Fremden keine Götter waren: Die Spanier durchwühlten jedes Haus auf der Suche nach Gold. Montezuma wurde im eigenen Palast gefangen genommen. Er schloss mit den Spaniern den Handel, dass er freikomme, wenn er ihnen einen ganzen Raum voller Gold überließe. Montezuma erfüllte seinen Teil der Abmachung, aber die Spanier ließen ihn nicht frei. Dann führte schließlich die Zerstörung der Götterbilder und Statuen aus den Tempeln zu einem Aufstand. Die Spanier zwangen den König, sein Volk zu besänftigen. Dies gelang ihm nicht, er wurde getötet und der Aufstand weitete sich aus. Die Spanier flohen nach hohen Verlusten, mussten ihre Beute (Gold) aber zurücklassen.

Cortez überlebte, verbündete sich mit einer konkurrierenden Gruppe und bereitete einen neuen Angriff vor. 1400 Krieger belagerten die Stadt 90 Tage lang. Die Azteken waren durch eine Krankheit, die die Spanier eingeschleppt hatten, stark geschwächt. Die Krankheit und der Hunger führten dazu, dass sie nun kaum Gegenwehr leisteten.

1521 wurde die Stadt vollständig zerstört und Tausende Azteken getötet. Cortez ernannte sich zum Herrscher von „Neuspanien", dessen Hauptstadt nun Mexiko hieß. Unter der spanischen Herrschaft mussten die **Indigenen** Zwangsarbeit leisten. Die Lebens- und Arbeitsbedingungen waren so schlecht, dass viele Menschen starben. Dies führte letztendlich sogar zum Aussterben der Hochkultur.

1 Hernando Cortez empfängt Geschenke von Aztekenkönig Montezuma.

2 Die Spanier sind im Palasthofe eingeschlossen. Auf der Mauer steht Montezuma und versucht, sein Volk zu besänftigen.

3 Die Eroberung von Tenochtitlán

4 Der letzte König der Azteken ergibt sich Cortez.

M2 Darstellung der Eroberung des Aztekenreiches, von aztekischen Augenzeugen einige Jahre nach den Ereignissen angefertigt

AUFGABEN

1* *Weise nach, dass die Kultur der Azteken zurecht als Hochkultur bezeichnet wird (M1).*

2 *Vergleiche die Stadt Tenochtitlán (M1) mit einer mittelalterlichen europäischen Stadt (siehe S. 42).*

3 *Nenne Gründe, die zur Eroberung des Aztekenreiches führten.*

4 *Beschreibe die Ereignisse, die zum Sturz des Aztekenreichs führten aus Sicht eines spanischen Soldaten oder eines Azteken.*

5 *Bewerte das Verhalten der Spanier. Berücksichtige auch die christlichen Wertvorstellungen, deren Verbreitung die Eroberer zum Ziel erklärt hatten.*

Digital+
WES-112462-119

M1 Die Folgen der Entdeckung Amerikas

Die Entdeckung der „Neuen Welt“ – (k)ein Gewinn?

Die Folgen der Kolonialisierung damals

Der Handel mit den **Kolonien** machte die europäischen Staaten reich. Spanien und Portugal blieben nicht die einzigen Seemächte. Die Niederlande, England und Frankreich holten schnell auf. Alle diese Staaten gründeten Kolonien auf dem amerikanischen Kontinent.

Der Bischof von Mexiko, Bartolomé de las Casas, berichtet Kaiser Karl V.:

So ließ er [der Gouverneur] geschehen, dass die Spanier die verheirateten Männer zum Goldgraben fortschleppten und die Frauen in den Farmen zurückblieben, um dort Feldarbeit zu verrichten. [...] Nach Verlauf dieser Zeit waren sie durch Hunger und Strapazen so erschöpft und ausgemergelt, so elend und entkräftet, dass die Geburten fast aufhörten. Die neugeborenen Kinder konnten sich nicht entwickeln, weil die Mütter von Anstrengungen und Hunger erschöpft, keine Nahrung hatten. Aus diesem Grund starben z. B. auf der Insel Kuba [...] 7 000 Kinder im Laufe von drei Monaten. Einige Mütter erdrosselten vor Verzweiflung ihre Kinder, andere brachten tote Kinder zur Welt, so starben die Männer in den Goldminen, die Frauen auf den Farmen vor Erschöpfung. Die Geburten hörten auf und das allgemeine Sterben hatte zur Folge, dass sich die fruchtbare [...] Insel rasch entvölkerte.

Quelle: Bartolomé de las Casas, Historias II, Kap. 12-14, Geschichte in Quellen, Bd. 3, München 1976, S. 69ff

M2 Der Bischof von Mexiko berichtet dem Kaiser von den Lebensbedingungen der indigenen Bevölkerung.

Aus europäischer Sicht hatten die Kolonien in Amerika vor allem den Zweck, einen möglichst hohen wirtschaftlichen Gewinn zu erzielen. Dazu mussten die Indigenen als Zwangsarbeiter z. B. in Silberminen arbeiten. Die Ausbeutung der indigenen Bevölkerung durch die Kolonialherren führte zu einem starken Bevölkerungsrückgang.

Die Europäer führten neue Anbaumethoden, aber auch Anbaufrüchte und Nutztiere ein: Weizen, Wein, Pferde, Schafe etc.

Es war nun auch ein zentrales Anliegen, das Christentum zu verbreiten. Dazu bauten die Kolonialherren auf den alten Tempelanlagen der indigenen Hochkulturen zahlreiche Kirchen und Klöster. Diese **Missionierung** erfolgte nicht immer freiwillig. Noch heute bekennt sich ein Großteil der Bevölkerung Südamerikas zum Christentum.

INFO

Kolonie

In der Antike ließen sich Menschen an einer anderen Stelle nieder, weil es in ihrer Heimat nicht genügend Nahrung gab. Die Kolonien der Neuzeit entstanden aus einem anderen Grund: Europäische Seefahrer eroberten mit Gewalt fremde Gebiete, um die dort lebenden Menschen und die Rohstoffe des Landes auszubeuten und sich selbst zu bereichern.

Infolge des europäischen Kolonialismus kam es zum Massensterben der indigenen Bevölkerung in den eroberten Gebieten.

Die Folgen der Kolonialisierung heute

Die europäischen Kolonialmächte erzwangen eine Anpassung der eroberten Menschen an die eigenen Vorstellungen. Dies betraf den Glauben, die Verwaltung, die Wirtschaft, die Politik und auch die Sprache. Im 19. und 20. Jahrhundert zogen sich die europäischen Mächte aus Südamerika zurück. Die ehemaligen Kolonien wurden unabhängige Staaten.

Trotzdem gibt es in vielen dieser Länder auch heute wenig Industrie, weil sie in der Kolonialzeit keine aufbauen durften und die abgebauten Rohstoffe billig an die Mutterländer verkaufen mussten.

Die Menschen sind auch heute oft in der Landwirtschaft tätig und Rohstoffe wie Kakao oder Kaffee werden weiterhin billig ins Ausland verkauft. Damit erzielen die Bauern jedoch nur niedrige Einkommen.

Die Auswirkungen der geringen Löhne zeigen sich auch in den schlecht ausgestatteten Schulen. Besonders schwierig ist oftmals die Situation der indigenen Bevölkerung.

In Mexiko z. B. bilden die Nachkommen der spanischen Kolonialherren eine kleine, aber sehr reiche Oberschicht. Die große Masse der Bevölkerung, vor allem die Nachkommen der indigenen Bevölkerung, ist sehr arm. Diesen großen Unterschied zwischen Arm und Reich sieht man auch am Stadtbild: Die Reichen leben in sogenannten Gated Communities. Sie bauen Mauern um ihre Wohnviertel, die sie von den Armenvierteln abgrenzen sollen. In Lima, der Hauptstadt Perus, zieht sich eine Mauer zwischen Arm und Reich quer durch die Stadt. Aufgrund der großen Armut können sich viele Menschen nur wenig Bildung leisten.

In Mexiko beträgt der Anteil der Indigenen an der Bevölkerung ca. 30 Prozent, aber fast die Hälfte der Analphabeten ist indigen. Fast die Hälfte der indigenen Kinder zwischen 6 und 12 Jahren besucht keine Schule, weil sie zum Unterhalt der Familie beitragen müssen. Deshalb fordert die indigene Bevölkerung Bildungsangebote in ihrer eigenen Sprache. Das bedeutet aber auch hohe Kosten, da z. B. Lehrer ausgebildet werden müssen, die den Unterricht ermöglichen. Es müssen Räumlichkeiten gefunden und Material wie Bücher angeschafft werden. Die Regierung tritt oft nur in einen Scheindialog mit den indigenen Gruppen, hält die getroffenen Vereinbarungen aber nicht ein. Auch nach dem Urteil des Obersten Gerichtshofs hat die mexikanische Regierung das geforderte und versprochene Gesetz zum Schutz der Rechte indigener Bevölkerungsgruppen nicht erlassen. Stattdessen wollte sie ein Vorhaben durchsetzen, das die Umsetzung von großen Bauprojekten auch auf dem Gebiet der Indigenen ohne die Zustimmung der dort lebenden Menschen erleichtert.

M3 Armenviertel in Rio de Janeiro (Brasilien)

M4 In Lima (Peru) trennt die „Mauer der Schande" Arm und Reich.

M5 Gated Community

AUFGABEN

1 *Beschreibe, wie die Eroberer die indigene Bevölkerung ausbeuteten. Welche Vorteile brachte dies den Eroberern (M1)?*

2 *a) Arbeite die wichtigsten Aussagen des Bischofs von Mexiko (M2) heraus.*
b) Auf wessen Seite stand der Bischof? Begründe.

3 *Erkläre die Folgen der Eroberungen bzw. der Kolonialisierung Amerikas.*

4 *Erläutere an den Beispielen M3 – M5 die Folgen des Kolonialismus für Südamerika.*

5 *„Die Entdeckung Amerikas war schon sehr wunderbar, aber noch viel wunderbarer wäre es gewesen, wenn man es nicht entdeckt hätte." Erkläre, was der Schriftsteller Mark Twain mit diesem Satz ausdrücken wollte.*

Digital+
WES-112462-121

METHODE

Bewerten und beurteilen – die Argumentationswippe

Am 12. Oktober 1492 landete Kolumbus auf der Insel Guanahani, die heute zu den Bahamas gehört. Dieses Datum begründet das Zeitalter der Eroberungskolonien. Anfänglich wurde der Tag aus rein europäischer Sicht betrachtet und vollkommen positiv bewertet. Aber das ändert sich langsam und man blickt differenzierter auf die Ereignisse, für die dieser Tag steht:

In den USA ist der 12. Oktober seit dem 20. Jahrhundert ein Feiertag („Kolumbus-Tag"). In den letzten Jahren häufen sich aber die kritischen Stimmen und in vielen Regionen der USA wird daher an diesem Tag unter der Bezeichnung „Tag der Indigenen Völker" an die Rechte derjenigen erinnert, die infolge der Entdeckung unterdrückt oder ausgelöscht wurden.

In Latein- und Mittelamerika hieß der 12. Oktober lange „Tag der Rasse". Zu Beginn des 21. Jh. wurde der Name in „Tag der Begegnung zweier Welten" oder auch „Tag des indigenen Widerstandes" geändert. Die neuen Bezeichnungen sollen auf die schrecklichen Folgen der Eroberungen aufmerksam machen: Ausbeutung, Unterdrückung, Krankheiten, Tod – auch der indigenen Kultur. Die Begriffe sollen aber auch für Toleranz unter den verschiedenen Kulturen werben und für Rechte der Indigenen eintreten.

In Spanien ist der Tag Nationalfeiertag und wurde auch hier lange als „Tag der Rasse" bezeichnet. 1987 wurde der Name per Gesetz offiziell in „Nationalfeiertag" geändert.

M1 Das Denkmal des Seefahrers Christoph Kolumbus thront hoch über der spanischen Stadt Barcelona. Erkenntnisse in Navigation, Kartografie und Schiffbau sind die grundlegenden Vermächtnisse vieler Erkundungsfahren.

M2 Stadtarbeiter säubern ein Denkmal für Christoph Kolumbus, das mit roter Farbe verwüstet wurde, um gegen die Behandlung der Indigenen durch europäische Kolonisatoren zu protestieren (12. Oktober 2020, La Paz, Bolivien).

Eine Möglichkeit, eine Fragestellung zu bewerten und die genannten Argumente grafisch darzustellen, ist die Argumentationswippe. Sie zeigt, dass nicht nur die Anzahl, sondern auch die Stärke, also die Bedeutung, der Argumente wichtig ist.
Im Fall der Bewertung der Entdeckungsreisen werden unter Pro-Argumenten die positiven Aspekte und unter Kontra-Argumenten die negativen Aspekte gesammelt.

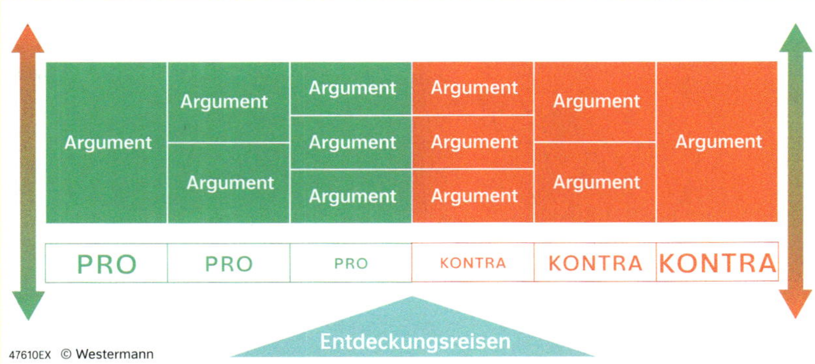

M3 Beispiel für eine Argumentationswippe

Schritt 1: Argumente sammeln

- Sammelt positive Aspekte der Entdeckungsreisen (Pro-Argumente), wie z.B. die technischen Neuerungen.
- Sammelt negative Aspekte der Entdeckungsreisen (Kontra-Argumente), wie z.B. die Ausbeutung der indigenen Gemeinschaften.
- Schreibt die Argumente zunächst auf einen Spickzettel.

Schritt 2: Argumente gewichten

- Ordnet eure Argumente nach ihrer Wichtigkeit.
- Schreibt die stärksten Argumente auf große Karteikarten (6x6cm), mittlere Argumente auf mittelgroße Karteikarten (4x6cm) und schwache Argumente auf kleine Karteikarten (2x6cm).
- Nutzt für die Pro-Argumente grüne Karteikarten und für die Kontra-Argumente rote Karteikarten.

Schritt 3: Argumente anbringen

- Bringt die stärksten Argumente ganz außen und die schwächsten Argumente ganz innen an. Die mittleren Argumente kommen in die Mitte der jeweiligen Seite.
- Notiert die Pro-Argumente links und die Kontra-Argumente rechts.

Schritt 4: Ergebnisse auswerten

- In welche Richtung schlägt eure Argumentationswippe aus? Überwiegen die positiven oder die negativen Aspekte?

INFO

Den Begriff **Rasse** verwendet man heute nur noch in der Tierzucht. Er bezeichnet Tiere derselben Art, bei deren Zucht man auf bestimmte Merkmale achtet. Im 19. Jh. wurde der Begriff auch auf Menschen angewandt. Man unterschied verschiedene Rassen, die in eine Rangordnung eingeteilt wurden: Die Weißen hielten sich für die intelligenteste Rasse. Am unteren Ende der Rangordnung standen People of Color. Diese Idee wurde z.B. zur Rechtfertigung der Unterdrückung der Indigenen durch die Kolonialherren genutzt. Sie ist allerdings wissenschaftlich falsch. Heute wissen wir, dass alle Menschen eng miteinander verwandt sind. Es gibt keine Menschenrassen. Trotzdem werden heute noch Menschen wegen ihrer Hautfarbe oder der Zugehörigkeit zu einer Volksgruppe o.Ä. ausgegrenzt und unterdrückt. Das nennt man **Rassismus**.

INTERNET

Beispiel zur Veranschaulichung

Digital+
WES-112462-123

AUFGABEN

1 *Beschreibe die Bilder M1 und M2. Welche Meinungen zu Christoph Kolumbus und seinen Entdeckungen stecken hinter den beiden Fotos? Hilfestellung bietet euch auch der Verfassertext.*

2 *Erstellt eine Argumentationswippe zu den Entdeckungsreisen der Neuzeit.*

3 *Beantworte noch einmal die Frage der S.116/117: Ist Kolumbus für dich ein genialer Entdecker, ein Glückspilz oder ein skrupelloser Eroberer?*

M1 Kolonialreiche und Überseehandel um 1700

Der Mensch als Handelsware

Die Kolonialherren erkannten schnell, dass es für die Rohstoffe aus Amerika in Europa viele Abnehmer gab. Aufgrund der schlechten Lebensbedingungen nahm die Zahl der indigenen Bevölkerung aber stark ab. Deshalb suchten die europäischen Eroberer nach neuen Arbeitskräften für ihre Plantagen sowie Gold- und Silberbergwerke. Sie entschlossen sich, afrikanische Sklaven als Arbeitskräfte in Amerika einzusetzen.
Man verschiffte Kriegsgefangene oder von Sklavenjägern entführte Menschen von Afrika nach Amerika. Dazu wurden die Menschen aneinander gekettet, auf langen Fußmärschen zu einer Hafenstadt getrieben und auf enge Schiffe verfrachtet. Nur jeder Zweite überlebte die Überfahrt. Viele Überlebende starben kurze Zeit nach der Ankunft durch die Strapazen. Wer überlebte, wurde als Sklave verkauft.

Der Sklavenhandel störte die Beziehungen zwischen den afrikanischen Bevölkerungsgruppen dauerhaft. Sie führten Kriege, um Gefangene zu machen, die man als Sklaven nach Amerika transportierte. Schätzungen zufolge wurden zwischen dem 16. und dem 18. Jahrhundert 25 bis 30 Mio. Afrikaner verschleppt.
Den in dieser Zeit entstehenden Handel bezeichnet man als **atlantischen Dreieckshandel**, weil die Transportwege über den Atlantik die Form eines Dreiecks hatten: Europäische Händler verkauften Werkzeuge, Waffen oder Textilien in Afrika und nahmen dafür Sklaven mit, die sie nach Amerika verschifften. Dort wurden diese als Zwangsarbeiter auf den Plantagen oder in den Minen ausgebeutet. Die dort gewonnenen Erzeugnisse brachten Händler nach Europa, wo sie verkauft wurden.

Bei dem gewohnten Fußtritt für die älteren Männer und Frauen und manchem scharfen Peitschenknall für die jüngeren Sklaven dauerte es nicht lange, bis sie alle auf den Beinen und hell wach waren. Mr. Freeman hastete in sehr geschäftiger Weise herum, um sein Eigentum für die Versteigerung bereit zu machen. Zweifellos erwartete er für diesen Tag gute Geschäfte. Zuerst wurden wir angewiesen, uns sorgfältig zu waschen [...]. Dann wurden wir neu eingekleidet – billig aber sauber. [...] Darauf wurden wir in einen großen Saal [...] geführt, wo der „Markt“ stattfinden sollte [...] Dieser [Mr. Freeman] pries langatmig unsere Qualitäten und guten Seiten an. Er ließ uns den Kopf heben und schnell vor- und zurückmarschieren, während die Kunden unsere Hände, Arme und Körper abtasteten, uns herumdrehten, uns nach unseren Fähigkeiten fragten und sich unsere Zähne zeigen ließen, genau wie sich ein Jockey vor seinem Pferdekauf benimmt. [...]

Der [...] Mann kaufte auch Randall. [...] Während dieser ganzen Verhandlung weinte Eliza [Randalls Mutter] und rang die Hände. [...] Immer und immer wieder erklärte sie ihnen, wie sehr sie ihren Jungen liebe, und wiederholte ihr Versprechen, dass sie eine treue und gehorsame Sklavin sein und bis zum letzten Augenblick ihres Lebens hart arbeiten wolle, wenn er sie nur alle zusammen kaufen würde. Aber es nützte alles nichts, Randall musste alleine gehen. [...]

Quelle: Victor Austin (Hrsg.): Der amerikanische Bürgerkrieg in Augenzeugenberichten, Düsseldorf, 1963, S. 47ff, Übers.: Tilla Schlenk

M2 Aus den Erinnerungen des ehemaligen Sklaven Solomon Northup (1853)

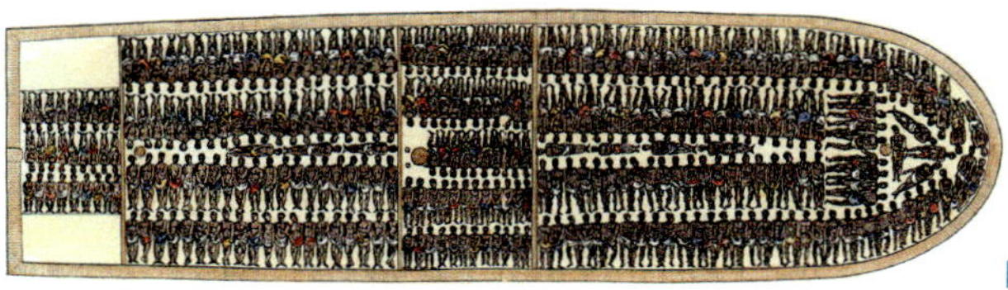

M3 Laderaum eines Sklavenschiffs

INFO

Sklaverei existiert bereits seit der Antike. Es ist ein System, bei dem Menschen als Eigentum anderer Menschen behandelt werden. Sklaven werden aus ihren Familien gerissen und in ein für sie fremdes Umfeld gebracht. Sie werden zur Ware und entmenschlicht. Man beraubt sie nicht nur ihrer Freiheit, häufig müssen Sklaven auch körperliche und psychische Gewalt erleben.
In der Neuzeit erreichte der Menschenhandel seinen Höhepunkt. Als erste Kolonialmacht verbot Großbritannien 1807 den Sklavenhandel. Andere europäische Mächte ächteten die Sklaverei 1815. In den USA wurde das Halten von Sklaven 1865 verboten. Im Jahr 1948 wurde die Sklaverei von den Vereinten Nationen (UN) als „Verbrechen gegen die Menschlichkeit“ unter Strafe gestellt.

EXTRA

Sklaverei heute?

Obwohl die Sklaverei offiziell abgeschafft ist, gibt es sie bis heute. Schätzungen zufolge leben weltweit ca. 50 Mio. Menschen in Sklaverei. Das Kinderhilfswerk der Vereinten Nationen schätzt, dass weltweit 152 Mio. Kinder zwischen 5 und 14 Jahren unter sklavereiähnlichen Bedingungen arbeiten. Ein Beispiel sind die Kindersklaven in Haiti. Arme Eltern verkaufen ihre Kinder als Haushaltshilfe oder Farmarbeiter, weil sie ihre Familie nicht ernähren können und auf das Geld angewiesen sind. Viele Menschenrechtsorganisationen engagieren sich im Kampf gegen Sklaverei, z. B. Terre des hommes (französisch für Erde der Menschen) oder Amnesty International.

AUFGABEN

1 *a) *Erkläre den Begriff „atlantischer Dreieckshandel“. Erstelle eine schematische Darstellung (M1).*
b) Erstelle eine Übersicht über wichtige Kolonialreiche in Form einer Tabelle: Staat – Kolonialgebiete – wichtige Handelswaren (M1).

2 *Erkläre, warum Afrikaner als Sklaven nach Amerika gebracht wurden.*

3 *Beschreibe die Lebensumstände der Sklaven (M2).*

4 *„Der Mensch hörte auf, Mensch zu sein, und wurde zur Ware.“ Erläutere und belege diesen Satz (M2).*

M1 Ein Holzschnitt von 1521: Superbia (= Anmaßung), Luxuria (= Prunksucht), Avarita (= Habsucht), Paupertas (= Armut). Der Bauer trägt eine Bibel in der Hand und hält sie dem Mönch vor die Nase.

Menschen und Kirche zu Beginn der Neuzeit

Der Glaube der Menschen

Die Menschen waren im 15. und 16. Jahrhundert sehr fromm. Ihr Alltag wurde vom Christentum bestimmt.
Die Menschen waren davon überzeugt, dass Krankheiten eine Strafe Gottes für die Sünden der Menschen seien. In Notsituationen beteten sie zu Gott und den Heiligen und erhofften sich Beistand und Hilfe.
Die Regeln der Kirche nahmen sie sehr ernst. Denn sie fürchteten, dass sie von Gott bestraft würden, wenn sie sich nicht an die Regeln hielten. Doch die Bauern erfuhren nur durch die Predigten der Priester, was in der Bibel steht. Weil sie aber nicht lesen konnten, konnten sie auch nicht überprüfen, ob das, was die Priester predigten, stimmte. Deshalb mussten sie darauf vertrauen, dass die Priester ihnen die Wahrheit sagten.
Viele Menschen glaubten an den Himmel, die Hölle und das Fegefeuern, das heißt daran, dass nur Menschen, die sündenfrei lebten, in den Himmel kämen. Wer dies nicht tat, musste entweder im Fegefeuer für seine Sünden büßen oder kam auf ewig in die Hölle.

FACHBEGRIFF

Die Menschen glaubten, dass sie für ihre Sünden im Fegefeuer oder in der Hölle schmoren müssen. Deshalb versuchten sie, die Gnade Gottes zu erlangen. Das wollten sie z. B. durch eine Beichte oder einen Kirchenbesuch oder eine Wallfahrt erreichen. Das Erlassen dieser Sündenstrafen nennt man **Ablass**. Die Kirche konnte in einem Brief bestätigen, dass einem Gläubigen der Ablass gewährt worden war (= Ablassbrief).

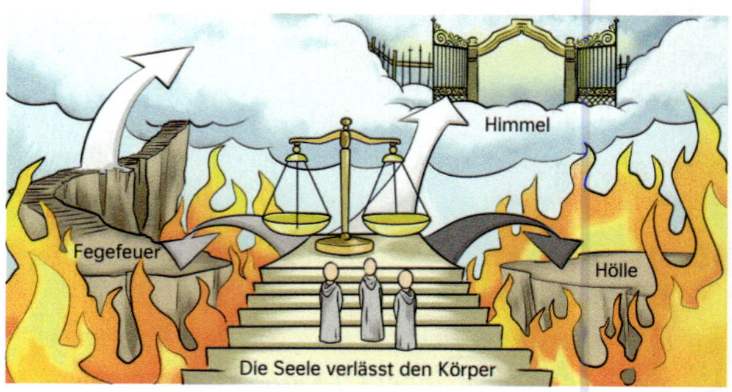

M2 Vorstellung zu Beginn der Neuzeit

Unzufriedenheit der Menschen

Die Menschen waren, obwohl sie fromm waren, mit der Kirche unzufrieden. Denn die Kirche nutzte den Gehorsam der Menschen aus. Die Kritik am Verhalten der Bischöfe und Päpste wurde immer lauter. Viele Gläubige sehnten sich nach Veränderung.
Ein wichtiger Kritikpunkt war der Ämterkauf (= Simonie), ein anderer das Leben der Bischöfe im Luxus. Während die Mehrzahl der Bauern hungerte, bauten sich die Bischöfe und Päpste Paläste wie Könige. Papst Leo X. ließ z. B. den Petersdom in Rom bauen. Viele hochrangige Geistliche wollten ihre eigene Macht und ihren Reichtum vermehren. Um noch einflussreicher zu werden, kauften sie ihre Ämter. Die Menschen warfen den Geistlichen vor, dass ihnen das Luxusleben wichtiger sei als das Wohlergehen ihrer Gemeinden.

Außerdem waren viele Pfarrer nur sehr schlecht ausgebildet. Die wenigsten hatten ein Theologiestudium absolviert.
Ein weiterer Kritikpunkt war der **Ablasshandel**. Die Kirche nutzte die Angst der Menschen vor dem Fegefeuer, um möglichst viele Ablassbriefe zu verkaufen. Die Menschen glaubten, je mehr Ablassbriefe sie kauften, desto mehr Sündenstrafen würden ihnen erlassen und sie mussten keine Reue für ihre Taten empfinden. So finanzierten die Päpste und Bischöfe ihr Luxusleben auf Kosten der Ärmsten, denen sie das Geld aus der Tasche zogen.

INFO

Kardinal Albrecht von Brandenburg war Bischof von Mainz und Magdeburg. Er häufte also mehrere Ämter an, um seine Macht zu stärken. Außerdem profitierte er vom Ablasshandel. Er hatte sich Geld geliehen, um seine Ämter zu kaufen. Dieses Geld musste er nun zurückzahlen. Das wollte er mit dem Erlös aus den Ablassbriefen erreichen. Er schickte sogenannte Ablassprediger wie Johannes Tetzel durch das Land, die möglichst viele Ablassbriefe verkaufen sollten. Albrecht durfte die Hälfte der Einnahmen behalten. Die andere Hälfte ging an Papst Leo X.

Leo X. wurde 1513 zum Papst gewählt, obwohl er kein Priester war. Deshalb erhielt er zuerst die Weihe zum Priester, dann die Weihe zum Bischof. Danach wurde er mit der Tiara zum Papst gekrönt.
Leo X. beeinflusste als Papst die europäische Politik, indem er sich in die Wahl zum deutschen Kaiser einmischte und mit dem Wahlsieger Karl V. ein Bündnis gegen Frankreich schloss. Auch Leo X. führte ein Luxusleben. Um seine Macht zu zeigen, ließ er den Petersdom bauen. Den Bau finanzierte er durch den Ablasshandel.

M3 Außen- und Innenansicht des Petersdoms in Rom

AUFGABEN

1 * *Analysiere M1.*

2 *Beschreibe die Bedeutung der Kirche im Leben der Menschen im Mittelalter und in der Neuzeit und stelle dar, wie die Menschen über das Leben nach dem Tod dachten (M2).*

3 *Nenne und erkläre die Kritikpunkte an der Kirche.*

M1 Der Geistliche Martin Luther verbrennt Kirchenbücher und Papstschriften (Holzschnitt aus dem 17. Jh.).

Martin Luther und die Reformation

Auch der Wittenberger Professor für Bibelkunde Martin Luther kritisierte die Missstände in der Kirche. Er gelangte dabei zu einem neuen Verständnis von Gottes Gerechtigkeit. Luther war überzeugt, dass Gott ein barmherziger, nicht ein strafender Gott sei. Das brachte ihn zur Auffassung, dass allein der Glaube an Gott und das Bereuen der Sünden entscheidend für den Eintritt in den Himmel seien. Er war also überzeugt, dass Sünden vergeben würden, wenn man an Gott glaubt und ehrlich versucht, nach dessen Geboten zu leben. Die Schlussfolgerung ist, dass man Vergebung nicht kaufen kann, da kein Mensch, auch nicht der Papst, darüber urteilen dürfe.

Seine Überzeugungen veröffentlichte Martin Luther 1517 in 95 Thesen. Sein Ziel war es, den Missbrauch der Kirche abzustellen und die Kirche zu reformieren (**Reformation**). Die Bischöfe forderten ihn auf, seine Aussagen bedingungslos zurückzunehmen.

Durch den Buchdruck verbreiteten sich Luthers Lehren allerdings schnell. Viele Menschen schlossen sich seiner Meinung an und zeigten ebenfalls ihren Unmut über die zahlreichen Missstände in der Kirche. Nach der Veröffentlichung der Thesen weitete sich der Konflikt also schnell aus.

Verschärft wurde der Konflikt durch ein öffentliches Streitgespräch Luthers mit Vertretern der Kirche, in dem Luther die Auffassung vertrat, dass auch der Papst in seiner Interpretation der Bibel nicht unfehlbar sei.

Der Papst forderte Luther in einem Ketzerprozess erneut auf, seine Äußerungen zurückzunehmen und droht ihm mit dem Kirchenbann. Luther verbrannte das Schreiben und brach öffentlich mit der Kirche, woraufhin der Papst seine Drohung wahrmachte.

Kaiser Karl V. war fest entschlossen, Luthers abweichende Ansichten nicht zu dulden und eine Spaltung des Christentums zu verhindern. Eigentlich hätte auf den Kirchenbann eine direkte Ächtung durch den Kaiser folgen müssen, aber man einigte sich zunächst darauf, einen Reichstag abzuhalten, weil der Kaiser Rücksicht auf die Fürsten nehmen musste, die Luther teilweise unterstützten. Aus einer religiösen Streitfrage war ein politischer Konflikt geworden.

Der Reichstag in Worms

Auf dem Reichstag in Worms wurde 1521 über Luther die **Reichsacht** verhängt und seine Schriften wurden verboten. Luther wurde für **vogelfrei** erklärt. Friedrich von Sachsen versteckte ihn unter dem Decknamen „Junker Jörg“ auf der Wartburg. Dort fühlte Luther sich nicht wohl, auch weil er von den weiteren Ereignissen abgeschnitten war.

Er setzte sich allerdings trotzdem mit seinen katholischen Gegnern auseinander und verfasste Schriften zu Fragen des Glaubens. Seine wohl bekannteste und wichtigste Leistung war allerdings die Bibelübersetzung ins Deutsche. Dies und auch die von ihm gedichteten Kirchenlieder machten den Glauben allgemein verständlicher.

Der Kaiser war in anderen Ländern beschäftigt und ging deshalb zunächst nicht gegen die Reformation vor. Dies führte dazu, dass der lutherische Glaube geduldet wurde. Als aber katholische Fürsten diese **Konfession**sfreiheit einschränken wollten, protestierten Luthers Anhänger so entschieden, dass sie den Namen **Protestanten** bekamen.

Aus Liebe zur Wahrheit und dem Eifer, sie zu ermitteln, soll über das Nachstehende in Wittenberg disputiert [= verhandelt, diskutiert] werden. [...]

21. Daher irren all die Ablassprediger, welche erklären, dass der Mensch durch den Ablass des Papstes von jeder Strafe los und frei werde. [...]
24. Folglich wird der größte Teil des Volkes betrogen, wenn man ihm schlankweg mit hohen Worten verspricht, es sei die Strafe los. [...]
27. Man predigt Menschenlehre, wenn man sagt: Sobald das Geld im Kasten klingt, entflieht die Seele [dem Fegefeuer].
28. Das ist gewiss, dass Gewinn und Habgier zunehmen können, wenn das Geld im Kasten klingt; ob die Kirche mit ihrer Fürbitte Erfolg hat, steht dagegen bei Gott [...].
32. Wer glaubt, durch Ablassbriefe seines Heils sicher zu sein, wird auf ewig mit seinen Lehrmeistern verdammt werden. [...]
36. Jeder Christ, der wahrhaft Reue empfindet, hat einen Anspruch auf vollkommenen Erlass von Strafe und Schuld, auch ohne Ablassbrief. [...]
67. Den Ablass, den die Ablassprediger als „größte Gnaden“ ausschreien, kann man insofern tatsächlich dafür ansehen, als er ein großes Geschäft bedeutet.

Quelle: Eberhard Büssem/Michael Neher (Hg.): Arbeitsbuch Geschichte: Neuzeit 1 (16. bis 18. Jh.), Francke 1977, S. 163.

M2 Aus den Thesen Martin Luthers vom 31.10.1517

Martin Luther sagt:

- *Nur durch die Gnade Gottes kann man in den Himmel gelangen.*
- *Auch der Papst macht Fehler, weil er ein Mensch ist.*
- *Im Gottesdienst wird Deutsch gesprochen.*
- *Ein Christ muss nur glauben, was in der Bibel steht.*

Der Papst sagt:

- *Mit guten Werken kann man sich den Himmel verdienen.*
- *Der Papst ist unfehlbar.*
- *Im Gottesdienst wird Latein gesprochen.*
- *Nur der Papst kann bestimmen, was der richtige Glaube ist.*

M3 Vergleich der alten und neuen Lehre

AUFGABEN

1 *Du bist Augenzeuge der Geschehnisse in M1. Erstelle einen Video-Post, in dem du deine Eindrücke festhältst.*

2 *Fasse die Kritikpunkte Luthers an der Kirche und dem Ablasshandel zusammen (M2).*

3 *Erläutere mithilfe von M3 das Neue, aus dem Luthers Lehre bestand.*

4 *Nenne mögliche Gründe dafür, dass Luther auf so viel Zustimmung stieß.*

Digital+
WES-112462-129

M 1 Die Konfessionsverteilung um 1555

M 2 Die Konfessionsverteilung in der BRD (Stand 2022)

Die Spaltung der Kirche

Die Reformation

Mit Luthers Unterstützung stellte sich der sächsische Kurfürst Friedrich gegen den Kaiser. Er hatte erkannt, dass Luthers Ideen die Macht des Kaisers schwächen und den Einfluss der Kurfürsten stärken würden.
Immer mehr Fürsten und Städte schlossen sich Luthers Lehre an. Sie wandten sich von der katholischen Kirche ab und übernahmen die Leitung der Kirche in ihren Gebieten. Den Kirchenbesitz zogen sie ein und verwalteten ihn selbst. Sie bauten neue Schulen, Armen- und Krankenhäuser. So wurden sie bei ihren Untertanen immer beliebter und gewannen Einfluss auf deren religiöse Einstellung. Dadurch konnten sie ihre Macht ausweiten.
Der deutsche Kaiser versuchte, die Einheit des Christentums und somit seinen politischen Einfluss im Heiligen Römischen Reich zu wahren. Es kam zu Konflikten zwischen den Fürsten und dem Kaiser und schließlich sogar zum Krieg. 1555 schien mit dem Augsburger Religionsfrieden eine Lösung in Sicht. Jeder Fürst bestimmte in seinem Gebiet die Konfession. Die Untertanen mussten diese Konfession annehmen oder auswandern. Damit war die religiöse Spaltung im Reich beschlossen.

Die Gegenreformation

Den Machtverlust wollte die katholische Kirche nicht einfach hinnehmen. Deshalb wurde teilweise versucht, konvertierte Gebiete gewaltsam zurückzuerobern. Konvertieren bedeutet, von einer Konfession oder Religion zu einer anderen überzutreten. Man sah aber auch ein, dass Veränderungen nötig waren, um die Menschen wieder zurückzugewinnen. Deshalb wurden auf dem Konzil von Trient Beschlüsse erarbeitet, die den Auswirkungen der Reformation entgegenwirken sollten: Die Priesterausbildung wurde verbessert, Ämterkauf und Ablasshandel mit Geld wurden verboten. Man führte Kirchenbänke ein, damit die Menschen in der Kirche nicht stehen müssen. Das machte die katholische Kirche glaubwürdiger und attraktiver.
Dennoch ging sie auch aggressiv gegen die Reformation vor. Ein wichtiges Mittel war die Inquisition. Ziel war es, möglichst viele Protestanten für den katholischen Glauben zurückzugewinnen. Doch das misslang. Vielmehr verhärteten sich die Grenzen zwischen den beiden Konfessionen. Daraus entstanden in vielen Teilen Europas weitere Konflikte.

Martin Luther hatte mit seinen 95 Thesen eine weitreichende Entwicklung in Gang gesetzt, die die katholische Kirche unter allen Umständen aufhalten wollte. Ein fiktives Interview mit Gegnern der Reformation zeigt, wie verhärtet die Seiten waren.

Reporter: Meine erste Frage richtet sich an zwei Ordensleute. Schwester Hildegard, Ihr wart lange Zeit Nonne in einem katholischen Frauenkloster. Warum seid Ihr gegen die Reformation?

Nonne: Wir wehren uns gegen die Reformation, weil Frauenklöster mit der Begründung, Frauen könnten kein Kloster leiten, aufgelöst werden. Nun haben wir keinen Ort mehr, an dem wir leben können. Die Reformation hat nicht nur Uneinigkeit im Reich erzeugt, sie hat auch die Lebensumstände vieler Menschen verschlechtert.

Jesuit: Ich kann Schwester Hildegard nur zustimmen. An vielen Orten haben wütende Menschen versucht, die Ideen Luthers mit Gewalt umzusetzen. Es kam zu handgreiflichen Auseinandersetzungen in Gottesdiensten und die bisherigen Priester wurden verjagt. Unser Jesuitenorden wurde gegründet, um den katholischen Glauben zu stärken.

Reporter: Aber die Kritik Luthers am Ablasshandel und dem Ämterkauf sowie dem lasterhaften Luxusleben der Bischöfe und Päpste ist ja nicht unbegründet ...

Jesuit: Und dieser Kritik hat sich die katholische Kirche auch gestellt. Es wurden auf dem Konzil von Trient Maßnahmen beschlossen, die diese Missstände beseitigen sollten. Oberstes Ziel war die Abwehr des Protestantismus. Dabei ging die katholische Kirche nicht nur mit Gewalt vor. Unser Orden gewann durch Seelsorge und volkstümliche Predigten großen Einfluss und gründete in ganz Europa Schulen und Universitäten.

Reporter: Das ist aber schon sehr einseitig und auch unkritisch. Eure Majestät, Sie sind der Kaiser des Heiligen Römischen Reiches. Wie stehen Sie zur Reformation?

Karl V.: Es ist meine Aufgabe, mein Herrschaftsgebiet zu einem einheitlichen Reich zusammenzuschließen und als weltliches Oberhaupt über die gesamte Christenheit zu herrschen. Auch ich sorge mich also wegen der von Schwester Hildegard angesprochenen Uneinigkeit im Reich.

Reporter: Aber ist es nicht so, dass es Euch eher um Eure eigene Machtposition ging? Durch Euer Vorgehen gegen die Protestanten habt Ihr aus einem Streit um den richtigen Glauben einen Streit um die Vorherrschaft zwischen der Krone und den Fürsten gemacht.

Karl V.: Das stimmt so nicht. Ich empfinde das Machtstreben der Fürsten als persönlichen Angriff auf meine Person. Sie haben sich gegen mich gewandt, als ich in anderen Ländern beschäftigt war, um das Reich zu sichern. Nicht ich habe also aus einem Religionsstreit einen politischen Konflikt gemacht.

Reporter: Jetzt schieben Sie aber den Schwarzen Peter einfach nur weiter. Fakt ist, dass auch der Streit um den richtigen Glauben mit dem Augsburger Religionsfrieden noch nicht beigelegt ist und noch zu einem verheerenden Krieg führen wird ...

M3 Fiktives Interview mit Gegnern der Reformation

AUFGABEN

1 *Vergleicht M1 und M2. Was fällt euch hinsichtlich der Konfessionszugehörigkeit auf?*

2 *Nenne Gründe der Fürsten, sich der Reformation anzuschließen.*

3 *Erläutere mögliche Gründe dafür, dass in der Reformation religiöse Fragen zu politischen wurden (M3).*

4 *Recherchiere die Maßnahmen der Inquisition. Wie ging die katholische Kirche gegen den Protestantismus vor?*

5* *Beurteile die Inquisition als Mittel, um den katholischen Glauben zu stärken.*

M1 Darstellung der Hexenverfolgung (Buchmalerei, 1574). Links: Der Vorwurf – Hochzeit mit dem Teufel, rechts: Der Urteilsspruch – Tod durch Verbrennen.

Die Hexenverfolgung

Wir fragen uns heute, wie Menschen an Hexerei glauben konnten. In Wahrheit vertrat in der Neuzeit zunächst nur eine Minderheit die Ideen des Humanismus. Die meisten Menschen waren nie zur Schule gegangen, konnten weder lesen noch schreiben und glaubten, dass überall magische Kräfte am Werk seien.
So hatte auch die Neuzeit dunkle Zeiten, z. B. die Hexenverfolgung. Die Verunsicherung der Menschen zu dieser Zeit war groß. Eine Kaltzeit ließ die Ernteerträge sinken und viele Menschen litten Hunger. Die wirtschaftlichen Nöte und die Kritik an der Kirche führten zu Aufständen und Kriegen. Angesichts dieser Krisen hatten viele Menschen Angst vor dem baldigen Weltuntergang und suchten einen Sündenbock für alles Schlechte, das ihnen widerfuhr.
Hexerei gab es zwar nach offizieller Kirchenlehre nicht, aber die Kirche hatte Angst, dass die abergläubische Frömmigkeit in der Bevölkerung stärker werden und sie somit hre Macht und den Einfluss verlieren könnte. Aus diesem Grunde ging man entschlossen gegen die Männer, Frauen und Kinder vor, die der Hexerei bezichtigt wurden. Eine Bulle des Papstes verlieh den Hexenverfolgern das Recht zur Zurechtweisung, Inhaftierung und Bestrafung verdächtiger Personen.
Meist wurden Angehörige der ärmeren Bevölkerungsschichten angeklagt und sofort verhaftet. Durch grausame Folter wurden viele Geständnisse erzwungen. Die Männer und Frauen gestanden unter den großen Schmerzen auch die unsinnigsten Vorwürfe und nannten andere „Hexen“. In der Regel folgte auf den Hexenprozess der Tod durch Verbrennung.
Obwohl sich auch Widerstand gegen die Hexenprozesse regte, endete die Hexenverfolgung erst im Verlauf des 18. Jahrhunderts.

Prozessregeln

1. Der Ankläger ist auch der Richter und fällt das Urteil.
2. Die Angeklagten müssen ihre Unschuld beweisen.
3. Wer Angeklagte verteidigt, macht sich selbst verdächtig.

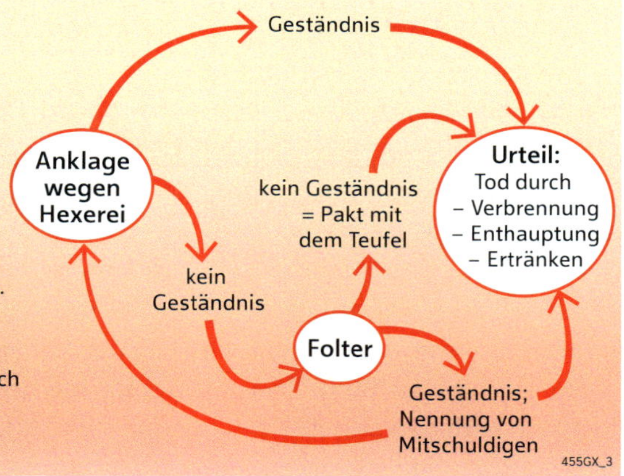

M2 Möglicher Ablauf eines Hexenprozesses

1486 verfasste der Mönch Heinrich Kramer das einflussreichste Buch zur Hexenverfolgung: den „Hexenhammer". Etwa 150 Jahre später veröffentlichte Friedrich Spee anonym eine Streitschrift gegen die Hexenprozesse. Wären die beiden sich begegnet, hätte ein Gespräch so aussehen können:

Kramer: Diese Menschen haben sich vom Christentum losgelöst und sind einen Pakt mit dem Teufel eingegangen. Der Dämon will den Glauben verderben. Frauen sind leichter beeinflussbar als Männer, deshalb gibt es mehr weibliche als männliche Hexen.

Spee: Ich habe viele dieser Menschen, die du als „Hexen" bezeichnest, in den Stunden vor ihrem Tod durch Verbrennung begleitet und bin nicht überzeugt, dass sie einen Pakt mit dem Teufel eingegangen sind. Du verteufelst doch nur die Dinge, die du nicht verstehst, und bist deshalb misstrauisch gegenüber Hebammen, weil sie mit ihrem medizinischen Wissen der armen Landbevölkerung helfen.

Kramer: Helfen? Helfen nennst du das? Sie versuchen mit ihrer Zauberei den Menschen zu schaden. Erst neulich hat eine Hexe die Kuh ihres Nachbarn verzaubert. Seitdem gibt die Kuh keine Milch mehr!

Spee: Quatsch! Ereignet sich irgendein Unglück, das ungewöhnlich erscheint, denkt man nur an Hexenwerk und schiebt die Schuld auf die sogenannten Zauberer.

Kramer: Aber es gibt Zeugen. Die Hexe wurde auf frischer Tat ertappt.

Spee: Fake News! Sieht man jemanden, der dies oder das sagte oder tat, so legt man alles übel aus, erklärt ihn für den Schuldigen und trägt die Verdächtigung in der ganzen Nachbarschaft umher. Da ist es kein Wunder, wenn das immer mehr um sich greifende Gerede uns so viele Hexen schafft.

Kramer: Außerdem hat die Hexe gestanden. Und sie hat zugegeben, sich mit anderen Hexen und dem Teufel getroffen zu haben. Sie haben allerlei Schadenszauber gesprochen. Wie erklärst du dir das?

Spee: Deine Geständnisse sind nichts wert. Die Folter macht die Hexen! Unter diesen Schmerzen gesteht doch jeder alles. Die Folter muss als Beweis abgeschafft werden! Du wirst sehen, dann geht auch die Zahl der Hexen zurück.

M3 Fiktives Streitgespräch zwischen einem Hexenverfolger und einem Gegner der Hexenverfolgung

AUFGABEN

1 *Formuliere Fragen zu M1.*

2* *Sprecht über die Vorstellungen, die ihr selbst von Hexen habt. Woher stammen diese?*

3 *Nenne Gründe für den Hexenwahn und erläutere die Rolle der Kirche bei der Hexenverfolgung.*

4 *Beschreibe den möglichen Verlauf eines Hexenprozesses (M2).*

5 *Erläutere den Satz: „Die Folter macht die Hexen." Was meint Friedrich Spee (M3)?*

Digital+
WES-112462-133

Der Dreißigjährige Krieg (1618 – 1648) – „Der Krieg nährt den Krieg“

Die Folgen der Kirchenspaltung

Aufgrund der Spannungen zwischen den Konfessionen wurden Bündnisse geschlossen: auf der einen Seite die protestantische Union, auf der anderen Seite die katholische Liga.

Obwohl offiziell Religionsfrieden herrschte, ging der Kaiser in Böhmen gegen die Protestanten vor. Daraufhin warfen diese zwei Beamte des Kaisers aus einem Fenster der Prager Burg. Zwar überlebten die beiden, doch nun entluden sich die Spannungen zwischen den Protestanten und Katholiken. Dieser Vorfall gilt als Auslöser des Dreißigjährigen Krieges.

Von 1618 bis 1648 beteiligten sich nacheinander verschiedene deutsche Landesherren und europäische Länder am Krieg. Die Liga hatte nach ca. zwei Jahren die Union besiegt und die meisten protestantischen Adligen waren hingerichtet worden. Der Krieg war dennoch nicht vorbei. Die Machtfrage wurde immer drängender. Spätestens zu dem Zeitpunkt, als sich die anderen europäischen Mächte einmischten, war es kein reiner Religionskrieg mehr, sondern ein Krieg um die Vorherrschaft in Europa.

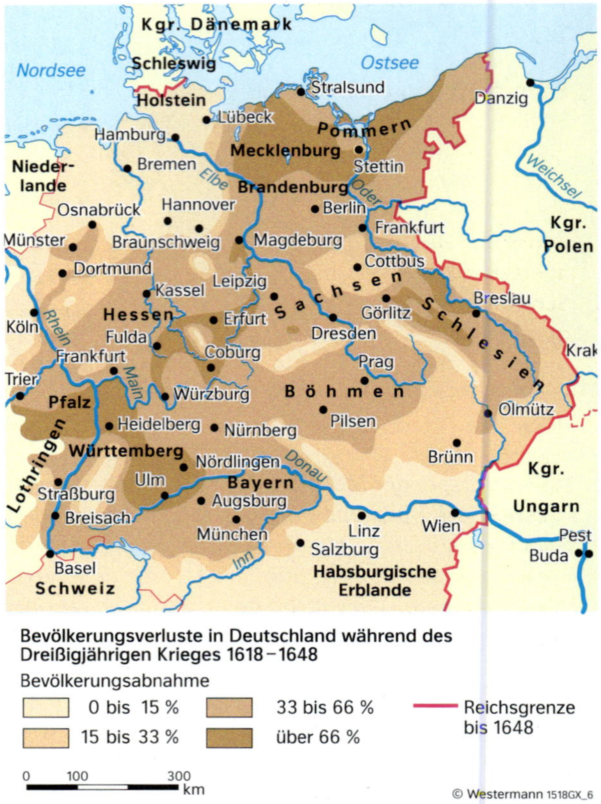

M 1 Bevölkerungsverluste

Der Westfälische Friede

Die Zerstörungen nahmen im Laufe des Krieges ein unvorstellbares Ausmaß an. Hungersnöte und Seuchen brachen aus. Die deutsche Bevölkerung schrumpfte um 30 bis 40 Prozent. Nach 30 Jahren Krieg war das Land ausgeblutet, die Staatsverschuldung stieg stark und die Fürsten suchten nach einem Ausweg.

Im Westfälischen Frieden einigten sich die kriegsmüden Parteien auf einen Kompromiss. Die unterschiedlichen Konfessionen waren fortan völlig gleichberechtigt. Frankreich und Schweden erhielten deutsche Gebiete. Sie waren also so etwas wie Gewinner. Außerdem sollten die Mitglieder des Reichstags Einfluss auf die Entscheidung des Heiligen Römischen Reiches nehmen können. Damit wurde die Macht des Kaisers beschränkt und die deutschen Fürsten konnten ihre Selbstständigkeit erweitern. Auch sie konnten sich als Sieger fühlen.

M 2 Prager Fenstersturz

Schulz kämpft als Söldner im nun schon fast 30 Jahre andauernden Krieg. In einem Interview beschreibt er seine Erfahrungen:

Reporter: Warum wurden Sie Soldat?
Schulz: Ich war Bauer. Aber uns wurde alles genommen. Ich hatte keine andere Wahl, als Soldat zu werden, wenn ich meine Familie versorgen wollte.

Reporter: Und hat sich das Soldatenleben für Sie ausgezahlt?
Schulz: Nein! Auch als Soldaten haben wir oft nicht genug Verpflegung und werden nicht regelmäßig besoldet. Aus der Not heraus werden die meisten Soldaten Söldner, das heißt, sie kämpfen für denjenigen, der sie bezahlt. Sie töten also für den Meistbietenden. Wen sie umbringen, ist ihnen egal. Der Krieg ist also ein richtiges Geschäft geworden. Sogenannte Kriegsunternehmer verdienen Geld mit dem Leid der Bevölkerung. Und weil der Krieg immer weiter geht, können sie immer mehr Geld verdienen. Die entstehende Gewaltspirale ist diesen Menschen egal. Der Profit zählt.

Reporter: Sie haben das Leid der Menschen angesprochen. Können Sie die Situation beschreiben?
Schulz: Krankheiten wie die Pest und Hungersnöte fordern mehr Opfer als die Waffen der Soldaten. Und das will schon was heißen! Ganze Landstriche sind zerstört und entvölkert. Die Gebiete, durch die die Armeen ziehen, erleiden größere Verluste. Auf dem Land gibt es mehr Tote als in der Stadt. Hinrichtungen, Vergewaltigungen, Plünderungen und Folterungen sind an der Tagesordnung. Aus dem Krieg ist ein regelrechter „Vernichtungskrieg" geworden.

Reporter: Und das alles im Kampf um den richtigen Glauben?
Schulz: Die Staaten haben verschiedene Gründe für ihren Kriegsbeitritt: Manche wollen die Protestanten aus einem Gebiet vertreiben oder sie dazu bringen, den katholischen Glauben anzunehmen. Das stimmt. Aber es geht um viel mehr: Die Fürsten wollen deutsche Städte als Bezahlung erhalten oder das eigene Land in eine Großmacht umwandeln. Andere wollen die Ostsee beherrschen, um den Handel zu kontrollieren. Einige wollen auch die Macht des Kaisers schwächen. Um den richtigen Glauben geht es schon lange nicht mehr. Warum sonst sollte sich das katholische Frankreich mit den protestantischen Mächten verbünden?

M3 Fiktives Interview mit einem Söldner

METHODE

Einen Podcast erstellen

Bei einem Podcast ist es wichtig, dass die Hörtexte gut verständlich sind. Ferner sollte berücksichtigt werden, dass diese unterhaltsam und spannend sind. So wird der Hörer vom Podcast gefesselt sein.

1. Schritt: Beantwortung der Leitfrage
Zunächst sollte jedes Gruppenmitglied für sich die Frage beantworten.

2. Schritt: Skript schreiben
Tauscht euch über eure Ergebnisse aus. Fertigt ein Skript an.

3. Schritt: Aufnahmen
Nehmt eure Texte auf. Dafür könnt ihr euch im Skript Betonungen kennzeichnen.

4. Schritt: Schnitt
Schneidet nun eure Texte zu einem Podcast zusammen. Dabei könnt ihr auch Sounds und Loops einbauen.

AUFGABEN

1 *Werte die Karte M1 aus und erkläre, welche Folgen der Dreißigjährige Krieg in den deutschen Gebieten hatte.*

2* *Analysiere die Bildquelle M2.*

3 *Verfasse zu deiner Aufgabe einen Beitrag für einen Podcast. Tipps dazu findest du im Methodenkasten. Wähle aus:*
a) Berichte über den Prager Fenstersturz.
b) Berichte über den Ablauf des Dreißigjährigen Krieges.
c) Berichte über das Leiden der Bevölkerung.
d) Berichte über den Westfälischen Frieden.

4 *Erläutert mithilfe der Ergebnisse eurer Audio-Podcasts die Überschrift „Der Krieg nährt den Krieg".*

5 *Erarbeite mithilfe der Doppelseite und der QR-Code-Materialien Ursache, Anlass, Verlauf und Folgen des Dreißigjährigen Kriegs. Erstelle eine Tabelle.*

Digital+
WES-112462-135

ALLES KLAR?

Offenes Arbeiten

Hier beschäftigst du dich selbstständig mit einem Thema des Kapitels. Wie du das Ergebnis darstellst, entscheidest du.

In diesem Kapitel hast du erfahren, ...
- **welche Änderungen die Neuzeit brachte.**
- **warum Europäer zu Entdeckungsfahrten aufbrachen.**
- **welche Folgen die Eroberung der Neuen Welt hatte.**

1. Wähle eine der Aussagen oben aus.
2. Notiere dazu Begriffe und Gedanken.
3. Was gehört zusammen? Ordne.
4. Erstelle daraus: Mindmap, Bild oder Plakat.
5. Schau auf die Schritte 1 – 4 zurück. Wo hattest du Schwierigkeiten? Was ist dir gut gelungen?

Richtig oder falsch?

a) Prüfe, welche Aussagen richtig oder falsch sind.
b) Berichtige die falschen Aussagen.

Neue Erkenntnisse
1. Im 15. und 16. Jahrhundert machte die Wissenschaft große Fortschritte.
2. Die Erfindung des Kompasses erleichterte die Seefahrt.
3. Die Neuzeit begann ca. 1400 n. Chr.

Neue Entdeckungen
1. Ende des 15. Jahrhunderts wollten Seefahrer einen Weg nach Amerika finden.
2. Die Seefahrer hofften, wertvolle Duftstoffe, Seide und Gewürze erwerben zu können.
3. Christoph Kolumbus entdeckte den Seeweg nach Indien.
4. Ferdinand Magellan umsegelte die Welt.

Begrifferätsel

a) Finde die gesuchten Begriffe oder Namen.

1. Versteck eines Reformators
2. Name eines Kirchenkritikers
3. große Kirche in Rom
4. Geld machen mit dem schlechten Gewissen
5. alte Kirchensprache

6. Erneuerung der Kirche
7. Grundlage des protestantischen Glaubens
8. Luther veröffentlichte 95 ...
9. Friedrich von ... war ein Anhänger Luthers.

10. Der Kaiser verhängte die ... über Luther.
11. neue Sprache im Gottesdienst

12. Oberhaupt der katholischen Kirche
13. In dieser Stadt begann der Dreißigjährige Krieg.
14. katholisches Kriegsbündnis
15. protestantisches Kriegsbündnis

b) Erarbeite fünf Fragen zu diesen oder weiteren Themen aus dem Kapitel. Formuliere auch die dazugehörigen Antworten.

c) Stellt euch gegenseitig eure Fragen.

d) Erkläre, warum die Zeit um das Jahr 1500 als Beginn einer neuen Epoche angesehen wird.

Neue Zeit – neue Welt

a) Wähle aus den folgenden Begriffen fünf aus, die die Zeit ab ca. 1500 am besten beschreiben.
Erfindungen – Entdecker – Unterdrückung – Ausbeutung – neue Wirtschaftsformen – Zerstörung – Sklaverei – Folgen bis heute – Reformation – Krieg – Aufstand – neue Zeiten

b) Stellt euch in Partnerarbeit „eure“ Begriffe gegenseitig vor. Begründet, warum ihr euch für diese Begriffe entschieden habt. Einigt euch anschließend auf 3 Begriffe, die die Zeit ab ca. 1500 am besten beschreiben.

c) Stellt euch in Vierer-Gruppen die drei Begriffe aus der Partnerarbeit gegenseitig vor. Begründet, warum ihr euch für diese Begriffe entschieden habt. Einigt euch anschließend auf einen Begriff, der die Zeit ab ca. 1500 am besten beschreibt.

d) Stellt euren Begriff der Klasse vor und begründet eure Entscheidung.

Absolutismus und bürgerliche

Ludwig XVI., Gemälde von Joseph Siffred Duplessis, ca. ca. 1774 – 1776

Revolutionen

Hinrichtung Ludwigs XVI., Kupferstich von Georg Heinrich Sievking, 1793

METHODE

Ein Herrscherporträt analysieren

Du hast sicher schon unzählige historische Gemälde oder Fotos von bekannten Personen gesehen. Eine spezielle Bildform ist das Herrscherbild oder Herrscherporträt. Ein Herrscherbild hat die Funktion, die Herrschaft eines Regenten künstlerisch darzustellen. Das Bild zeigt, wie der Herrscher selbst und seine Herrschaft wahrgenommen werden sollen. Es handelt sich stets um ein inszeniertes (gestelltes) Bild oder Foto und wird auch heute noch bewusst von vielen Politikern/Herrschern als bildliche Machtdemonstration genutzt.

1. Schritt: Beschreiben

- Betrachte zunächst das Bild. Formuliere spontan deine ersten Eindrücke und stelle erste Vermutungen an.
- Beschreibe das Bild. Beachte dabei folgende Aspekte:
  - Bildkomposition (Aufbau des Bildes in Vorder- und Hintergrund bzw. Bildmitte)
  - Mimik (Gesichtsausdruck) und Gestik (Körperhaltung) des Herrschers
  - Kleidung, Schmuck und Gegenstände (Herrschaftszeichen)
  - Umgebung
  - Perspektive (Blickwinkel)
  - Farben, Lichtwirkung und Größe des Bildes

2. Schritt: Analysieren

- Erkläre die Funktion der einzelnen Symbole auf dem Porträt. Welchen Zweck bzw. welche Aussage hat das jeweilige Symbol?
- Betrachte nun die Einzelheiten des Bildes im Zusammenhang und erkläre sie.

3. Schritt: Deuten

- Benenne die Kernaussage des Bildes:
  - Was kannst du über die abgebildete Person und deren Herrschaft sagen?
  - Welche Wirkung wollte der Herrscher mit dem Bild erzielen?
  - Welche Auffassung von Herrschaft wird in dem Bild deutlich?
  - Wann ist das Bild gemalt bzw. das Foto gemacht worden?
  - Ist die geschichtliche Situation zum Zeitpunkt der Entstehung wichtig für die Herstellung des Bildes?

M1 Der russische Präsident Wladimir Putin auf einem vom Kreml (Sitz der russischen Regierung) veröffentlichten Foto, 2007

AUFGABEN

1 *Analysiere M2. Nutze dazu die Schrittfolge.*

2 *Ludwig XIV. wird die Aussage „L'état, c'est moi" („Der Staat bin ich") zugeschrieben. Vergleiche die Aussage mit M2. Stelle Vermutungen an, inwiefern M2 und die Aussage zusammenpassen.*

3 *Ludwig XIV. hat das Gemälde M2 beauftragt, um es zu verschenken. Als es fertig gestellt war, wollte er es jedoch behalten – vermute warum.*

4* *Erläutere, warum M1 ebenfalls ein Herrscherbild ist.*

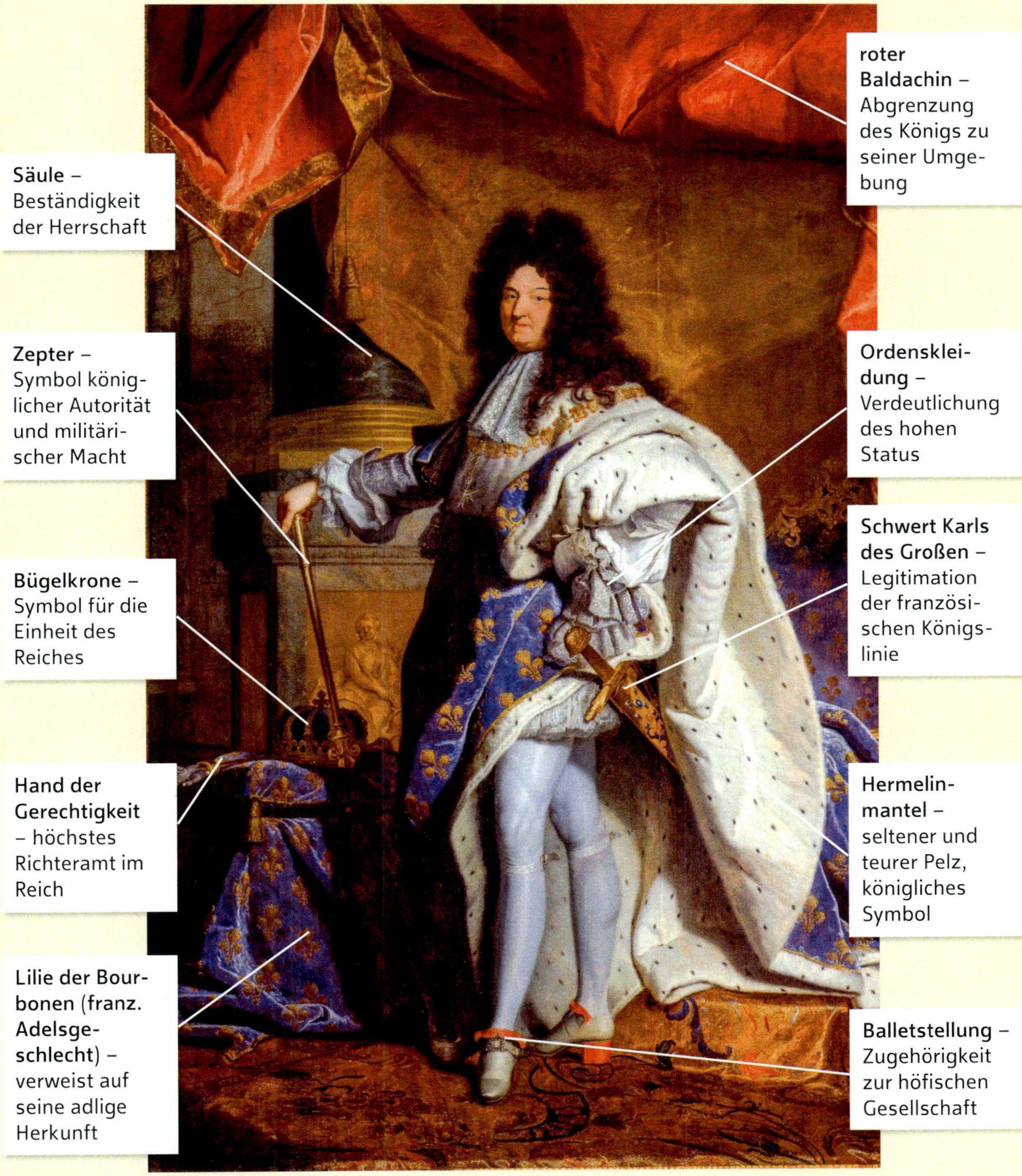

M2 Das lebensgroße (beinahe 2 × 3 Meter) Gemälde „Ludwig XIV." von Hyacynthe Rigaud, 1701

„Gott, der die Könige über die Menschen gesetzt hat, wollte, dass man sie als seine Stellvertreter achte … Es ist Gottes Wille, dass wer als Untertan geboren ist, willenlos zu gehorchen hat.“

„Ich [Ludwig XIV.] bin die Sonne meines Landes, ich bin eine geheiligte Person. Die Gottähnlichkeit des Königs von Frankreich muss verehrt werden, dass Gott selbst eifersüchtig auf die erwiesenen Ehrungen sein möchte.“

„Ich bin über alles unterrichtet …, fasse unverzüglich meine Befehle, verhandle unmittelbar mit den fremden Gesandten … . Ich regle die Einnahmen und Ausgaben des Staates und lasse mir von denen, die ich mit wichtigen Ämtern betraue, persönlich Rechenschaft ablegen.“

„Ein König, ein Gesetz, ein Glaube.“

M1 Ludwig XIV. als Sonne verkleidet

M2 Aussagen von Ludwig XIV. über sich und seine Herrschaft

Ludwig XIV. – ein absolutistischer Herrscher

Der Sonnenkönig

In der Zeit des Absolutismus regierten die Herrscher uneingeschränkt. Ihrem Willen mussten sich alle unterordnen. In Frankreich herrschten von 1661 bis 1789 absolutistische Könige, von denen Ludwig XIV. (1661 – 1715) der bedeutendste Regent war, da er diese Herrschaftsform maßgeblich prägte.

Er war davon überzeugt, dass ihm seine Macht von Gott gegeben sei. Deshalb fühlte er sich auch nur Gott gegenüber verantwortlich. Als Symbol seiner Herrschaft wählte Ludwig XIV. die Sonne. Wie die Planeten um die Sonne, so sollte sich alles um ihn drehen. Er selbst sah sich, wie die Sonne, als Spender allen Lebens. Deshalb wurde er auch als Sonnenkönig bezeichnet. Viele europäische Herrscher orientierten sich an Ludwig XIV. und eiferten ihm nach.

L'État, c'est moi – der Staat bin ich

Es ist nicht bewiesen, dass Ludwig XIV. diesen Satz tatsächlich gesagt hat. Diese Worte fassen dennoch die Vorstellung von seiner Herrschaft als Sonnenkönig treffend zusammen. Nahezu alles, was in Frankreich vor sich ging, brauchte seine Erlaubnis, jeder Franzose unterstand seinem Befehl und hatte bedingungslosen Gehorsam zu leisten. Ludwig XIV. allein erließ Gesetze, ließ sie ausführen und war zugleich oberster Richter. Seinen Ministern befahl er, nur noch auf seinen direkten Befehl und nicht eigenständig zu handeln. Finanzen, Militär, Wirtschaft, Religion und Kultur: Alles musste sich seinen Vorstellungen unterordnen und unterlag seiner Kontrolle. Gemäß dem Motto „legibus absolutus“ (von den Gesetzen „gelöst“) war Ludwig XIV. selbst keinem Gesetz untergeordnet.

Ludwig XIV. präsentierte sich nach außen zwar als dominant und unabhängig. Jedoch wurde er stark von Mitgliedern seines Hofes, hochrangigen Adligen und Beratern, beeinflusst. Gleichermaßen war er auf deren Unterstützung angewiesen, um seine absolute Macht und seinen Lebensstil aufrechtzuerhalten. Es wird heute bezweifelt, ob Ludwig XIV. wirklich absolutistisch regierte, da eine Person alleine nicht alle Regierungsaufgaben erfüllen konnte. Um diese Herausforderungen zu bewältigen, delegierte er viele seiner Aufgaben an vertrauenswürdige Berater und Beamte, um seine Herrschaft effektiv zu führen und sich auf die repräsentativen Aspekte seiner Regierung zu konzentrieren.

M3 Medaille von 1674 mit dem Motto Ludwigs XIV.: „nec pluribus impar“ (frei übersetzt: „Keiner kann sich mit ihm messen“)

M4 Versailles, Gemälde von Pierre-Denis Martin, um 1722

Das Schloss von Versailles

Ludwig XIV. ließ sich einen Wohn- und Regierungssitz errichten, der die ganze Größe seiner Macht ausdrücken sollte: das Schloss Versailles bei Paris. Die Bauzeit betrug knapp 50 Jahre. Die knapp 2000 Räume des Schlosses sind mit Marmor, Goldverzierungen, Spiegeln, kostbaren Gemälden, Wandteppichen und wertvollen Möbeln ausgestattet. Für die königliche Familie ließ das Schloss Versailles keine Wünsche offen. In maßloser Verschwendung wurden köstliche Speisen und Getränke serviert und die verschiedensten Unterhaltungsmöglichkeiten wie Theaterstücke, Jagden, Tanzveranstaltungen oder Konzerte angeboten.

Adlige in Versailles

Die meisten der über 3000 Adligen strebten danach, Ludwig XIV. so nah wie möglich zu sein, um dessen Gunst zu gewinnen und dadurch politischen Einfluss auszuüben. Ihre Anwesenheit in Versailles und ihre Bemühungen beeinflussten den König in politischen Angelegenheiten. Obwohl viele Adlige beabsichtigten, Einfluss zu nehmen, wurden sie durch ihre enge Bindung an den König politisch schwächer, da sie immer mehr von ihm abhängig wurden. Durch diese gegenseitige Abhängigkeit wurde Versailles zu dieser Zeit zum politischen, gesellschaftlichen und kulturellen Zentrum Frankreichs.

INTERNET

Versailles heute – eine virtuelle Führung

Digital+

WES-112462-143

Die Unterwerfung der Natur

Versailles war ursprünglich ein sumpfiges Gebiet, das zunächst trockengelegt werden musste, um es bebaubar zu machen. Im Park wurden exotische Pflanzen, Bäume und kunstvoll zurechtgeschnittene Hecken angelegt. Die gesamte Schloss- und Parkanlage ist streng geometrisch gestaltet und diente Ludwig XIV. als weiteres Mittel zur Demonstration seiner Macht: Durch die Veränderung der Naturlandschaft in feste geometrische Formen konnte er sich als Bezwinger und Beherrscher der Natur und der Elemente inszenieren.

AUFGABEN

1 *Erkläre, warum sich Ludwig XIV. als „Sonnenkönig" bezeichnet hat (M1 – M3).*

2 *Ludwig XIV. hatte eine sehr genaue Vorstellung von einem absoluten Herrscher und dessen Untertanen. Erkläre, wie er sich einen Herrscher und seine Untertanen vorstellte (M2, M3).*

3 *Erkläre, warum Ludwig XIV. das Schloss Versailles bauen ließ.*

4 *Vergleiche die Wirkung von Schloss Versailles mit der Wirkung des Bundeskanzleramtes in Berlin.*

Wie sicherte Ludwig XIV. seine Macht?

Verwaltung

Ludwig XIV. schuf eine neue Verwaltung. Als Minister setzte er bevorzugt Nicht-Adlige ein. Um in den Provinzen des Landes seine Anordnungen durchzusetzen, beauftragte Ludwig Aufseher und stellte ihnen Beamte an die Seite. Diese waren beispielsweise zuständig für die Rechtsprechung, das Eintreiben der Steuern und übernahmen Polizeiaufgaben. Sie durften nur auf Befehl des Königs handeln. Ihr Gehalt zahlte die Staatskasse. So begründete Ludwig XIV. das Berufsbeamtentum.

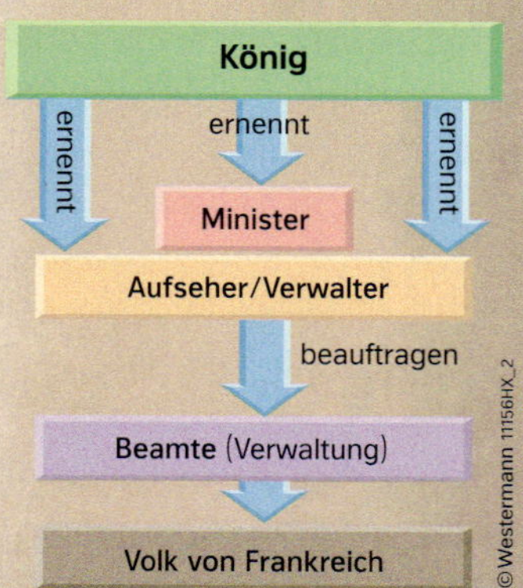

Militär

Ludwig XIV. führte die Berufsarmee ein. Die Soldaten wurden nicht erst im Kriegsfall angeworben (Söldner), sondern waren ständig kampfbereit (stehendes Heer). Mit Manövern und anderen Übungen wurde die Armee auf Einsätze vorbereitet. Nach der Einführung des stehenden Heeres wurden die Soldaten auch für andere Aufgaben wie den Bau von königlichen Gebäuden und die Niederschlagung von Aufständen eingesetzt. Die Armee war seiner Zeit die schlagkräftigste in Europa. Ihr Unterhalt kostete aufgrund der ständigen Kriege 2/3 der Staatsausgaben.

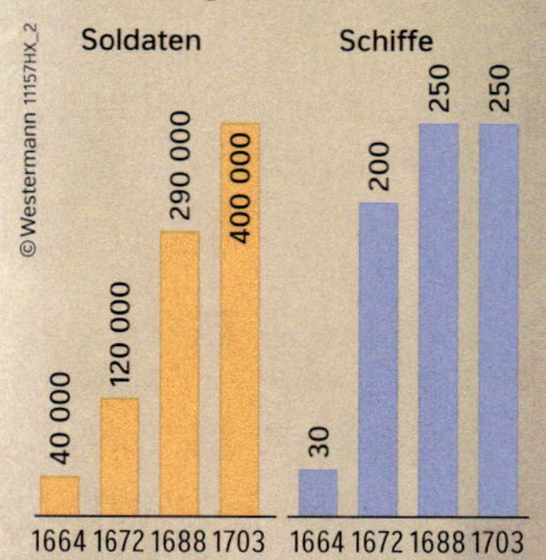

Wirtschaft und die Steuern

Das Heer, zahlreiche Kriege sowie die Gehälter der Beamten belasteten die Staatskasse. Ludwig XIV. dachte nicht daran zu sparen, stattdessen wollte er die Einnahmen steigern. Deshalb befahl er seinem Finanzminister Colbert, verschiedene Steuern einzuführen und den Handel zu unterstützen. Adlige und Geistliche waren von der Steuerpflicht befreit. Nur der Dritte Stand musste Steuern zahlen. Neben der Abgaben an den Grundherrn und dem Zehnten an die Kirche mussten die Bauern nun auch noch Steuern an den Staat zahlen.

direkte Steuern
Steuern auf Personen und Besitz

indirekte Steuern
Verbrauchssteuer auf Getränke

Salzsteuer

Zölle

M1 Säulen der Macht

Staatsreligion

Ludwig XIV. setzte in Frankreich den katholischen Glauben als Staatsreligion durch. Er nutzte die Religion, um seine Position als gottgewollter König zu stärken und seine Macht zu sichern, ganz nach dem Grundsatz: „Un roi, une foi, une loi" („Ein König, ein Glaube, ein Gesetz").
Andere Glaubensrichtungen wurden nicht geduldet, sondern unter Strafe gestellt. So zwang Ludwig XIV. in einer brutalen Gewaltaktion mithilfe des Militärs Hugenotten (protestantische französischsprachige Christen) dazu, zum katholischen Glauben zu konvertieren. Viele Hugenotten flohen deshalb trotz Fluchtverbots in Nachbarländer.

Adel

Ludwig XIV. wollte die politische Macht einflussreicher Adliger einschränken. Er befürchtete, dass diese ihm aufgrund ihres Reichtums und ihres Besitzes gefährlich werden, ihn stürzen oder sich in seine Politik einmischen könnten. Deshalb umwarb Ludwig XIV. den Adel und lockte mit bezahlten Ämtern, die nur diejenigen erhalten konnten, die in seiner Gunst standen. Viele Adlige kamen deshalb an den Hof von Versailles und erhofften sich ein Leben in der Nähe des Königs. Dort genossen sie den verschwenderischen, aber kostspieligen Luxus und wurden gleichzeitig von Ludwig XIV. abhängig, weil sie sich aufgrund des teuren Lebensstils mitunter hoch verschuldeten.

INFO

Staatskasse
Als Staatskasse bezeichnet man das Vermögen eines Staates. Damit finanziert der Staat z. B. die Verwaltung, das Militär und andere staatliche Aufgaben. Heute sind das unter anderem auch Straßenbau, Kinderbetreuung, Sicherheit (z. B. Polizei) oder Bildung (z. B. Schulen).

AUFGABEN

1 *a) Erkläre, warum die Beamten eine Stütze für Ludwigs Macht waren (M1).*
b) Beschreibe die Aufgaben der Soldaten und erkläre, warum sie eine Machtstütze für den König waren (M1).
c) Erkläre, inwiefern die Steuereinnahmen ebenfalls Ludwigs Macht stützten (M1).
d) Erkläre, warum der Adel keine Säule der Machtsicherung war und deshalb außerhalb steht.

2 *Ludwig XIV. baute seine Macht auf vier Säulen auf. Diskutiert darüber, was passieren würde, wenn eine Säule wegfiele.*

3 *Frankreich hatte zu dieser Zeit ca. 25 Mio. Einwohner, davon waren 400 000 Soldaten. Recherchiere die aktuelle Einwohnerzahl von Deutschland und die Anzahl der deutschen Soldaten. Vergleiche miteinander.*

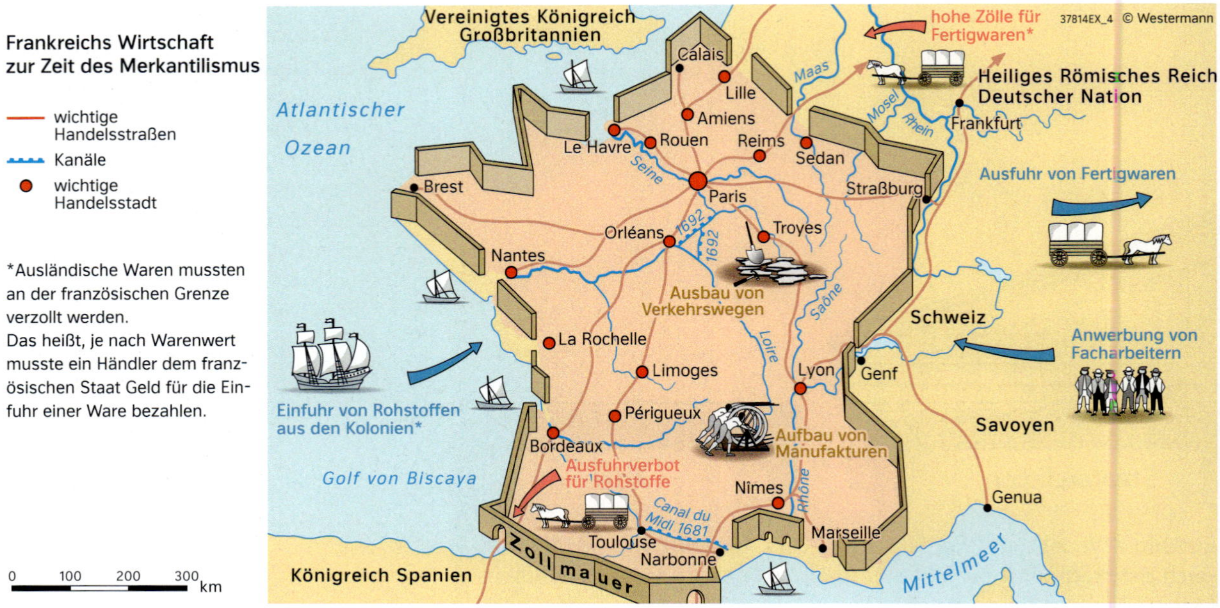

M1 Frankreichs Wirtschaft zur Zeit des Absolutismus

Der Merkantilismus – eine weitere Säule der absolutistischen Macht

Ludwig XIV. benötigt Geld

Neben den zahlreichen Kriegen Ludwigs XIV. sowie den hohen Kosten für das stehende Heer und die Verwaltung trugen auch die Baukosten von Versailles und das verschwenderische und luxuriöse Leben des Königs in Versailles dazu bei, dass sich der französische Staat hoffnungslos verschuldete.

Die Steuerzahlungen seiner Untertanen reichten Ludwig XIV. nicht aus, um seine Vorstellung von Herrschaft fortwährend zu finanzieren. Er konnte aber keine höheren Steuern verlangen, da ein Großteil der französischen Bevölkerung ohnehin schon sehr arm war. Deshalb beauftragte der König seinen Finanzminister Jean-Baptiste Colbert, ein System zu entwickeln, um Geld für die leere Staatskasse zu erwirtschaften. Dieses neue Wirtschaftssystem wird als **Merkantilismus** bezeichnet.

Wie funktioniert der Merkantilismus?

Beim Merkantilismus geht es darum, hohe Einnahmen für die Staatskasse zu erzielen und dabei die Ausgaben zu reduzieren und das Geld im eigenen Land zu halten. Dabei gab es vier wesentliche Schritte, die befolgt werden sollten:

1. Günstige Rohstoffe wurden aus den französischen Kolonien nach Frankreich transportiert. Diese Rohstoffe wurden in französischen **Manufakturen** verarbeitet und als fertige Ware ins Ausland verkauft. Beispiel: Baumwolle wird nach Frankreich transportiert. Dort wird sie zu edlen Stoffen verarbeitet. Anschließend werden diese kostbaren Stoffe gewinnbringend in ganz Europa verkauft.
2. Für den reibungslosen Transport finanzierte der französische Staat eine eigene Handelsflotte. Damit die Waren schnell befördert werden konnten, wurden die Verkehrswege auf dem Land und im Wasser (Straßen und Kanäle) auf Staatskosten ausgebaut.
3. Die Ausfuhr von französischen Rohwaren ins Ausland wurde verboten. Es sollte verhindert werden, dass in den Nachbarländern Fertigwaren hergestellt wurden, die mit den französischen Produkten konkurrierten. Die Einfuhr ausländischer Fertigwaren wurde hoch verzollt. Franzosen sollten ausschließlich französische Produkte kaufen. Denn durch die Steuereinnahmen aus den verkauften Waren verdiente der französische Staat Geld.
4. Frankreich warb um Fachkräfte aus dem Ausland, die sich auf die Herstellung bestimmter Waren spezialisiert hatten. So konnte die Produktvielfalt im Land ausgebaut werden.

1. Die Motive der Spielkarten werden in eine Druckplatte geritzt.
2. Die Druckplatte wird mit Farbe bestrichen.
3. Nun druckt der Drucker mithilfe der Druckpresse die Motive auf Papierbögen.
4. Die Bögen werden zum Trocknen ausgebreitet.
5. Jetzt werden die Bögen zu Karten geschnitten.
6. Die Karten werden mit einer Bürste geglättet.
7. Nun werden die Karten sortiert und gebündelt.

M2 In einer Manufaktur für Spielkarten (um 1680)

Die Rolle der Manufakturen

Im Merkantilismus spielten Manufakturen eine entscheidende Rolle. Die französische Lebensweise und Mode waren für viele Europäer ein Vorbild. Deshalb stieg auch im Ausland die Nachfrage nach französischen Produkten. Entsprechend musste die Herstellung dieser französischen Waren optimiert werden, um sie schnell ins Ausland verkaufen zu können, bevor die umliegenden Länder das Interesse daran verloren oder die Produkte selbst herstellten.

Hochwertige Perücken, Kleider, Tücher, Rasiermesser und Spielkarten ließen sich im Ausland gut verkaufen. Durch diesen regen Handel floss wieder mehr Geld in die leere französische Staatskasse. Viele Arbeiter spezialisierten sich auf die Durchführung eines bestimmten Arbeitsschritts, wodurch sich die Anzahl an Berufen vergrößerte.

AUFGABEN

1 *Nenne Gründe für die hohe Verschuldung der französischen Staatskasse.*

2 *Beschreibe mithilfe von M1 den Merkantilismus.*

3 *Erkläre, wie der französische Staat mit dem Merkantilismus Geld verdienen wollte.*

4 *Erkläre die Arbeitsweise in einer Manufaktur (M2).*

5* *Diskutiert, was passiert, wenn die europäischen Nachbarn ebenfalls eine merkantilistische Wirtschaftsform einführen würden.*

FACHBEGRIFF

Eine **Manufaktur** (lateinisch manus = Hand und factura = das Machen) ist ein handwerklicher Betrieb, der die einzelnen Arbeitsschritte auf verschiedene Arbeiter an unterschiedlichen Stationen verteilt. Dadurch konnten in derselben Zeit viel mehr Waren produziert werden als in einfachen Handwerksbetrieben. Dort erledigte ein Arbeiter in der Regel alle Produktionsschritte nacheinander.

M3 Eine mittelalterliche Bäckerei – der Bäcker backt und verkauft gleichzeitig seine Waren.

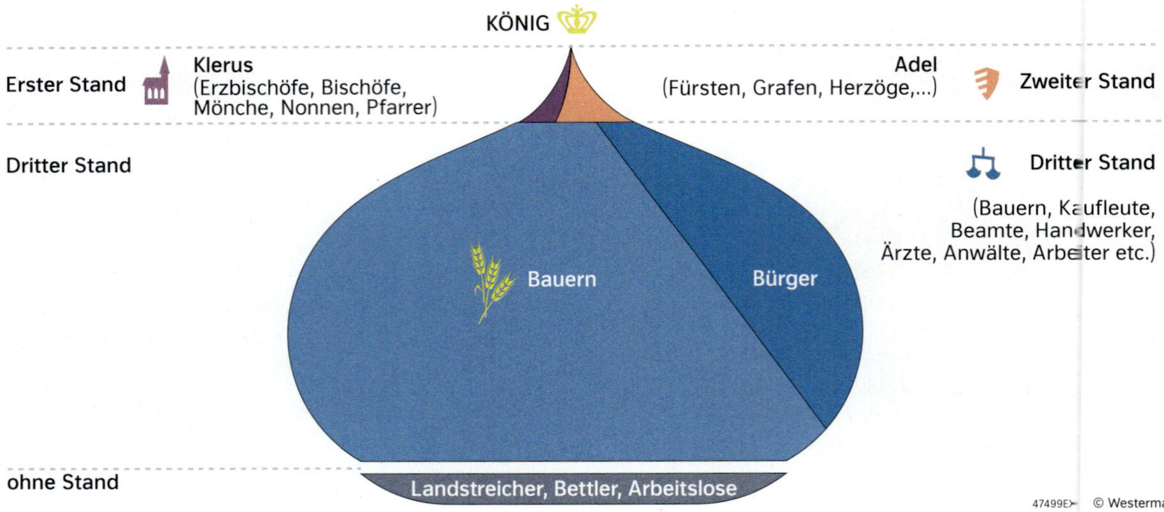

M1 Die französische Ständegesellschaft zur Zeit Ludwigs XIV.

Die Gesellschaft im absolutistischen Frankreich

Vieles für wenige, Weniges für viele

Zur Zeit des Absolutismus gehörten die Menschen in Frankreich einem von drei Ständen an. Zum Ersten Stand zählte der Klerus. Der Zweite Stand setzte sich aus dem Adel zusammen. Der Dritte Stand umfasste schließlich alle Bürger und Bauern. An der Spitze der Gesellschaft stand der absolutistische Herrscher. Die Menschen verstanden die Ständeordnung als ein von Gott gegebenes System. Jeder wurde durch seine Geburt zu einem Stand zugehörig und blieb zumeist sein Leben lang in seinem Stand, der sich durch besondere Rechte und Pflichten von den anderen Ständen unterschied. Eine Ausnahme war der Erste Stand, dem man beitreten musste.

Der Erste Stand

Im Ersten Stand waren alle Geistlichen vertreten, die sich hauptsächlich um die religiösen Bedürfnisse der Menschen kümmerten. Innerhalb des Ersten Standes gab es jedoch enorme Unterschiede: So waren Bischöfe, die zumeist aus dem Adel stammten, sehr mächtig. Sie gaben vor, was Pfarrer, Mönche und Nonnen zu tun hatten, und lebten oft das gleiche luxuriöse Leben, wie manche Adlige. Ein einfacher Pfarrer hingegen besaß kein politisches Mitspracherecht und kaum finanzielle Optionen. Der Erste Stand musste nur geringe Steuern zahlen, war vom Wehrdienst befreit und besaß teilweise **Privilegien** wie das Jagdrecht.

Der Zweite Stand

Zum Zweiten Stand gehörten alle Adligen des Landes. Im absolutistischen Frankreich war der Zweite Stand keine einheitliche Gruppierung: Der niedere Adel hatte meist weniger politischen Einfluss und stand finanziell mitunter schlecht da. Der Hochadel dagegen war an politischen Entscheidungsprozessen beteiligt, übte teilweise wichtige Ämter oder bezahlte Ehrenstellungen aus und war finanziell bessergestellt. Der Zweite Stand musste nur geringe Steuern zahlen und besaß teilweise Privilegien wie das Jagdrecht.

Der Dritte Stand

Der Dritte Stand bildete den größten Teil der französischen Bevölkerung. Er trug trug den Großteil der Steuerlast und versorgte die ersten beiden Stände, indem Bauern die Nahrungsmittel produzierten, die Adlige und Geistliche konsumierten. Der Dritte Stand war äußerst vielfältig, von sehr armen Menschen bis hin zu Bauern, Handwerkern und wohlhabenden Bürgern. Trotz seiner zentralen Rolle hatte er keine politische Mitsprache. Viele Bauern waren außerdem Grundhörige und an einen Grundherrn gebunden.

Der König hat seine Macht von Gottes Gnaden. Er weiß, dass er von mir als Stellvertreter der Kirche abhängig ist. Deshalb haben wir Geistlichen Sonderrechte und großen Einfluss. Viele führen ein Leben in Wohlstand.

M2

Der Merkantilismus nutzt mir. Ich kann die Waren aus meiner Manufaktur teuer im Ausland verkaufen. Ich bin gut versorgt. Mich stört aber, dass ich kaum Möglichkeiten habe, die Gesetzgebung zu beeinflussen. Einen Teil meines Gewinns muss ich in Form von Steuern an den Staat abgeben und kann ihn nicht in meine Manufaktur investieren.

M3

Ich führe ein Luxusleben am Hof von Versailles. Dort bin ich den ganzen Tag bestens unterhalten und lasse mich mit Köstlichkeiten verwöhnen. Gelegentlich ist es etwas anstrengend, da ich nur durch die Gunst des Königs einflussreich sein kann. Da der König sehr anspruchsvoll ist, muss ich mich sehr bemühen, um die gewünschte Anerkennung von ihm zu erhalten.

M4

Meine Familie und ich leben im Elend. Wir haben kaum genug zu essen. In den Straßen stinkt es und meine Kinder sind krank. Die reichen Manufakturbesitzer nutzen uns aus. Während sie immer wohlhabender werden, zahlen sie uns Arbeitern nicht mehr als einen Hungerlohn. Das Geld reicht kaum aus, da selbst die Nahrungsmittel ständig teurer werden.

M5

AUFGABEN

1* *Beschreibe den Aufbau der französischen Gesellschaft um 1700 (M1).*

2 *Nenne Rechte und Pflichten der drei Stände.*

3 *Ordne die Personen in M2 – M5 den drei Ständen zu. Begründe deine Entscheidung.*

4 *a) Recherchiere im Internet, inwieweit die heutige Gesellschaft in Deutschland auch in soziale Gruppen eingeteilt ist.*
b) Benenne die einzelnen Gruppen und arbeite deren Merkmale heraus.

M1 Ein Wissenschaftler erklärt die Bewegung der Planeten, Ölgemälde von Joseph Wright um 1765. – Bei dem dargestellten Versuch werden die Umlaufbahnen der Planeten durch Metallbögen dargestellt. Die Lampe soll in diesem Modell die Sonne sein.

Die Aufklärer stellen die absolute Herrschaft in Frage

Was ist Aufklärung?

Absolutistische Herrschaft bedeutet, als König allein „von Gottes Gnaden" zu regieren. Der strenge Glaube der Menschen erleichterte es den absolutistischen Herrschern, uneingeschränkt ihre Macht auszuüben. Doch im 17. Jahrhundert begannen einige Menschen, vor allem Gelehrte und Wissenschaftler, an der Behauptung einer „gottgewollten" Herrschaft zu zweifeln. Sie entwickelten neue Ideen und Denkrichtungen in den Bereichen Wirtschaft, Gesellschaft, Religion und Politik. Dieser geistige Wandel wird als die Epoche der Aufklärung bezeichnet. Die Aufklärung, auf Englisch als "enlightenment" bezeichnet, erinnert an das Durchbrechen von Licht durch die Dunkelheit. In diesem Sinne stand die Aufklärung für das Streben, durch Bildung, Wissenschaft und kritisches Denken die „Dunkelheit" der Unwissenheit durch das „Licht" des Wissens zu ersetzen. Das oberste Ziel dieser Bewegung war es, die menschliche Gesellschaft zu verbessern und die gesellschaftliche Ordnung des Absolutismus zu überdenken.

„Sapere aude!"

Wage es, weise zu sein! Die Anhänger der Aufklärung forderten die Menschen auf, sich ihres eigenen Verstandes zu bedienen und das Gottesgnadentum zu hinterfragen. Vorurteile und falsche Annahmen sollten durch Wissen, Experimente und neue Erkenntnisse korrigiert werden. Die Vernunft wurde zum Maßstab eines jeden Handelns erklärt. Die Aufklärer entwickelten neue Ideen von Freiheit, Selbstbestimmungsrechten und Toleranz.

Neue Medien und Kommunikation

Viele Aufklärer nutzten die neuen Medien ihrer Zeit, Zeitschriften, Bücher, Briefe, Flugschriften und Zeitungen, um die Ideen der Aufklärung zu verbreiten. Die französischen Aufklärer Denis Diderot und Jean-Baptiste le Rond d'Alembert trugen als erste das gesamte Wissen ihrer Zeit in einem Buch zusammen. Ihre 34 Bände umfassende „Enzyklopädie" enthält ungefähr 60 000 Aufsätze von mehr als 170 Autoren, sie gilt bis heute als Vorbild für Lexika.

Kritische Werke

Genau wie einige andere Werke wurde die „Enzyklopädie" aufgrund ihrer kritischen Inhalte von den absolutistischen Herrschern zunächst zensiert, das heißt, Wörter oder sogar ganze Textstellen wurden gestrichen, und dann sogar gänzlich verboten. Viele Herrscher befürchteten, dass sich der Aufklärungsgedanke ausbreiten und somit zu einer Gefährdung der eigenen Macht werden könnte. Eben die verbotenen Werke wurden trotz des Verbots als Schmuggelware weiter gehandelt.

EXTRA

John Locke,
englischer Philosoph, 1632 – 1704: „Regierung und Gesetzgebung müssen die Interessen des Volkes vertreten."

Voltaire,
franz. Philosoph, 1694 – 1778: „Das englische Volk ist das einzige, das die Macht der Könige durch seinen Widerstand gegen sie regelt."

Jean-Jacques Rousseau,
franz. Philosoph, 1712 – 1778: „Solange ein Volk gehorcht, handelt es gut; sobald es sein Joch abschüttelt, handelt es besser."

Immanuel Kant,
deutscher Philosoph, 1724 – 1804: „Habe Mut, dich deines eigenen Verstandes zu bedienen."

Dorothea Christiane Erxleben (1715 – 1762)

Der Besuch des Gymnasiums oder gar ein Studium waren im 18. Jahrhundert ausschließlich Männern erlaubt und für Frauen fast unmöglich.
Eine Ausnahme war Dorothea Christiane Erxleben, die als Tochter eines Arztes bereits als Kind Berührungspunkte mit der Medizin hatte und sich sehr für den Beruf ihres Vaters interessierte. Da sie sehr oft krank war, hatte Dorothea viel Zeit zu lesen. Sie war zielstrebig und ehrgeizig, beobachtete ihren Vater bei der Ausübung seines Berufes und konnte als junge Frau bereits ihren Vater in der Praxis vertreten. Ihr Vater erkannte ihr Talent und unterstützte sie in ihrem Wunsch, Ärztin zu werden. Mit der Erlaubnis des preußischen Königs wurde Dorothea schließlich an der Universität in Halle angenommen, wo sie ein erfolgreiches Medizinstudium absolvierte und anschließend als Ärztin arbeitete. Sie veröffentlichte mehrere medizinische Schriften und setzte sich für hygienische Verbesserungen in Krankenhäusern ein.

M2 Dorothea Christiane Erxleben

Gleich und gleich gesellt sich gern

Eine weitere Möglichkeit des gegenseitigen Austausches und der Vernetzung von Ideen waren die politischen Salons, die insbesondere im Frankreich des 18. Jh. prominent und häufig von Frauen geleitet und organisiert wurden. Diese Salons waren wichtige Treffpunkte für Intellektuelle, Künstler, Schriftsteller und Politiker. Frauen wie Madame de Tencin, Madame Geoffrin und Madame de Staal waren nicht nur Gastgeberinnen, sondern spielten eine aktive Rolle in den Diskussionen und trugen wesentlich zur Verbreitung aufklärerischer Ideen bei.

Bildung für wenige

Neben den Salons gründeten einige gebildete Bürger auch Clubs, in denen neue Ideen diskutiert wurden, Lesungen stattfanden oder experimentiert wurde. Dennoch war Bildung zu dieser Zeit oft nur einer kleinen Elite von Menschen wie dem Adel oder wohlhabenden Bürgern vorbehalten. Dies führte zu einem Mangel an Wissen und Bildung in der Gesellschaft, was den Zugang zur Aufklärung und ihren Ideen begrenzte und deren Verbreitung deutlich verlangsamte.

AUFGABEN

1 *Nenne Gründe, warum sich der Aufklärungsgedanke trotz neuer Medien nicht weit ausbreitete.*

2* *Erkläre, was die Redewendung „Licht ins Dunkle bringen" mit den Ideen der Aufklärung zu tun hat (M1).*

3 *Erkläre, warum die Aussagen und Ideen der Aufklärer (Extra-Kasten) für die absolutistischen Herrscher eine Bedrohung darstellten.*

4 *Beschreibe, wie Dorothea Erxleben trotz der Beschränkungen für Frauen Ärztin wurde und welche Herausforderungen sie dabei überwinden musste.*

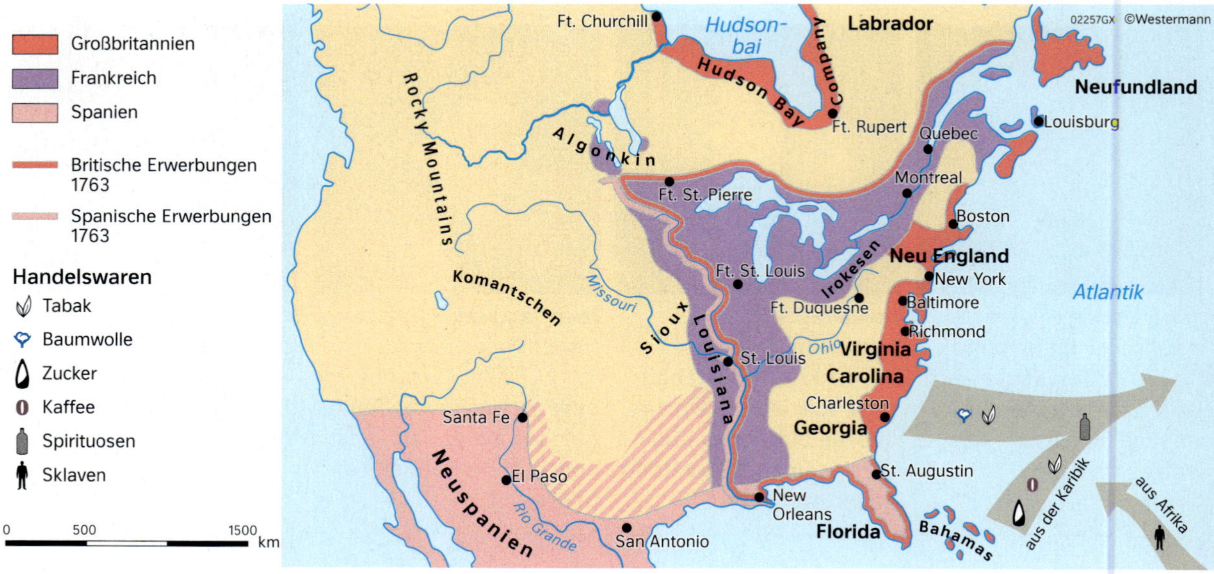

M1 Koloniale Besitzungen in Nordamerika 1750

Amerikas Unabhängigkeit und Verfassung

Die Besiedlung Nordamerikas

Ab dem 17. Jahrhundert wanderten viele britische Siedler nach Nordamerika aus. Die Kolonisten blieben Untertanen des britischen Königs, regelten allerdings in den ersten Jahren, ganz auf sich gestellt, ihr Zusammenleben. So wählten sie in den Gemeinden ihre Bürgermeister und Richter selbst. Aus verstreuten Siedlungen entwickelten sich im Verlauf eines Jahrhunderts 13 Kolonien. Zwischen den Kolonien und dem britischen Mutterland gab es einen regen Handel. Die Handelsbedingungen wurden allerdings mehrheitlich von der britischen Regierung angeordnet. Sie legte beispielsweise die Preise auf Waren fest und bestimmte die Zölle.

Großbritannien benötigt Geld

Nach einem Krieg gegen Frankreich stand Großbritannien finanziell kurz vor dem Bankrott. Aufgrund der leeren Staatskasse versuchte die britische Regierung durch die Erhebung von Steuern und Zöllen, in den 13 Kolonien eine kurzfriste finanzielle Erleichterung zu erreichen. Die britischen Kolonien lehnten diese Steuern mit dem Argument ab, dass sie im britischen Parlament gar nicht vertreten seien und daher auch nicht darüber abgestimmt hätten: „No taxation without representation", „keine Besteuerung ohne Vertretung im Parlament".

Der Konflikt spitzt sich zu

Die Situation spitzte sich zu, als Großbritannien die Zölle in den Kolonien erneut erhöhte und auf weitere Waren ausweitete. Daraufhin **boykottierten** in Boston Kaufleute den Handel mit Großbritannien. Viele der Kolonisten wollten keine Steuern mehr für Tee und andere Waren an Großbritannien bezahlen und forderten deshalb die politische **Unabhängigkeit**.

„Söhne der Freiheit" nannte sich eine Gruppe von Männern, die am 16. Dezember 1773 im Hafen von Boston ein Schiff enterten. Sie hatten sich als **American Natives** verkleidet und warfen Hunderte Kisten Tee ins Wasser. Gleichzeitig stellte die Gruppe eine sichtbare Abgrenzung vom europäischen Kontinent dar. Rückwirkend wird dieses Ereignis als „Boston Tea Party" bezeichnet.

M2 „Boston Tea Party", 1773

M 3 Parade und Feuerwerk am 4. Juli in den USA – der amerikanische Nationalfeiertag wird auch als Independence Day bezeichnet.

Der Konflikt eskaliert

Der britische König schickte als Reaktion auf die Boston Tea Party militärische Truppen in seine amerikanischen Kolonien, um den Konflikt gewaltsam zu beenden. Die Kolonisten gründeten als Gegenreaktion eine Bürgerwehr. So kam es 1775 zum Krieg zwischen den Siedlern und Großbritannien. Drei Jahre nach Kriegsbeginn beteiligten sich auf Seiten der Kolonisten auch Frankreich und Spanien an dem Krieg. Die Hauptkampfhandlungen endeten im Jahre 1781 nach der britischen Niederlage in der Schlacht bei Yorktown und wurden mit dem Frieden von Paris 1783 offiziell beendet. In dieser Zeit schwappte der Aufklärungsgedanke, der zuvor in Europa aufgekommen war und Ideale wie Freiheit, Gleichheit und individuelle Rechte verkörperte, bereits nach Amerika über und beeinflusste maßgeblich die Ziele, für die die Kolonisten kämpften.

Die Unabhängigkeitserklärung

Führende Vertreter der Kolonien, darunter Thomas Jefferson und Benjamin Franklin, veröffentlichten bereits am 4. Juli 1776, also noch während des Krieges, eine Unabhängigkeitserklärung. Die Kolonien bildeten daraufhin nach Kriegsende zusammen eine unabhängige **Republik** namens „Vereinigte Staaten von Amerika".
Doch trotz der politischen Veränderungen blieben gesellschaftliche Widersprüche bestehen, denn obwohl die Unabhängigkeitserklärung die Freiheit und Gleichheit der Menschen verkündete, waren Frauen, Sklaven und die American Natives weiterhin von den politischen Rechten wie dem Wahlrecht ausgenommen.

Eine Verfassung wird beschlossen

1788 wurde schließlich die amerikanische Verfassung verabschiedet und der erste amerikanische Präsident, George Washington, gewählt. In der Verfassung ist nicht nur die Aufteilung der Macht auf mehrere Personengruppen festgelegt, sondern auch die politische Beteiligung der amerikanischen Bürger geregelt. Diese Verfassung gilt in den USA bis heute und diente auch in Europa vielen Staaten in Hinblick auf die Entwicklung der eigenen Demokratie als Vorbild.

AUFGABEN

1 *Ermittle, welche heutigen amerikanischen Bundesstaaten ehemalige britische Kolonien waren (M1, Atlas).*

2* *Erkläre, was unter „Boston Tea Party" zu verstehen ist.*

3 *Frauen, Sklaven und American Natives waren von den Wahlen ausgeschlossen. Bewerte, inwiefern die Verfassung einen Fortschritt darstellte.*

4 *Der 4. Juli wird als Independence Day bezeichnet. Recherchiere, wie viele Amerikanerinnen und Amerikaner dieses Fest feiern.*

Krise des französischen Staates

Im absolutistischen Frankreich litt der Dritte Stand. Die Unzufriedenheit und die Bereitschaft zum gewaltsamen Aufstand wuchsen an. Es gab aber noch weitere Gründe dafür, dass sich Frankreich zu einem „Pulverfass“ entwickelte. Welche waren das?

Sonderrechte für Klerus und Adel (Erster und zweiter Stand)

Der Erste und der Zweite Stand mussten weiterhin kaum oder gar keine Steuern zahlen und verweigerten die Anpassung von Steuern an Einkommen und Vermögen. Vor allem wohlhabende Adlige und hohe Geistliche genossen weiterhin das verschwenderische Leben am Hof von Versailles und die damit verbundenen Privilegien.

Respektlose Behandlung des Bürgertums

Während der Adel seine politische Macht verlor, gewannen die reichen Bürger immer mehr an Einfluss. Mit ihren Manufakturen verdienten sie viel Geld. Die Wirtschaft Frankreichs und auch der König wurden zunehmend von ihnen abhängig. Deshalb forderten sie politische Mitspracherechte, die ihnen der König aber nicht gewähren wollte. Dadurch brachte er auch das reiche Bürgertum gegen sich auf.

Hohe Staatsverschuldung und Steuerlast

Wegen der hohen Ausgaben für den Hof und das ausschweifende Leben in Versailles, für das Militär, die Beamten und schlussendlich der kostspieligen militärischen Unterstützung der Kolonisten im amerikanischen Unabhängigkeitskrieg war Frankreich sehr hoch verschuldet. Um die Einnahmen für die Staatskasse zu erhöhen und die bestehenden Schulden zu begleichen, wollte der König die Steuern für den Dritten Stand erhöhen. Als sein Finanzminister dieses Vorhaben veröffentlichte, war die Empörung im Volk groß, da weder der Adel noch der Klerus von der Erhöhung betroffen waren.

Ausgaben der französischen Staatskasse pro Jahr ca. 6[illegible]9 Mio. Livres (bei gleichzeitigen Einnahmen von ca. 503 Mio. Livres)

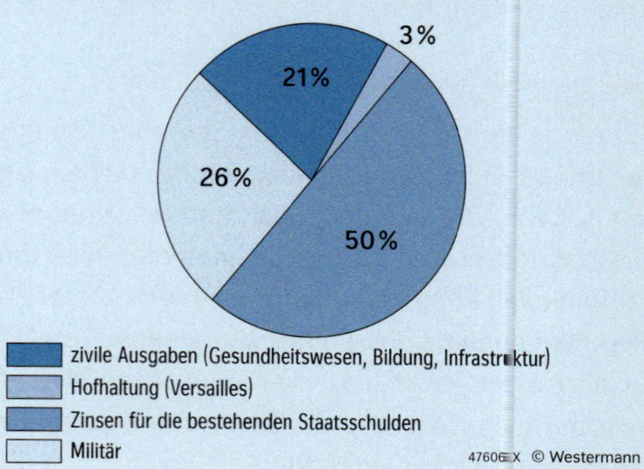

INFO

Multikausalität bedeutet, dass mehrere Gründe zusammen ein Ereignis oder eine Situation verursachen. Es ist wie ein Puzzle, bei dem viele Teile zusammen ein Bild ergeben. Also nicht nur ein Grund ist wichtig, sondern viele Gründe wirken zusammen.

Der Aufklärungsgedanke

Bis ins 17. Jahrhundert fand sich die Mehrheit der französischen Bevölkerung mit ihrer Rolle als gehorsame Untertanen ab. Die Menschen hatten akzeptiert, dass sie von Geburt an bis ans Lebensende zu einem der drei Stände gehörten.
Im 18. Jh. kamen aber neue Ideen auf. Philosophen und Schriftsteller wie Jean-Jaques Rousseau oder Charles de Montesquieu waren der Meinung: Alle Menschen sind von Geburt an frei, haben die gleichen Rechte und können selbst entscheiden, wie sie ihr Leben gestalten. Geleitet werden sollten sie dabei nur von ihrem Verstand und ihrer Vernunft, egal zu welchem Stand sie gehörten oder was die Kirche ihnen vorschrieb. Diese Denkweise gab den Menschen den Mut, sich gegen den König aufzulehnen und ihre Rechte einzufordern.

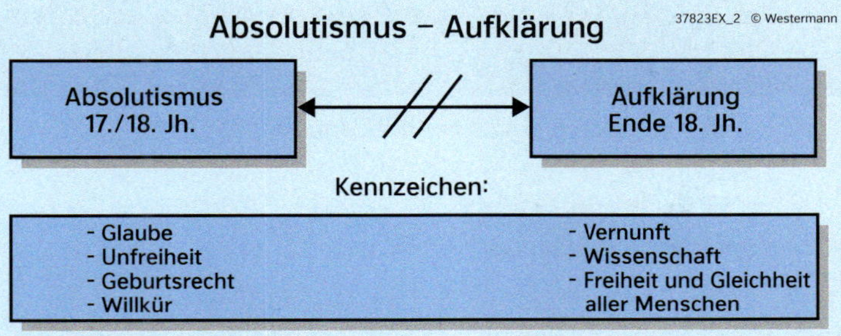

Hoher Brotpreis und Hungersnot

Um 1789 kam es in Frankreich aufgrund von Missernten und Viehseuchen zu einer Hungersnot. Da zu wenig Getreide geerntet wurde, wurde weniger Brot gebacken. Das wenige Brot wurde zu einem höheren Preis verkauft. Schließlich war der Preis für Brot nahezu unbezahlbar für die einfachen Leute des Dritten Standes. Als der Brotpreis durch eine Steuererhöhung nochmals stieg, kam es bei der hungernden Bevölkerung zum Aufruhr.

AUFGABEN

1 *Bildet fünf Gruppen: Jede Gruppe beschäftigt sich mit einem Problem und beantwortet dazu die nachfolgenden Aufgaben. Berücksichtigt dabei auch den Aufbau der Ständegesellschaft (siehe S. 148 M1).*

2 *a) Nenne den Stand, der von dem Problem maßgeblich betroffen ist.*
b) Erkläre, warum dieser Stand von dem Problem maßgeblich betroffen ist.

3 *Versetzt euch in die Lage des französischen Königs Ludwig XVI. Entwickelt in eurer Gruppe eine Lösung für euer Problem. Berücksichtigt dabei alle Stände.*

4 *Diskutiert mit den anderen Gruppen, in welcher Reihenfolge ihr die Probleme lösen würdet, um das Pulverfass vor der Explosion zu bewahren.*

M1 Der Ballhausschwur, Gemälde von Jacques-Louis David 1791

Der Sturm bricht los

Der französische Finanzminister berichtete 1788 dem König, dass Frankreich bankrott sei. Um die Staatskasse wieder aufzufüllen, kündigte Ludwig XVI. im April 1789 Steuererhöhungen an.

Streit um die Form der Abstimmung

Für eine Steuererhöhung war allerdings eine Zustimmung der **Generalstände** notwendig. Die Generalstände waren Vertreter des Ersten, Zweiten und Dritten Standes, die sich für solche Entscheidungen in Versailles mit dem König versammelten. Der Erste und der Zweite Stand konnten je rund 300 Vertreter entsenden, der Dritte Stand rund 600. Der König wollte, dass jeder Stand nur eine Stimme hat, demnach hätten der Erste und Zweite also den Dritten Stand überstimmen können.
Die Abgeordneten des Dritten Standes forderten hingegen eine Abstimmung nach Köpfen. Schließlich sperrte der König die Tagungsräume des Dritten Standes für drei Tage, in der Hoffnung, dass sich der Dritte Stand zu seinen Gunsten umentscheiden würde.

Der Ballhausschwur

Empört begaben sich daraufhin die Abgeordneten des Dritten Standes und mit ihnen 144 Geistliche und 80 Adlige ins nahe gelegene Ballhaus (alter Begriff für eine Tennishalle) und erklärten sich zur Nationalversammlung: *„Wir sind die Vertreter von 24 Mio. Franzosen, wir sind die einzigen und wahren Vertreter des französischen Volkes [...] Wir schwören, uns nicht zu trennen, bis die Verfassung geschaffen und auf feste Grundlagen gestellt ist. Wir werden nur der Gewalt der Bajonette [Klinge, die am Ende eines Gewehrs befestigt wird] weichen."*

Quelle: Markov, Walter: Revolution im Zeugenstand. Frankreich 1789–1799, Bd. 2, Leipzig, 1982, S. 71.

Das Ziel der Nationalversammlung war es, eine neue **Verfassung** für Frankreich zu erarbeiten. Diese Verfassung sollte so geschrieben sein, dass dem französischen König keine Alleinherrschaft mehr möglich sein sollte.

Alle Richterämter sollen nicht mehr käuflich sein; sie sollen nach Verdienst verliehen werden, nach der Entscheidung der Bürger, die dadurch das Recht bekommen, die Richter des Gebiets zu wählen, in dem sie leben. [...] Alle finanziellen Privilegien [Vorteile] des geistlichen Standes und des Adels sollen abgeschafft werden, sodass alle Franzosen durch eine Geldabgabe und Kopfsteuer die Summe entrichten, die für den Grund und Boden festgesetzt wird, und somit jeder Steuer für die drei Stände von Bürgern gleich ist. [...] Frankreich soll nur ein einziges Recht, ein Gesetz, die gleichen Maße und Gewichte [...] haben.

Quelle: Die Französische Revolution. Ein Lesebuch mit zeitgenössischen Berichten und Dokumenten, Stuttgart 1989, S. 53 ff.

M2 Forderungen aus einem Beschwerdeheft

M3 Der Sturm auf die Bastille, Gemälde 1789

Ich erreichte die Bastille [...] und half [...] die beiden Geschütze zu transportieren. Während ich das tat, wurde beschlossen, mit Gewehrsalven anzugreifen. Jeder von uns gab ungefähr sechs Schüsse ab [...] In dem Augenblick, als wir die Lunte (der Kanonenkugel) anzünden wollten, wurde die kleine Zugbrücke heruntergelassen. Wir fanden die Tür verschlossen, nach etwa zwei Minuten machte ein Invalide (verletzter Soldat) auf und fragte, was wir wollten. „Man soll die Bastille übergeben", antwortete ich mit den anderen zusammen, da ließ man uns herein.

Quelle: Paschold, Chris: Die Französische Revolution. Ein Lesebuch mit zeitgenössischen Berichten und Dokumenten, Stuttgart 1989, S. 71

M4 Der Uhrmacher Jean-Baptiste Humbert berichtet über den 14. Juli 1789.

Die Stimmung verschärft sich

Der König scheiterte mit dem Versuch, die finanziellen Probleme Frankreichs mithilfe der Generalstände zu bewältigen. Vielmehr verschärfte sich durch sein Vorhaben die Stimmung im Land. Insbesondere in Paris war die Lage schwierig: Die vom König versprochene Verbesserung der Lebensmittelversorgung trat nicht ein und viele Pariser hungerten und fühlten sich von Ludwig XVI. erneut im Stich gelassen.

Unruhen in Paris

Parallel zur Einberufung der Generalstände ließ Ludwig XVI. Truppen um Paris zusammenziehen, um die bereits bestehenden Spannungen in der Stadt bei Bedarf militärisch zu bekämpfen. Unruhe machte sich unter den Bewohnern breit, die Situation spitzte sich zu und eskalierte schließlich: Aus Angst vor einem militärischen Eingreifen des Königs bildete sich in Paris eine Bürgerwehr, die sich bewaffnete.

Der Sturm auf die Bastille

Am 14. Juli 1789 zog eine große Menschenmenge zur Bastille, einem bekannten Gefängnis, das in den Augen der Pariser ein Zeichen der absolutistischen Herrschaft war. Sie forderten Waffen und Munition, um sich gegen die königliche Armee zu verteidigen. Nach anfänglichen Verhandlungen mit dem Gouverneur der Bastille Bernard-René de Launay stürmten die Aufständischen die Festung. Der Gouverneur befahl als unmittelbare Reaktion darauf, auf die Protestierenden zu schießen, doch die protestierenden Menschen ließen sich nicht einschüchtern. Nach einem zweiten Sturmversuch und der Zusicherung, der Gouverneur und seine Truppen könnten friedlich abziehen, kapitulierte der Gouverneur. Trotz dieser Zusage seitens der Aufständischen wurden er und andere Verteidiger der Bastille brutal ermordet.

Der König reist ins Zentrum der Revolution

Ludwig XVI. reiste drei Tage nach dem Sturm auf die Bastille von Versailles nach Paris, dem neuen politischen Handlungsort Frankreichs. Dort gestand der König dem Dritten Stand zu, eine neue Verfassung zu erarbeiten. Zeitgleich flohen aufgrund der Entwicklungen die ersten Adligen verängstigt ins Ausland. Die Nachricht über die Ereignisse in Paris verbreitete sich rasch in Frankreich und ermutigte viele Menschen, die Revolution auf dem Land fortzusetzen.

AUFGABEN

1* *Beschreibe M1. Berücksichtige dabei besonders die Stimmung auf dem Bild.*

2* *Erkläre, warum der König für die Abstimmung der Generalstände eine Stimme pro Stand möchte und der Dritte Stand ein Wahlrecht pro Kopf.*

3 *Nenne die Forderungen aus dem Beschwerdeheft M2.*

4 *Vergleiche M3 mit der Schilderung des Uhrmachers Jean-Baptiste Humbert in M4.*

5 *Erkläre, warum der 14. Juli seit 1880 der französische Nationalfeiertag ist.*

METHODE

Eine historische Karikatur entschlüsseln

In Tageszeitungen, Zeitschriften und im Internet begegnen uns oft Karikaturen. Auch in der Vergangenheit wurden Karikaturen erstellt. Weil sie Rückschlüsse auf die damaligen Verhältnisse und Ereignisse zulassen, sind es auch historische (Bild)Quellen, weshalb es wichtig ist, die Karikaturen richtig zu deuten.

Karikaturen erreichen Menschen

Da die meisten Menschen in der Zeit des Absolutismus nicht lesen konnten, wurden Karikaturen genutzt, um die Menschen zu informieren. In Karikaturen wird überspitzt (übertrieben) auf Missstände aufmerksam gemacht. Häufig zeigen die Karikaturen Personen mit übertriebenen Gesichtszügen, Körperformen oder -haltungen, um bestimmte Eigenschaften deutlich zu machen. Oft setzen die Zeichner auch Symbole ein, die von ihren Zeitgenossen verstanden werden. Folgende Schritte helfen dir, eine Karikatur zu entschlüsseln:

M1 „Hoffen wir, dass das Spiel bald ein Ende nimmt", französische Karikatur um 1789

1. Schritt: Den historischen Sachverhalt einordnen

- Wann und wo ist die Karikatur erschienen?
- Wer ist der Karikaturist?
- Gibt es eine Über- oder Unterschrift? Wenn ja, wie lautet sie?

2. Schritt: Sachverhalt beschreiben und analysieren

- Wie ist der Bildaufbau gestaltet? Gibt es ein Bild oder mehrere Einzelbilder? Was siehst du im Vordergrund und was im Hintergrund?
- Welche (historische) Situationen/Handlungen sind dargestellt? (Um diese Frage zu beantworten, sind oft Zusatzinformationen über die Entstehungszeit nötig.)
- Welche Gegenstände/Symbole werden gezeigt und was bedeuten sie?
- Welche (historischen) Personen werden abgebildet?
- Welche Mimik (Gesichtsausdruck) und welche Gestik (Körpersprache) haben diese bzw. welche Gefühle/Emotionen zeigen sie?
- Beschreibe so genau wie möglich. Jedes Detail kann für die Interpretation wichtig sein.

3. Schritt: Den historischen Sachverhalt interpretieren

- Was kritisiert der Karikaturist?
- An welchen Bildelementen/Symbolen wird die Haltung des Karikaturisten deutlich?

Auf der Hacke des Bauern steht *„Von Tränen getränkt"*.

Auf dem Schwert steht *„Gerötet von Blut"*.

Den Getragenen ragen Zettel aus den Hosen- und Manteltaschen. Darauf steht unter anderem: *„Salz-, Tabak-, Personensteuer"* sowie *„Zehnt"* und *„Frondienste"*.

Hasen und Rebhühner fressen die Feldfrüchte. Sie durften nur von Adligen gejagt werden, weil nur ihnen die Jagd erlaubt war. Den Bauern war sie bei Strafe verboten.

M2 Erklärungshilfen für die Karikatur M1

Schwert (Dritter Stand): *„Voll des Mutes"* – bezieht sich auf die gewonnene Revolution

Kokarde (blumenförmige Anstecknadel aus Papier oder Stoff) mit den Farben der französischen Revolution – den Bauern war sie bei Strafe verboten.

Zettel *„Friede und Eintracht [Harmonie]"*

Schwert (Zweiter Stand): *„Um die Nation zu schützen"* – bezieht sich auf die Hauptaufgabe des Adels

Zettel: *„Grundsteuer"*

Waage mit den Zetteln: *„Gleichheit und Freiheit"* und *„Erleichterung für das Volk"*

Hacke: *„infatigable"* (unermüdlich)

M3 „Wusste ich es doch, dass wir auch mal an die Reihe kämen.", französische Karikatur, 1789

AUFGABEN

1 *Analysiere die Karikatur M3. Nutze dafür die Schrittfolge auf der linken Seite.*

2 *Vergleiche die Karikaturen M1 und M3 miteinander:*
a) Benenne dafür zunächst die Veränderungen von M1 zu M3.
b) Erkläre die Veränderungen.

INTERNET

Hier wird die Karikatur M1 entschlüsselt:

Digital+

WES-112462-159

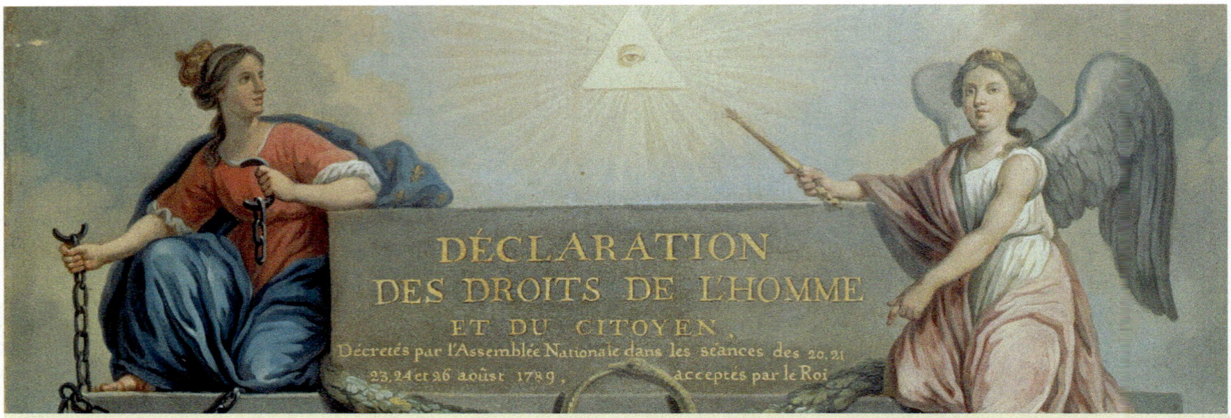

ART. 1
Die Menschen sind und bleiben von Geburt frei und gleich an Rechten. [...]

ART. 2
Das Ziel jeder politischen Vereinigung ist die Erhaltung [...] [der] Menschenrechte. Diese Rechte sind Freiheit, Eigentum, Sicherheit und Widerstand gegen Unterdrückung. [...]

ART. 4
Die Freiheit besteht darin, alles tun zu können, was einem anderen nicht schadet. [...]

ART. 5
[...] Alles, was nicht durch Gesetz verboten ist, kann nicht verhindert werden [...]

ART. 6
Das Gesetz ist der Ausdruck des allgemeinen Willens. Alle Bürger haben das Recht, persönlich oder durch ihre Vertreter [...] mitzuwirken.
Es soll für alle gleich sein, mag es beschützen, mag es bestrafen. Da alle Bürger in seinen Augen gleich sind, sind sie gleicherweise zu allen [...] Stellungen und Beamtungen nach ihrer Fähigkeit zugelassen [...].

ART. 7
Jeder Mensch kann nur in den durch das Gesetz bestimmten Fällen und in den Formen, die es vorschreibt, angeklagt, verhaftet und gefangengehalten werden. [...]

ART. 10
Niemand soll wegen seiner Meinungen, selbst religiöser Art, beunruhigt werden [...].

ART. 11
Die freie Mitteilung der Gedanken und Meinungen ist eines der kostbarsten Menschenrechte. Jeder Bürger kann also frei schreiben, reden und drucken [...].

ART. 17
Da das Eigentum ein unverletzliches und heiliges Recht ist, kann es niemandem genommen werden, [...].

M1 Ausschnitt aus der Erklärung der Menschen- und Bürgerrechte vom 26. August 1789 (im Original alle 17 Artikel auf Französisch). Oben links zerreißt Marianne, eine Symbolfigur für Frankreich, die Ketten. Oben rechts zeigt ein Engel auf die Grundrechte und verweist auf das sehende Auge, das Gott darstellen soll.

Ein Erfolg für die Revolution

Die Ideen der Aufklärung hatten sich durchgesetzt. Wenige Wochen nach dem Sturm auf die Bastille erreichten die Revolutionäre ein wichtiges Ziel: **Die Menschen- und Bürgerrechte** wurden verkündet. Damit wurden den Franzosen erstmals zentrale Rechte zugesichert. Sie waren nicht länger der Willkür des Staates ausgesetzt und mussten sich nicht alles gefallen lassen. Auch ein König durfte nicht mehr tun und lassen, was er will, sondern musste diese Rechte beachten.
In den folgenden zwei Jahrhunderten haben sich ähnliche Grundrechte in vielen anderen Staaten der Welt durchgesetzt und wurden schriftlich festgehalten. Ein besonderer Meilenstein war die Allgemeine Erklärung der Menschenrechte der Vereinten Nationen. Diese Organisation wurde 1948 gegründet und hat den Weltfrieden und die internationale Sicherheit zum Ziel. In ihr sind nahezu alle Staaten der Erde Mitglied. Somit haben sich auch all diese Staaten dazu verpflichtet, die Menschenrechte einzuhalten. Zur Wahrheit gehört aber auch, dass Theorie und Praxis häufig auseinanderklaffen und Menschenrechtsverstöße in vielen Staaten alltäglich sind.

Art. 1
(1) Die Würde des Menschen ist unantastbar. Sie zu achten und zu schützen ist Verpflichtung aller staatlichen Gewalt. [...]

Art. 2
(1) Jeder hat das Recht auf die freie Entfaltung seiner Persönlichkeit, soweit er nicht die Rechte anderer verletzt [...].
(2) Jeder hat das Recht auf Leben und körperliche Unversehrtheit. Die Freiheit der Person ist unverletzlich. [...]

Art. 3
(1) Alle Menschen sind vor dem Gesetz gleich.
(2) Männer und Frauen sind gleichberechtigt. [...]
(3) Niemand darf wegen seines Geschlechtes, seiner Abstammung, seiner Rasse, seiner Sprache, seiner Heimat und Herkunft, seines Glaubens, seiner religiösen oder politischen Anschauungen benachteiligt oder bevorzugt werden. Niemand darf wegen seiner Behinderung benachteiligt werden.

Art. 4
(1) Die Freiheit des Glaubens, des Gewissens und die Freiheit des religiösen und weltanschaulichen Bekenntnisses sind unverletzlich. [...]

Art. 5
(1) Jeder hat das Recht, seine Meinung in Wort, Schrift und Bild frei zu äußern und zu verbreiten [...]. Die Pressefreiheit und die Freiheit der Berichterstattung durch Rundfunk und Film werden gewährleistet. Eine Zensur findet nicht statt. [...]

Art. 8
(1) Alle Deutschen haben das Recht, sich ohne Anmeldung oder Erlaubnis friedlich und ohne Waffen zu versammeln. [...]

Art. 9
(1) Alle Deutschen haben das Recht, Vereine [...] zu bilden.

Art. 12
(1) Alle Deutschen haben das Recht, Beruf, Arbeitsplatz und Ausbildungsstätte frei zu wählen. [...]

Art. 14
(1) Das Eigentum und das Erbrecht werden gewährleistet. [...]

Art. 20
(1) Die Bundesrepublik Deutschland ist ein demokratischer und sozialer Bundesstaat.
(2) Alle Staatsgewalt geht vom Volke aus. Sie wird vom Volke in Wahlen und Abstimmungen und durch besondere Organe der Gesetzgebung [...]ausgeübt.

M2 Auszug aus dem Grundgesetz

M3 Beispiele für Grundrechte

FACHBEGRIFF

Menschenrechte stehen allen Menschen in einem Land zu, ganz egal, ob diese die Staatsbürgerschaft des Landes besitzen oder nicht. **Bürgerrechte** dagegen gelten nur für Staatsbürger. Menschen- und Bürgerrechte bezeichnet man auch als **Grundrechte**.

AUFGABEN

1* *Vergleiche die rechtliche Lage im absolutistischen Frankreich vor der Revolution mit dem Inhalt der Erklärung der Menschen- und Bürgerrechte (M1).*

2* *Vergleiche die Erklärung der Menschen- und Bürgerrechte mit dem Grundgesetz (M1, M2).*

3 *Erkläre den Zusammenhang zwischen den Artikeln und dem Bild in M1. Beachte die Beschreibung.*

4 *Ordne die Bilder M3 den verschiedenen Grundrechten (M2) zu. Begründe deine Entscheidung.*

5 *Diskutiert, ob es sinnvoll ist, sich in Deutschland mit der Französischen Revolution zu beschäftigen.*

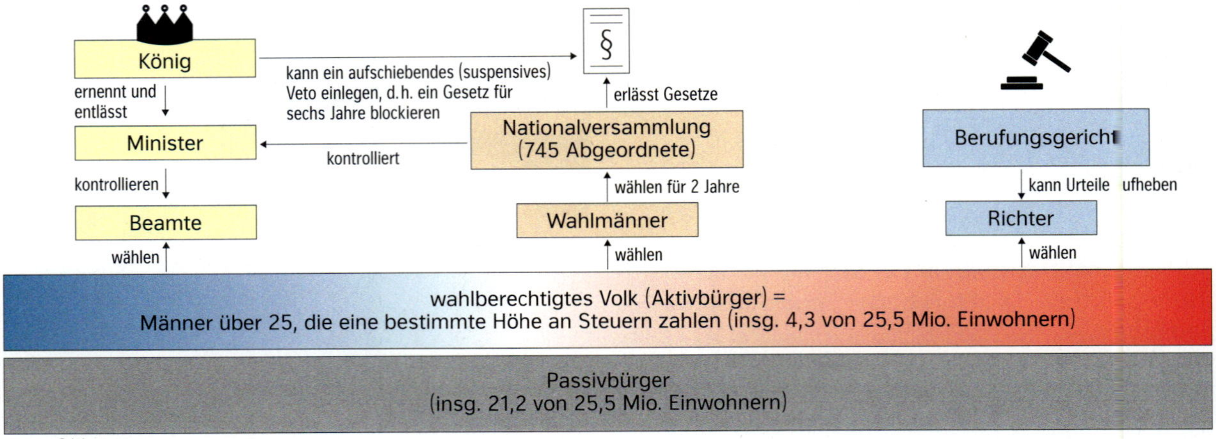

M1 Verfassung von 1791 (vereinfacht)

Alle Forderungen erfüllt? Die Verfassung von 1791

Zwei Jahre nach Beginn der Revolution erhielt Frankreich eine neue Verfassung, die für viele andere Verfassungen Europas zum Vorbild wurde. Die **Staatsform** blieb zwar eine Monarchie, aber die **Regierungsform** wandelte sich. Das zentrale Element war, dass der König seine absolute Macht verlor. Er konnte keine Gesetze mehr erlassen, wenngleich er diese noch unterzeichnen musste. Laut Verfassung stand auch der König nicht über dem Gesetz. Er musste zudem einen Eid leisten, der Nation treu zu sein.

Der Besitz des Königs wurde zu Staatseigentum erklärt. Des Weiteren wurde die Staatsgewalt, also die Macht des Staates, nun aufgeteilt. Schon der Philosoph Charles de Montesquieu war der Meinung, dass diese **Gewaltenteilung** von großer Bedeutung sei, da man so Machtmissbrauch verhindern könne. Er forderte, dass die Macht in drei Bereiche aufgeteilt werden und die Gewalten sich gegenseitig kontrollieren sollten. Diese Gewaltenteilung gilt heute als zentraler Bestandteil der Demokratie.

die Exekutive = ausführende Gewalt

Sie hat dafür zu sorgen, dass die Gesetze nicht nur auf dem Papier stehen, sondern auch im täglichen Leben umgesetzt werden. In Deutschland ist das die *Bundesregierung*, bestehend aus dem *Bundeskanzler* und den *Bundesministern*. Da diese Personen sich nicht allein darum kümmern können, dass alles seine Ordnung hat und richtig abläuft, unterstehen der Exekutive z. B. die Polizei, Behörden, Verwaltungen oder Ämter.

die Legislative = gesetzgebende Gewalt

Im demokratischen Staat entscheidet die gesetzgebende Versammlung, also das Parlament, über neue Gesetze oder Gesetzesänderungen. In Deutschland ist das der *Bundestag*. Hier sitzen vom Volk gewählte Abgeordnete. Um ein Gesetz zu verabschieden, das heißt zu erlassen, müssen über 50 % der Abgeordneten dafür stimmen. In Deutschland darf auch die Bundesregierung einen Gesetzesvorschlag machen. Ob der Vorschlag gut ist, entscheidet aber das Parlament.

die Judikative = rechtsprechende Gewalt

Verstößt jemand gegen ein Gesetz, dann bekommt er es mit der Justiz zu tun. *Staatsanwaltschaften* und *Gerichte* sorgen dafür, dass Verstöße gegen die Gesetze nach bestimmten Regeln verhandelt werden, und das heißt in den meisten Fällen, dass die Täter bestraft werden. Ganz wichtig: Die Richter sind unabhängig. Weder die Regierung noch die Abgeordneten dürfen Einfluss auf die Urteile nehmen oder gar vorschreiben, wie das Urteil auszusehen hat.

M2 Gewaltenteilung

Staatsform	Regierungsform	
Monarchie	**absolut**	• uneingeschränkte Macht des Monarchen • kein Parlament oder vom Monarchen berufenes Parlament
	parlamentarisch	• stark begrenzte und überwiegend repräsentative Macht des Monarchen • Parlament als Zentrum des politischen Systems
	konstitutionell	• Einschränkung des Monarchen durch eine Verfassung • Aufteilung der Macht zwischen Monarch und Parlament
Republik	**parlamentarisch**	• Parlament als Mittelpunkt der Staatsgewalt • Staatsoberhaupt meist repräsentativ
	präsidentiell	• große Macht des Präsidenten (zeitgleich Staats- und Regierungschef) • Zusammenarbeit mit dem Parlament

47506EX © Westermann

M3 Staats- und Regierungsformen

M4 Meinungen zur Verfassung

AUFGABEN

1* *Analysiere das Verfassungsschaubild M1.*

2 *Finde mithilfe von M3 heraus, welche Staats- und Regierungsform Frankreich mit der Verfassung von 1791 bekam. Begründe.*

3 *Benenne die verschiedenen Bevölkerungsgruppen und arbeite aus den fiktiven Äußerungen der einzelnen Personen heraus, wie sie zur neuen Verfassung standen (M4).*

4* *Vergleiche die Gewaltenteilung in Deutschland mit der Gewaltenteilung in der französischen Verfassung von 1791 (M1, M2).*

Radikalisierung der Revolution – ein König versucht zu fliehen

Das Ansehen des Königs sinkt

Mit der Erklärung der Menschen- und Bürgerrechte und der Verabschiedung der Verfassung waren Hunger und Not in Frankreich längst nicht beseitigt. Immer wieder entwickelten sich gewaltsame Auseinandersetzungen in ganz Frankreich. Das Ansehen König Ludwigs XVI. war enorm gesunken. Während der Herrscher jetzt in Paris leben musste, hoffte er auf eine Veränderung der Verhältnisse zu seinen Gunsten. Ludwig XVI. versuchte eine Weile, mit den Revolutionären zusammenzuarbeiten, doch diese Kooperation war von kurzer Dauer.

M1 Die Karikatur trägt den Untertitel „Der janusköpfige König oder der Mann mit den zwei Gesichtern“. Die Schrift links vom Kopf des Königs lautet übersetzt „Ich werde die Verfassung aufrechterhalten“, die rechts vom Kopf „Ich werden die Verfassung zerstören“.

Der Fluchtversuch

In seiner Verzweiflung und dem Wunsch nach Unterstützung griff Ludwig XVI. auf drastische Maßnahmen zurück. Heimlich sandte der König Hilferufe an die europäischen Königshöfe, vor allem an den deutschen Kaiser, den Bruder der französischen Königin Marie Antoinette. Im Juni 1791 wagte die Königsfamilie schließlich die Flucht. Allerdings wurde der König in einem kleinen französischen Dorf vor der Grenze von einem Bürger erkannt und mitsamt seiner Familie von der Nationalgarde nach Paris zurückgebracht. Dort lebte er zunächst in seinem Stadtschloss wie ein Gefangener unter Hausarrest.

Abkehr von der konstitutionellen Monarchie

Der Fluchtversuch des Königs und Gerüchte über geheime Gespräche mit Frankreichs Feinden schwächten das Ansehen der Königsfamilie erheblich. Obwohl Ludwig XVI. formal das Land regierte, stand er den neuen Entwicklungen kritisch gegenüber, weshalb das Misstrauen ihm gegenüber in der französischen Bevölkerung stetig wuchs. Am 10. August 1792 erreichte diese Stimmung ihren Höhepunkt, als erzürnte Aufständische das Stadtschloss stürmten und die königliche Familie inhaftierten.

Daraufhin griffen Österreich und Preußen ein, indem sie ihre Armeen in Frankreich einmarschieren ließen, um die „schändliche Volksherrschaft“ der Revolutionäre zu beseitigen und die französische Königsfamilie zu retten. Diese Handlung löste in ganz Frankreich eine massive Reaktion der Bevölkerung aus: Freiwillige aus allen Schichten meldeten sich zu den Waffen und verteidigten das Land entschlossen gegen die verhassten Fürsten.

Frankreich wird Republik

Am 10. August 1792 gelang schließlich den radikalen **Jakobinern,** die tonangebende Mehrheit in der Nationalversammlung für sich zu gewinnen. Sie setzten Ludwig XVI. als König mit sofortiger Wirkung ab. Damit wurde Frankreich im September 1792 zur Republik.

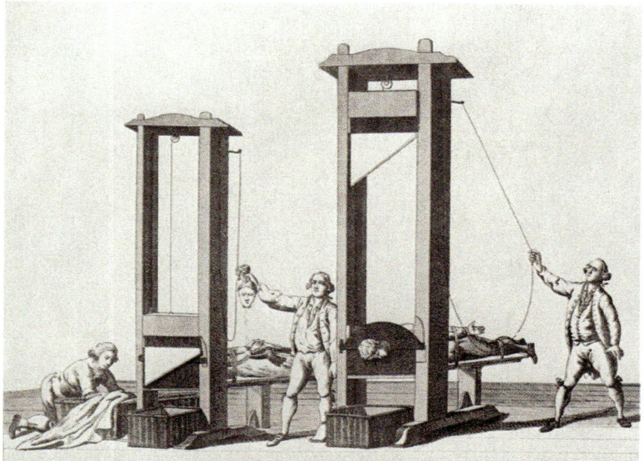

M2 Die Guillotine (auch Fallbeil/Schafott) ist ein Gerät zur Vollstreckung der Todesstrafe, das in der Französischen Revolution den Tod durch Enthauptung beschleunigen sollte. Benannt wurde die Erfindung nach ihrem Entwickler, dem Arzt Joseph-Ignace Guillotin.

Die Hinrichtung des Königs

Die Vertreter der Nationalversammlung berieten im Dezember 1792 über das Schicksal Ludwigs XVI. und seiner Familie. Die Meinungen, wie mit dem König verfahren werden solle, waren sehr unterschiedlich. Schließlich wurde er wegen Staatsverrates angeklagt und zum Tode verurteilt. Am 21. Januar 1793 wurde König Ludwig XVI. mit der Guillotine vor den Augen der Pariser Bevölkerung hingerichtet. Damit schien die Gefahr einer Gegenrevolution durch die Anhänger des Königs gebannt.

AUFGABEN

1 *Nenne mithilfe des Textes Gründe für das sinkende Ansehen der Monarchie in Frankreich (M1).*

2 *Erkläre, warum sich Österreich und Preußen in das politische Geschehen in Frankreich einmischten.*

3* *Erläutere, warum Ludwig XVI. als absoluter Herrscher die Einführung der konstitutionellen Monarchie in Frankreich nicht unterstützen wollte.*

4 *Arbeite die unterschiedlichen Positionen zum Umgang mit dem König aus M3 heraus.*

5 *Im Gegensatz zur Hinrichtung mit Axt oder Schwert galt die Guillotine als „humane" Hinrichtungsmethode. Erkläre, warum.*

6 *Diskutiert, warum der Königin Marie Antoinette auf dem Weg zum Schafott einfache Kleidung angezogen wurde (M4).*

Jean: Hast du von dem bevorstehenden Urteil für Ludwig gehört? Es gibt Stimmen, die seine Hinrichtung fordern. Ich bin der Meinung, dass er für seine Taten büßen sollte, aber eine Exekution? Ist das nicht zu extrem?

Antoine: Jean, er hat das Vertrauen des Volkes verraten und mit ausländischen Mächten heimlich zusammengearbeitet. Wenn wir ihn nicht bestrafen, was hindert dann andere daran, dasselbe zu tun? Die Revolution muss geschützt werden und das erfordert manchmal harte Maßnahmen.

Jean: Aber Antoine, ist es nicht unsere Pflicht, über Emotionen und Rache hinauszusehen und Gerechtigkeit walten zu lassen? Dieser Prozess scheint mehr von Wut und Rache getrieben zu sein als von einem echten Streben nach Gerechtigkeit.

Antoine: Das mag sein, aber wir befinden uns in außergewöhnlichen Zeiten. Manchmal ist es notwendig, ein Exempel zu statuieren, um die Ordnung wiederherzustellen und anderen eine klare Botschaft zu senden.

Jean: Ich befürchte, wenn wir diesen Weg gehen, könnten wir eine gefährliche Spirale von Vergeltungsmaßnahmen und Misstrauen auslösen. Aber was denkst du, was wird mit der Königin und den königlichen Kindern geschehen? ...

M3 Fiktive Unterhaltung zweier Abgeordneter der französischen Nationalversammlung

M4 Marie Antoinette, Königin von Frankreich. Die Ehefrau von Ludwig XVI. galt als sehr modebewusst und liebte prächtige Kleider. Links: Ausschnitt aus einem Gemälde von 1775.
Rechts: Auf dem Weg zum Schafott 1793 trug sie einfache Kleidung, nicht die prächtigen Kleider, die sie als Königin getragen hatte.

M1 Opfer der Terrorherrschaft: Abtransport von Hingerichteten, Aquarell von Etienne Bericourt 1793

Radikalisierung der Revolution – von der Republik zur Schreckensherrschaft

Die Jakobiner übernehmen die Macht

Nach dem Tod des Königs im Januar 1793 blieben die Franzosen uneinig über die politische Führung, wobei die Anhänger der Republik in verschiedene Gruppen gespalten waren und miteinander stritten. Währenddessen traten die Jakobiner unter Maximilien de Robespierre als mächtigste Gruppe hervor.

Im Frühjahr 1793 brach in weiten Teilen Frankreichs Panik aus – bedingt durch Besetzungen ausländischer Truppen, regionale Rebellionen gegen die Revolution, explodierende Lebensmittelpreise und Hetzkampagnen geflüchteter Adliger im Ausland. Um die Lebensmittelversorgung sicherzustellen und Militär sowie Polizei zu organisieren, richteten die Jakobiner deshalb einen **Wohlfahrtsausschuss** unter Robespierres Vorsitz ein. Ursprünglich darauf ausgelegt, dass die Bürger ausreichend Nahrung und Sicherheit hatten, agierte der Ausschuss im Laufe der Zeit jedoch zunehmend **diktatorischer**.

Revolutionsgerichte werden eingerichtet

Im Sommer 1793 erließ der Ausschuss ein Gesetz gegen Verdächtige, um die Feinde der Republik zu bekämpfen. Dies führte zur Einführung von **Revolutionsgerichten**, die Beschuldigte ohne jegliche Möglichkeit zur Verteidigung verurteilten. Anschuldigungen und Verdächtigungen waren an der Tagesordnung und niemand traute mehr dem anderen. Rund 500 000 Menschen wurden in dieser Zeit verhaftet und davon etwa 40 000 durch die Guillotine hingerichtet. Besonders gefährdet waren Adlige, Geistliche, reiche Bürger und politische Gegner, weil die Jakobiner glaubten, dass diese Gruppen die Ideen der Revolution bedrohten oder das alte System wiederherstellen wollten.

Die Schreckensherrschaft

Die Herrschaft der Jakobiner war eine Zeit des Schreckens, die auch als „la Grande Terreur" bekannt wurde. Selbst Anhänger der Revolution blieben von den Inhaftierungen und Hinrichtungen nicht verschont. Schließlich wurde auch Robespierre mit einigen seiner Anhänger zum Tode verurteilt und exekutiert. Er wurde beschuldigt, eine Diktatur zu errichten, die die französische Republik bedrohe.

Ein Jahr nach seinem Tod übernahm ein **Direktorium** (= Regierungsform) aus fünf Männern die Regierung. Obwohl sich die Lage in Frankreich kurzfristig beruhigte, konnte das Direktorium die Krisen Frankreichs nicht lösen.

> Man muss die inneren und äußeren Feinde der Republik [= der Demokratie, der Freiheit] vernichten oder mit ihnen untergehen: Der erste Grundsatz eurer Politik muss also in der jetzigen Lage sein, das Volk durch die Vernunft und die Feinde des Volkes durch den Schrecken zu leiten.
>
> Quelle: Maximilien de Robespierre. In: Werner Heil (Übersetzer): Neuzeit. Das 19. Jahrhundert, Stuttgart 2013, S. 30.

M2 Robespierre im Februar 1794

M3 Sansculotten in typischer Kleidung – die Sansculotten waren eine Gruppe radikaler Revolutionäre, die sich durch das Tragen einfacher Kleidung wie langer Hosen und Mäntel von der teuren und adligen Kniebundhose abgrenzten („sans culotte“ bedeutet „ohne Kniehose“). Sie kämpften für politische Veränderungen und mehr Gleichheit für alle, besonders für die Armen. Viele Sansculotten waren Sympathisanten der Jakobiner. Beide Gruppierungen forderten politische Veränderung und Gleichheit.

Verhöre und Verteidigungen gibt es nicht mehr. Zeugen werden keine vernommen. Wer im Gefängnis sitzt, ist bereits zum Tode verurteilt. Der öffentliche Ankläger kommt kaum mehr zur Ruhe. In einem Raum neben seinem Büro wirft er sich nachts auf sein Bett, um dann aufgeschreckt wieder an den Schreibtisch zu wanken. [...] Es gibt Verhandlungen, wo 100 oder 150 Angeklagte schon vor der Verhandlung als schuldig in die Liste eingetragen wurden. [...]
Der eine Richter vertreibt sich die Zeit damit, Karikaturen der Angeklagten zu zeichnen, andere sind oft betrunken.

Quelle: Martin Göhring: Geschichte der großen Revolution, Band 2, Tübingen 1951, S. 382

M4 Schilderungen der täglichen Abläufe am Gericht

INFO

Die **Jakobiner** waren eine radikale politische Gruppe während der Französischen Revolution. Sie trafen sich im ehemaligen Kloster Saint-Jacques in Paris, daher ihr Name. Sie wollten die Monarchie abschaffen und eine Republik gründen. Unter ihrer Führung wurde König Ludwig XVI. hingerichtet. Sie waren für kurze Zeit sehr mächtig, verloren aber nach einer Phase strenger Kontrolle, bekannt als „Terror“, an Einfluss.

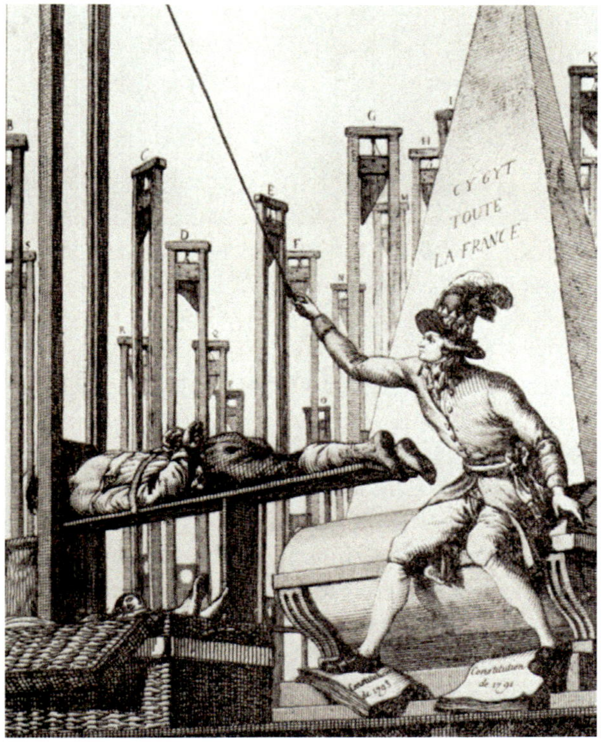

M5 Robespierre zieht an der Guillotine – Inschrift auf dem Stein „Hier ruht ganz Frankreich“, anonymes Flugblatt aus Frankreich 1794.

AUFGABEN

1 *Nenne Gründe, warum in Frankreich nach der Hinrichtung des Königs Panik ausbrach.*

2 *Beschreibe die ursprüngliche Idee des Wohlfahrtsausschusses.*

3 *Erkläre, wie Robespierre die Unruhen in Frankreich in den Griff bekommen möchte (M2).*

4 *Erkläre den Begriff „la Grande Terreur“ für die Zeit nach der Hinrichtung des Königs (M1, M5).*

5 *Bewerte die Gerichtsverhandlung in M4.*

6* *Lies dir noch einmal die Erklärung der Menschen- und Bürgerrechte auf Seite 160/161 durch. Vergleiche diese mit der Textquelle M2.*

7 *Erörtere mithilfe dieser Doppelseite das Zitat „Die Revolution frisst ihre Kinder“.*

M1 Napoleon, ein erfolgreicher Feldherr (Gemälde von Jacques Louis David 1801)

- Die Bauern dürfen die Äcker behalten, die sie nach der Enteignung der Grundherren bekommen hatten.
- Jeder Bürger, gleich welchen Standes, muss weiterhin Steuern zahlen.
- Alle Menschen sind von Geburt an gleich. Auch Adlige und Geistliche haben keine Vorrechte.
- Das Eigentum jedes Einzelnen ist geschützt, ebenso wie seine Freiheit.

M2 Auszüge aus dem Code Civil

Napoleon beendet die Revolution

Das Direktorium konnte die vielen innen- und außenpolitischen Konflikte des Landes langfristig nicht lösen. Die Suche nach Stabilität führte dazu, dass viele Franzosen nach einem starken Anführer verlangten, der das Land wieder zusammenführen und die Probleme lösen konnte. Inmitten dieser Unruhe und Unsicherheit trat Napoleon Bonaparte auf die politische Bühne Frankreichs und bot sich als Lösung für die anhaltenden innen- und außenpolitischen Spannungen an.

Innenpolitische Spannungen

In Frankreich protestierten Teile der Bevölkerung weiterhin gegen steigende Brotpreise. Parallel dazu wollten die Königstreuen die Monarchie wiederherstellen. 1795 versuchte eine Gruppe Monarchisten, das regierende Direktorium zu stürzen. Der junge Offizier Napoleon Bonaparte schlug diesen Aufstand mit seinen Truppen gewaltsam nieder. Sein energisches Vorgehen brachte ihm schnell Anerkennung und Einfluss in Frankreich.

Außenpolitische Spannungen

Auch von außen wurde Frankreich angegriffen: Unter anderem gingen Österreich, Preußen und Großbritannien aus Sorge, dass sich die Ideen der Französischen Revolution auf ihre Länder ausbreiten könnten, militärisch gegen die Republik vor. 1799 besiegte Napoleon in mehreren militärischen Auseinandersetzungen auch diese Gegner, wodurch er seine Macht festigte und als einflussreicher Anführer hervortrat.

Ein neuer Kaiser – ein neuer Staat

Nach seinen militärischen Einsätzen kehrte Napoleon 1799 nach Paris zurück und wurde trotz der schweren Verluste, die die französische Armee erlitten hatte, als Held gefeiert. Sein Triumph, Frankreich erfolgreich gegen mehrere europäische Großmächte verteidigt und innenpolitische Spannungen eingedämmt zu haben, brachte ihm große Bewunderung ein. Gestärkt durch die Unterstützung der Bevölkerung und seine militärischen Erfolge ergriff Napoleon die Gelegenheit, um die politische Macht zu übernehmen, indem er das Direktorium absetzte und zunächst als Konsul und nachfolgend als Kaiser die uneingeschränkte Führung Frankreichs übernahm. Viele Menschen erhofften sich von ihm Beständigkeit und Ordnung in der Innen- und Außenpolitik, sodass bei den meisten die Skepsis gegenüber einer erneuten Alleinherrschaft überwunden wurde.

M3 Napoleon krönt sich selbst zum Kaiser und seine Frau zur Kaiserin Frankreichs (Gemälde von Jacques Louis David 1807).

Die Festigung der Macht

Napoleon festigte seine Macht, indem er unter anderem strikt Gesetze und Befehle durchsetzte. Außerdem baute er ein effektives Verwaltungssystem auf, in dem Aufgaben und Zuständigkeiten klar zugeordnet und verwaltet wurden. Dabei nutzte Napoleon eine Vielzahl von Mitteln wie Spitzel, Spione und das Militär, um die öffentliche Ordnung aufrechtzuerhalten und Gegner zu überwachen und zu unterdrücken.

Darüber hinaus reformierte er den französischen Staat grundlegend: Er unterstützte die Wirtschaft, führt eine neue Währung ein und gründete die Bank von Frankreich. Napoleon förderte den Ausbau des Straßennetzes und vergab große Staatsaufträge zur Herstellung militärischer Ausrüstung. Um die einheimische Wirtschaft zu schützen, führte er hohe Zölle auf ausländische Waren ein, während die Steuern gerecht auf alle Bürger verteilt wurden. Außerdem durften die Bauern das Land behalten, das sie während der Revolution aus dem enteigneten Adelsbesitz erhalten hatten.

Der Code Civil

Im Jahr 1804 führte Napoleon ein neues bürgerliches Gesetzbuch ein, den Code Civil. Dieses sicherte den Franzosen das Privateigentum, die Gleichheit vor dem Gesetz und individuelle Freiheiten. Eine wichtige Änderung war die Trennung von Staat und Kirche. Eheschließungen wurden nun nur noch von staatlichen Beamten durchgeführt, und ein staatliches Geburts- und Sterberegister ersetzte die Kirchenbücher. Doch der Code Civil brachte auch Einschränkungen: Die Pressefreiheit und das Wahlrecht wurden aufgehoben, was von der Bevölkerung größtenteils ohne Kritik akzeptiert wurde.

AUFGABEN

1 *Analysiere das Herrscherporträt M1.*

2 *Nenne Gründe für den Aufstieg Napoleons.*

3 *Erkläre, warum viele Menschen nach jahrelangen Kämpfen um Freiheit, Gleichheit und Brüderlichkeit die Wiedereinführung der Monarchie akzeptierten.*

4 *Nenne Maßnahmen, die Napoleon zur Festigung seiner Macht ergriff.*

5 *Erkläre, warum Napoleons Herrschaft auch als Militärherrschaft bezeichnet werden kann (M1).*

6 *Überprüfe, ob der Code Civil den Menschen die gleichen Rechte zusichert wie die Menschen- und Bürgerrechte der Republik (M2, siehe S. 160).*

7* *Eigentlich wurden damals Kaiser und Könige durch kirchliche Würdenträger gekrönt. Erkläre, was du bei der Abbildung der Krönungszeremonie (M3) merkwürdig findest.*

Deutschland 1789

Geistliche Gebiete — Reichsstädte — Reichsgrenze

Deutschland 1807

Kaiserreich Frankreich 1807 — Grenze des Rheinbundes

M1 Die Neuordnung Deutschlands (vereinfacht)

Napoleon und die Ideen eines französischen Europas

Äußere Umgestaltung unter Napoleon

Napoleon strebte danach, die europäischen Grenzen neu zu ordnen und die Staaten in seinem Machtbereich zu modernisieren, indem er die französische Vorherrschaft ausweitete. Dazu führte er zahlreiche Eroberungskriege gegen europäische Staaten, in denen er sogar über die Großmächte Preußen und Österreich siegte.

Um die Ostgrenze Frankreichs besser zu sichern, forderte Napoleon 1797 den Abzug aller fremden Truppen vom linken Rheinufer und entschädigte deutsche Fürsten für verlorene Gebiete mit Land östlich des Rheins. Diese Maßnahme führte zu einer völligen Umgestaltung des Heiligen Römischen Reiches und zur Zusammenführung von knapp 160 Zwergstaaten. Die Königreiche Bayern und Württemberg sowie das Großherzogtum Baden konnten ihre Gebiete dagegen erheblich vergrößern, indem sie sich viele dieser kleinen Herrschaften einverleibten. Nach Napoleons Willen sollten Österreich und Preußen ihre besondere Stellung unter den deutschen Staaten verlieren. Auf Druck Napoleons schlossen sich im Jahr 1806 sechzehn Fürsten in Süd- und Westdeutschland zum sogenannten **Rheinbund** zusammen, womit das Heilige Römische Reich endgültig aufgelöst wurde.

Die Säkularisierung

Mit der Einführung des Code Civil und der Stärkung des staatlichen Rechtssystems schwand der Einfluss der Kirche, insbesondere in den von Napoleon eroberten deutschen Gebieten. Dies wurde besonders deutlich durch die Säkularisierung von 1803, bei der kirchliche Besitztümer wie Ländereien und Gebäude vom Staat übernommen wurden, um die kirchliche Macht einzudämmen. Zahlreiche Klöster wurden aufgelöst und ihre Güter verkauft. Diese Maßnahme ermöglichte Napoleon, Land zu erlangen, das er anderen Herrschern zuweisen konnte. Ein Beispiel hierfür ist die Zuweisung großer Gebiete an seine Verbündeten wie das Königreich Bayern unter Maximilian I. Napoleon verfolgte damit das Ziel, seine Allianzen zu stärken und loyalen Herrschern entgegenzukommen, um eine stabilere politische Situation in Europa zu schaffen.

M2 Napoleon beobachtet Moskau beim Brennen, Gemälde von Adam Albrecht, um 1812

M3 Napoleons Rückzug aus Moskau, Gemälde von Adolph Northen 1851

Napoleons Abstieg

Nach den Feldzügen gegen Österreich und Preußen blieben in Europa nur noch Großbritannien und Russland als Gegner des französischen Kaisers. Mit etwa 600 000 Soldaten zog Napoleon gegen Russland in den Krieg, um es zu besiegen und als Verbündeten zu gewinnen. Jedoch scheiterte der Feldzug 1812 aufgrund des Wetters und der russischen Strategie der „verbrannten Erde": Die russische Armee zerstörte systematisch Ressourcen wie Nahrungsmittelvorräte und Versorgungswege, was zu Hunger und Krankheiten unter Napoleons Truppen führte. Nur 30 000 Soldaten kehrten aus der Schlacht zurück.

Druck von innen

Der Russlandfeldzug war besonders für deutsche Länder schwierig. Etwa 150 000 Soldaten aus deutschen Staaten nahmen daran teil, oft jedoch gegen ihren Willen und unter Zwang rekrutiert. Diese Verluste verstärkten die Unzufriedenheit der deutschen Bevölkerung und trugen letztendlich zur Entfachung zahlreicher Aufstände gegen Napoleon bei.

Schließlich erlitt Napoleon mit seiner Armee in der Völkerschlacht bei Leipzig im Jahr 1813 eine vernichtende Niederlage gegen ein Bündnis aus Österreich, Preußen, Russland und Schweden.

Abdankung und Hausarrest

1814 musste Napoleon gezwungenermaßen abdanken und wurde auf die Mittelmeerinsel Elba verbannt. Sein Versuch, die Macht zurückzugewinnen, scheiterte 1815 in der Schlacht von Waterloo, wo er einem preußisch-britischen Heer unterlag. Daraufhin wurde Napoleon auf die Insel St. Helena im Südatlantik verbannt, wo er 1821 starb.

Die Franzosen können sich nicht über mich beklagen; um sie zu schonen, habe ich die Polen und die Deutschen geopfert. Ich habe in dem Feldzug von Moskau 300 000 Mann verloren; es waren nicht einmal 30 000 Franzosen darunter.

Quelle: Napoléon Bonaparte, In: Brandt, Otto (Hrsg,): Metternich, Denkwürdigkeiten, München, 1926, Bd. I, S. 246 ff

M4 Napoleon über die Verluste im Russlandfeldzug, 1813

AUFGABEN

1 *Beschreibe die Veränderung zwischen den beiden Karten (M1).*

2 *Nenne Napoleons Ziele zur Umgestaltung Europas.*

3 *Erkläre, was Napoleon mit der Säkularisierung erreichen wollte.*

4 *Nenne Maßnahmen, die Napoleon zur Festigung seiner Macht erließ.*

5 *1812 wurde der Druck von innen und außen auf Napoleon enorm. Erkläre, was damit gemeint ist.*

6 *Beschreibe die unterschiedliche Darstellung Napoleons in M2 und M3.*

7 * *Erkläre mithilfe der Quelle M4 die Einstellung vieler Deutscher gegenüber Napoleon.*

M1 Der Wiener Kongress (Lithographie aus dem Jahre 1815). In der Mitte Fürst von Metternich. Das Bild zeigt, dass der Kongress mit Globus, Landkarten, Papier, Stiften, Winkelmesser und Lineal arbeitete.

Der Wiener Kongress

Neuordnung Europas nach Napoleon

Gewinner und Verlierer der Kriege trafen sich 1815 in Wien. Da waren sie wieder, die alten Herrscher Europas, die Napoleon besiegt hatten: Acht Monate lang beratschlagten sie über die Zukunft Europas, um einen stabilen Frieden zu erreichen.

Nahezu alle Monarchen und Fürsten Europas nahmen mit Hunderten Diplomaten am Wiener Kongress teil. Ihr vorrangiges Ziel war die **Restauration**, die Wiederherstellung der alten Ordnung vor der Revolution. Auch Frankreich war vertreten. Unter dem Vorsitz des österreichischen Kanzlers Fürst von Metternich verfolgten sie vor allem folgende Ziele:

- Die politischen Zustände, die vor Napoleon und der Revolution geherrscht hatten, sollten wiederhergestellt werden. *(Restauration)*
- Es sollte wieder ein *Gleichgewicht* zwischen den fünf Großmächten bestehen. Kein Staat durfte zu mächtig werden. (Restauration)
- Fürsten, die von Gottes Gnaden herrschten, sollten ihre Gebiete wiederherstellen. (*Legitimation*)
- Man versicherte sich gegenseitig Beistand bei revolutionären Umtrieben im eigenen Land. *(Solidarität)*

Die Verhandlungen

Die Fürsten einigten sich schnell in einigen Punkten, doch bald traten erste Probleme auf, vor allem bezüglich der Landesgrenzen. Es war unklar, wie die politische Landkarte in den ehemaligen Gebieten des Heiligen Römischen Reiches aussehen sollte. Viele Menschen in diesen Regionen hofften auf nationale Einheit, nachdem sie im Kampf gegen den gemeinsamen Feind Napoleon zusammengeschweißt worden waren. Die Herrscher und Fürsten dieser Gebiete strebten jedoch danach, ihre Macht und Selbstständigkeit zu bewahren.

Der Deutsche Bund

Die rund 40 selbstständigen deutschen Staaten schlossen sich aus politischen, wirtschaftlichen und sicherheitspolitischen Gründen zu einem losen Staatenbund, dem **Deutschen Bund**, zusammen. Sie erkannten den Nutzen eines gemeinsamen Bündnisses, um ihre politische und militärische Macht zu stärken und sich gegen innere und äußere Bedrohungen zu verteidigen. Hauptziel war es, aufkommende demokratische Bestrebungen in der Bevölkerung abzuwehren und den bestehenden Zustand aufrechtzuerhalten.

M2 Deutscher Bund 1815

M3 „Der Kongress tanzt", Karikatur um 1815: In der Bildmitte befinden sich die drei Monarchen von Österreich (Franz I.), Preußen (Friedrich Wilhelm III.) und Russland (Zar Alexander I.). Rechts hält der König von Sachsen (Friedrich August I.) seine Krone fest, während ganz links Minister Talleyrand (Frankreich) und Minister Castlereagh (Großbritannien) dabei zusehen.

Der Deutsche Bund und die Herausforderung der Einigung

Der Deutsche Bund sollte alle deutschsprachigen Länder vereinen, aber das gelang nicht wie erhofft. Viele Menschen wünschten sich eine Vereinigung aller Territorien zu einem einzigen deutschen Staat. Die europäischen Fürsten hatten jedoch Bedenken, da dies eine mögliche Hegemonie (= Vorherrschaft eines Staates über andere) Deutschlands bedeutet hätte. Die deutschen Fürsten hingegen wollten ihre Macht und Selbstständigkeit bewahren, denn in einem Deutschen Reich müssten sie sich jemandem unterordnen.

Stattdessen erwies sich die Schaffung eines einheitlichen deutschen Staates aufgrund fehlender gemeinsamer Regierung oder Verfassung als schwierig. In Frankfurt trafen sich die Vertreter der einzelnen deutschsprachigen Länder, um wichtige Angelegenheiten zu besprechen, darunter auch die Sicherheit und Verteidigung des Bundesgebietes. Österreich und Preußen, als die größten und mächtigsten Staaten im Bund, spielten eine führende Rolle bei den Beratungen in Frankfurt und dominierten die Entscheidungsfindungen aufgrund ihrer politischen Stärke und ihres Einflusses.

AUFGABEN

1 *Beschreibe mithilfe des Textes und M1 die Teilnehmer und das Geschehen auf dem Wiener Kongress.*

2 *Fasse die Ziele der Fürsten beim Wiener Kongress zusammen.*

3 *Erkläre, warum Fürst Metternich den Zusammenschluss des Deutschen Bundes unterstützte.*

4 *Bewerte die Tatsache, dass die französischen Vertreter beim Wiener Kongress mitentscheiden durften.*

5 *Erkläre mithilfe von M3, warum die Verhandlungen so lange dauerten.*

6 *Nenne europäische Staaten, die heute dort liegen, wo einst der Deutsche Bund war (M2).*

7* *Vergleiche, wie der Wiener Kongress wahrgenommen werden sollte (M1) und wie er tatsächlich gesehen wurde (M3).*

Der Vormärz – vom Wiener Kongress bis zur Märzrevolution 1848

Enttäuschung

Nach den Befreiungskriegen gegen Napoleon war ein neues Nationalbewusstsein entstanden. Vor allem viele junge Deutsche träumten von einem **Nationalstaat**, in dem alle Deutschen zusammenleben, statt einem Flickenteppich aus vielen Einzelstaaten. Doch die Fürsten auf dem Wiener Kongress entschieden anders. Zu groß war die Angst vor der Übermacht eines deutschen Einheitsstaates, zu groß war das Machtbewusstsein der deutschen Fürsten, die sich keinem Kaiser unterordnen wollten.

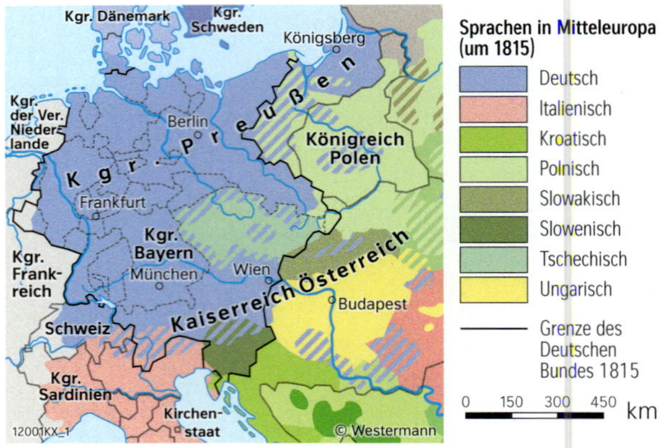

M3 Sprachen in Mitteleuropa

Reaktion

M1 Wartburgfest

Protest

Die Enttäuschung über die Ergebnisse des Wiener Kongresses kam 1817 auf dem Wartburgfest deutlich zum Ausdruck. Hier versammelten sich **Burschenschaften**, also Studentenverbindungen, aus allen deutschen Ländern. Sie gründeten die Allgemeine Deutsche Burschenschaft als Ausdruck ihres Zusammengehörigkeitsgefühls. Gemeinsam forderten die rund 500 Studenten und Professoren neben der nationalen Einheit mit einem gesamtdeutschen Parlament auch eine gesamtdeutsche Verfassung mit festgeschriebenen Freiheitsrechten und freien Wahlen. Diese Forderungen bezeichnet man als **national-liberale** Forderungen. Die Mehrheit der Fürsten beobachtete diese Umtriebe kritisch. Als 1819 ein radikaler Student den konservativen Schriftsteller August von Kotzebue ermordete, der als starker Kritiker der Burschenschaftler galt, griffen die Fürsten durch.

M2 Attentat des Studenten Karl Ludwig Sand auf August von Kotzebue

Reaktion

Unterdrückung

Die Fürsten des Deutschen Bundes einigten sich auf die Karlsbader Beschlüsse von 1819, die die Freiheiten der Menschen stark einschränkten: Die Presse wurde zensiert, Universitäten beobachtet, kritische Professoren wurden entlassen, verdächtige Studenten von der Universität und vom Staatsdienst ausgeschlossen. Der Plan ging auf: Die Deutschen zogen sich aus dem politischen Leben ins Private zurück. Diese Zeit bezeichnet man als Biedermeier.

M4 „Der Denkerclub", anonyme Karikatur, 1819

M5 Das Hambacher Fest. Das Gemälde von Peter Mocznay entstand erst 1948 auf Grundlage eines schwarz-weißen Kupferstichs.

Neuer Protest

13 Jahre lang ist es politisch ruhig gewesen. Doch als 1830 der französische König in einer Revolution vertrieben wurde, wachten die Deutschen langsam wieder auf. Dieses Ereignis war ein Zündfunke, der auf einige andere Länder übersprang. In den Vereinigten Niederlanden erhoben sich die Bürger, was zur Unabhängigkeit Belgiens führte. Auch in Italien und Polen kam es zu Aufständen gegen die österreichische bzw. russische Fremdherrschaft, jedoch wurden diese niedergeschlagen. Die Deutschen starteten zwar keine Revolution, erneuerten aber ihre national-liberalen Forderungen und demonstrierten. Der Höhepunkt war das Hambacher Fest in der Pfalz 1832. Mit 20000 bis 30000 Teilnehmern war diese als Volksfest getarnte Demonstration die bisher größte in der deutschen Geschichte. Die Teilnehmer kamen aus allen Schichten der Gesellschaft und auch Frauen waren dabei.

Reaktion

Neue Unterdrückung

Dieses neuerliche Aufleben der national-liberalen Bewegung wollten die Fürsten sogleich unterbinden. Fürst von Metternich, der Vorsitzende des Deutschen Bundes, präsentierte die sogenannten „Zehn Artikel", die eine Verschärfung der Karlsbader Beschlüsse darstellten. Doch dieses Mal ließ sich die Bewegung nicht so leicht unterdrücken. Das zeigt sich unter anderem in vielen Liedern und Schriftstücken der Zeit. Darunter fällt auch die heutige deutsche Nationalhymne „Einigkeit und Recht und Freiheit", die 1841 gedichtet wurde.

M6 Fürst Clemens von Metternich war eine der prägenden Persönlichkeiten des Vormärz. Er war Staatskanzler von Österreich und Vorsitzender des Deutschen Bundes. Er war allerdings kein Monarch, also kein Fürst im eigentlichen Sinne. Dies war nur ein Ehrentitel.

INFO

Abbildung aus dem Eulenspiegel 1848

Der deutsche Michel
In zahlreichen Karikaturen der damaligen Zeit, aber auch noch heute werden die Deutschen gerne als verschlafene Person mit Schlafmütze und Pyjama dargestellt. Dies soll auf die typische deutsche Mentalität verweisen, die Deutschen galten als eher zurückhaltend und risikoscheu.

FACHBEGRIFF

Unter **Nationalismus** verstand man zu Beginn des 19. Jahrhunderts das Streben nach einem deutschen Einheitsstaat bzw. nach einem Nationalstaat, also einem Staat, in dem die Menschen einer Nation, das heißt einer Volksgruppe, zusammenleben. Der Begriff Nation wird auch synonym für Nationalstaat verwendet.
Im Laufe der Zeit wandelte sich die Bedeutung des Begriffs Nationalismus, da es nicht mehr darum ging, Menschen verschiedener Regionen zu vereinen, sondern vielmehr Menschen auszuschließen, die nicht dazugehören sollten.
Unter **Liberalismus** (lat. liber = frei) verstand man zu Beginn des 19. Jahrhunderts das Streben nach Freiheitsrechten (z. B. Presse- u. Meinungs-, Glaubens-, Versammlungs-, Vereinigungsfreiheit) sowie den Einsatz für das Wahlrecht. Diese Rechte sollten in einer Verfassung verankert werden.

AUFGABEN

1 * *Beschreibe die Verteilung der Sprachen in Mitteleuropa (M3).*

2 *Erstelle einen Zeitstrahl zum Vormärz.*

3 * *Vergleiche das Wartburgfest mit dem Hambacher Fest (M1, M5).*

4 *a) Analysiere die Karikatur M4.*
b) Erkläre, warum der Urheber anonym blieb.

M1 Barrikadenkämpfe in Berlin am 18. März 1848

M3 Berlin am 19. März 1848, aus dem Bildband „Das merkwürdige Jahr 1848"

Für Einheit und Freiheit – die Märzrevolution 1848

Märzforderungen

Neben den national-liberalen Forderungen stellten Mitte des 19. Jahrhunderts viele Menschen auch soziale Forderungen. Es gärte in den deutschen Staaten. Doch wieder brauchte es einen Anstoß von außen und wieder kam dieser aus Frankreich, wo es im Februar 1848 erneut zu einer Revolution kam, in der Frankreich zur Republik wurde. Ermutigt durch die dortigen Vorgänge stellten die Bürger in immer mehr Staaten des Deutschen Bundes sogenannte Märzforderungen. Diese beinhalteten die bereits bekannten national-liberalen Forderungen. Einige Fürsten reagierten daraufhin mit der Einsetzung neuer, liberaler Regierungen, der Aufhebung der Zensur und mit Verfassungsversprechen.

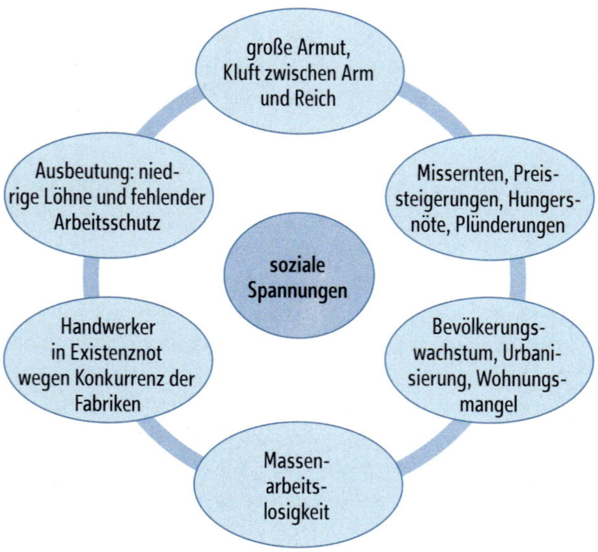

M2 Soziale Spannungen Mitte des 19. Jahrhunderts

Revolutionen in Wien und Berlin

Der König von Preußen und der Kaiser von Österreich, also die Herrscher der mit Abstand größten Staaten, weigerten sich jedoch. Dies führte am 13. März zu einer Revolution in Wien, in der der Staatskanzler Metternich ins Ausland floh und der Kaiser Zugeständnisse machte. Als die Nachricht von den Geschehnissen in Wien in Berlin ankam, lenkte auch der preußische König Friedrich Wilhelm IV. ein. Das Volk versammelte sich daraufhin am 18. März vor dem Schloss, um dem Monarchen zu danken. Aus bisher ungeklärten Gründen fielen jedoch zwei Schüsse, woraufhin sich das Volk verraten fühlte. Es kam zu heftigen Zusammenstößen mit dem Militär, Barrikaden wurden errichtet.

Um weiteres Blutvergießen zu vermeiden und die Situation zu beruhigen, ritt der König in den deutschen Farben schwarz-rot-gold durch die Stadt, verneigte sich vor den Toten und verkündete schließlich: *„Ich habe heute die […] deutschen Farben angenommen […]. Preußen geht fortan in Deutschland auf!"* Damit machte Friedrich Wilhelm IV. den Weg frei für die deutsche Einheit. Dass er dies nicht aus Überzeugung tat, zeigt ein Schreiben an seinen Bruder, in dem stand: *„Das Volk ist mir zum Kotzen."*

INFO

Die Nationalfarben **Schwarz-Rot-Gold** stammen aus den Befreiungskriegen gegen Napoleon. Der Lützower Freikorps trug schwarze Uniformen mit roten Umschlägen und goldenen Knöpfen.

M4 Vorparlament

Das erste gesamtdeutsche Parlament

Nur wenige Wochen tagten die Revolutionäre im sogenannten Vorparlament, dessen Aufgabe es war, die ersten freien gesamtdeutschen Wahlen vorzubereiten. Ort des Geschehens war die Frankfurter Paulskirche. Mit der Wahl der Nationalversammlung gab es seit dem 18. Mai 1848 zum ersten Mal ein gesamtdeutsches Parlament – auch wenn es noch kein einheitliches Deutschland gab. Die neue Nationalversammlung hatte daher die Aufgabe, eine Verfassung für das neu zu gründende Deutsche Reich auszuarbeiten. Ein erster Schritt war die Verabschiedung von Grundrechten im Dezember. Doch die Verfassung ließ auf sich warten. Zu groß waren die Meinungsunterschiede zwischen den verschiedenen Gruppierungen. Radikale Demokraten, Liberale und Konservative stritten um Antworten auf viele Fragen.

Welche Gebiete sollen zum Deutschen Reich gehören?
Die Idee, dass ganz Österreich Teil des Deutschen Reiches werden sollte, fand wenig Unterstützung, da dadurch auch viele nicht-deutschsprachige Gebiete zum Reich gehört hätten. Deswegen diskutierte man über die großdeutsche Lösung, laut der nur die deutschsprachigen Gebiete Österreichs Teil des Deutschen Reiches geworden wären. Dies wollte Österreich aber nicht, da dann die Gefahr bestand, dass der Vielvölkerstaat auseinanderbricht. Daher entschieden sich die Abgeordneten für die kleindeutsche Lösung.

Welche Staats- und Regierungsform soll es werden?
Vor allem die radikalen Demokraten forderten eine Republik, während die Konservativen an der absoluten Monarchie festhalten wollten. Die Mehrheit der Liberalen entschied sich für die konstitutionelle Monarchie mit dem preußischen König aus dem Geschlecht der Hohenzollern an der Spitze.

Wer darf zukünftig wählen?
Einige Abgeordnete meinten, dass die armen Schichten nicht in der Lage seien, solch wichtige Entscheidungen zu treffen und zu leicht beeinflussbar seien. Andere wiederum vertraten die Position, dass die Fähigkeit zur politischen Urteilsbildung nicht von Beruf und Einkommen abhängig ist. Die Mehrheit entschied sich schließlich für das Zensuswahlrecht. Ein Frauenwahlrecht stand nicht zur Debatte.

M6 Streitfragen während der Verfassungsdiskussion

AUFGABEN

1* *Vergleicht die beiden Bilder M1 und M3 und formuliert Fragen.*
2 *Erkläre den Begriff Vormärz.*
3 *Erkläre wie die einzelnen Probleme in M2 zusammenhängen.*
4 *Diskutiert, warum die Fürsten nun Zugeständnisse machten.*
5 *Arbeite heraus, welche Positionen sich zu den einzelnen Verfassungsfragen gegenüberstanden (M5, M6).*

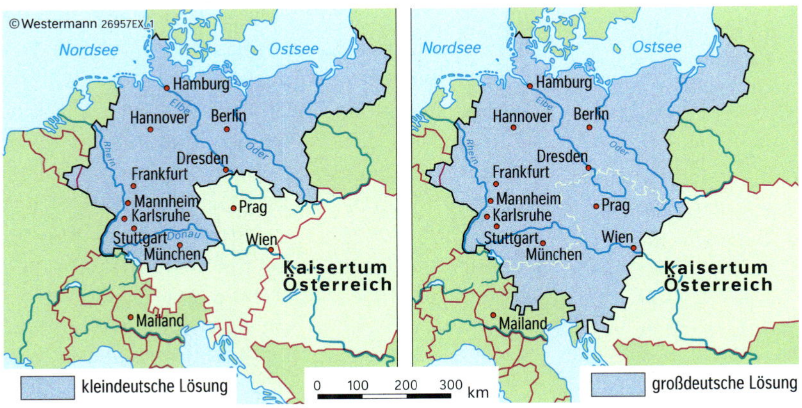

M5 Kleindeutsche Lösung und großdeutsche Lösung

M1 Karikatur über den preußischen König, 1848

M3 Der deutsche Michel im Frühjahr, im Sommer und im Herbst, Karikatur aus dem Eulenspiegel, 1848

Das Scheitern der Revolution 1848

Im März 1849 beschloss die Nationalversammlung die lang erwartete Verfassung. An der Spitze des neuen Deutschen Reiches sollte der preußische König stehen, doch der lehnte die Kaiserkrone ab. Friedrich Wilhelm IV. hatte in den Monaten zuvor schon Maßnahmen für eine Gegenrevolution ergriffen. Die Fürsten machten es sich zu Nutze, dass sich die Verhandlungen der Nationalversammlung über fast ein Jahr zogen.
Grund für die langen Diskussionen war unter anderem, dass einigen die Revolution nicht weit genug ging, während andere Angst vor der Veränderung hatten.
Zudem war die Herausforderung, gleichzeitig die nationale Einheit, liberale Rechte und soziale Gerechtigkeit zu schaffen, rückblickend wohl zu groß.
Resigniert kehrten die meisten Abgeordneten in ihre Heimat zurück. Nur wenige versuchten die Revolution weiterzuführen, doch wurden sie vom Militär vertrieben. Das alte System hatte gesiegt. 1851 wurde der Deutsche Bund wiedergegründet.
Enttäuscht kehrten viele Revolutionäre ihrer alten Heimat den Rücken zu und wanderten z. B. in die USA aus.

Die Krone, die ein Hohenzoller nehmen dürfte [...] ist keine, die eine [...] Versammlung macht, sondern eine, die den Stempel Gottes trägt, die den, dem sie aufgesetzt wird [...] „von Gottes Gnaden" macht, [...] wie sie mehr denn vierunddreißig Fürsten zu Königen der Deutschen von Gottes Gnaden gemacht [...]. Die Krone, die die Ottonen, die Hohenstaufen, die Habsburger getragen, kann natürlich ein Hohenzoller tragen, sie ehrt ihn überschwänglich [...]. Die aber, die sie leider meinen, verunehrt überschwänglich mit ihrem Ludergeruch [=Gestank] der Revolution von 1848, der albernsten, dümmsten, schlechtesten, wenn auch, Gottlob, nicht bösesten dieses Jahrhunderts. Einen solchen [...] Reif, aus Dreck und Letten [= Ton] gebacken, soll ein legitimer König von Gottes Gnaden und nun gar der König von Preußen sich geben lassen [...]? [...] Ich sage es Ihnen rund heraus: Soll die tausendjährige Krone deutscher Nation, die zweiundvierzig Jahre geruht hat, wieder einmal vergeben werden, so bin ich es und meines Gleichen, die sie vergeben werden.

Quelle: Friedrich Wilhelm IV. In: E. R. Huber (Hrsg.), Dokumente zur deutschen Verfassungsgeschichte, Bd. 1. Stuttgart u. a. 1978, S. 402

Welche Versammlung ist gemeint?

Wer sind die Hohenzollern?

Welche 34 Fürsten?

Wer sind die Ottonen usw.?

Was hält Friedrich Wilhelm von der Revolution?

Welche Revolution ist die böseste?

Was meint er mit „tausendjähriger Krone"?

Wer darf die Kaiserkrone verleihen?

Was bedeutet die Aussage, dass die Krone „ruht" und seit welchem Ereignis ruht sie?

M2 Brief von Friedrich Wilhelm IV. an seinen Freund Josias von Bunsen

METHODE

Ein politisches Lied analysieren

Politische Lieder bringen Gefühle, Erfahrungen, Ansichten, Forderungen und Appelle zum Ausdruck und stellen damit wichtige Quellen dar. Auch das Lied der Deutschen gehört in diese Kategorie:

Deutschland, Deutschland über alles,
Über alles in der Welt,
Wenn es stets zu Schutz und Trutze
Brüderlich zusammenhält,
Von der Maas bis an die Memel,
Von der Etsch bis an den Belt –
Deutschland, Deutschland über alles,
Über alles in der Welt!

Deutsche Frauen, deutsche Treue,
Deutscher Wein und deutscher Sang
Sollen in der Welt behalten
Ihren alten schönen Klang,
Uns zu edler Tat begeistern
Unser ganzes Leben lang –
Deutsche Frauen, deutsche Treue,
Deutscher Wein und deutscher Sang!

Einigkeit und Recht und Freiheit
Für das deutsche Vaterland!
Danach lasst uns alle streben
Brüderlich mit Herz und Hand!
Einigkeit und Recht und Freiheit
Sind des Glückes Unterpfand [= Garantie] –
Blüh im Glanze dieses Glückes,
Blühe, deutsches Vaterland!

M4 Hoffmann von Fallersleben verfasste das Gedicht „Lied der Deutschen" 1841. Die Melodie komponierte Joseph Haydn. 1922 wurde es zur Nationalhymne. Heute wird nur die dritte Strophe gesungen, da v. a. die erste auch während des Nationalsozialismus benutzt wurde.

1. Schritt: Einleitung
- Wer hat das Lied komponiert?
- Wer hat den Text geschrieben?
- Wann?

2. Schritt: Wirkung der Melodie
- Welche Gefühle werden erzeugt?
- Wie kommt das Lied beim Hörer an?
- Welche Adjektive sind passend?

3. Schritt: Inhalt
- Worum geht es? Wie lässt sich der Inhalt der einzelnen Strophen zusammenfassen?
- Wenn vorhanden: Was ist die Handlung?
- Wenn vorhanden: Wer sind die Akteure?

4. Schritt: In den historischen Kontext einordnen
- Was wissen wir über die Lage zur Zeit der Entstehung?
- Wie sahen die politischen, ökonomischen oder sozialen Verhältnisse aus?
- Welche Prozesse und Ereignisse prägten die Zeit?

5. Schritt: Botschaft
- Was wissen wir über Autor und / oder Komponisten?
- Welche politische Einstellung hat der Autor?
- Was fordert oder kritisiert er?
- Was will er mit dem Lied erreichen?
- Was soll mit dem Text zum Ausdruck gebracht werden? Wer ist der Adressat?

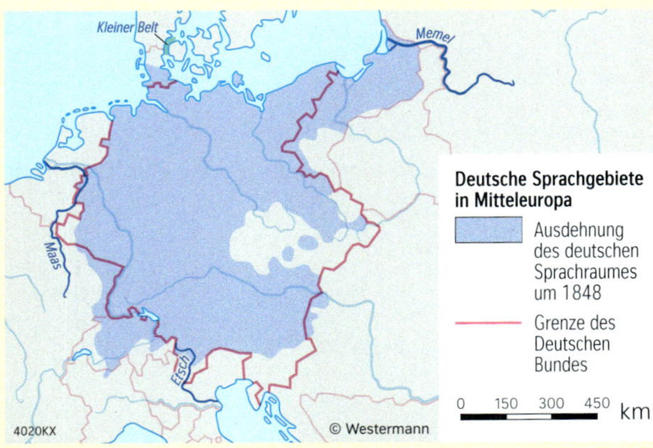

M5 Ausmaße des Deutschen Reiches nach dem „Lied der Deutschen"

AUFGABEN

1 *Nenne die Gründe für das Scheitern der Revolution.*
2 *Arbeite aus der Quelle M2 heraus, warum der König die Krone abgelehnt hat bzw. unter welchen Bedingungen er sie angenommen hätte.*
3 *Analysiere die Karikatur M1.*
4 *Ordne die Gesichtsausdrücke des Michels verschiedenen Phasen der Revolution zu (M3).*
6 *Analysiere das Lied mithilfe der Schrittfolge (M4, M5).*

Der Merkantilismus

1. Ordne den Erklärungen die entsprechenden Nummern auf der Abbildung zu.

   Maße und Gewichte vereinheitlichen – Einfuhrverbot von Fertigwaren – Zollmauer gegen Fertigwaren – eigene Handelsschiffe – Ausfuhr von Fertigwaren – Verarbeitung der Rohstoffe in Manufakturen – billige Rohstoffe aus Kolonien – Ausbau der Verkehrswege – Ausfuhrverbot für Rohstoffe – Erwerb von Kolonien

2. Verfasse anhand der Abbildung einen eigenen Text über den Merkantilismus für ein Schulbuch.

Die absolutistische Ständegesellschaft

Erkläre in eigenen Worten den Aufbau der Ständegesellschaft im absolutistischen Frankreich mithilfe der nachfolgenden Begriffe. Achtung, manche Begriffe (gelb) musst du mehrfach verwenden.

Steuern – Adel – Zweiter Stand – Klerus – von Gott gegeben – König – ohne Stand – politisches Mitspracherecht – Bauern – Privilegien – Dritter Stand – Erster Stand

Demokratie – Absolutismus

Ordne die folgenden Merkmale den beiden Begriffen Demokratie und Absolutismus richtig zu.

keine politische Einflussnahme – Mitbestimmungsmöglichkeiten – kein Wahlrecht – Freiheit – Meinungsfreiheit – Gewaltenteilung – Alleinherrscher – Unfreiheit – Pressefreiheit – Grundherrschaft

Staatsformen

Ordne die Aussagen 1 – 6 den Staatsformen Ⓐ – Ⓕ zu.

Ⓐ Diktatur

Ⓑ Republik

Ⓒ parlamentarische Monarchie

Ⓓ Absolutismus

Ⓔ Demokratie

Ⓕ konstitutionelle Monarchie

1 An der Spitze unseres Staates steht ein Präsident.

2 Durch die Wahl kann ich direkten Einfluss auf die Politik nehmen.

3 Zum Glück ist unser König durch die Verfassung eingeschränkt.

4 Der König gibt sich wie ein Gott. Wir sind nur seine Untertanen.

5 Das Parlament reguliert unser Staatsoberhaupt, den König.

6 Wenn ich sage, was ich denke, oder den Präsidenten kritisiere, komme ich ins Gefängnis oder werde gefoltert.

Verlauf der Französischen Revolution

Stelle den Ablauf zu den wesentlichen Ereignisse der Französischen Revolution dar. Die Zeit sollte von 1788 (Frankreich ist bankrott) bis 1799 (Napoleon wird französischer Kaiser) umfassen. Folgende Ereignisse sind maßgeblich:

Einberufung der Generalstände – Nationalversammlung – Ballhausschwur – Unruhen in Paris – Sturm auf die Bastille – Ludwig XVI. reist nach Paris – Verkündung der Bürger- und Menschenrechte – Verfassung von 1791 – Flucht der Königsfamilie – Hausarrest für den König – Frankreich wird Republik – Wohlfahrtsausschuss – Revolutionsgerichte – Robespierre wird hingerichtet – Monarchisten versuchen, Direktorium zu stürzen – Krieg gegen Österreich und Preußen – Napoleons Einzug nach Paris

Eine Karikatur untersuchen

Analysiere die Karikatur.
Nutze die Schrittfolge auf der Methodenseite S. 158.

M 1 Erwachen des Dritten Standes (Karikatur von 1789)

Jugend und Recht

Brandstiftung auf Schultoilette in Kelkheim

Auf einer Mädchentoilette der Eichendorffschule in Kelkheim (Main-Taunus) hat es gestern [10.02.2022] gebrannt. Auf der Toilette im zweiten Stock stand laut Feuerwehr ein Handtuchspender in Flammen. Die Gesamtschule mit ihren 1300 Schülerinnen und Schülern musste erst einmal evakuiert werden. Zwei Menschen wurden mit Verdacht auf Rauchgasvergiftung untersucht. Der Schaden beträgt rund 20000 Euro.

Die Polizei ist sich sicher, dass der Brand gelegt wurde. Die Ermittler prüfen jetzt, ob das Feuer mit einem fragwürdigen Trend auf TikTok zusammenhängt, bei dem Kinder Schultoiletten verwüsten. Am Montag hatte bereits eine Schultoilette in Hanau gebrannt, weil ein Neunjähriger offenbar Klopapier und Handtücher angezündet hatte. Auch hier vermutet die Polizei die TikTok-Challenge als Motiv.

Quelle: Antje Buchholz, +++ Vier Verletzte bei Schulbus-Unfall in Malsfeld +++ Terrorverdacht in Spangenberg +++ Brandstiftung auf Schultoilette: TikTok als Motiv? +++ Hessischer Rundfunk, Frankfurt, 11.02.22 [Zugriff: 30.01.2024]

Feuerwehr
Ke 1/44
Toiletten
Bitte jeweils nur eine
Person in dieser

AKTIV

Wir untersuchen einen Fall

1. Betrachtet das Bild auf der vorherigen Doppelseite und lest euch den Artikel durch.
2. Fasst in eigenen Worten zusammen, was an der Eichendorffschule in Kelkheim passiert ist.
3. Formuliert gemeinsam Fragen zu dem Fall.
4. Diskutiert, wie ihr die Fragen beantwortet würdet. Haltet eure Vermutungen fest.
5. Überprüft nach Bearbeitung der Seiten 184 bis 193, ob eure Vermutungen richtig waren.

M2 Nur die Polizei darf Menschen festnehmen.

Deutschland ist ein Rechtsstaat

Frau Wüterich ist sauer. Ihre Tochter geht auf die Eichendorffschule. Nach dem Brand regt sie sich in einem Gespräch mit einer befreundeten Richterin auf.

Frau Wüterich: Wenn ich diese Brandstifter in die Finger bekäme, würde ich kurzen Prozess machen. Ich würde sie über die Ferien mit Wasser und Brot in den Schulkeller einsperren.
Richterin: Davon würde ich abraten, denn dann würdest du dich selbst strafbar machen. Deutschland ist ein **Rechtsstaat**, in dem nicht jeder das Gesetz in die eigene Hand nehmen darf. Zu den Merkmalen eines Rechtsstaats gehört, dass nur der Staat Verdächtige festnehmen darf – das macht die Polizei. Und nur der Staat darf bestrafen – das machen die Gerichte. Der Staat besitzt das **Gewaltmonopol**.

Frau Wüterich: Aber warum kann ich mich nicht selbst darum kümmern?
Richterin: Das wäre **Selbstjustiz**. Wenn das jeder machen würde, würde das zur Rechtlosigkeit führen, in der die Stärkeren ihr Recht auf eigene Faust durchsetzen und die Schwächeren das Nachsehen haben. Dies würde den Frieden in der Gesellschaft gefährden. Das Recht hat daher die Aufgabe, den Frieden zu sichern. Außerdem bist du gerade ziemlich sauer und wer emotional handelt, trifft meist keine ausgewogene Entscheidung.

Frau Wüterich: Was muss ich also jetzt tun, damit die Täter bestraft werden?
Richterin: Fühlt sich jemand in seinem Recht verletzt, so kann und muss sich dieser an den Staat wenden, um sein Recht einzufordern. Er kann also Anzeige erstatten oder selbst Klage erheben. Anders gesagt, er kann den Rechtsweg einschlagen. Diese **Rechtswegegarantie** ist ein wichtiges Merkmal des Rechtsstaates. Im Fall der Brandstiftung wird der Staat aber schon selbst aktiv werden und das ist auch wichtig, denn zu den Merkmalen des Rechtsstaats zählt auch die **Rechtssicherheit**.

Frau Wüterich: Was bedeutet das?
Richterin: Jeder Bürger muss sich darauf verlassen können, dass das Recht gilt und auch konsequent durchgesetzt wird. Ein Staat darf nicht tatenlos zusehen, wenn gegen Recht und Gesetz verstoßen wird, sondern muss bei Verstößen einschreiten. Ansonsten verliert das Recht an Wert und die Bürger sehen keine Notwendigkeit mehr, sich daran zu halten.
Der Staat selbst muss sich übrigens auch an Recht und Gesetz halten. Setzt er sich darüber hinweg und legt sich die Regeln so aus, wie es ihm gerade passt, handelt er willkürlich. Diese staatliche Willkür beobachtet man vor allem in Diktaturen.

M1 Ein fiktives Gespräch mit einer Richterin

M3 Justitia auf dem Gerechtigkeitsbrunnen auf dem Römer in Frankfurt

INFO

Richter und Anwälte werden auch als **Juristen** bezeichnet. Sie haben **Jura** studiert, was übersetzt „Rechte" bedeutet. Die Gerichte oder Staatsanwaltschaften, für die sie arbeiten, sind Teil der **Justiz**, das heißt der Behörden, die sich um die Rechtsprechung kümmern. Der Begriff leitet sich von dem lateinischen Wort *iustitia* ab, was Gerechtigkeit bedeutet. **Justitia** ist auch der Name der römischen Göttin für Gerechtigkeit. Sie wird mit geschlossenen Augen oder einer Augenbinde, einer Waage und einem Schwert dargestellt. Moderne Darstellungen zeigen ein Buch statt eines Schwertes. Beides symbolisiert die Rechtssicherheit.

Im Namen des Volkes

Den Richtern kommt im Rechtssystem eine besondere Rolle zu, denn am Ende eines Prozesses sprechen sie ein Urteil im Namen des Volkes. Daher ist es wichtig, dass sie sich ihre Meinung möglichst neutral bilden. Ein wichtiges Merkmal des Rechtsstaates ist deshalb die Unabhängigkeit der Richter. Diese dürfen nur auf Grundlage von Recht und Gesetz urteilen und nicht politisch beeinflussbar sein, wie es z. B. unter den Nationalsozialisten der Fall war. Während dieser Zeit wurden politische Gegner (Oppositionelle) vor Gericht gestellt, um sie mundtot zu machen und aus dem Weg zu räumen. Auch dürfen sich die Richter nicht von der öffentlichen Meinung, das heißt dem Rechtsempfinden der Bevölkerung, beeinflussen lassen. Vielmehr müssen sie alle Beweise und **Indizien** sorgfältig prüfen sowie alle Seiten anhören und schließlich möglichst objektiv abwägen. Kann die Schuld nicht bewiesen werden, gilt der lateinische Spruch „in dubio pro reo": im Zweifel für den Angeklagten – also Freispruch.

Eng verbunden mit der richterlichen Unabhängigkeit ist der Grundsatz der Rechtsgleichheit. Die Richter beurteilen einen Angeklagten ohne Ansehen der Person. Geschlecht, Hautfarbe, sexuelle Orientierung oder Identität, Vermögen, Status, körperliche Merkmale, modischer Stil und anderes dürfen bei der Urteilsfindung keine Rolle spielen. Jeder ist vor dem Gesetz gleich. Kommt ein Richter schließlich zu einem Urteil, muss eine gewisse Verhältnismäßigkeit bzw. Ausgewogenheit zwischen Straftat und Strafmaß gegeben sein, damit das Urteil auch als gerecht empfunden wird.

M4 In der DDR war die Justiz nicht unabhängig. Bekannt geworden ist die Richterin Hilde Benjamin, die auch Bluthilde genannt wurde, da sie politische Gegner in sogenannten Schauprozessen zum Tode verurteilte.

AUFGABEN

1. *Arbeite Merkmale des Rechtsstaats aus M1 und M2 sowie dem Verfassertext heraus und erkläre sie.*
2. *Erläutere, warum Selbstjustiz verboten ist.*
3. *Erkläre mithilfe des Textes, wofür die Symbole der Justitia stehen (M3).*
4. *Begründe, warum es wichtig ist, dass die Gerichte von der Politik unabhängig sind (M4).*
5. *Überprüfe, inwiefern a) die Hexenprozesse der frühen Neuzeit (S. 133) und b) die Prozesse während der Schreckensherrschaft in Frankreich (S. 166/167) zu den Merkmalen des Rechtsstaats passen.*

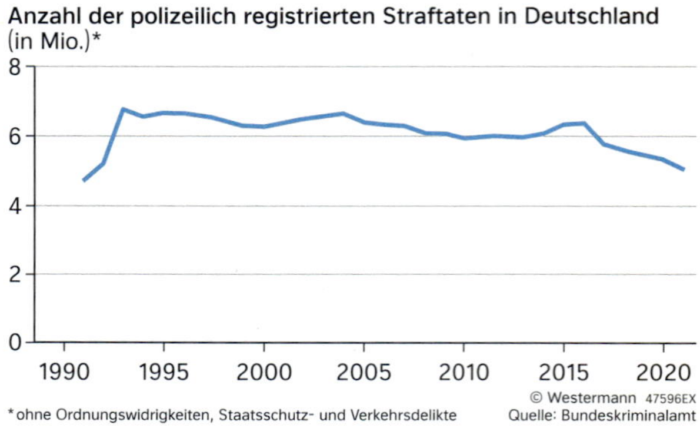

M 1 Entwicklung der Straftaten bis 2022

M 2 „Schwarzfahren" (Beförderungserschleichung) gilt als Straftat. Doch es gibt Forderungen, dies zu ändern.

Der Staat klagt an – das Strafrecht

Die Brandstiftung in der Schultoilette ist nur eine von rund fünf bis sechs Millionen Straftaten, die in Deutschland pro Jahr begangen werden. Die Liste der Straftaten ist lang. Jede Straftat wird in der Polizeilichen Kriminalstatistik (PKS) festgehalten.

Was alles als Straftat gilt und welche Mindest- und Höchststrafen gelten, wird in den Paragrafen (§), also den einzelnen Abschnitten des **Strafgesetzbuches (StGB)**, festgehalten. So steht in § 306 StGB: *„Wer fremde Gebäude [...] in Brand setzt oder durch eine Brandlegung ganz oder teilweise zerstört, wird mit Freiheitsstrafe von einem Jahr bis zu zehn Jahren bestraft."*

Die Höhe der Strafen gilt allerdings nur für Erwachsene. Für Jugendliche gelten besondere Regeln.

Für die Verfolgung von Straftaten sind die Polizei, die **Staatsanwaltschaft** und die Gerichte zuständig. Erfährt die Staatsanwaltschaft von einer Straftat, z. B. weil jemand eine **Strafanzeige** gestellt hat oder die Polizei einen Verdacht hat, leitet sie ein **Ermittlungsverfahren** ein. Bei einigen Straftaten muss das Opfer allerdings erst einen **Strafantrag** stellen (z. B. bei Beleidigung). Erhebt die Staatsanwaltschaft Anklage, kommt es zu einem Prozess. Besteht jedoch kein hinreichender Verdacht, wird auf eine Anklage verzichtet. Wenn die Beweislage sehr eindeutig ist, kann bei **Vergehen** auch direkt ein **Strafbefehl** erfolgen. Dann kommt es auch nicht zu einer Anklage. Es sei denn, der Täter erhebt Einspruch.

FACHBEGRIFF

Das Strafrecht unterscheidet zwischen zwei Arten von Straftaten. Leichte Straftaten werden als **Vergehen** bezeichnet. Schwere Straftaten mit Mindeststrafen von einem Jahr Haft nennt man **Verbrechen**. Doch nicht jedes **Delikt**, also nicht jeder Gesetzesverstoß, ist gleich eine Straftat.

Ordnungswidrigkeiten sind geringfügige Gesetzesüberschreitungen ohne erheblichen Schaden („Kavaliersdelikte"/„Bagatelldelikte"), dazu gehören z. B. Strafzettel fürs Falschparken („Knöllchen"). Die Täter müssen eine Geldbuße bezahlen (keine Geldstrafe). Um solche Ordnungswidrigkeiten kümmern sich die Verwaltungsbehörden, z. B. das Ordnungsamt der Stadt. Erst wenn jemand Einspruch erhebt, muss sich die Staatsanwaltschaft damit beschäftigen.

AUFGABEN

1 *Beschreibe die Statistik M1.*

2 *Recherchiere in der aktuellen PKS, welches die acht häufigsten Straftaten in Deutschland sind. Erstelle dazu ein Säulendiagramm.*

3 *Erkläre den Unterschied zwischen Straftaten und Ordnungswidrigkeiten.*

4* *Diskutiere, ob „Schwarzfahren" eine Straftat oder eine Ordnungswidrigkeit sein soll (M2, Internet).*

5 *Beschreibe das Schaubild M3.*

6 *Erkläre, welche Rolle die einzelnen Personen im Gerichtssaal spielen (M4).*

7 *Erstelle ein Schaubild dazu, was nach dem Urteil passiert (ohne Revision).*

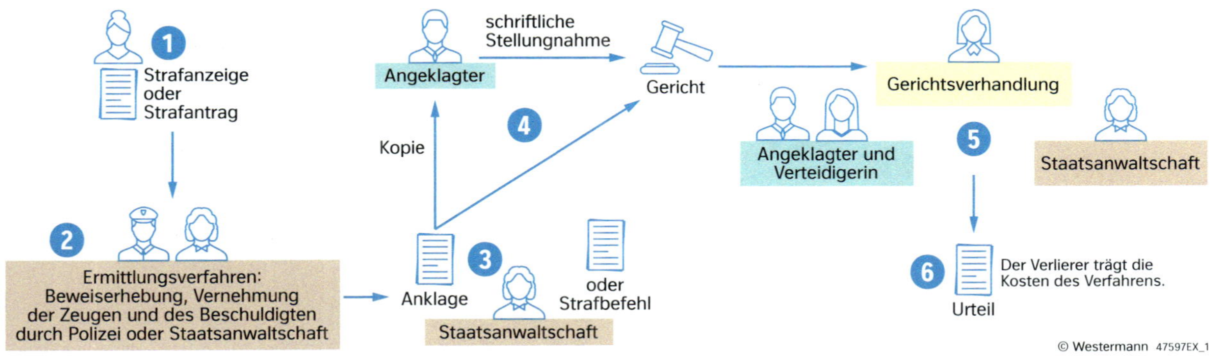

M3 Gang eines Strafverfahrens

Nach dem Urteil

Wird der Täter verurteilt, kann er eine Geld- oder Freiheitsstrafe bekommen. Körperstrafen oder gar die Todesstrafe gibt es in Deutschland nicht. Freiheitsstrafen von bis zu zwei Jahre können auf **Bewährung** ausgesetzt werden. Der Verurteilte kommt also nicht direkt ins Gefängnis, sondern darf unter bestimmten Bedingungen auf freiem Fuß bleiben. Zu diesen Bewährungsauflagen können z. B. gemeinnützige Arbeit (Sozialstunden) oder die Pflicht, eine Therapie zu machen, zählen. Verstößt der Verurteilte gegen die Auflagen oder begeht eine neue Straftat, muss er sofort ins Gefängnis.
Fühlt sich jemand zu Unrecht verurteilt, kann er in **Berufung** gehen. Dann wird der Fall vor dem nächsthöheren Gericht neu aufgerollt. Dies ist nur einmal möglich. Jedoch kann nach der zweiten Instanz noch **Revision** beantragt werden. Das bedeutet, dass der BGH überprüft, ob der Prozess und das Urteil korrekt waren. Wenn das nicht der Fall war, gibt der BGH den Fall zurück und er muss neu verhandelt werden.

FACHBEGRIFF

In Deutschland gibt es viele unterschiedliche Gerichte. Die verschiedenen Stufen nennt man **Instanzen**. Die meisten Prozesse werden auf der Ebene des Amtsgerichts geführt. Bei einem Streitwert von über 5000 Euro ist das Landgericht zuständig.

Bundesgerichtshof (BGH) (nur Revisionen)
Oberlandesgericht (OLG) (nur Berufung)
Landgericht
Amtsgericht

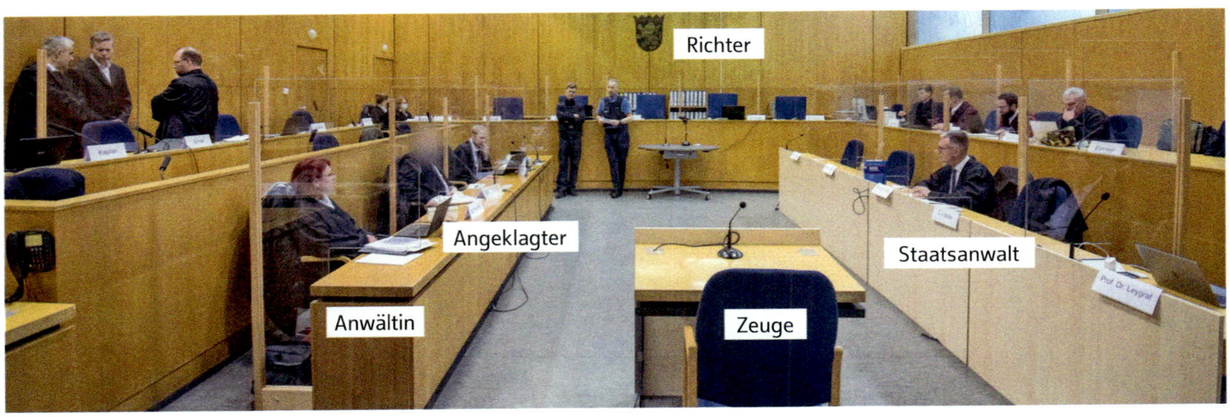

M4 Oberlandesgericht Kassel

Digital+
WES-112462-187

M1 Zwei Fälle für das Zivilgericht

Bürger gegen Bürger – das Zivilrecht

Nicht immer, wenn es zu einer Gerichtsverhandlung kommt, ist der Staat der Kläger. Immer wieder kommt es zu Streitigkeiten zwischen den Bürgern:

- zwischen Mietern und Vermietern
- zwischen Käufern und Verkäufern
- zwischen Nachbarn
- zwischen Verkehrsteilnehmern
- zwischen Familienmitgliedern

Damit diese nicht eskalieren und friedlich nach Regeln ausgetragen werden, gibt es das **Zivilrecht** (auch **Privatrecht** genannt). Es regelt Rechtsstreitigkeiten zwischen den Bürgern. Das Recht übernimmt somit eine Konfliktlösungsfunktion. Ein Bürger kann also einen anderen verklagen und die Angelegenheit kann dann vor Gericht landen. Zuständig sind das Amtsgericht und das Landgericht (ab einem Streitwert von über 5000 Euro). Zuerst wird versucht, eine Einigung zu erzielen. Wenn das aber nicht gelingt, kommt es zu einer mündlichen Verhandlung vor dem Richter. Der Prozess kann schließlich auf drei Arten enden:

1. Ein Vergleich wird ausgehandelt, das heißt, die Konfliktparteien einigen sich auf einen Kompromiss.
2. Die Klage wird abgewiesen, d. h. der Kläger bekommt nicht recht.
3. Der Klage wird stattgegeben, d. h. der Kläger bekommt recht.

Die meisten Klagen stützen sich auf das **Bürgerliche Gesetzbuch** (**BGB**). Es enthält zahlreiche Regelungen für das Zusammenleben der Menschen. Das Zivilrecht umfasst zum Beispiel Teilbereiche wie das Erbrecht, das Familienrecht, das Mietrecht oder das Arbeitsrecht. Und auch alle Fragen rund um das Thema Schadenersatz regelt das Zivilrecht.

FACHBEGRIFF

Öffentliches Recht und Zivilrecht

Das **öffentliche Recht** regelt Rechtsbeziehungen zwischen dem Bürger und dem Staat. Der Staat kann Bürger anklagen, ein Bürger kann aber auch gegen den Staat klagen. Das Strafrecht ist ein Teilgebiet des öffentlichen Rechts. Hier geht es um die Bestrafung von Kriminellen.

Das **Zivilrecht** regelt Rechtsbeziehungen zwischen den Bürgern. Es enthält zahlreiche Rechtsvorschriften für den Alltag der Bürger und ermöglicht es, andere zu verklagen, wenn die eigenen Rechte verletzt wurden (oder man annimmt, dies sei der Fall).

a. Mietschulden eines Mieters
b. Schlägerei nach einer Party
c. verschwiegener Mangel an einem gekauften Gebrauchtwagen
d. Nachbarschaftsstreit wegen eines Baums, der über die Grundstücksgrenze ragt
e. Diebstahl eines Geldbeutels
f. Streit um die Frage der Schuld an einem Unfall
g. Cybermobbing
h. Graffiti an einem Wohnhaus
i. Verkauf illegaler Drogen

M2 Strafrecht oder Zivilrecht?

M 3 Eltern haften für ihre Kinder?

M 4 Welche juristischen Folgen hat ein Verkehrsunfall?

Wer bezahlt den Schaden?

Im Fall der Brandstiftung in der Schultoilette stellt sich die Frage, wer für die Kosten der Reparatur aufkommt. Es geht hierbei um die **Haftung**, das heißt um die Frage, wer Schadenersatz zahlen muss.

Wenn jemand vorsätzlich (= mit Absicht) oder fahrlässig (= ohne Absicht, aber auch ohne Vorsicht) einer Person oder eine Sache einen Schaden zufügt, muss er auch für den Schaden aufkommen. Hierbei handelt es sich nicht um eine Geldstrafe an den Staat, sondern eine Entschädigung an den Geschädigten.

Wenn jemand (strafrechtlich) wegen Körperverletzung verklagt wurde, kann das Opfer den Täter auch noch einmal (zivilrechtlich) auf Schadenersatz verklagen. Hier geht es dann nicht um eine Strafe, sondern um eine Wiedergutmachung. Auch bei einem körperlichen Schaden muss also Schadenersatz geleistet werden. Man spricht dann von Schmerzensgeld.

INFO

Aufsichtspflicht bedeutet nicht, dass die Eltern ihre minderjährigen Kinder rund um die Uhr überwachen müssen. Mit zunehmendem Alter muss das Kind sich auch selbstständig entwickeln können und die Aufsichtspflicht lässt nach. Es ist also möglich, das Kind je nach Alter, Charakter und Reife auch unbeaufsichtigt zu lassen. Die Eltern müssen zudem die Gefahrensituation abschätzen. Ob die Eltern ihre Aufsichtspflicht verletzt haben, muss also von Fall zu Fall entschieden werden.

Wer eine **Haftpflichtversicherung** abgeschlossen hat, muss für einen Schaden, den er nicht mit Vorsatz verursacht hat, nicht aus eigener Tasche zahlen. Bei unbeabsichtigten Schäden springt die Versicherung ein.

Eltern haften für ihre Kinder?

Voraussetzung, dass jemand für den Schaden aufkommen muss, ist eine gewisse geistige Reife, das heißt, dass man in der Lage ist, die Folgen seines Handelns abschätzen zu können. Man spricht von der **Deliktsfähigkeit**. Kinder unter sieben Jahren sind deliktsunfähig, haften also selbst nie für Schäden. Minderjährige über sieben Jahre sind beschränkt deliktsfähig. Das bedeutet: Sollten sie so viel Einsicht besitzen, dass sie hätten wissen können, dass ihr Handeln falsch ist und zu einem Schaden führen könnte, müssen sie selbst haften. Ist das nicht der Fall, kann es jedoch sein, dass die Eltern für den Schaden zahlen müssen, nämlich dann, wenn sie ihre Aufsichtspflicht verletzt haben. Ansonsten bleibt der Geschädigte auf seinen Kosten sitzen. Im Zweifelsfall entscheidet ein Gericht.

AUFGABEN

1 *Stelle Vermutungen auf, um welche Konflikte es in M1 geht. Was könnten die Personen denken?*

2* *Vergleiche das Strafrecht mit dem Zivilrecht.*

3 *Entscheide, ob es sich bei den Beispielen in M2 um Strafrecht oder Zivilrecht handelt.*

4 *Überprüfe, ob die Aussage auf dem Schild M3 stimmt.*

5 *Diskutiert, welche juristischen Folgen ein Verkehrsunfall haben könnte (M4). Notiert eure Ergebnisse.*

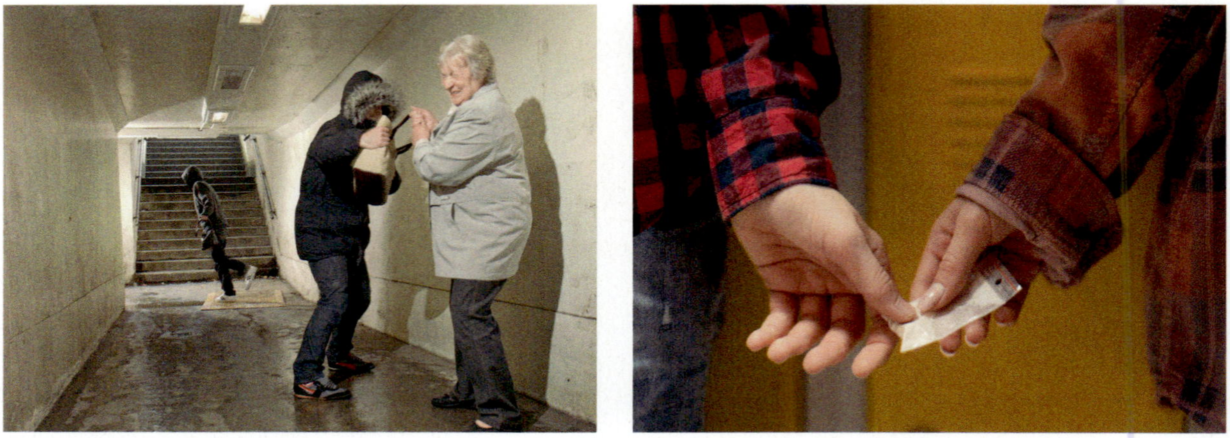

M1 Kriminelle Jugendliche (Beispiele)

Warum werden Jugendliche kriminell?

Laut der Polizeilichen Kriminalstatistik (PKS) gab es 2023 rund 2,25 Mio. Menschen in Deutschland, denen eine Straftat vorgeworfen wurde. Von diesen **Tatverdächtigen** waren rund 9 % Jugendliche – davon rund drei Viertel Jungen. Jedoch machen die 14- bis 17-Jährigen nur 3,7 % der gesamten Bevölkerung aus. Noch nicht berücksichtigt ist das sogenannte Dunkelfeld, also Straftaten, die unbekannt bleiben. Die Forschung geht sogar davon aus, dass fast jeder Jugendliche einmal kriminell wird.
Trotzdem gibt es viele Experten, die keinen großen Grund zur Sorge sehen, denn die allermeisten jugendlichen Straftäter werden keine Berufskriminellen. Es handelt sich um Fehltritte, jugendliche Leichtsinnigkeit und Bagatelldelikte. Das bestätigt auch ein Blick auf die Statistik, die die Art der Straftaten zeigt.

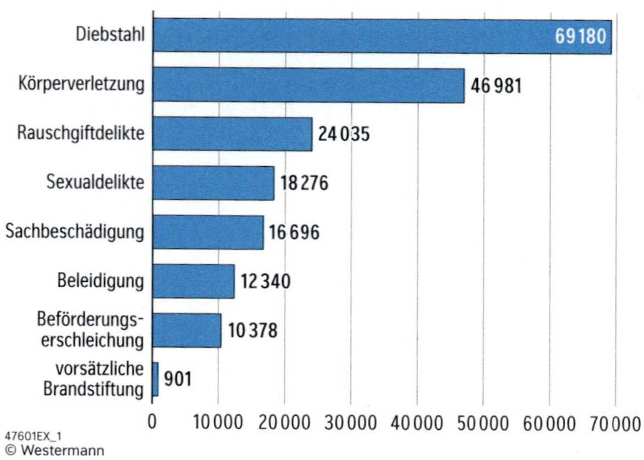

M2 Häufige Straftaten von Jugendlichen (14 bis 17 Jahre) in Deutschland 2023 (Auswahl)

Dennoch gibt es einen Kern von 5 bis 10 % der Auffälligen, die eine kriminelle Karriere einschlagen. Hier stellt sich dann die Frage, wie es dazu kommen konnte. Eine einfache Antwort: Wer Probleme hat, macht Probleme. Die Ursachen von Jugendkriminalität sind vielfältig und liegen meist in der Vergangenheit, in Kindheit und Familie. Alkohol, Drogen und Gewalt können das Kind schon während der Schwangerschaft schädigen. Gewalt in der Kindheit, z. B. das Schütteln schreiender Babys oder Prügel, können psychische Krankheiten oder Fehlfunktionen im Gehirn bewirken. Wer Gewalt erlebt, wird häufig selbst gewalttätig. Auch Vernachlässigung und Desinteresse der Eltern tragen zur Jugendkriminalität bei.
Bestätigung, Anerkennung und Zusammenhalt finden die Betroffenen dann zum Teil unter Gleichgesinnten, mit denen man „krumme Dinger" dreht und die einen zu Mutproben anheizen.

AUFGABEN

1 *Erkläre, warum viele Forscher unbesorgt auf die Kriminalstatistik von Jugendlichen blicken (M2).*

2 *Vergleiche M2 mit den häufigsten Straftaten von Erwachsenen laut der PKS (siehe S. 186). Welche Unterschiede gibt es?*

3 *Arbeite mithilfe einer Mindmap heraus, welche Gründe dazu führen, dass Jugendliche kriminell werden (M3, M4).*

4 *Die PKS enthält nur die Tatverdächtigen, nicht die Verurteilten. Nimm kritisch Stellung dazu.*

M 3 Gründe für Jugendkriminalität

1. Am meisten leiden die Kinder darunter, wenn die Eltern mit ihrem Leben überfordert, ständig im Stress sind oder kein Geld haben. Und keine Verantwortung für ihre Kinder übernehmen. Eltern sollten ein Vorbild für ihre Kinder sein und vor ihren Augen auch keinen Alkohol trinken oder Drogen nehmen. Solche Eltern kommen oft nicht gut mit ihren Kindern zurecht. Manche schlagen ihre Kinder, weil sie mit ihren eigenen Problemen nicht klarkommen und sie so direkt an ihre Kinder weitergeben. Einige Eltern sind drogenabhängig und sind oder waren früher selbst kriminell. Doch gerade Kinder brauchen in jungen Jahren die Aufmerksamkeit ihrer Eltern ganz besonders. Sie brauchen jemanden, der sie möglichst früh darüber aufklärt, was im Leben richtig und was falsch ist. [...]

2. Durch falsche Freunde wird man meistens auch selbst kriminell, weil sie einen dazu verleiten, einfach mal mitzumachen, wenn sie etwas Kriminelles tun. Sie reden auf dich ein und sagen, es wäre doch gar nicht schlimm, einfach mal Mist zu machen. Sie versuchen dich zu verlocken, indem sie dir erzählen, dass du [...] mehr Geld haben könntest, und dass das ganz leicht wäre. Sie können dich dann auch für ihre kriminellen Ideen benutzen. Und weil man täglich mit ihnen abhängt, will man sie auch nicht verletzen oder ausgeschlossen werden, wenn man „Nein“ sagt. [...]

3. Jugendliche nehmen sich oft Kriminelle zum Vorbild, weil sie sehen, was diese sich alles leisten können – und das ist verlockend. Auch deutscher Rap/Gangster-Rap spielt dabei eine wichtige Rolle, denn es wird meist über Drogen, Gewalt und Kriminalität gerappt. Zuhälterei und Drogengangs werden verherrlicht. Die heutigen Jugendlichen finden es schon cool, kriminell zu sein – so wollen sie auch sein. Denn die Rapper fahren teure Autos, tragen teure Designerklamotten und dicke Goldketten und haben immer viel Bargeld dabei. Die Jugendlichen denken, das wäre einfach, auch so zu leben und schnell reich zu werden. [...] Kriminelle Leute werden in der Öffentlichkeit oft respektiert oder sogar verherrlicht, zum Beispiel Mafiabosse, Drogengangster [...], über die es viele Filme und Serien gibt. Und die Jugendlichen wollen genauso angesehen werden [...]. Sie wollen auch respektiert werden und dazugehören. Auch die Älteren aus der eigenen Gegend, die bereits kriminell sind, können Vorbilder sein, weil oft ein gutes Vorbild aus der eigenen Familie fehlt.

4. [...] Viele Kinder lernen gar nicht richtig Lesen und Schreiben. Und die Motivation, es zu lernen, sinkt immer weiter, weil sie denken, dass sie es ja sowieso nicht schaffen. Oft sind sie nach der Grundschule kaum weiter zur Schule gegangen und haben Bildung nicht ernst genommen. Scheiße bauen und Schule schwänzen war oft wichtiger. Und weil sich ihre Eltern auch nicht um Bildung gekümmert haben, dachten die Kinder oft, das sei gar nicht nötig. Wenn du keinen Schulabschluss machst, und deswegen keine Ausbildung findest, hast du eigentlich schon verloren. [...] Im Grunde hat man sein Leben oft schon [...] aufgegeben. Jugendliche brauchen Ziele im Leben. Sie müssen von der Straße wegkommen – oder gar nicht erst dort landen. [...]
Wenn man schon im frühen Alter die Schule schwänzt und keine Ausbildung macht, hängt man oft mit Leuten ab, bei denen es genauso ist. Die Perspektive fehlt, deshalb fängt man oft an, Drogen zu nehmen oder Straftaten zu begehen – aus Langeweile oder um an Geld zu kommen. [...]

Quelle: DOUBLE-G UND DOUBLE-H : Wie kann es dazu kommen, dass Jugendliche kriminell werden? Jugendinformationszentrum Hamburg, 01.10.2020, Hamburg [Zugriff: 11.12.2023]

M 4 Wie kann es dazu kommen, dass Jugendliche kriminell werden? Eine Ursachenforschung von den Insassen Double-G und Double-H aus einer Justizvollzugsanstalt in Hamburg

M1 Schaubild Jugendgericht

INFO

Schöffen sind ehrenamtliche Richter, die bei schweren Straftaten zusammen mit dem Berufsrichter ein Urteil fällen. Sie brauchen keine juristische Ausbildung, haben aber das Recht, während des Prozesses Fragen zu stellen. Einem Urteil müssen immer zwei der drei Richter zustimmen. Wer Schöffe werden will, muss sich bewerben. Das Gericht wählt die Schöffen für fünf Jahre aus.

Wenn Jugendliche kriminell werden – das Jugendstrafrecht

Nach dem Brand in der Schultoilette hat die Polizei Ermittlungen aufgenommen. Die Tatverdächtigen werden der Staatsanwaltschaft gemeldet. Für den weiteren Verlauf ist das Alter entscheidend: Eine 13-Jährige erwarten andere Folgen als eine 14-Jährige, da Minderjährige ab diesem Alter als Jugendliche und nicht mehr als Kinder gelten. Sie sind damit **strafmündig** bzw. **schuldfähig**. Man geht davon aus, dass Jugendliche ab diesem Alter die Folgen ihres Handelns überblicken können und sich bewusst sind, dass ihr Handeln Schaden anrichtet. Daher können sie Verantwortung für ihre Taten übernehmen.

Die Anklage wird vom Jugendstaatsanwalt erhoben. In seinem Auftrag untersucht die Polizei die Umstände der Tat. Zusätzlich wird eine **Jugendgerichtshilfe** eingeschaltet. Das Strafverfahren ist in besonderer Weise gestaltet. Bei Verhandlungen berücksichtigen die Richter, dass die Straftaten junger Menschen oft auf eine wenig stabile Entwicklung zurückzuführen sind. Die Verhandlung vor Gericht ist nicht öffentlich, das heißt, es dürfen keine Zuschauer anwesend sein.

Bei jugendlichen Straftätern übt der Staat eine gewisse Nachsicht. Nicht die Bestrafung, sondern der Erziehungsgedanke steht im Vordergrund. Ziel ist es, weitere Straftaten zu verhindern. Für diese Altersgruppe gibt es deshalb das **Jugendstrafrecht**. Die grundlegenden Regeln des StGB gelten auch hier.

Durch das Urteil soll gezeigt werden, dass eine Straftat nicht ohne Folgen bleibt. Andererseits soll eine Abschreckung möglicher künftiger Täter erreicht werden. Hauptsächlich soll aber der Täter die Möglichkeit haben, sich zu bessern. Mögliche Maßnahmen sind die Hilfen des Jugendamtes bei der Erziehung, die Unterbringung in einer Pflegefamilie oder in einem Erziehungsheim, die Anwendung von Erziehungsmaßregeln oder sogenannten Zuchtmitteln oder auch die Jugendstrafe mit Freiheitsentzug.

Das Jugendstrafrecht kann auch für die Heranwachsenden (18 bis 21 Jahre) gelten, wenn das Gericht feststellt, dass der Angeklagte noch nicht die geistige Reife eines Erwachsenen besitzt. In dem Fall kann die Verhandlung auch öffentlich sein.

INFO

Die **Jugendgerichtshilfe** besteht aus geschulten Mitarbeitern des Jugendamtes, die die Jugendstaatsanwaltschaft dabei unterstützen, Informationen über den tatverdächtigen Jugendlichen zu sammeln, z. B. über die Familie, die Schule und den Freundeskreis. Sie prüfen die geistige Reife der angeklagten Person.

Erziehungsmaßregeln
(52 % der Verurteilungen)
Der Jugendliche erhält *Weisungen* für eine zukünftig bessere Lebensführung, z. B.:
- Verpflichtung zur Annahme einer Ausbildungsstelle
- Verbot des Besuchs bestimmter Orte
- Untersagung des Kontakts zu bestimmten Personen
- Teilnahme an Kursen wie Anti-Aggressionstraining
- Aufsicht durch einen Betreuungshelfer

Zuchtmittel
(36 % der Verurteilungen)
Hier spielt nicht nur die Erziehung eine Rolle, sondern auch Wiedergutmachung und Schuldausgleich (Sühne).
- *Verwarnung:* deutliches Aufzeigen des Fehlverhaltens
- *Auflagen:* z. B. Entschuldigung, Arbeitsleistungen (Sozialstunden) und Zahlung eines Geldbetrages
- *Jugendarrest:* Verbringung der Freizeit in einer Arrestzelle (bis zu vier Wochen)

Jugendstrafe
(12 % der Verurteilungen)
Diese erfolgt bei schwerer Schuld (insbesondere Mord und Totschlag), bei Wiederholungstätern oder bei schädlicher Neigung, sodass weitere Straftaten befürchtet werden.
- Haftstrafe in einer Jugendstrafanstalt zwischen sechs Monaten und zehn Jahren (Haftdauer bei Heranwachsenden: bis zu 15 Jahre)

Alle Maßnahmen können auch kombiniert werden.

M 2 Maßnahmen für jugendliche Straftäter (laut Jugendgerichtsgesetz, JGG)

M 3 Was passiert mit jugendlichen Straftätern?

AUFGABEN

1 *Beschreibe mithilfe des Textes und des QR-Codes, welche Rollen die Personen im Schaubild M1 jeweils spielen. Formuliere deine Antwort aus der Ich-Perspektive.*

2 *Erkläre den Unterschied zwischen Erziehungsmaßregeln, Zuchtmitteln und Jugendstrafe (M2).*

3 *Erkläre die Ziele, die mit Strafmaßnahmen bei Jugendlichen verfolgt werden.*

4 *Überprüfe, unter welchen Voraussetzungen die Schülerinnen, die für den Brand in der Schultoilette (siehe S. 182 / 183) verantwortlich waren, nach dem Jugendstrafrecht verurteilt werden können.*

5 *Recherchiert zu den Maßnahmen in M3. Erstellt dazu Plakate und stellt sie euch gegenseitig vor.*

Digital+
WES-112462-193

M 1 Karikatur von Klaus Stuttmann

M 2 Jugendliche vor Gericht

Strafe muss sein?

„Auge um Auge, Zahn um Zahn“? Die wenigsten Menschen würden diesem Spruch aus der Bibel noch zustimmen. Wer aber etwas Unerlaubtes getan hat, muss dafür bestraft werden. Dieser Gedanke ist in unserer Gesellschaft allgemein akzeptiert. Doch welchen Sinn und Zweck haben Strafen eigentlich?
Zum einen können Strafen eine Art Schuldausgleich oder Vergeltung darstellen. Sie sollen damit auch der Abschreckung dienen. Härtere Strafen führen laut Studien aber nicht zwingend zu weniger Straftaten. Zum anderen haben Strafen den Zweck, dass eine Wiederholung verhindert werden soll. Es geht darum, den Täter so zu erziehen, dass er keine Straftaten mehr begeht und keine Gefahr für die Gesellschaft darstellt (**Resozialisierung**). Dies funktioniert nach Ansicht von Experten aber nur, wenn die Strafe unmittelbar nach der Tat folgt. In der Realität dauern die Prozesse häufig viel zu lange, um diese Wirkung zu erzielen.

Gerade nach schweren Verbrechen werden die Rufe in der Gesellschaft nach härteren Strafen lauter.
Immer wieder entbrennt auch eine Diskussion darüber, ob das Strafmündigkeitsalter bzw. das Schuldfähigkeitsalter von 14 auf 12 Jahre gesenkt werden sollte. Bisher werden Straftaten von unter 14-Jährigen lediglich an das Jugendamt gemeldet. Dieses macht einen Aktenvermerk und bietet bei Bedarf ein freiwilliges Beratungsgespräch mit den Erziehungsberechtigten an. Es können aber auch Maßnahmen und Hilfen angeordnet werden. Im schlimmsten Fall könnte den Eltern auch das Sorgerecht entzogen werden. Auch die Unterbringung des Jugendlichen in einer Kinder- und Jugendpsychiatrie wäre möglich.
Zwar können Kinder nicht strafrechtlich verfolgt werden, aber durchaus zivilrechtlich. So auch im Fall der Brandstiftung an der Eichendorffschule. Das bedeutet, dass die Schuldigen für den entstandenen Schaden haften müssen.

AUFGABEN

1 *Beschreibe und interpretiere die Karikatur M1.*
2 *Beurteile mithilfe des QR-Code-Materials, ob Jugendliche härter bestraft werden sollten.*
3 *Arbeite aus M4 und M6 die verschiedenen Positionen und Argumente zur Senkung des Strafmündigkeitsalters heraus.*
4 *Nimm Stellung zur Frage, ob das Strafmündigkeitsalter gesenkt werden sollte (M3 – M6).*

INTERNET

Berichterstattung über Jugendkriminalität

Digital+

WES-112462-194

Zahl der Straftaten von Kindern in Frankfurt wieder gestiegen

Schlagzeile vom 23.09.2022, 04:54 Uhr

Mülheim an der Ruhr

Frau soll von Gruppe 12- bis 14-Jähriger vergewaltigt worden sein – Polizei spricht von „massiver Gewalt"

M 3 Schlagzeilen

Polizeibeamtinnen und -beamte werden in ihrem täglichen Dienst [...] damit konfrontiert, dass nicht nur Jugendliche, sondern schon bislang strafunmündige Kinder unter 14 Jahren kriminelle Taten begehen. Dabei gehen sie immer rücksichtsloser und gewalttätiger vor. [...]
Die DPolG weist deshalb immer wieder [...] auf diese alarmierende Entwicklung hin und fordert die Politik zum schnellen und entschlossenen Handeln auf.
[...] Die Opfer von Straftaten fragen nicht nach dem Alter des Täters, sondern fordern zum Schutz ihrer individuellen Sicherheit mit Recht das ein, was der Staat seinen Bürgern schuldet, nämlich Schutz vor Verbrechen!
Dabei hat die DPolG stets betont, dass die Verhängung von Jugendstrafen, wie schon nach bisheriger Rechtslage, grundsätzlich nur in Ausnahmefällen bei schweren Straftaten in Betracht kommt. [...]

Quelle: Herabsetzung des Strafmündigkeitsalters auf 12 Jahre. Deutsche Polizeigewerkschaft im DBB, Berlin

DPolG DEUTSCHE POLIZEIGEWERKSCHAFT im DBB

M 4 Forderung der Deutschen Polizeigewerkschaft

[...] Es gibt nach wie vor nicht den geringsten Anhaltspunkt dafür, dass eine Senkung der Strafmündigkeitsgrenze zu einem verbesserten Schutz vor Straftaten führen würde. [...] Wenn behauptet wird, dass es einer Senkung der Strafmündigkeitsgrenze bedürfe, damit die Jugendämter sich um solche Fälle kümmern können, zeugt dies von [...] Unkenntnis der Rechtslage. Die Jugendhilfe hat [...] den Auftrag, sich um Kinder und Jugendliche zu kümmern, die in Schwierigkeiten sind. Für den Fall gravierender Probleme sind hier im Zusammenspiel mit den Familiengerichten auch Maßnahmen gegen den Willen von Sorgeberechtigten möglich. Bei akuten Gefährdungslagen hat die Polizei [...] Befugnisse zur Gefahrenabwehr.
Es gibt viele Bereiche, in denen über Verbesserungen bei der Unterstützung von Kindern und Jugendlichen zum Zweck der Verhinderung von Straftaten gesprochen werden kann und sollte. Die Strafmündigkeitsgrenze ist hier kein sinnvoller Ansatzpunkt.

Quelle: Positionspapier der DVJJ zu Altersgrenzen im Jugendstrafrecht. Deutsche Vereinigung für Jugendgerichte und Jugendgerichtshilfen e.V. Online, 11.07.2019

DVJJ

M 6 Stellungnahme der Deutscher Vereinigung für Jugendgerichte und Jugendgerichtshilfen

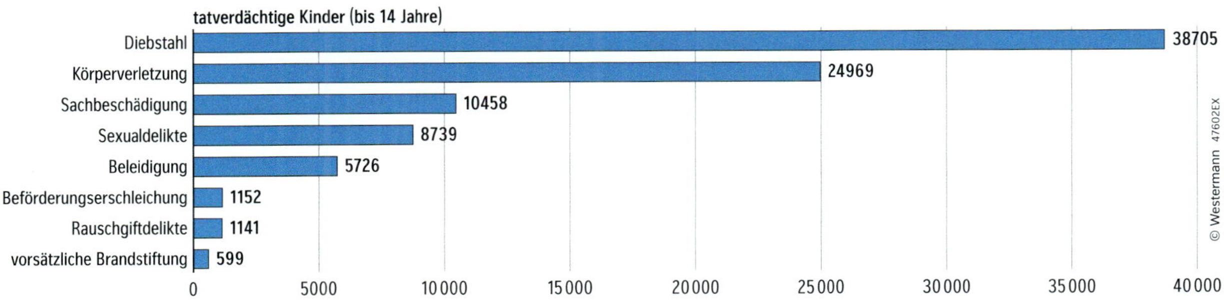

M 5 Laut PKS gab es 2023 rund 104 000 tatverdächtige Kinder (bis 14 Jahre) in Deutschland. Bei fast 60 000 dieser Straften waren 12- bis 14-Jährige die Tatverdächtigen.

M1 Was dürfen Jugendliche und was nicht?

Jugendschutz – was darf ich und was nicht?

Jugendliche genießen in der Rechtsordnung einen besonderen Schutz. Damit sie sich nicht selbst gefährden oder von anderen gefährdet werden, gibt es Gesetze, die ihre Rechte und damit ihre Freiheit einschränken.
Das wichtigste dieser Gesetze ist das Jugendschutzgesetz (JuSchG). Es dient dem Schutz der Jugendlichen in der Öffentlichkeit und bei der Nutzung von Medien. So sollen diese keinen oder nur eingeschränkten Zugang zu Alkohol oder Drogen haben. Die Vorschriften zum Medienkonsum sollen die Kinder und Jugendlichen von gewaltverherrlichenden und pornografischen Inhalten fernhalten.
Bei Verstößen gegen das JuSchG werden nicht etwa die Kinder und Jugendlichen bestraft, sondern die Erwachsenen, die einen Verstoß ermöglicht haben. Für Gastronomie-Besitzer oder Supermärkte kann dies Strafen von mehreren Tausend Euro bedeuten. Die Einhaltung wird z. B. durch Testkäufer kontrolliert.

Für das Arbeitsleben gilt zudem das Jugendarbeitsschutzgesetz (JArbSchG). Das ist z. B. auch während des Schülerpraktikums relevant und regelt unter anderem, wie viele Stunden und in welchen Zeiträumen Jugendliche arbeiten dürfen.
Auch andere Gesetze enthalten bestimmte Altersgrenzen. Je älter man wird, desto mehr Rechte und Freiheiten bekommt man.

M2 Kritik

§ 10 Rauchen in der Öffentlichkeit, Tabakwaren
(1) In Gaststätten, Verkaufsstellen oder sonst in der Öffentlichkeit dürfen Tabakwaren und andere nikotinhaltige Erzeugnisse [...] an Kinder oder Jugendliche weder abgegeben noch darf ihnen das Rauchen oder der Konsum nikotinhaltiger Produkte gestattet werden. [...]
(4) Die Absätze 1 bis 3 gelten auch für nikotinfreie Erzeugnisse, wie elektronische Zigaretten oder elektronische Shishas, in denen Flüssigkeit durch ein elektronisches Heizelement verdampft und die entstehenden Aerosole mit dem Mund eingeatmet werden [...].

§ 5 Tanzveranstaltungen
(1) Die Anwesenheit bei öffentlichen Tanzveranstaltungen ohne Begleitung einer [...] erziehungsbeauftragten Person darf Kindern und Jugendlichen unter 16 Jahren nicht und Jugendlichen ab 16 Jahren längstens bis 24 Uhr gestattet werden.
(2) Abweichend von Absatz 1 darf die Anwesenheit Kindern bis 22 Uhr und Jugendlichen unter 16 Jahren bis 24 Uhr gestattet werden, wenn die Tanzveranstaltung von einem anerkannten Träger der Jugendhilfe durchgeführt wird oder der künstlerischen Betätigung oder der Brauchtumspflege dient. [...]

§ 4 Gaststätten
(1) Der Aufenthalt in Gaststätten darf Kindern und Jugendlichen unter 16 Jahren nur gestattet werden, wenn eine [...] erziehungsbeauftragte Person sie begleitet oder wenn sie in der Zeit zwischen 5 Uhr und 23 Uhr eine Mahlzeit oder ein Getränk einnehmen. Jugendlichen ab 16 Jahren darf der Aufenthalt in Gaststätten ohne Begleitung einer [...] erziehungsbeauftragten Person in der Zeit von 24 Uhr und 5 Uhr morgens nicht gestattet werden.
(2) Absatz 1 gilt nicht, wenn Kinder oder Jugendliche an einer Veranstaltung eines anerkannten Trägers der Jugendhilfe teilnehmen oder sich auf Reisen befinden. [...]

§ 6 Spielhallen, Glücksspiele
(1) Die Anwesenheit in öffentlichen Spielhallen oder ähnlichen vorwiegend dem Spielbetrieb dienenden Räumen darf Kindern und Jugendlichen nicht gestattet werden.
(2) Die Teilnahme an Spielen mit Gewinnmöglichkeit in der Öffentlichkeit darf Kindern und Jugendlichen nur auf Volksfesten, Schützenfesten, Jahrmärkten, Spezialmärkten oder ähnlichen Veranstaltungen und nur unter der Voraussetzung gestattet werden, dass der Gewinn in Waren von geringem Wert besteht.

§ 9 Alkoholische Getränke
(1) In Gaststätten, Verkaufsstellen oder sonst in der Öffentlichkeit dürfen
1. Bier, Wein, weinähnliche Getränke oder Schaumwein [z. B. Sekt] oder Mischungen von Bier, Wein, weinähnlichen Getränken oder Schaumwein mit nichtalkoholischen Getränken an Kinder und Jugendliche unter 16 Jahren,
2. andere alkoholische Getränke oder Lebensmittel, die andere alkoholische Getränke in nicht nur geringfügiger Menge enthalten, an Kinder und Jugendliche weder abgegeben noch darf ihnen der Verzehr gestattet werden.
(2) Absatz 1 Nummer 1 gilt nicht, wenn Jugendliche von einer personensorgeberechtigten Person begleitet werden. [...]

§ 11 Filmveranstaltungen
(1) Die Anwesenheit bei öffentlichen Filmveranstaltungen darf Kindern und Jugendlichen nur gestattet werden, wenn die Filme [...] zur Vorführung [...] freigegeben worden sind [...].
§ 14 Kennzeichnung von Filmen und Spielprogrammen
(1) Filme und Spielprogramme dürfen nicht für Kinder und Jugendliche freigegeben werden, wenn sie für Kinder und Jugendliche in der jeweiligen Altersstufe entwicklungsbeeinträchtigend sind. [...]

M3 Jugendschutzgesetz (Stand 2024)

AUFGABEN

1 *Untersucht die Fälle 1 – 9 und stellt Vermutungen an, was erlaubt ist und was nicht (M1).*

2 *Überprüft eure Vermutungen mithilfe der Ausschnitte aus dem Jugendschutzgesetz (M3).*

3 *Diskutiert,*
a) ob das Jugendschutzgesetz notwendig ist.
b) wie effektiv die Regelungen im JuSchG sind (M2).

4 *Erkläre, warum bei Verstößen gegen das Jugendschutzgesetz nicht die Jugendlichen, sondern die Erwachsenen, z. B. Wirte oder Veranstalter, bestraft werden.*

Rechte und Pflichten hängen vom Alter ab

Was die Menschen dürfen und was nicht bzw. welche Rechte und Pflichten jemand hat, ist vom Alter abhängig. Der Grund dafür ist, dass der Gesetzgeber die geistige Reife eines Menschen betrachtet. Natürlich haben Gleichaltrige nicht alle die gleiche Reife. Manch 19-Jähriger ist für sein Alter noch sehr unreif, manch 16-Jähriger dafür schon sehr reif. Daher gibt es um manche Altersgrenzen auch Diskussionen. Letztendlich muss der Gesetzgeber entscheiden, ab welchem Alter die Mehrheit reif genug ist, mehr Verantwortung zu tragen.

Geburt

6. Lebensjahr

7. Lebensjahr beschränkt deliktfähig

12. Lebensjahr

14. Lebensjahr strafmündig als Jugendlicher

15. Lebensjahr

16. Lebensjahr

18. Lebensjahr strafmündig als Erwachsener

21. Lebensjahr

Geburt
Schon bei der Geburt wird man rechtsfähig. Das bedeutet, dass man Rechte besitzt. Kinder haben z. B. das Recht auf eine gewaltlose Erziehung.

Vollendung des 6. Lebensjahres
Mit 6 Jahren dürfen Kinder z. B. allein ins Kino, wenn der Film für das Alter freigegeben und um 20 Uhr beendet ist.

7. Lebensjahr
Ab diesem Alter geht man davon aus, dass Kinder die Folgen ihres Handelns schon besser abschätzen können. Deswegen müssen sie auch die Kosten übernehmen, wenn sie mutwillig etwas beschädigen.

13. Lebensjahr
Mit Zustimmung eines Erziehungsberechtigten können mit 13 Jahren leichte Arbeiten wie Zeitungen austragen oder Nachhilfe geben ausgeübt werden. Diese sind allerdings auf zwei Stunden in der Zeit zwischen 8 und 18 Uhr beschränkt.

14./15. Lebensjahr
Man ist nun Jugendliche(r). Jugendliche können selbstständig entscheiden, welcher Religion sie angehören wollen. Sie sind nun bedingt strafmündig, das heißt, sie können nach Jugendstrafrecht zur Verantwortung gezogen werden. Und sie dürfen nun private E-Roller fahren.
Ab 15 Jahren ist Ferienarbeit bis zu vier Wochen in einem Jahr erlaubt, allerdings keine Nachtarbeit. Man kann mit 15 den Mofa-Führerschein erwerben.

16. Lebensjahr
Jetzt sind Jugendliche verpflichtet, einen gültigen Personalausweis oder Reisepass zu besitzen. Jugendliche sind ab jetzt berechtigt, die Fahrerlaubnis in den Klassen A1, M, S, L und T zu erwerben. (Ab 17 darf man Kraftfahrzeuge der Klasse B mit einer Begleitperson fahren.) Getränke mit geringem Alkoholgehalt dürfen nun an die Jugendlichen verkauft werden. Harter Alkohol, wie z. B. Spirituosen, ist aber weiterhin untersagt.
In einigen Bundesländern darf man an Landtags- und / oder Kommunalwahlen teilnehmen. Zudem dürfen alle über 16 an der Europawahl teilnehmen.

18. Lebensjahr
Mit 18 ist man volljährig und hat somit alle Rechte und Pflichten Erwachsener. Erziehungsberechtigte gibt es jetzt nicht mehr. Jugendliche sind für sich selbst verantwortlich. Bei Straftaten kann aber bis zum 21. Lebensjahr weiterhin das Jugendstrafrecht angewandt werden, wenn der Jugendliche noch nicht die geistige Reife eines Erwachsenen besitzt. Volljährige Jugendliche können heiraten. Mit der Volljährigkeit tritt auch das aktive und passive Wahlrecht ein. Das aktive Wahlrecht besagt, dass man wählen darf. Mit dem passiven Wahlrecht darf man sich selbst zur Wahl stellen.

M1 Altersgrenzen

① *Meine Tochter ist 15 Jahre alt und will sich ihr Taschengeld durch einen Ferienjob aufbessern. Das Modegeschäft in unserer Straße sucht dringend eine Mitarbeiterin für vier Wochen. Darf meine Tochter diese Tätigkeit ausführen?*

② *Am Wochenende findet in der Stadthalle eine Party statt. Sie geht von 18 Uhr bis 3 Uhr morgens. Ich könnte dort an der Garderobe arbeiten. Meine Eltern behaupten, ich sei noch zu jung dafür. Ich bin doch schon 15. Haben meine Eltern recht?*

③ *Ich bin 13 Jahre alt und möchte gerne mit dem E-Roller zur Schule fahren. Meine Eltern haben etwas dagegen. Können sie es mir verbieten?*

④ *Mein 8-jähriger Sohn hat im Streit mit einem Mitschüler dessen Schultasche in einen Bach geworfen. Die Tasche sowie alle Bücher und Hefte sind unbrauchbar. Der Vater des Mitschülers will meinen Sohn wegen Sachbeschädigung anzeigen. Muss mein Sohn für den Schaden aufkommen?*

M 2 Fallbeispiele

AUFGABEN

1 *Nenne die Rechte und Pflichten in den verschiedenen Altersstufen.*

2 *a) Beantworte mithilfe von M1 die Fragen der vier Personen (M2).*
b) Partnerarbeit: Formuliert eigene Fragen zu verschiedenen Altersstufen (M1). Stellt sie euch gegenseitig vor und beantwortet sie.

3 *Findest du die Einteilung der Rechte und Pflichten in den verschiedenen Altersstufen sinnvoll (M1)? Begründe deine Meinung.*

4 *In den USA ist das Autofahren schon mit 16 erlaubt, Alkohol trinken aber erst mit 21. Diskutiert, ob diese Regelung besser ist als die deutsche.*

M1 Süchte

Welche Süchte gibt es?

Was heißt süchtig?

Alkohol und Zigaretten sind Teil des gesellschaftlichen Lebens in Deutschland. Aber wo hört der Genuss auf und wo fängt die Sucht an?
Nicht nur Alkohol, Nikotin, Cannabis, Medikamente, Ecstasy, Heroin etc. können abhängig machen, sondern auch exzessive Verhaltensweisen. Hierzu zählen Essstörungen, Spiel-, Sammel-, Kauf-, Internet-, Arbeits- oder Sportsucht. Letztlich kann jede Form menschlichen Verhaltens zu einer Sucht werden. Grundsätzlich kann jeder Mensch süchtig werden. Die Übergänge von Genuss über Missbrauch und Gewöhnung bis zur Abhängigkeit sind fließend. Sucht ist in erster Linie ein psychisches Problem, das körperliche Erkrankungen und soziale Schwierigkeiten verursacht.

Sucht ist das zwanghafte Verlangen nach bestimmten Substanzen (Suchtmitteln) oder Verhaltensweisen. Treten zwei der folgenden Punkte über einen Zeitraum von mindestens 12 Monaten auf, gilt man als süchtig:

1. Süchtige Menschen können nicht mehr selbst entscheiden, wann und wie viel sie von dem Suchtmittel zu sich nehmen oder wie oft und intensiv sie ein bestimmtes Verhalten zeigen. Oft haben sie ein großes Verlangen nach dem Suchtmittel.
2. Die **Droge** wird für die Betroffenen immer wichtiger. Soziale Kontakte, aber auch der Beruf oder die Schule und Hobbys werden immer unwichtiger.
3. Abhängige Menschen zeigen Entzugserscheinungen, wenn sie die Droge nicht konsumieren. Es wird für sie also immer wichtiger, die Droge einzunehmen.

FACHBEGRIFF

Als **Drogen** bezeichnete man ursprünglich Stoffe (Blätter, Blüten, Wurzeln), die man zur Herstellung von Medikamenten, von Heil- oder Anregungsmitteln brauchte. Deshalb heißt ein Geschäft, in dem es solche Mittel gibt, auch Drogerie.
Heute wird der Begriff „Droge" meistens für Rauschmittel verwendet. Das sind Stoffe, die je nach Stärke und Zusammensetzung eine seelische oder körperliche Veränderung im Menschen bewirken. Anfangs nehmen Menschen Drogen, um einen für sie angenehmen Zustand zu erreichen. Das kann aber schnell dazu führen, dass sie sich daran gewöhnen und von Drogen abhängig werden. Einige Drogen gelten als Genussmittel. Sie sind gesellschaftlich akzeptiert und werden von einem großen Teil der Gesellschaft konsumiert, z. B. Alkohol.

AUFGABEN

1 *Erkläre, was Sucht ist und wieso man nicht nur von Drogen abhängig werden kann.*

2 *Wähle eines der Symbole aus und recherchiere vertiefend zu der dargestellten Sucht bzw. dem Suchtmittel, das sich dahinter verbirgt (M1, Internet).*

3 *Werte die Statistiken M2 und M3 aus.*

Sucht und Suchtmittel in Deutschland

Die psychische und körperliche Gesundheit leidet unter dem Konsum bzw. der Abhängigkeit von Suchtmitteln. Schätzungen zufolge sind in Deutschland ca. 8,2 Mio. erwachsene Menschen von verschiedenen Substanzen oder Glücksspiel abhängig.

Alkoholsucht

Alkohol stellt noch immer das größte Suchtproblem in Deutschland dar. Jeder siebte in Deutschland lebende Mensch konsumiert Alkohol in gesundheitlich riskanter Form. Im Zusammenhang mit der Corona-Pandemie stieg der Alkoholkonsum an.

Cannabiskonsum

Eine Befragung der Bundeszentrale für gesundheitliche Aufklärung aus dem Jahr 2021 hat gezeigt, dass auch der Cannabiskonsum bei Jugendlichen im Alter von 12 bis 17 Jahren gestiegen ist. Bei den jungen Erwachsenen zwischen 18 und 25 Jahren zeigt sich seit 2008 ebenfalls ein Wiederanstieg.

Rauchen

In Deutschland ist Rauchen das größte vermeidbare Gesundheitsrisiko. Jeder Dritte raucht in Deutschland Tabak und 2021 konsumierten ca. 2,45 Mio. Menschen in Deutschland E-Zigaretten oder Vapes (Einweg-E-Zigaretten). Viele Jugendliche geben den süßlich-fruchtigen Geschmack als Grund für den Konsum an.

Laut Statistischem Bundesamt starben 2020 ca. 75 500 Menschen in Deutschland an den Folgen des Nikotinkonsums. Aber auch für die Umwelt ist der Tabakkonsum schädlich. Obwohl Vapes wegen der Lithium-Ionen-Akkus als Elektroschrott ordnungsgemäß entsorgt werden müssten, entsorgen viele die Produkte im Restmüll. Das verhindert das Recycling der Akkus und stellt eine große Brandgefahr dar. Auch die Zigarettenstummel, die in der Natur landen, sind umweltschädlich, weil sie z. B. das Wasser verschmutzen.

Medienabhängigkeit

Auch die Mediennutzung hat durch Corona zugenommen. Die Mediensucht bei Kindern und Jugendlichen wächst laut einer Studie. Die Studie zeigt, dass ca. 2,2 Mio. Kinder und Jugendliche in Deutschland von einer problematischen Nutzung digitaler Medien betroffen sind.

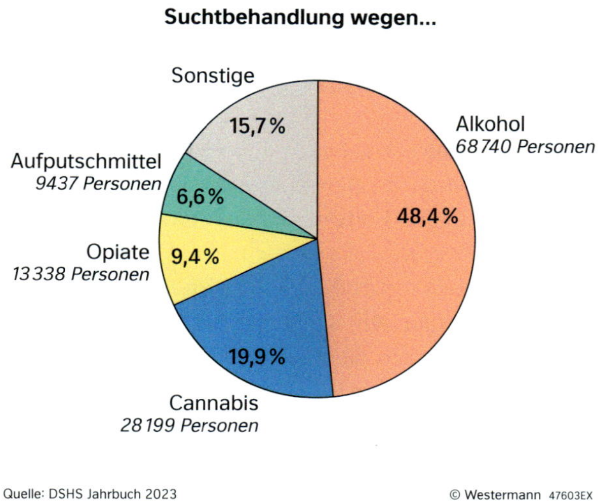

M 2 Die häufigsten Gründe für eine Suchtbehandlung

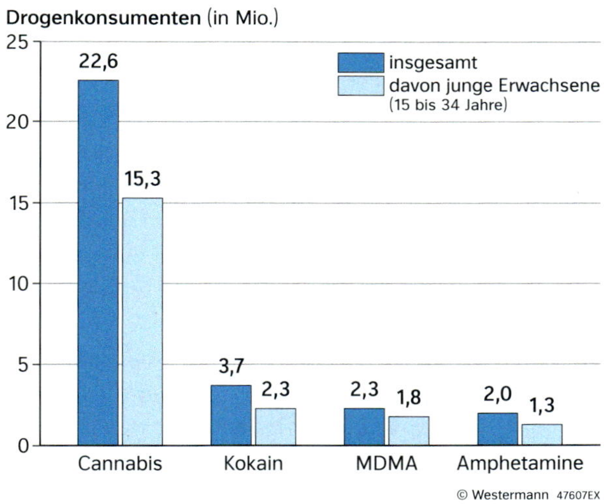

M 3 Geschätzte Anzahl der Drogenkonsumenten in der EU 2022 in Mio.

INFO

In fast jeder Stadt gibt es **Beratungsstellen** für Menschen mit Suchtproblemen und deren Angehörige. Manche dieser Beratungsstellen sind auf bestimmte Suchtmittel oder -formen spezialisiert. Hilfe bietet z. B. die bundesweite Sucht- und Drogen-Hotline.
Die Hessische Landesstelle für Suchtfragen e. V. (HLS) bietet Informationen, aber auch Hilfsangebote mit Standort in Hessen. Online findest du da Hilfsangebote für verschiedene Süchte, unterschiedliche Zielgruppen, diverse Orte und unterschiedliche Schwerpunkte.

Digital+
WES-112462-201

Freizeit und Süchte

Suchtmittel bestimmen auch unsere Freizeit. Aber warum werden manche Menschen süchtig, andere jedoch nicht? Viele kleine Faktoren können dazu führen, dass jemand süchtig wird. So können schwierige Lebenssituationen den Weg in die Sucht begünstigen. Andere Betroffene versuchen, schlimme Erfahrungen zu verdrängen. Aber auch die Suche nach einem „Kick“ und Erlebnishunger können in die Sucht führen. Häufig übernehmen Menschen auch bestimmte Verhaltensweisen oder greifen zum Suchtmittel, um von einer bestimmten Gruppe akzeptiert zu werden und dazuzugehören (Gruppendruck).
Durch den Griff zum Suchtmittel fühlen sich viele zu Beginn gut. Sie merken sich diesen Effekt und greifen dann in ähnlichen Situationen erneut zum Suchtmittel. So entsteht Abhängigkeit.

Mediennutzung und Mediensucht

Digitale Medien sind aus unserer Gesellschaft nicht mehr wegzudenken. Sie erfüllen wichtige Aufgaben. Sie dienen der Kommunikation, der Unterhaltung und der Information. Das bedeutet, dass die Nutzungszeit digitaler Medien mit dem technischen Fortschritt gestiegen ist.
Die Corona-Pandemie hat sich negativ auf das Medienverhalten ausgewirkt: Laut einer Studie waren im Sommer 2022 ca. 600 000 Jungen und Mädchen mediensüchtig. Die Nutzungszeit von Computerspielen und sozialen Medien ist weiter gestiegen.

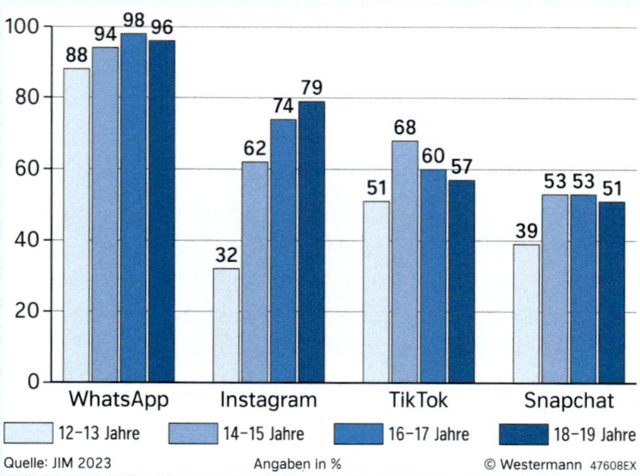

M1 Genutzte Online-Angebote (tgl./mehrmals pro Woche)

INFO

Medienkonsum und Mediensucht
Hohe Bildschirmzeiten sind zwar ein Alarmsignal, aber für sich genommen sagen sie noch nichts darüber aus, ob jemand mediensüchtig ist. Auch die Art des Konsums spielt eine Rolle. Ein sehr hoher und vor allem unreflektierter Konsum kann zur Abhängigkeit werden. Bedenklich ist der Medienkonsum bei einem Kontrollverlust über das Medienverhalten. Es ist auch problematisch, wenn keine oder nur wenige soziale Kontakte offline stattfinden oder schulische Probleme in Folge der Mediennutzung entstehen.
Hilfreich kann es in Fällen von sehr hoher Mediennutzung sein, klare Regeln für die Nutzung von digitalen Medien aufzustellen und einzuhalten. Beratungs- und Anlaufstellen können über den QR-Code gefunden werden.

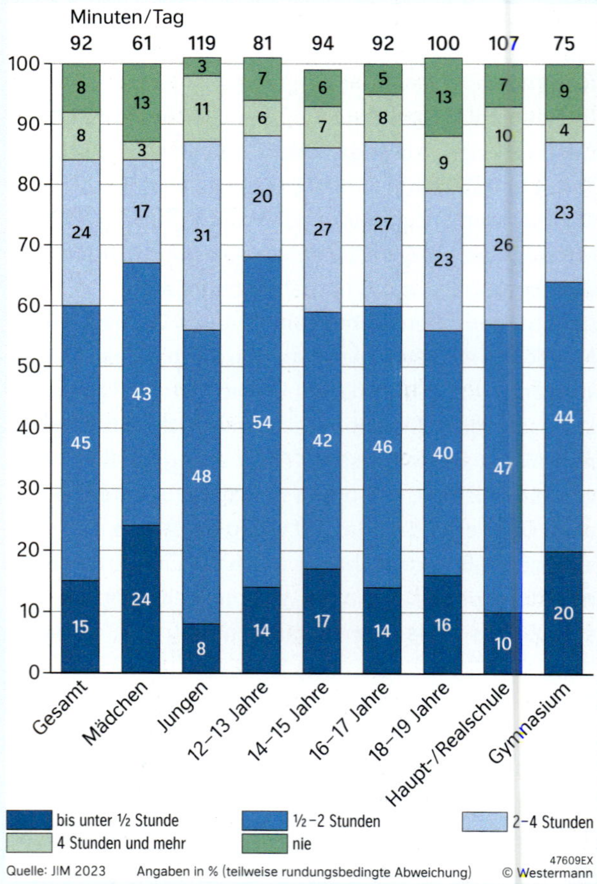

M2 Nutzungsdauer digitaler Spiele

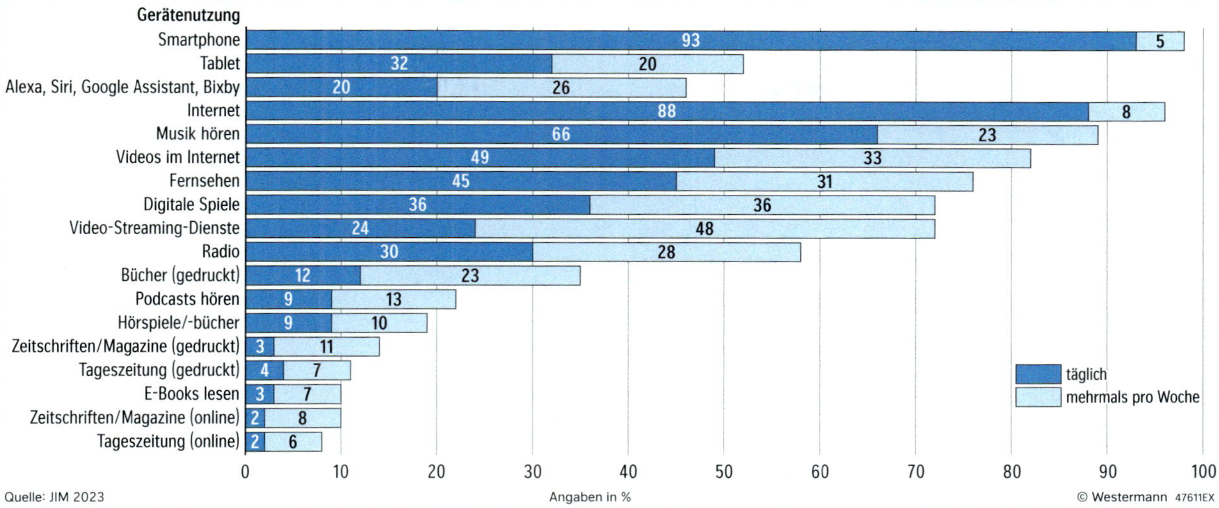

M 3 Medienbeschäftigung Jugendlicher in der Freizeit

Rechtliche Grundlagen – das Mindestalter

Für die Nutzung von Messenger-Diensten und sozialen Netzwerken gibt es eine Altersbeschränkung, da sie nicht für jedes Alter geeignet sind. Das Mindestalter ist in den Nutzungsbedingungen festgeschrieben. Für *Facebook*, *Instagram* und *TikTok* liegt das Mindestalter bei *13 Jahren*. *Snapchat* hat in seinen Nutzungsbedingungen dieselbe Altersbeschränkung festgelegt. Hier ist aber für alle Minderjährigen zusätzlich die *Zustimmung eines Erziehungsberechtigten* notwendig. Der Messenger-Dienst *WhatsApp* hat das Mindestalter für seine Nutzer auf *16 Jahre* festgelegt, *YouTube*, *Spotify* und *Netflix* sogar auf *18 Jahre*. Für die Anmeldung bei *YouTube* benötigt man zudem ein *Google-Konto*, das man erst ab *16 Jahren* einrichten kann. Eine Ausnahme bildet hier ein Konto mit Elternaufsicht. Auch *Spotify* erlaubt eine Nutzung mit *16 Jahren*, wenn die Eltern zustimmen. Für das Angebot *Spotify Kids* ist *kein Mindestalter* festgelegt. Der Streamingdienst *Netflix* erlaubt Minderjährigen die *Nutzung nur unter Aufsicht*.

Meist findet eine Überprüfung des tatsächlichen Alters aber nicht statt. Prinzipiell gilt auch in diesem Zusammenhang der Grundsatz „Eltern haften für ihre Kinder“. Begehen Kinder und Jugendliche Straftaten im Internet, können sie und ihre Eltern zur Rechenschaft gezogen werden. Haben die Eltern ihre Aufsichtspflicht verletzt, müssen sie für den entstandenen Schaden geradestehen. Grundsätzlich haften Kinder und Jugendliche für ihre strafbaren Handlungen. Auch strafunmündige Kinder können zivilrechtlich auf Schadenersatz verklagt werden.

AUFGABEN

1 *a) Berichte von einer Situation, in der du etwas nur getan hast, weil es andere getan haben, oder etwas gekauft hast, weil andere es auch haben.*
b) Erläutert an den Beispielen eurer Klasse den Begriff Gruppendruck oder Gruppenzwang.
c) Erklärt anhand eurer Beispiele den Zusammenhang zwischen Gruppendruck und Sucht.

2 *Werte die Statistiken aus (M1 – M3).*

3 *a) *Erstellt eine Umfrage zur Mediennutzung in eurer Klasse.*
b) Vergleicht eure Ergebnisse mit dem in M1 – M3 dargestellten Medienverhalten Jugendlicher.

4 *a) *Führe zwei Wochen lang ein Medientagebuch.*
b) Nenne mögliche Gründe für eine Mediensucht.

5 *Erstellt eine Checkliste zum richtigen Umgang mit digitalen Medien.*

6 *Stell dir vor, das Internet ist eine Woche ausgefallen. Was würdest du am meisten vermissen? Was würde dir überhaupt nicht fehlen?*

Soll Deutschland rauchfrei werden?

Rauchen ist ein vermeidbares Gesundheitsrisiko. Genau wie unzureichende Bewegung und ungesunde Ernährung erhöht es das Risiko für Herz-Kreislauf-Erkrankungen, Atemwegserkrankungen oder Krebs. Die Kosten, die durch das Rauchen verursacht werden, liegen in Deutschland bei über 20 Mrd. Euro pro Jahr.

In Deutschland gibt es kein generelles Rauchverbot für jeden und überall. Es gibt bestimmte Orte, an denen nicht geraucht werden darf, Schulen z. B., und eine Altersbeschränkung: Rauchen ist für alle unter 18 Jahren verboten. Trotzdem steigt die Zahl der rauchenden Jugendlichen in Deutschland wieder an. Jeder 6. Jugendliche zwischen 14 und 17 Jahren raucht.

In Neuseeland sollte der Kauf von Tabak für Menschen, die nach dem 1. Januar 2009 geboren wurden, verboten werden. So sollte künftigen Generationen das Rauchen deutlich erschwert werden. Doch die Ende 2023 neu gewählte neuseeländische Regierung stoppte das ambitionierte Vorhaben.

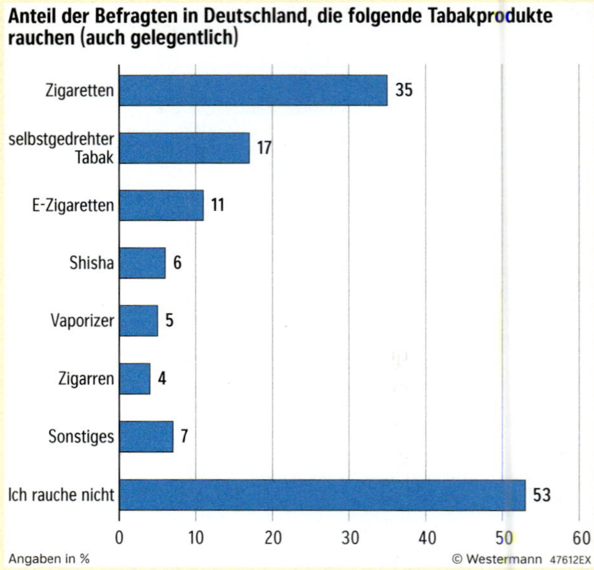

M 2 Statistik zum Rauchen

Auch wenn dieses Projekt so nicht umgesetzt wird, stellt sich die Frage, ob ein generelles Rauchverbot (in Deutschland) ein sinnvoller Schritt zur Gesundheitsvorsorge kein kann.

Neuseeland will rauchfrei werden

[...] Das Ziel Neuseelands: Bis 2025 sollen weniger als fünf Prozent der Menschen rauchen. Damit würde das Land als erstes Land der Welt als rauchfrei gelten. Im Moment sind es nach Regierungsangaben noch acht Prozent. Die Zahlen gingen zuletzt bereits stetig zurück.

Neuseeland gehört mit seinen Maßnahmen gegen das Rauchen schon seit Jahrzehnten weltweit zu den Vorreitern. [...] Die Steuern auf Zigaretten sind seit 2010 um 165 % gestiegen. Die Zigaretten- und Tabakpreise gehören zu den höchsten der Welt. Eine Schachtel Zigaretten kostet umgerechnet rund 23 Euro. [...]

Doch Neuseeland reicht das nicht. So werden Zigarettenkonzerne mit dem neuen Gesetz gezwungen, den Nikotingehalt von heute bis zu 15 mm/g Tabak auf 0,8 mm/g Tabak zu senken. Das ist nach Experten unter der Grenze, mit der Zigaretten überhaupt abhängig machen können. [...]

Laut Statistiken bereuen sieben von neun Rauchern ihren Schritt, kommen aber nicht los. Zum Konzept gehört daher auch noch mehr Geld für Entwöhnungsprogramme und Selbsthilfegruppen.

Kioskbetreiber Eusief Mhasnieh sieht das ganz anders. [...] Schon mehrfach wurde bei ihm eingebrochen. Die hohen Zigaretten- und Tabakpreise förderten die Kriminalität und den Handel auf dem Schwarzmarkt [...]. Künftig soll es laut Gesetz nun landesweit nur noch 500 statt 8000 zertifizierte Verkaufsstellen geben. Zigaretten sollen schwerer erreichbar sein. Kioskbetreiber Mhasnieh [...] fürchtet um seine Einnahmen und meint, die Regierung gehe zu weit. [...] Doch das neue Gesetz ist kein kalter Entzug. Strafen fürs Rauchen soll es nicht geben.

Quelle: Sandra Ratzow: Neuseeland will rauchfrei werden. Norddeutscher Rundfunk, Hamburg, 13.12.2022

M 1 Umgang mit Rauchen in Neuseeland

Eine Pro-Kontra-Debatte führen

Eine Debatte ist ein Streitgespräch auf gehobenem Niveau.

In der Debatte werden die Pro- und Kontra-Argumente zu einer Streitfrage in kurzen Reden von zwei Parteien vorgetragen. Die eine Partei nimmt dabei Stellung für die Streitfrage (pro), während die andere Partei die Gegenstellung (kontra) einnimmt. Ziel der Parteien ist es, die Zuhörer von den eigenen Argumenten zu überzeugen. Durch das Gegenüberstellen von Pro- und Kontra-Argumenten erhalten die Zuhörer Gelegenheit, sich in der strittigen Fragestellung zu positionieren. Am Ende zeigt eine Abstimmung unter den Zuhörern, welche Partei die besseren Argumente vorgebracht hat und Gegenargumente entkräften konnte. Die Entscheidungsfrage muss am Ende mit einem Ja oder Nein beantwortet werden.

Für eure Debatte orientiert ihr euch am besten an den Regeln von „Jugend debattiert“:

1. Schritt: Vorbereitung:

- Die Teilnehmer der Debatte sollten zu dem Thema recherchiert haben und gut informiert sein:
  → Die Klasse wird in zwei Gruppen eingeteilt: Die eine Gruppe recherchiert und formuliert Pro-Argumente, die andere Kontra-Argumente.
  → Jede Gruppe bereitet sich auf die Argumente der Gegenseite vor, indem sie auch deren Argumente recherchiert und mögliche Antworten formuliert, die diese Argumente entkräften.
  → Anschließend wird eine kurze Rede zum Standpunkt der Gruppe formuliert.
  → Es werden 2 Personen pro Gruppe bestimmt, die an der Debatte teilnehmen.
- Es muss im Vorfeld ein Moderator bestimmt werden, der auf die Redezeiten achtet.
  → Der Moderator sollte Argumente für beide Seiten kennen, um ggf. lenkend in die Diskussion eingreifen zu können.

2. Schritt: Eröffnung (8 Minuten)

- Jeder Teilnehmer hat zwei Minuten Zeit, die Streitfrage aus seiner Sicht zu beantworten. Dabei darf dieser nicht unterbrochen werden.
  → Die vorbereiteten Reden werden vorgetragen.

3. Schritt: Freie Aussprache (12 Minuten)

- Pro- und Kontra-Debattanten tragen ihre Argumente im freien Wechsel vor.
- Die Debattanten versuchen, die Argumente der Gegenpartei sachlich zu entkräften.
- Rede und Gegenrede wechseln einander ab.

4. Schritt: Schlussrunde (4 Minuten)

- Jeder Debattant erhält noch einmal die Möglichkeit, eine Minute lang nach Abwägung aller Argumente seine Position zu formulieren.
- Es folgt eine Abstimmung unter den Zuhörern.

INTERNET

Recherchehinweise zur Vorbereitung der Debatte

Digital+

WES-112462-205

AUFGABEN

1 *Gruppenarbeit:*
a) Gruppe 1: Formuliert mithilfe der hier bereitgestellten Materialien Argumente für ein generelles Rauchverbot in Deutschland. Recherchiert ggf. vertiefend im Internet.
b) Gruppe 2: Formuliert mithilfe der hier bereitgestellten Materialien Argumente gegen ein generelles Rauchverbot in Deutschland. Recherchiert ggf. vertiefend im Internet.
*c) *Gruppe 3: Erstellt eine Moderation für die Pro-Kontra-Debatte.*
d) Überlegt euch mögliche Argumente der Gegenseite. Wie würdet ihr auf diese Argumente reagieren?

2 *Führt die Pro-Kontra-Debatte durch.*

3 *Stimmt über die Streitfrage ab: Soll Rauchen in Deutschland generell verboten werden?*

4 *Wertet die Debatte aus und gebt den Teilnehmern Rückmeldung zu ihrem Argumentationsverhalten.*

Kreuzworträtsel

Übertrage das Kreuzwortgitter in deinen Hefter und fülle es aus.

1. Das größte vermeidbare Gesundheitsrisiko ist in Deutschland das ...
2. Gesetzlich verbotene Drogen bezeichnet man als ... Drogen.
3. Sucht ist in erster Linie ein ... Problem.
4. Die Abhängigkeit von einem Stoff oder einer Verhaltensweise bezeichnet man als ...
5. Rauschmittel, die eine körperliche oder seelische Veränderung beim Menschen hervorrufen, nennt man ...
6. Das größte Suchtproblem stellt in Deutschland der ... dar.
7. Viele Jugendliche rauchen wegen des süßlichen Geschmacks...

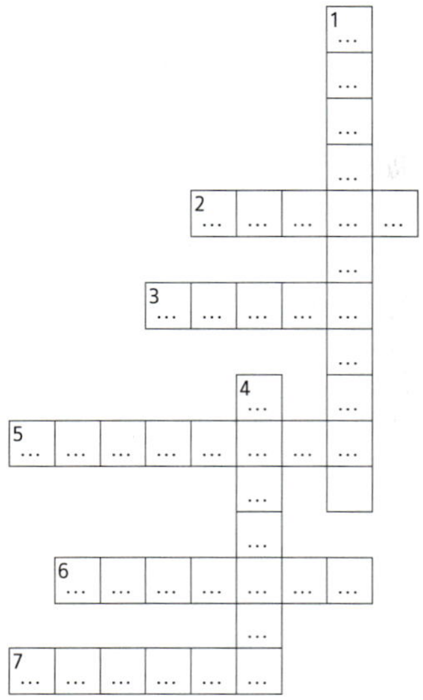

Selbstjustiz

Beurteile das Vorgehen des Vaters.

19-Jährige vergewaltigt – Vater verprügelt Täter

Nachdem seine 19-jährige Tochter von einem 37-jährigen Mann vergewaltigt worden war, hat der Vater Selbstjustiz verübt: Er attackierte den mutmaßlichen Täter mit einem Holzstock.

Quelle: Tobias Bönte: München: 19-Jährige vergewaltigt – Vater verprügelt Täter, Bayerischer Rundfunk, München, 15.10.2023

Öffentliches Recht oder Zivilrecht?

Ordne die folgenden zwölf Fallbeispiele dem öffentlichen Recht oder Zivilrecht zu.

① Thomas sieht bei einem offenen Fenster ein Tablet auf dem Tisch liegen. Er steigt heimlich ein und nimmt es mit.	⑤ Herrn Mirkovichs Miete wird ohne Grund um 100 Euro erhöht.	⑨ Luca droht Tim Schläge an, wenn er ihm nicht 20 Euro gibt.
② Zineb nimmt in der Pause das Smartphone von Christoph aus der Schultasche.	⑥ Evelyn „verschönert“ die Außenwand des Schulhauses mit Graffiti.	⑩ Amal erhält die schriftliche Zusage für einen Arbeitsplatz. Zwei Tage vor Beginn bekommt er eine Absage.
③ Georg schubst Victor, der sich den Arm bricht.	⑦ Frau Huber muss ausziehen, weil das Mietshaus in ein Bürogebäude umgebaut werden soll.	⑪ Das Dach eines Neubaus entspricht nicht den Bauvorschriften. Der Hausherr soll es den Nachbarhäusern anpassen und klagt.
④ Der Nachbar heizt mit einem unbestimmten Material, wodurch eine starke Geruchsbelästigung entsteht.	⑧ Die Familie klagt gegen die Umgehungsstraße entlang ihres Grundstückes.	⑫ Frau Korns Telefontarif wird nach einem Anruf des Anbieters einfach geändert.

Richtig oder falsch?

Überprüfe die Aussagen, erkläre sie oder korrigiere sie, wenn nötig.

Aussage

1. Vor Gericht muss ein Angeklagter seine Unschuld beweisen.
2. Eine Jury entscheidet, ob jemand schuldig ist.
3. Wenn der Verurteilte Zweifel an der Richtigkeit des Urteils hat, kann er Einspruch einlegen.
4. Öffentliches Recht ist dasselbe wie Strafrecht.
5. BGB steht für Bundesgesetzbuch.
6. Jugendliche Straftäter sind meist auch als Erwachsene kriminell.
7. Schöffen müssen keine juristische Ausbildung haben.
8. Nicht jede Strafanzeige führt zu einer Gerichtsverhandlung.

Ein Fallbeispiel

Arbeite heraus, welche Delikte die beiden begangen haben und überprüfe, inwieweit die Nacht Folgen für die beiden haben kann.

Linus (16) und Paul (18) sind beste Freunde. Gemeinsam sind sie am Wochenende unterwegs. Zum Vorglühen geht es erstmal in die Stadtmitte. Im Supermarkt besorgen sie sich ein paar Bier und Zigaretten. Anschließend kehren sie in einer Shisha-Bar ein und trinken einen Cocktail, bevor es danach zum Tanzen in den Club geht. Um zwei Uhr beschließen die beiden zu gehen. Aber die Nacht ist noch nicht vorbei. Paul hat noch eine Überraschung parat. Zu Hause hat er in der Garage ein paar Spraydosen versteckt. Damit ziehen die beiden durch die Stadt und besprühen einige Hauswände und Stromkästen. Aus Rache wegen schlechter Noten bleibt auch ihre Schule nicht verschont. Der Hausmeister erwischt die beiden jedoch und ruft die Polizei.

Rechte-Rätsel

Finde die gesuchten Begriffe zu den Aussagen 1 – 11. Die Buchstaben hinter den Begriffen ergeben in der Reihenfolge der Aussagen das Lösungswort. Erkläre die Bedeutung des Lösungswortes.

1. So nennt man ehrenamtliche Richter.
2. häufigste Straftat bei Kindern
3. Das darf bei einem Urteil keine Rolle spielen.
4. Schadenersatz für körperliche Schäden
5. die verschiedenen Stufen der Gerichte
6. die unterste Stufe der Gerichte
7. Angeklagte, die noch nicht verurteilt sind
8. Menschen im Alter zwischen 18 und 21
9. Wer für einen Schaden haften kann, ist ...
10. anderes Wort für leichte Straftaten
11. Wer für ein Verbrechen bestraft werden kann, ist ...

deliktsfähig **A**

Hautfarbe **C**

Tatverdächtige **S**

Instanzen **T**

strafmündig **T**

Schöffen **R**

Heranwachsende **T**

Vergehen **A**

Diebstahl **E**

Schmerzensgeld **H**

Amtsgericht **S**

Industrialisierung

Das Eisenwalzwerk, Gemälde von Adolph Menzel, 1875

Die industrielle Revolution beginnt in Großbritannien

Durch mehrere günstige Rahmenbedingungen und eine Vielzahl an Faktoren begann die industrielle Revolution Mitte des 18. Jahrhunderts in Großbritannien. Hier hatte sich ein Übergang von der traditionellen handwerklichen Fertigung in Kleinbetrieben zu einer modernen industriellen Produktion in Fabriken vollzogen. Dabei entstanden erste industrielle Ballungszentren. War früher ein Produkt meist vollständig von einer Person hergestellt worden, herrschte in den Manufakturen des Absolutismus bereits Arbeitsteilung. Nun kamen der Einsatz von Maschinen und eine Mechanisierung der Produktion hinzu. Doch warum begann diese Umwälzung hier?

Handel und Insellage

Der Handel war in Großbritannien grundsätzlich unkompliziert, da einheitliche Maße, Gewichte und Währungssysteme im ganzen Land galten. Auch die geographische Lage kam dem Land zu Gute. Der direkte Zugang zum Meer bot einfache Transportwege. Auf der Insel liegt kein Ort mehr als 120 km vom Meer entfernt.

Rohstoffe und Kolonien

Auch Rohstoffe spielten eine große Rolle. Großbritannien besaß große Kohle- und Erzvorkommen, die durch die Abholzung der Wälder erschlossen wurden. Zudem konnten die Briten über verschiedene Rohstoffe in den Kolonien verfügen. Die Rohstoffe wurden zollfrei bezogen, in Großbritannien weiter verarbeitet und als fertige Produkte wieder in den Kolonien abgesetzt (verkauft). Dabei war gerade der Rohstoff Baumwolle von großer Bedeutung, da die industrielle Revolution mit der Textilindustrie begann.

Staatliche Rahmenbedingungen

Der Staat förderte Erfindungen und gewährte günstige Kredite für Tüftler und Erfinder. Gleichzeitig war innerhalb der Gesellschaft die Mentalität des Investierens und Riskierens sehr stark verbreitet. Zudem gab es das Patentrecht, mit dem Innovationen und Erfindungen vor Nachahmungen geschützt werden konnten.

Gewerbefreiheit

Anders als in Deutschland gab es in Großbritannien keinen Zunftzwang. Das bedeutete, dass man bestimmte Berufe auch ausüben durfte, auch wenn man kein Mitglied der entsprechenden Zunft war. Die Gewerbefreiheit in Großbritannien förderte zudem das Unternehmertum.

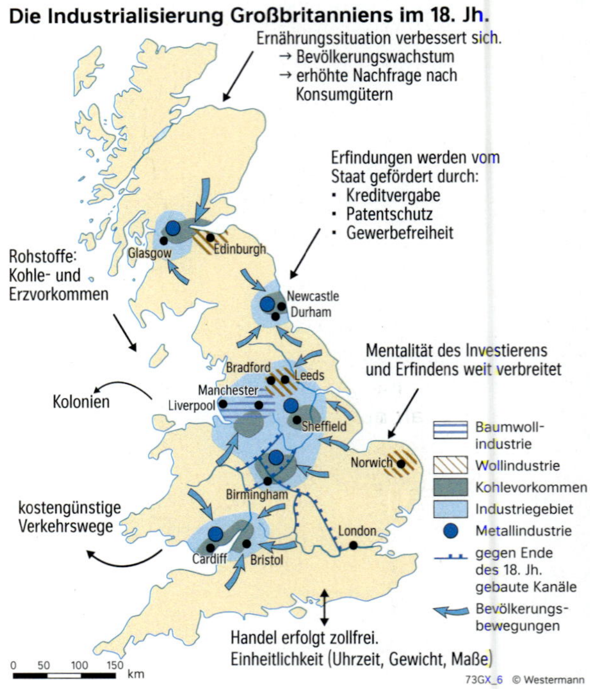

M1 Günstige Rahmenbedingungen

Erhöhte Arbeits- und Kaufkraft

Es gab Fortschritte in der Medizin, wodurch sich die Hygienestandards verbesserten und sich die Lebenserwartung der Menschen erhöhte. Durch Neuerungen in der Landwirtschaft, wie beispielsweise die Ablösung der Dreifelderwirtschaft, stieg die Bevölkerungszahl rasch an. Die vielen Menschen konnten mithilfe neuer Anbaumethoden ernährt werden. Das Bevölkerungswachstum von etwa fünf auf über neun Millionen Menschen bedeutete einerseits mehr Arbeitskraft, andererseits mehr Kaufkraft. Gleichzeitig stieg der Bedarf an Lebensmitteln, Kleidung und Lebensraum.

FACHBEGRIFF

Industrialisierung
Darunter versteht man den Übergang von der handwerklichen Herstellung von Produkten in kleinen Mengen zu einer Produktion mittels Maschinen in großen Mengen. Weil der Übergang so rasant verlief, spricht man auch von der industriellen Revolution. Es handelt sich nicht um ein geschichtliches Zeitalter, sondern es wird ein technischer und gesellschaftlicher Wandel in verschiedenen Phasen beschrieben.

METHODE

Wirkungsgefüge und Conceptmap erstellen

Es gibt die unterschiedlichsten Möglichkeiten, um Themen grafisch darzustellen. Grundsätzlich werden die Schlüsselbegriffe grafisch miteinander durch Linien oder Pfeile verbunden. Daraus lassen sich dann die Gliederung (die Struktur) eines Themas und innere Zusammenhänge ablesen.

Die Kausalkette (lat. causa = Ursache, Grund) ordnet Begriffe nach Ursache und Wirkung und verbindet diese in einer Linie mit Pfeilen. Nur selten besteht ein Sachverhalt nur aus einer Ursache und einer Wirkung. Daher ist es meist sinnvoller, das Thema als Wirkungsgefüge oder Conceptmap darzustellen.

M2 Kausalkette

Auch im Wirkungsgefüge sind Begriffe nach dem Prinzip von Ursache und Wirkung angeordnet. Man kann damit aber auch kompliziertere Zusammenhänge darstellen, z. B.:
- mehrere Ursachen und Folgen (mehrere Begriffe auf gleicher Ebene),
- geringere und stärkere Folgen / Auswirkungen (dicke, dünne Pfeile),
- Folgen unterschiedlicher Art (verschiedene Farben),
- Wechselwirkungen (Doppelpfeile).

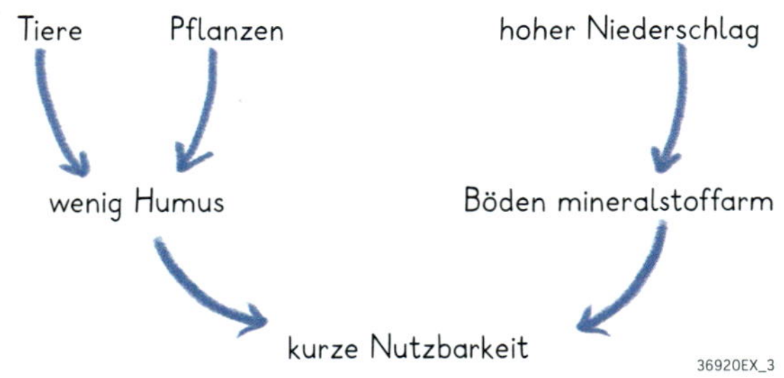

M3 Wirkungsgefüge

So erstellst du eine Conceptmap

1. Schritt:
Erstelle eine Liste mit den Schlüsselbegriffen (Schlüsselwörtern) des Themas.

2. Schritt:
Ordne die Begriffe nach dem Prinzip von Ursache und Wirkung. Achte darauf, dass gleich wichtige oder gleichzeitige Gründe oder Folgen in derselben Ebene stehen.

3. Schritt:
- Verbinde die Begriffe mit Pfeilen. Diese haben die Bedeutung „bewirkt“ oder „hat zur Folge“. Unterschiedliche Stärke der Pfeile kann unterschiedlich starke Wirkung ausdrücken.
- Färbe Begriffe und Pfeile mit gleicher Bedeutung gleich ein.
- Beschrifte einzelne Pfeile.

In einer Conceptmap werden die Linien und Pfeile des Wirkungsgefüges noch zusätzlich beschriftet

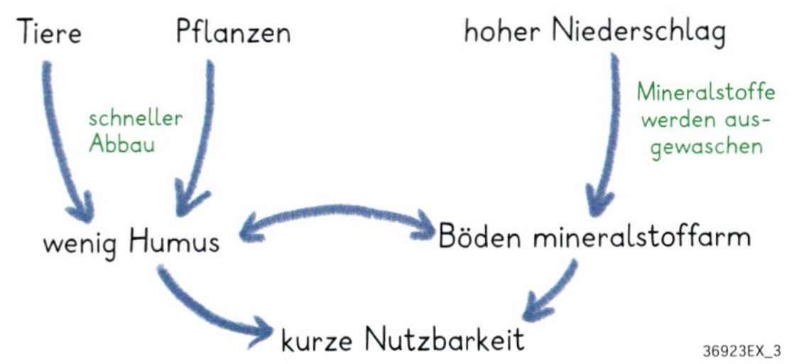

M4 Conceptmap

AUFGABE

1 *Stelle mithilfe von M1 die Gründe für den Beginn der industriellen Revolution in Großbritannien in einer Conceptmap dar.*

1761
Spinning Jenny

1769
Dampfmaschine

1779
Gusseisenbrücke

industrielle Revolution

1750 1760 1770 1780

M 1 Erfindungen im Zeitalter der Industrialisierung: industrielle Revolution

Gruppenarbeit: Das Zeitalter der Erfindungen 1

In der Geschichtsforschung wird zwischen industrieller Revolution und Industrialisierung unterschieden. Während der Abschnitt zwischen 1750 und ca. 1850 als industrielle Revolution bezeichnet wird, stellen die darauffolgenden Jahrzehnte die Industrialisierung dar. Die industrielle Revolution ist gekennzeichnet durch die ersten Maschinen wie die Dampfmaschine und die mechanische Spinnmaschine, die in Fabriken eingesetzt wurden und zunehmend die menschliche Arbeitskraft ersetzten. Die Textilindustrie bildete dabei den führenden Bereich. Später kamen Erfindungen im Bereich des Maschinenbaus hinzu.

Spinning Jenny

Familien hatten meist in Heimproduktion Stoffe und Tuche für den eigenen Gebrauch hergestellt. Dazu mussten sie an Spinnrädern aus losen Baumwollfasern Garn spinnen, aus dem dann Tuche und Stoffe gewoben werden konnten. Insgesamt zwölf Spinnerinnen waren notwendig, um das Material für einen Weber zu produzieren. Die so hergestellte Menge an Garn reichte jedoch bald nicht mehr aus.

Im Jahre 1761 schrieb die „Gesellschaft zur Förderung des Handwerks und der Manufakturen" in Großbritannien einen Wettbewerb aus. Den ersten Preis sollte derjenige erhalten, dem die Erfindung einer Maschine gelang, die „sechs Fäden Wolle, Flachs, Hanf oder Baumwolle gleichzeitig spinnt, sodass nur eine Person zur Bedienung nötig ist". Die Herstellung von Garn, also Fäden, ist notwendig, um damit Stoffe zu weben. Der Preis ging an James Hargreaves, der 1764 seine „Spinning Jenny" vorstellte.

Mit der neuen Maschine bediente eine Frau mit einer Drehbewegung 16 Spindeln auf einmal (an einem Spinnrad war es nur eine Spindel). Das stellte eine erhebliche Steigerung der Arbeitsleistung bei gleichem Aufwand dar.

Das Spinnen konnte schneller vor sich gehen und die Garne wurden glatter als die auf Spinnrädern gesponnenen.

Die von Hargreaves erfundene Spinnmaschine wurde im Laufe der Zeit ständig verbessert. Knapp 20 Jahre nach seiner Präsentation der „Spinning Jenny" wurde der mechanische Webstuhl erfunden, der von einer Dampfmaschine angetrieben wurde. Das hatte zur Folge, dass mehr Kleidung innerhalb kürzerer Zeit produziert werden konnte. Die Stückzahlen stiegen und die handwerkliche Produktion ging zu einer Maschinenarbeit über.

M 2 Textilindustrie

1785
mechanischer Webstuhl

1788
Dampfschiff

1796
Pockenimpfung

industrielle Revolution

1800 1810 1820

Dampfmaschine

Den Menschen stand bis zur Erfindung der Dampfmaschine nur die Kraft von Holz und Feuer oder Wind und Wasser, z. B. in Form von Mühlen, zur Verfügung. Elektrischer Strom war noch nicht bekannt. Mit der Dampfmaschine konnten dann sehr unterschiedliche Maschinen angetrieben werden: Pumpen, dampfbetriebene Bohrer und Förderkörbe im Bergbau, Spinn- und Webmaschinen für die Textilindustrie, Dampfhämmer in der Eisen- und Stahlindustrie oder Dampfschiffe und Lokomotiven. Die natürlichen Energielieferanten wurden durch maschinelle ersetzt. Somit stellte die Dampfmaschine als Universalmotor eine Schlüsseltechnologie für die weitere Entwicklung der industriellen Revolution dar.

Die Bedeutung der Dampfmaschine

Die Dampfmaschine brachte große Vorteile gegenüber den bisherigen Energiequellen Wind und Wasser:

- Die Dampfmaschine war unabhängig von Wind und Wasser. Sie war planbar und verlässlich einsetzbar.
- Da die Dampfmaschine ein Universalmotor war, konnten verschiedene Produkte, wie z. B. Webstühle, Spinnmaschinen oder Lokomotiven, angetrieben werden. Daher konnten viele verschiedene Produkte (anfangs v. a. Textilien, landwirtschaftliche Erzeugnisse) in kürzerer Zeit hergestellt werden.
- Die Dampfmaschine war mobil. Die Menschen waren in der Lage, die Energiequelle dorthin zu schaffen, wo sie benötigt wurde.

Dampfschiffe im Kohlebergwerk (Gemälde, 1850)

Dampfmaschine zieht einen Pflug (Druck, 1890).

M 3 Dampfmaschine

Digital+
WES-112462-213

1837
Telegraf

1840
Mineraldünger

1851
Dampfdreschmaschine

1867
Stahlbeton

industrielle Revolution | Industrialisierung

1830 | 1850

M4 Erfindungen im Zeitalter der Industrialisierung: industrielle Revolution und Hochindustrialisierung

Gruppenarbeit: Das Zeitalter der Erfindungen 2

Die Phase der Industrialisierung tritt ab etwa der Mitte des 19. Jahrhunderts ein. Massenproduktion und Fließband hielten Einzug in die Fabriken und ermöglichten somit eine Produktion in Rekordzeit. Die Elektrizität wurde als Antriebskraft eingeführt. Erfindungen im Bereich der Telekommunikation beschleunigten den Arbeitsprozess und die Produktionsweise weiter. Mit der Produktion der ersten Automobile wurde die Arbeit weiter automatisiert. Auch die Chemieindustrie gewann immer stärker an Bedeutung.

Telefon

Die Erfindung des Telefons geht auf mehrere Personen zurück und es ist umstritten, wer als wahrer Erfinder gilt. Der Hesse Philipp Reis brachte eine erste Version auf den Markt, die von Alexander Graham Bell, einem Schotten aus Boston, weiterentwickelt wurde. Bell entdeckte, dass man Schallwellen, also den Klang, in elektrische Signale umwandeln kann.

Vor dem Telefon gab es Postkutschen, um Nachrichten über weite Entfernungen zusammen mit Personen und Gütern zu transportieren. Daneben boten Telegramme die Möglichkeit, synchron miteinander zu kommunizieren. Allerdings hatte die Kommunikation über Telegrafen den Nachteil, dass jeweils nur eine Nachricht zur selben Zeit empfangen oder gesendet werden konnte.

Mit dem Telefon konnten Menschen jetzt mehrere Nachrichten über dieselbe Drahtleitung senden, indem sie unterschiedliche Töne erzeugten, die die Worte und Klänge repräsentierten. Diese Töne wurden dann als elektrische Signale übertragen und am anderen Ende in Klang zurückverwandelt, sodass die Menschen miteinander sprechen konnten. Für die Industrialisierung bedeutete die moderne Telekommunikation, dass die Arbeitsprozesse weitgehend beschleunigt wurden.

Wie viele andere Erfinder auch hatte Bell Schwierigkeiten, die Öffentlichkeit für seine Erfindung zu begeistern. Jedoch revolutionierte das Telefon die Art und Weise, wie Menschen miteinander kommunizierten, indem es die Entfernung zwischen ihnen überbrückte.

Im Jahr 1879 gab es in weltweit 20 Städten Einrichtungen zur Fernsprechvermittlung. Bis zum Jahr 1881 hatten beinahe alle amerikanischen Städte mit über 15 000 Einwohnern ein Telefonnetz.

Rund hundert Jahre später wurde das erste Handy auf den Markt gebracht.

Es war noch 20 cm lang und der Akku reichte gerade einmal für eine halbe Stunde.

Bell beim erste Gespräch von New York nach Chicago, 1892

M5 Kommunikation

Automobil

Vor der Erfindung des Automobils war die Mobilität stark eingeschränkt. Menschen waren auf langsame Fortbewegungsmittel wie Pferde, Kutschen, Eisenbahn oder auf die Fortbewegung zu Fuß angewiesen. Reisen war mühsam, zeitaufwendig und oft nur für die wohlhabendsten Mitglieder der Gesellschaft erschwinglich. Die Entfernung zwischen Orten wurde meist in Tagen statt in Stunden gemessen.
Trotz mehrerer Vorgängerversionen gilt das Jahr 1886 als das Geburtsjahr des modernen Automobils mit Verbrennungsmotor – wobei schon damals eine alternative Technologie mit Elektromotor existierte. Der Deutsche Carl Benz präsentierte sein Produkt, das damals noch ein Dreirad ohne Lenkrad, Dach und Rückwärtsgang war. Seine Frau Bertha Benz fuhr die erste automobile Langstrecke der Geschichte von Mannheim nach Pforzheim, 100 km in etwa 13 Stunden. Kurz nach der Patentanmeldung von Benz baute der Deutsche Gottlieb Daimler unabhängig davon bei Stuttgart ebenfalls Automobile. Er entwickelte eine motorgetriebene Kutsche mit vier Rädern, die eine Höchstgeschwindigkeit von 16 km/h erreichte. Daimler konstruierte später gemeinsam mit dem Motorbauer Wilhelm Maybach verschiedene Fahrzeuge. Henry Ford gelang der Durchbruch zum Automobil als Massenware mit der Fließbandproduktion. Das Automobil bot den Menschen Freiheit und Flexibilität. Darüber hinaus veränderte das Automobil die Art und Weise, wie Menschen arbeiteten, indem es den Transport von Waren und Gütern effizienter gestaltete und neue Möglichkeiten für den Handel und die Wirtschaft eröffnete.

erstes Automobil von Carl Benz

Ford Modell T

M6 Mobilität

AUFGABEN

1 *Ordnet die Erfindungen im Zeitstrahl M1 und M4 (S. 212–215) folgenden Bereichen zu: Mobilität, Kommunikation, Bau, Rohstoffe, Textilien. Erstellt dazu eine Tabelle.*

2 *Gruppenarbeit mit vier Personen: Jedes Gruppenmitglied bearbeitet eine der vier Erfindungen (M2, M3, M5, M6). Erstellt zu jeder Erfindung einen Steckbrief mit den Kategorien: Fortschritt, Vorteil, Effizienz, Perspektiven, alte Technologie/neue Technologie, Konkurrenz, Preis.*

3 *Stellt euch gegenseitig die Erfindungen vor und vergleicht die Steckbriefe.*

4 *Stellt tabellarisch die Merkmale der industriellen Revolution und Industrialisierung gegenüber.*

5 *Recherchiert, welche weiteren Phasen der Industrialisierung existieren, und diskutiert, ob wir uns heute noch im Zeitalter der Industrialisierung befinden oder dieses durch ein anderes abgelöst worden ist.*

M1 Wirtschaft zwischen 1850 und 1900 in Europa

Kohle, Eisen und Stahl als Motor der industriellen Revolution

Der Maschinenbau

War zu Beginn der industriellen Revolution die Textilindustrie der führende Industriezweig, so änderte sich dies in der ersten Hälfte des 19. Jahrhunderts. Mit der Entwicklung der Eisenbahn entstand eine Industrie, die sich nachhaltig auf andere Industriezweige auswirkte. Von besonderer Bedeutung waren dabei die **Montanindustrie** und der Maschinenbau (mit der Dampfmaschine). In welchem Zusammenhang stehen diese Industriezweige?

Die Arbeiten unter der Erdoberfläche

Steinkohle wird unter Tage abgebaut, was bedeutet, dass Schächte (Stollen) unter die Erdoberfläche gegraben werden. Damit die Bergleute unter der Erde arbeiten können, darf kein Grundwasser in den Schacht gelangen, weshalb Pumpen zum Einsatz kommen. Mit der Erfindung der Dampfmaschine war es möglich, leistungsstarke Pumpen anzutreiben. Es gelang nun, immer tiefer zu graben und so die Erträge aus den Bergwerken zu steigern.

Die Eisenbahn als Transportmittel

Um die Kohle vom Bergwerk zu transportieren, brauchte es Gleise und die Eisenbahn, die nun die Kohle zu einem Hochofen transportierte. In einem Hochofen wird aus Eisenerz unter großer Hitze (durch die Verbrennung von Steinkohle) Roheisen hergestellt. Das Roheisen wird dann in mehreren Schritten zu Stahl weiterverarbeitet. Stahl ist im Vergleich zu Roheisen wesentlich hochwertiger, weil er biegsamer und stabiler ist.

Auch bei der Stahlproduktion gab es Mitte des 19. Jh. wichtige Erfindungen, die die Qualität des Stahls stark verbesserten. Der Stahl konnten nun leichter für Dampflokomotiven und zu Blechen verarbeitet werden.

Kohleförderung (Angaben in Mio. t)		Eisenproduktion (Angaben in Mio. t)	
1770	6,2	1806	0,25
1836	30,0	1835	1,0
1850	50,0	1847	2,0
1870	112,2	1870	5,9

M2 Kohle und Eisen in Großbritannien

Der Eisenbahnsektor als Leitsektor

Nachdem George Stephenson 1814 eine betriebstaugliche Dampflokomotive entwickelt hatte, wurden 1820 erstmals Eisenbahnschienen aus gewalztem Stahl hergestellt. Diese ersten Vorläufer der Eisenbahn wurden in britischen Bergwerken zum Abtransport der Kohle eingesetzt. Dies war nur der Beginn der Entwicklung zur Eisenbahn:

- 1825 ging die erste öffentliche Eisenbahnstrecke zwischen Stockton und Darlington in England in Betrieb.
- Am 7. Dezember 1835 wurde die erste deutsche Eisenbahnstrecke mit 6,5 km Länge zwischen Nürnberg und Fürth eröffnet. Die Lokomotive „Adler“ kam hier zum Einsatz.

Die weitere Entwicklung verlief rasant: Immer mehr Streckenverbindungen wurden geplant und gebaut. Insbesondere die Deutschen bestimmten zunehmend das Eisenbahnwesen. Die Bahn erwies sich als großer finanzieller Erfolg und beförderte immer mehr Personen und Güter. Durch das Eisenbahnfieber schnellte die Zahl der eisen- und stahlverarbeitenden Betriebe in die Höhe, denn für den Bau eines Bahnkilometers wurden rund 160 t Eisen benötigt. Dadurch stieg auch der Bedarf an Arbeitskräften sprunghaft an.

Die Finanzierung übernahmen meist sogenannte **Aktiengesellschaften**. Das sich stetig ausweitende Schienennetz verbilligte den Transport von Menschen und Gütern. Die Reisedauer zwischen den Städten verkürzte sich beträchtlich und die neue Mobilität veränderte das Lebensgefühl der Menschen entscheidend.

Reisedauer in Stunden von Berlin nach ...	Postkutsche (um 1800)	Eisenbahn (um 1900)
Dresden	23	3
Hamburg	36	5
München	81	11
Frankfurt	64	9

M4 Veränderungen bei der Reisezeit

Jahr	1845	1850	1855	1860	1870	1875	1880	1885	1890	1895	1900	1905
km	2131	5822	7781	11026	18560	27795	33865	37572	41818	45203	49878	54680

M3 Länge der Eisenbahnstrecke in Europa

EXTRA

Aktiengesellschaft

Obwohl die Textilindustrie insgesamt große Gewinne verzeichnete, waren die Kosten für die einzelnen Unternehmer stets hoch. So schlossen sich mehrere Investoren zu einer Aktiengesellschaft zusammen. Angelehnt an dieses System entstanden ab ca. 1850 erste Großbanken, die den Unternehmen Kredite liehen und damit die gesamtwirtschaftliche Situation beeinflussten.

AUFGABEN

1 *Beschreibe, wie sich die Kohle- und Eisenproduktion zwischen 1770 und 1870 veränderte (M2).*

2 *Begründe, warum es zu dem Anstieg in der Kohle- und Eisenproduktion kam.*

3 *a) Nenne Gebiete, von denen die Industrialisierung ausging (M1).*
b) Nenne mögliche Gründe, warum es gerade diese Gebiete waren.

4* *Stelle den Kreislauf der Montanindustrie in Kohle-, Eisen- und Stahlindustrie in einer Conceptmap dar.*

5 *Berechne den prozentualen Zuwachs der Streckenlänge zwischen 1845 und 1905 (M3).*

6 *Bewerte die Veränderungen der Reisezeit durch die Eisenbahn. Vergleiche mit den heutigen Reisezeiten (M4, Internet).*

7 *Erkläre, warum die Eisenbahn ein Fortschritt war. Welche Bevölkerungsgruppen profitierten davon, welche nicht?*

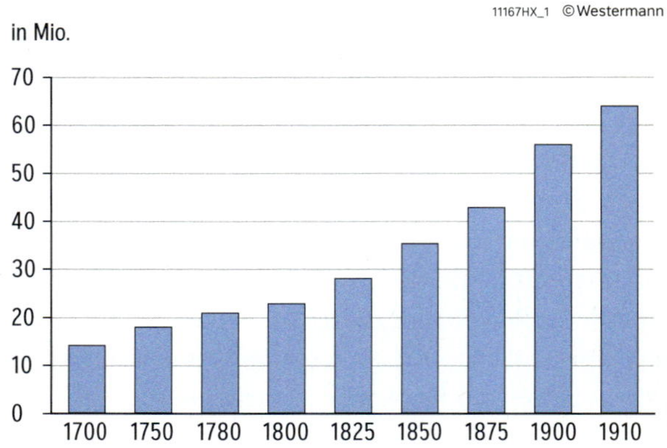

M1 Bevölkerungsentwicklung in Deutschland

M3 Justus von Liebig: deutscher Chemiker (1803 – 1873) in seinem Labor in Gießen

Deutsche Staaten werden Nachzügler

Der Deutsche Bund, 1815 auf dem Wiener Kongress ins Leben gerufen, bestand aus rund 40 Einzelstaaten. Die Kleinstaaterei führte zu Zoll- und Handelshemmnissen, Schmuggel und einer Verteuerung der Waren durch die Zollabgaben. Hinzu kam, dass die Währungssysteme und Maßeinheiten unterschiedlich waren, manchmal variierten sogar die Uhrzeiten: Schlug es vom Rathausturm Görlitz 12.00 Uhr, zeigten die Uhren in Berlin 11.53 Uhr und die in Bonn 11.28 Uhr.

Der Großteil der Bevölkerung arbeitete in der Landwirtschaft. In den Städten regelten bis zu Beginn des 19. Jahrhunderts die Zünfte die handwerkliche Produktion, was sich ebenfalls als hemmend auf den Handel und die wirtschaftliche Entwicklung auswirkte.

Auf diese schlechte Ausgangslage reagierten viele deutsche Länder, indem Gesetze eingeführt wurden, die den Zunftzwang aufhoben und allen Bewohnern Freizügigkeit (frei wählbarer Arbeitsort) und Gewerbefreiheit gewährten. So konnte jeder einen Betrieb eröffnen und Produkte oder Dienstleistungen anbieten.

Durch Gewerbe- und Industrieausstellungen, die Gründung neuer Banken, die Unternehmen Kapital zur Verfügung stellten, sowie durch zahlreiche Maßnahmen unterstützten die deutschen Länder die Industrialisierung.

1834 schlossen sich die meisten Länder zum Deutschen Zollverein zusammen, dem immer mehr Staaten beitraten. Durch den Zollverein fielen die Binnenzölle weg und es entstand schrittweise ein einheitliches Münz- und Gewichtssystem. 1872 wurden auch die Maßeinheiten vereinheitlicht.

Wandel in den deutschen Staaten

Nach zögerlichem Beginn vollzog sich zwischen 1850 und 1870 auf deutschem Boden der Wandel zur Industriegesellschaft. Die Eisenbahn, als Leitsektor, trug entscheidend zu dieser Entwicklung bei. Mehr als 33 000 km Eisenbahnschienen wurden zwischen 1840 und 1880 verlegt.

Gebiete mit einer hohen Bevölkerungsdichte und Gegenden mit reichen Kohle- und Erzvorkommen waren die Ausgangspunkte. Durch die Nachfrage nach Arbeitskräften stieg dort die Bevölkerungszahl sprunghaft an. Unternehmerische Kenntnisse, geschulte Arbeitskräfte und reichhaltige Bodenschätze brachten den Industriezentren Kostenvorteile und sicherten ihnen einen Entwicklungsvorsprung.

Jahr	Bestand an Dampfschiffen	Bevölkerungszahl	Anzahl an Betrieben	Beschäftigte
um 1875	943	364 947	25 479	81 267
um 1907	2 969	986 561	32 110	198 814

M2 Industrieller Wandel in der Rhein-Main-Region

M4 Entwicklung des Eisenbahnnetzes und des Deutschen Zollvereins

Aufstieg der Chemieindustrie

In der zweiten Hälfte des 19. Jahrhunderts führten verschiedene Entdeckungen zu einem rasanten Aufstieg der Chemie- und Farbenindustrie. Die deutsche Chemieindustrie errang mit ihrer Produktion und ihren Innovationen sogar die internationale Vorreiterstellung. Städte, die an großen Flüssen lagen, wurden zu Produktionszentren, da die Rohstoffversorgung einfacher war und genügend Kühlwasser zur Verfügung stand (z. B. Höchst bei Frankfurt). Kehrseite des Aufschwungs war die zunehmende Zerstörung der Umwelt. Durch die Einleitung von Abwässern aus den Fabriken gelangten Schadstoffe in die Flüsse und ins Trinkwasser vieler Menschen.

Ab 1900 arbeiteten die Industrien der Elektrizität und Chemie immer stärker zusammen, besonders in der Metallverarbeitung. Deutschland war zu einer wirtschaftlichen Weltmacht und zum größten Industrieproduzenten nach den USA aufgestiegen.

AUFGABEN

1 *a) Du bist ein Händler und transportierst Ware von Freiburg nach Hamburg (M4). Nenne die Hindernisse, die dabei auftauchen.*
b) Nenne weitere Gründe, warum Deutschland ein spätes Industrieland war.
c) Erkläre, warum Zünfte für die Industrialisierung in Deutschland hinderlich waren.

2* *Stelle tabellarisch die Bedingungen in Deutschland und Großbritannien gegenüber.*

3 *Werte das Diagramm zur Bevölkerungsentwicklung aus (M1).*

4 *Bewerte, ob die Region Hessen eher als Vorreiter oder als Nachzügler der Industrialisierung bezeichnet werden kann (M2, M3).*

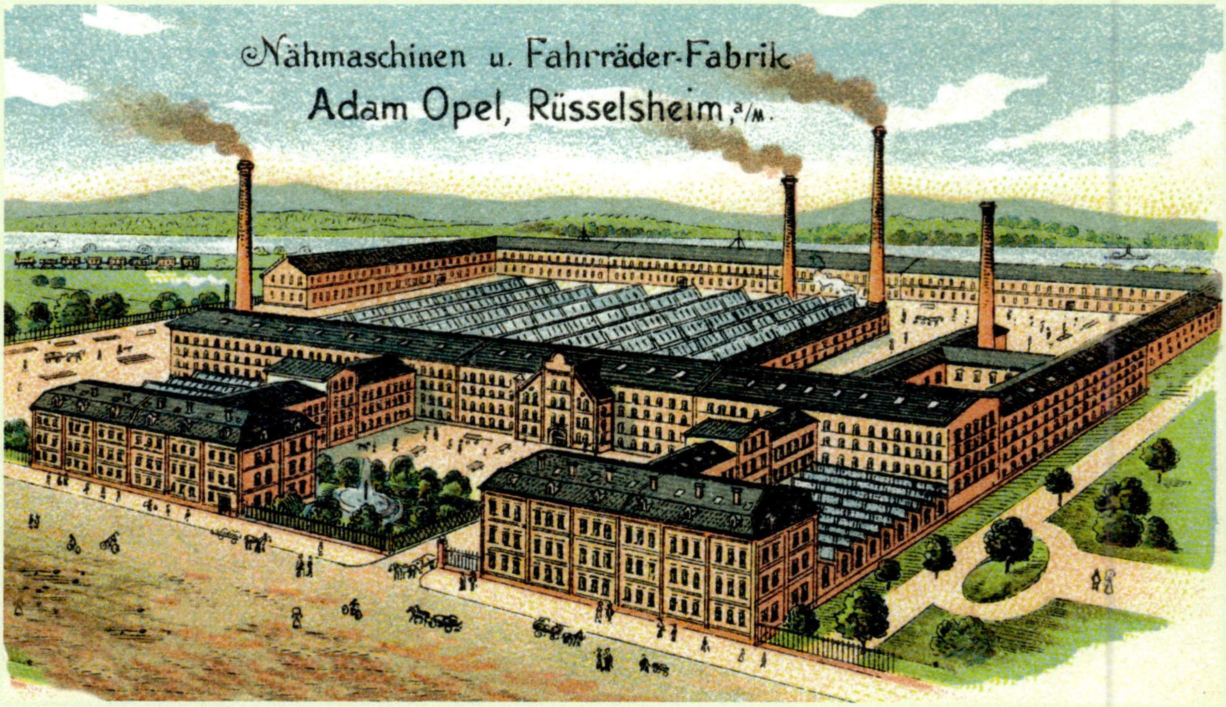

M1 Das Opelwerk auf einer Postkarte im Jahr 1901

Die Industrie prägt Rüsselsheim

Die Industrialisierung hatte zur Folge, dass sich die arbeitende Bevölkerung zunehmend mehr in der Nähe der Fabriken und Bergwerke ansiedelte. Das bis dato landwirtschaftlich geprägte Europa wurde mit der hochindustriellen Phase zunehmend von der Industrie geprägt. Es entstanden Industriestädte und große Arbeitersiedlungen. Auf diese Entwicklung und den massenhaften Zuzug waren die Städte nicht vorbereitet. Es standen nicht genug Wohnraum und Lebensmittel zur Verfügung, die Wasserversorgung in den Städten war überlastet.
Neue, mehrstöckige Wohngebäude, sogenannte Mietskasernen, wurden von privaten Investoren gebaut. Dabei standen vor allem wirtschaftliche Interessen im Vordergrund und weniger das Wohl der dort lebenden Arbeiterinnen und Arbeiter.
Auch die hessische Stadt Rüsselsheim entwickelte sich von einem bäuerlich-handwerklich geprägten Dorf, das es Ende des 19. Jahrhunderts war, zu einer Industriestadt. Seit 1862 ist dort der Automobilhersteller Opel ansässig. Zunächst begann die Firma Opel mit der Produktion von Nähmaschinen. 1879 hatte die Firma bis dato 20 000 Maschinen verkauft. Einige Jahre später stellte die Firma Opel darüber hinaus Fahrräder her. Durch diese Produktionserweiterung mussten sich die Betriebsanlagen vergrößern. Erst 1898, rund 20 Jahre nach der Entwicklung des ersten Viertakt-Verbrennungsmotors durch Carl Benz, begann in Rüsselsheim die Automobilanfertigung.

M2 Die Frankfurter Straße in Rüsselsheim im Jahr 1882

Gesellschaft

Die Bevölkerung der Stadt setzte sich bis weit in das 19. Jahrhundert vorwiegend aus Bauern und Handwerkern zusammen, obwohl erste industrielle Entwicklungen bereits im 18. Jahrhundert begannen. Durch die Industrialisierung wurden die sozialen Unterschiede innerhalb der Gesellschaft verstärkt. Ab den 1960er-Jahren kamen Arbeitsmigranten dazu. 1966 arbeiteten schon 5 000 Migranten im Opelwerk. Die Ausländerbeschäftigung erreichte 1978 mit ca. 13 000 Arbeitern ihren Höchststand – das stellte ca. 60 % der Produktionsarbeiter dar.

Lebenswelt

Neue Arbeitsmöglichkeiten zogen viele Menschen aus ländlichen Gebieten in die Stadt, was zu einem raschen Bevölkerungswachstum führte. Zwischen 1875 und 1914 verdreifachte sich die Einwohnerzahl von 2 500 auf über 8 000 Menschen und wuchs stetig weiter (heute über 60 000 Einwohner.)
Es kam zu einer Verdichtung der Wohngebiete. Oft lebten die Arbeiter und ihre Familien unter zu schlechten Wohnbedingungen. Der Bedarf nach erschwinglichem Wohnraum wurde immer größer. Die Häuser für die Arbeiterfamilien reihten sich an schnurgeraden Straßen aneinander.

Auswirkungen der industriellen Revolution auf die Stadt
Die industrielle Revolution hatte tiefgreifende Auswirkungen auf die Stadt Rüsselsheim. Mit dem Aufkommen der Industrialisierung veränderte sich das Leben der Menschen in vielerlei Hinsicht.

Arbeitswelt

Mit der industriellen Revolution wurde Rüsselsheim Autostadt. Die Automobilproduktion wurde zum Herzstück der Wirtschaft und die Fabriken boten zahlreiche Arbeitsplätze für die Bewohner. Die Arbeitsbedingungen in den Fabriken waren oft hart, und die Arbeiter mussten viele Stunden pro Tag arbeiten, um die steigende Nachfrage nach Autos zu erfüllen.

Stadtbild

Die alte bäuerliche Bebauung mit Fachwerkhäusern unterschiedlicher Größen und Gestaltung wurde zunehmend von typischen Arbeitereigenheimen aus Backstein abgelöst. Häuser dieser Art, an typischen Straßen/Straßenzügen gelegen, wurden serienmäßig hergestellt und meist an Facharbeiter der Firma Opel verkauft. Später kam der Plattenbau hinzu. Die Fabrik prägt noch heute das Stadtbild und die Infrastruktur der Stadt: Die vierspurigen kreuzungsfreien Straßen sind die Verkehrsadern der Stadt.

M3 Veränderungen während und nach der Industrialisierung

AUFGABEN

1 *Stelle die Entwicklung der Firma Opel stichpunktartig dar.*

2 *Recherchiere, wem die Firma Opel heute gehört und wie viele Fahrzeuge jährlich produziert werden.*

3 *Die Nähmaschinenproduktion Opels war ein florierendes Geschäft. Das lag u. a. daran, dass ein Krieg der Firma sehr gelegen kam. Die Uniformnäherei erhöhte den Nähmaschinenabsatz. Erkläre, wie sich Angebot und Nachfrage gegenseitig beeinflussen.*

4 *Beschreibe, welchen Einfluss die Firma Opel auf das Stadtbild und die Stadtentwicklung Rüsselsheims bis heute hat (M3).*

5 *Begib dich mit deinem Smartphone virtuell in die Frankfurter Straße heute. Beschreibe deinen Eindruck von der Straße. Berücksichtige dabei, wie sie früher aussah (M2, Internet).*

M1 Arbeiterwohnung – 24 m² für sieben Personen

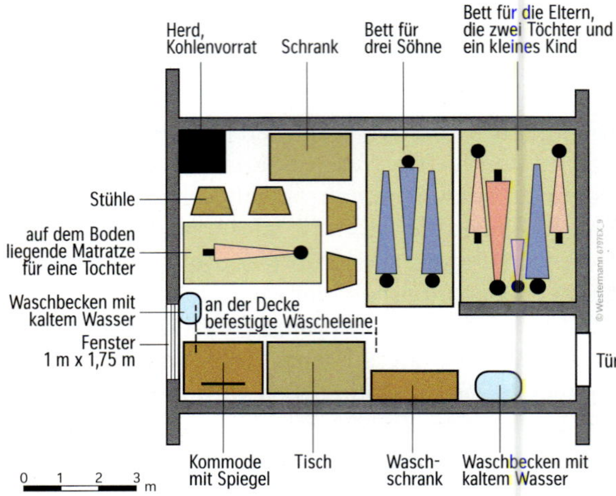

M3 Beispiel einer Arbeiterwohnung um 1900

Schwierige Lebensbedingungen für die arbeitende Bevölkerung

Wohnverhältnisse im 19. Jahrhundert

Durch die Wohnungsnot in den industriellen Ballungsgebieten, die wegen des Zuzugs der vielen Menschen aus ländlicheren Regionen entstand, waren die Arbeiterinnen und Arbeiter einer schwierigen Wohnsituation ausgesetzt. Da nicht genug Wohnraum in den Städten vorhanden war, wohnten die Menschen auf Dachböden, in Scheunen und Ställen, hausten in schmutzigen und dunklen Hinterhöfen und engen Gassen.

Nicht selten teilten sich die Menschen ihre Betten. Sogenannte Schlafgänger bezahlten, um stundenweise in Betten von Leuten zu schlafen, die gerade zur Arbeit in der Fabrik waren.

Mit der Zeit entstanden sogenannte Mietskasernen. Diese zumeist mehrstöckigen Wohnhäuser wurden in viele kleine Wohnungen aufgeteilt. Es entstanden große und verwinkelte Wohnblöcke.

Die Mietskasernen waren nur mangelhaft mit sanitären Anlagen ausgestattet. Teilweise musste das Wasser an örtlichen Pumpbrunnen geholt werden, die Bäche fungierten als Kanalisation. Die Ausbreitung zahlreicher Krankheiten war hierdurch vorprogrammiert. Mietshäuser mit Wasserleitungen und Toiletten im Hinterhof setzten sich nur langsam durch.

Man kommt an eine Türe, man glaubt, man stehe vor einem Ziegenstall. Tritt man ein, so umfängt einen ein kleiner, niedriger Raum, dumpf und eng und feucht und voll Menschen. Die Holzbalken oben an der Decke würden einen größer gewachsenen Menschen nicht erlauben, aufrecht zu gehen. An der einen Seite steht ein geräumiges Bett, in dem gerade ein kranker zehnjähriger Junge liegt, gegenüber ein Kinderbett, von der nassen Wand weggerückt. Zum Stehen ist auch nicht viel Platz da, weil der ganze Raum nicht mehr wie 2 ½ auf 3 ½ Meter messen mag. Außerdem schließt sich ein Herd an und daneben ist eine Stelle mit nur wenig Küchengeschirr. Kinder gab es genug – jetzt leben noch sechs, alle zuhause, fast alle an Diphtheritis [ansteckende Kinderkrankheit] erkrankt. Außerdem gibt es ein zweites Zimmer, ein Loch wie das andere mit zwei Betten, außerdem eine Nähmaschine, ein bäurischer Kleiderkasten und eine Kommode. Das ist der ganze Besitz einer vielköpfigen Familie, elend und jammervoll genug. Der Gesundheitszustand der Familie entspricht der tiefen Lebenshaltung: Der Vater schwindsüchtig [ansteckende Lungenkrankheit], die Kinder alle blutarm [Mangel an Blut, der oftmals durch Mangelernährung zustande kommt], die Frau ein ganz erschöpfter Mensch ohne Lebenskraft.

Quelle: Rosa Kempf: Das Leben junger Fabrikmädchen in München. Pierer, Leipzig 1911

M2 Beschreibung der Lebensumstände einer Arbeiterfamilie vor etwa 110 Jahren

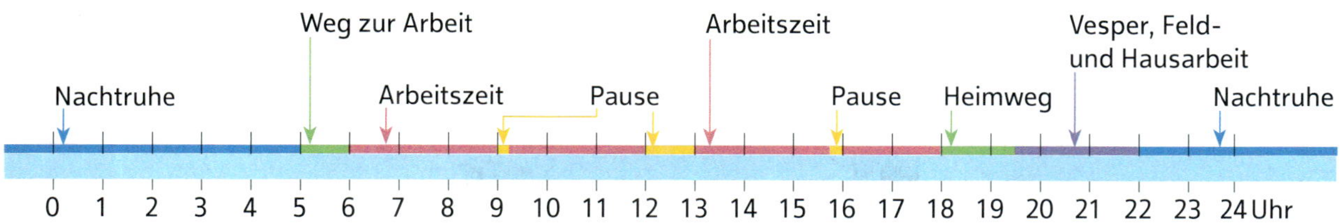

M4 Tagesablauf einer Arbeiterin oder eines Arbeiters

Arbeitsverhältnisse im 19. Jahrhundert

Da viele Menschen Arbeit suchten, gab es ein Überangebot an Arbeitskräften und eine hohe Arbeitslosigkeit. Das nutzten die Fabrikbesitzer aus, indem sie niedrige Löhne zahlten und die Arbeiter extrem lange arbeiten ließen. Trotz harter Arbeit von bis zu 16 Stunden am Tag, reichte das Einkommen eines Mannes nicht, um für seinen Lebensunterhalt aufzukommen. Die Miete verschlang bei vielen einen großen Teil des Lohns, dazu die Lebensmittel für die ganze Familie.

So mussten auch Kinder in der ersten Phase der Industrialisierung arbeiten. Die Betriebe bevorzugten sie, weil kleine Kinderhände für manche Arbeiten nützlicher waren und sie Kindern weniger zahlen mussten.

Arbeiterinnen und Arbeiter hatten nicht die Rechte, die wir heute kennen: Kündigungsschutz, geregelte Arbeitszeiten und Urlaubstage, fortlaufende Vergütung bei Krankheitsausfällen, Absicherung bei Arbeitsunfällen, Rente. Diese Rechte setzten sich später erst durch.

Zum Leben waren folgende Kosten notwendig:

Wohnung:	100 Pfennig
Kleidung:	150 Pfennig
Holz und Kohlen:	150 Pfennig
Beleuchtung:	30 Pfennig
Seife:	24 Pfennig
Steuern und Abgaben:	12 Pfennig
Summe:	**466 Pfennig**

Lohn pro Woche: 1125 Pfennig

M5 Einnahmen und Ausgaben pro Woche

M6 In einer Glasbläserei um 1880

1 Pfd. Speck	80 Pf.
1 Pfd. Rindfleisch	70 Pf.
1 Pfd. Schweineknochen	4 Pf.
1 Pfd. Blut- oder Leberwurst	40 Pf.
1 Hering	7 Pf.
1 Brot	40 Pf.
1 Pfd. Butter	70 Pf.
1 Pfd. Pflanzenfett	50 Pf.
1 Pfd. Reis	18 Pf.
1 Pfd. Gersten-Graupen	20 Pf.
1 Pfd. Buchweizenmehl	20 Pf.
1 Pfd. Kartoffeln	3 Pf.
1 Pfd. Sauerkraut	3 Pf.
1 Pfd. Rübstiel	4 Pf.

M7 Preisliste

AUFGABEN

1 *Nenne Ursachen für die ärmlichen Wohnverhältnisse der arbeitenden Bevölkerung.*

2 *Beschreibe, unter welchen Umständen die Menschen lebten (M1 – M3).*

3 *a) *Beschreibe den Tagesablauf einer Arbeiterin oder eines Arbeiters (M4).*

b) Recherchiere, wie der typische Tagesablauf eines Arbeitnehmers heute ist.

4 *Welche Lebensmittel konnte sich eine vierköpfige Familie von dem übrig gebliebenen Lohn – 659 Pf. in der Woche/ca. 94 Pf. am Tag – noch leisten? Erstelle einen Essensplan mithilfe von M7.*

Arbeitende Kinder früher und heute: Mittelalter bis frühe Neuzeit

M1 Bäuerin mit ihrer Tochter bei der Feldarbeit (14. Jahrhundert)

Kinderarbeit im Mittelalter

Das Leben eines Kindes im Mittelalter war von unterschiedlichen Faktoren (familiäre Herkunft, soziale Stellung, Wohnort und Geschlecht) abhängig. Im Allgemeinen genossen Kinder aus wohlhabenden Bürger- und Adelsfamilien ein privilegierteres Leben im Vergleich zu Kindern aus ärmeren bäuerlichen Verhältnissen. Zudem war die Kindersterblichkeit hoch und zahlreiche Krankheiten waren weit verbreitet.

Bauern benötigten viele Arbeitskräfte und bekamen deshalb zahlreiche Kinder. Diese wurden früh zur Arbeit herangezogen. Schon mit fünf Jahren mussten sie täglich Gänse hüten, Beeren sammeln, Vögel von den Feldern verscheuchen und Unkraut jäten. Waren sie sieben Jahre alt, dann trieben sie Schweine zur Mast in den Wald, hüteten Schafe oder Kühe und machten sich im Haus, Garten und auf den Feldern nützlich. Dort halfen sie beim Garbenbinden (ein Bündel Getreidehalme binden) und Dreschen oder sie sammelten Steine vom Feld. Vom siebten bis zum zwölften Lebensjahr lernten die Jungen alles, was sie als Bauern können und wissen mussten. Mit dem 14. Lebensjahr wurden sie spätestens als volle Arbeitskraft eingesetzt.

Die Mädchen lernten kochen, spinnen und weben, putzten das Haus, bereiteten Käse und Butter zu, pflegten den Garten.

Eltern behandelten ihre Kinder wie Erwachsene und bestraften jeden Ungehorsam hart. Wurde das Essen knapp, mussten auch die Kinder hungern.

In der Stadt verdienten die Kinder aus der Unterschicht ihr Geld als Haus- oder Laufburschen. Sie führten aber auch Gelegenheitsarbeiten aus. Wer aus einer Handwerkerfamilie stammte, verließ schon mit sieben Jahren das Elternhaus, um eine langjährige Lehrzeit bei einem Lehrherrn zu verbringen. Dort half der Junge im Haushalt und erledigte in den ersten Lehrjahren auch Botengänge. Der Meister durfte den Lehrling schlagen, wenn er es für angebracht hielt.

Auch Kinder hatten lange Arbeitstage von 13 oder mehr Stunden. Spiel und Nichtstun betrachteten die Erwachsenen als Müßiggang und hielten es für ihre Pflicht, Kinder frühzeitig an Arbeit zu gewöhnen.

Auch Adlige bekamen viele Kinder, denn die Zeugung eines männlichen Erben war für sie und wohlhabende Bürger aus politischen Gründen sehr wichtig. Nur auf diese Weise konnte die Kontinuität der Dynastie gewährleistet werden.

AUFGABEN

Gruppenarbeit:

1 *Bildet eine Gruppe mit vier Personen und ordnet jeder Person eine Epoche zu.*

2 *a) Sammelt die Gründe, Formen und Folgen von Kinderarbeit für die jeweilige Epoche.*
b) Halte stichpunktartig fest, wie die Kinder auf dem Bild der jeweiligen Epoche abgebildet werden.
c) Entwickele einen tabellarischen Tagesablauf eines Kindes.

3 *Stellt euch eure Ergebnisse gegenseitig vor.*

4 *Notiert Gemeinsamkeiten und Unterschiede.*

5 *a) Arbeitet heraus, wo Kinderarbeit heute noch existiert.*
b) Stellt Vermutungen auf, warum gerade in diesen Regionen auf der Erde Kinderarbeit vorherrscht.

6 *Notiert, was wir in Deutschland tun können, um Kinderarbeit nicht zu unterstützen.*

7 *Haltet eure Ergebnisse auf einer Wandzeitung fest und stellt sie in einem Museumsrundgang eurer Klasse vor.*

M2 Handwerkerfamilie im 15. Jahrhundert

M3 In einer Schule 1740, Gemälde (anonym)

Kinderarbeit in der frühen Neuzeit

In der frühen Neuzeit, also im Zeitraum zwischen dem 16. und 18. Jahrhundert, war Kinderarbeit noch in fast allen Ständen und Berufen verbreitet. Nur die Kinder des Adels und des hohen Bürgertums hatten die Möglichkeit, sich arbeitsfrei ihrer eigenen Kindheit und damit auch der Bildung zu widmen.

Allmählich rückte die Schule, insbesondere in den Städten, immer stärker in den Vordergrund, was unter anderem auf die Erfindung des Buchdrucks zurückzuführen war.

In der Schule wurde ein bestimmtes Weltbild verkörpert, wie der Auszug aus der Braunschweiger Schulordnung von 1753 beschreibt:

Die Kinder kommen überhaupt unwissend auf die Welt, und wenn sie ohne Unterricht und Anweisungen aufwachsen sollten, so würden zwischen ihnen und dem Vieh keine großen Unterschiede sein. Wir sehen noch immer leider solche Menschen, die so unglücklich gewesen sind, dass sie in der Jugend entweder gar keinen oder doch weniger und nicht zureichenden Unterricht erhalten haben; an ihnen zeigt sich, was ein Mensch ohne Unterricht und Unterweisung sei. Wie aber überhaupt Kinder unwissend auf die Welt kommen, so sind sie insbesondere dem, was ihre wahre Wohlfahrt betrifft und in den Dingen, die ihnen zur Seligkeit zu wissen nötig sind, unwissend. Sie bedürfen also in aller Absicht Unterricht. Sie müssen unterrichtet werden, wenn sie in den Stand gesetzt werden sollen, ihre leibliche oder äußere und geistliche oder ewige Wohlfahrt zu befördern.

Quelle: Braunschweigische Schulordnung (1753), zit. n.: Richard van Dülmen, Kultur und Alltag in der Frühen Neuzeit Bd. 1: Das Haus und seine Menschen, München: C. H. Beck 2005, S. 118.

Die Schulbildung der Kinder war ebenfalls vom gesellschaftlichen Stand abhängig. Kinder aus wohlhabenden Familien erhielten oft Privatunterricht zu Hause. In städtischen Gebieten besuchten Jungen und Mädchen gemeinsam eine Grundschule, um grundlegende Lese- und Schreibfertigkeiten zu erwerben. Auf dem Land hingegen war Unterricht selten möglich.

Tatsächlich sollte die allgemeine Schulpflicht erst 1871 in Deutschland eingeführt werden. Spielzeug und Spiel waren in der frühen Neuzeit eine wichtige Vorbereitung auf das Erwachsenenleben. Kinder aus reichen Bürgerfamilien sollten frühzeitig Interessen und Neigungen herausbilden. So waren z. B. Baukästen, Ritterburgen, Kaufmannsläden und Spielzeuggewehre für Jungen eine spielerische Vorbereitung auf den Beruf des Geschäftsmanns oder eines Offiziers. Puppen und Puppenstuben, Spielzeugbügeleisen und -nähmaschinen sollten die Mädchen auf ihre Rolle als Hausfrau und Mutter vorbereiten.

Arbeitende Kinder früher und heute: Industrialisierung bis heute

M1 Kinderarbeit in einem englischen Bergwerk

M2 In einer Spinnerei um 1900

Kinderarbeit während der Industrialisierung

Wissenschaftler gehen heute davon aus, dass bis zu einem Drittel der Menschen in Fabriken Kinder waren. Väter und Brüder, die in den Fabriken arbeiteten, verdienten meist so wenig, dass es kaum zum Nötigsten reichte. Daher mussten Kinder mitarbeiten, um das Überleben der Familie zu sichern.

Dass Kinder die Maschinen oft ebenso gut wie Erwachsene bedienen konnten, machten sich die Fabrikbesitzer zunutze. Sie stellten bevorzugt Frauen und Kinder ein, denen sie erheblich weniger Lohn als den Männern zahlten, und steigerten so ihren eigenen Gewinn.

Die schlimmsten Missstände gab es zu Beginn der industriellen Revolution, als viele Unternehmer Kinder und Jugendliche schamlos ausbeuteten. Die Kinderarbeit führte zu schweren gesundheitlichen Schäden, da Kinder den unmenschlichen Arbeitsbedingungen nicht gewachsen waren. Allerdings ist in der Geschichtsforschung bekannt, dass sich ab der ersten Hälfte der industriellen Revolution die Gesetzeslage in Bezug auf Kinderarbeit deutlich verschärfte. In deutschen Staaten verdrängten die allgemeine Schulpflicht und vor allem das Kindesschutzgesetz die Kinderarbeit in den Fabriken. Das Gesetz untersagte in Preußen 1839 die Beschäftigung von Kindern unter neun Jahren und erlaubte die Beschäftigung von Jugendlichen unter 16 nur dann, wenn sie mindestens drei Jahre Schulzeit hinter sich hatten.

Anlass für die Regulierung war nicht in erster Linie die Sorge um die mangelhafte Bildung, sondern die Feststellung bei Musterungen, dass immer mehr Jugendliche aufgrund der harten Belastungen im Arbeitsprozess seit früher Kindheit nicht mehr für das Militär tauglich waren.

M3 Kinder erhalten ihre Löhne (1871).

M4 Kinderarbeit in einer Mine (Großbritannien, 1842)

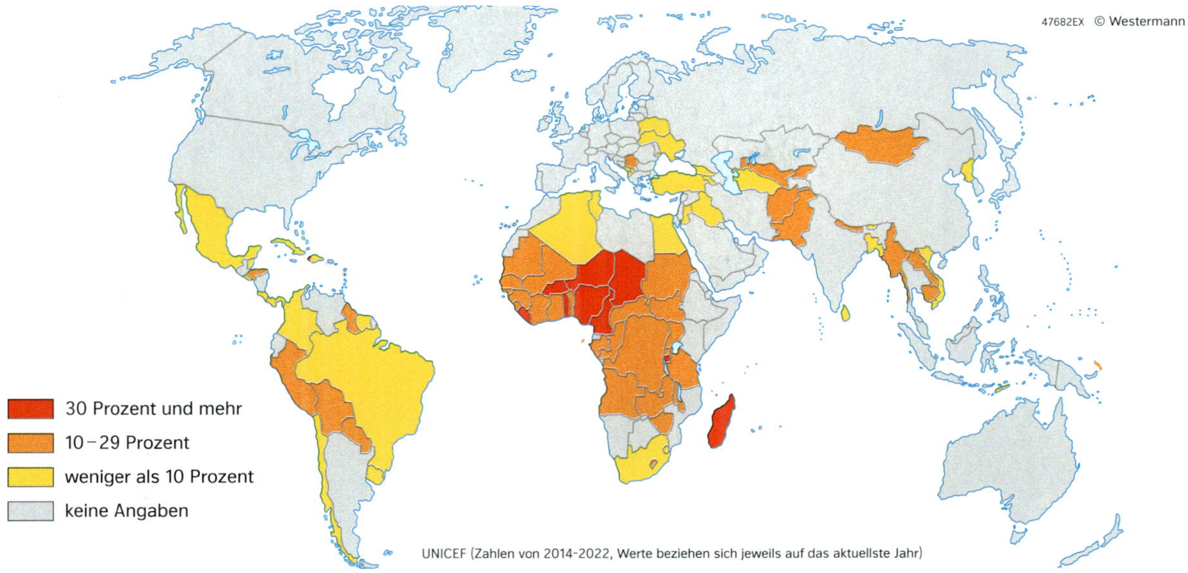

M5 Karte mit weltweiter Verbreitung von Kinderarbeit heute

Kinderarbeit heute

Im Jahr 1999 wurden Verbote aufgestellt, die die schlimmsten Folgen von Kinderarbeit beseitigen sollen. Fast alle Länder der Welt bekennen sich zu diesen Verboten. Experten gehen davon aus, dass trotzdem weltweit mehr als 150 Mio. Kinder und Jugendliche (im Alter von 5 bis 17 Jahren) schwer arbeiten müssen. Mehr als die Hälfte von ihnen arbeitet unter gesundheitsgefährdenden oder unfallträchtigen Bedingungen.

Kinderarbeit tritt heute immer als Folge von großer Armut, mangelhafter Bildung und kaum vorhandenen Sozialsystemen auf.

- Sklaverei und Schuldknechtschaft [gezwungene Arbeit, um Schulden abzubezahlen] und alle Formen der Zwangsarbeit
- Arbeit von Kindern unter 13 Jahren
- Kinderprostitution und -pornografie
- Einsatz von Kindern als Soldaten
- illegale Tätigkeiten, wie z. B. Drogenschmuggel
- Arbeit, die die Gesundheit, die Sicherheit oder die Sittlichkeit [Moral, Anstand] gefährdet, also zum Beispiel Arbeit in Steinbrüchen, das Tragen schwerer Lasten oder sehr lange Arbeitszeiten und Nachtarbeit

Quelle: IAO-Konvention 182

M7 Verbote, die die schlimmsten Formen von Kinderarbeit beseitigen sollen

Feldarbeit (Philippinen)

Ziegelei (Bangladesch)

Schuhputzen (Guatemala)

M6 Beispiele für Kinderarbeit heute

M1 Der Streik, Gemälde von Robert Koehler, 1886

Die arbeitende Bevölkerung kämpft für bessere Arbeitsbedingungen

Die meisten Arbeitgeber interessierten sich wenig für das Wohlergehen ihrer Mitarbeiterinnen und Mitarbeiter. Schließlich war das Angebot an Arbeitern groß genug, sodass die Löhne, die ohnehin kaum zum Leben reichten, weiter gesenkt werden konnten. Später gab es allerdings auch Phasen, in denen es einen Mangel an Arbeitskräften gab.

Wer erkrankte, wer zu alt war, wer die langen Arbeitszeiten nicht aushielt, wurde entlassen. Wer sich Anweisungen widersetzte oder wegen neuer Maschinen überflüssig war, verlor seine Arbeit. In gegenseitiger Solidarität half sich die arbeitende Bevölkerung bei Unfällen und anderen Notsituationen. In den Arbeitervierteln wuchs unterdessen das Elend der Menschen.

Ab der zweiten Hälfte des 19. Jahrhunderts wurden immer mehr Menschen aktiv. Sie wollten ihre Situation nicht länger so hinnehmen und forderten, dass Fabrikbesitzer die Verantwortung für ihre Mitarbeiter übernehmen sollten. Die Not der Arbeiterfamilien führte mancherorts zu Gewalt. In Großbritannien machten Arbeiter die Maschinen für ihre Lage verantwortlich und stürmten und zerstörten die Fabriken.

Die arbeitende Bevölkerung erkannte, dass sie sich gemeinsam zur Wehr setzen musste. Das wirksamste Mittel im Arbeitskampf war die Arbeitsniederlegung (**Streik**). Auf diese Weise wurde versucht, mehr Lohn, kürzere Arbeitszeiten und bessere Absicherungen durchzusetzen.

Der erste große Streik auf deutschem Boden fand 1873 durch die Buchdrucker statt, die sich für einen **Tarifvertrag** einsetzten. Die Arbeiterbewegungen dieser Art erzielten anfänglich Erfolge. Als Reaktion wurden sie deshalb von staatlicher Seite im Jahre 1878 verboten. Erst in den 1890er-Jahren war das Streiken wieder legal.

Arbeiter schließen sich zusammen

Allmählich entwickelten sich aus dem Zusammenschluss der arbeitenden Bevölkerung Vereine. Ein Beispiel ist der 1863 gegründete Allgemeine Deutsche Arbeiterverein, aus dem die Sozialdemokratische Partei (SPD) entstand, um auf politischem Wege Besserungen zu erzielen. Außerdem entstanden **Gewerkschaften**, die sich dafür einsetzten, dass Menschen unter besseren Bedingungen arbeiteten und mehr Lohn erhielten. Sie schlossen sich aus Menschen bestimmter Berufsgruppen wie Drucker, Metallarbeiter und Bergleute zusammen. Bis heute organisieren Gewerkschaften Streiks, um bessere Arbeitsbedingungen zu erkämpfen. Solche Streiks müssen allerdings angemeldet werden.

M3 Sicherheitsmitarbeiter des Flughafens Köln/Bonn während eines 24-stündigen Streiks, organisiert von der Gewerkschaft ver.di

Bet' und arbeit'! Ruft die Welt,
bete kurz! denn Zeit ist Geld.
An der Tür pocht die Not –
Bete kurz! denn Zeit ist Brot.

Und du ackerst und du säst,
und du nietest und du nähst,
und du hämmerst und du spinnst –
sag o Volk, was du gewinnst!

Mann der Arbeit, aufgewacht!
Du erkenne deine Macht!
Alle Räder stehen still,
wenn dein starker Arm es will.

Quellen: G. Herweg (Verfasser) Dr. Heiko Possel (Hrsg.), Düsseldorf

M2 Auszug aus dem Gedicht „Das Bundeslied" von Georg Herwegh

M4 Traditionsbanner der SPD mit dem Handschlag, dem alten Symbol der Arbeiterverbrüderung

M5 Postkarte einer Arbeiterbewegung, um 1900

AUFGABEN

1 *Arbeite anhand der S. 208/209 heraus, wie die Arbeitsbedingungen in den Fabriken waren.*

2 *a) Ordne die folgenden Personengruppen in M1 zu: diskutierendes Ehepaar, Wortführer der Streikenden, gewaltbereiter Arbeiter, Unternehmer, Familie des Streikenden.*
*b) *Beschreibe das Verhalten und die Emotionen der einzelnen Figuren.*
c) Analysiere, wer für und wer gegen den Streik ist.
d) Beschreibe, mit welcher Absicht Robert Koehler das Bild gemalt haben könnte.

3 *Stellt die Szene in einem Rollenspiel dar.*

4 *Begründe die Motive und die Hoffnungen der Arbeiter (M2, M3, M5).*

5 *Erkläre anhand von M3, was eine Gewerkschaft und ein Streik sind.*

Die soziale Frage und ihre Lösungsansätze

Die soziale Frage ist ein Sammelbegriff für die sozialen Probleme, die mit der Industrialisierung ab der Mitte des 19. Jahrhunderts einhergingen, also soziale Absicherungen, Arbeitszeiten, Wohnverhältnisse sowie die Lage der Arbeiterschicht. Über die Lösung der sozialen Frage gab es unterschiedliche Ansichten.

Karl Marx

Karl Marx war ein berühmter Philosoph und Staatstheoretiker, der sich mit der sozialen Frage beschäftigte. Er glaubte, dass die Gesellschaft in Klassen aufgeteilt sei. Eine Klasse umfasst eine Gruppe von Menschen, die eine ähnliche wirtschaftliche und finanzielle Stellung in einer Gesellschaft haben, z. B. Arbeiter.
Marx unterteilte zwischen der Bourgeoisie (Eigentümer von Produktionsgütern, also Fabriken, Maschinen usw.) und den Proletariern (Arbeiter ohne Besitz). Er argumentierte, dass die Bourgeoisie die größte Macht besaß, da sie das Kapital (Geld) hatte. Sie kontrollierte alle wichtigen Produktionsmittel und vermehrte ihr Kapital auf Kosten der Arbeiter. Nach Marx beutete die Bourgeoisie die Proletarier aus. Er behauptete, dass die von den Arbeitern produzierte Ware mehr wert sei als der Lohn, den die Arbeiter von den Fabrikbesitzern bekamen.
Seiner Auffassung zufolge seien die Kapitalisten nie bereit, ihr Geld und ihre Macht zu teilen. Dies führe zu einer ungerechten Verteilung des Reichtums in der Gesellschaft. Marx glaubte, dass die Lösung dieser sozialen Frage darin bestehe, dass die Arbeiter die Kontrolle über die Fabriken und das Geld übernehmen sollten. Er sagte, dass alle Menschen gleich behandelt werden sollten. Auch forderte er die gerechte Verteilung des Reichtums der Gesellschaft, damit niemand in Armut leben muss.

Um dieses Ziel zu erreichen, sollten die Arbeiter sich organisieren und gemeinsam für ihre Rechte kämpfen. Er nannte dies den „Klassenkampf“. Dies gelinge in seiner Vorstellung nur dann, wenn allen alles gehörte und es keinen Privatbesitz mehr gab, weshalb die Unternehmer enteignet und deren Eigentum dem Staat gegeben werden sollte. Die produzierte Ware würde nach den individuellen Bedürfnissen zugeteilt werden.

Wie soll die soziale ....

Staat

Um die soziale Lage der Arbeiter nachhaltig zu verbessern und die soziale Frage zu lösen, wurde der Ruf nach einem staatlichen Einschreiten immer lauter. In den 1880er-Jahren wurden schließlich die gesetzliche Kranken-, Unfall- und Rentenversicherung eingeführt, die in veränderter Form noch heute bestehen. Anfangs erreichten diese Leistungen nur sehr wenige Menschen. Der deutsche Staat wurde damit zwar in Ansätzen zum Sozialstaat, der sich um die in Not geratenen Bürger kümmerte, jedoch waren diese Maßnahmen noch weit davon entfernt, für die Betroffenen eine gesicherte Lebensgrundlage darzustellen. Hinzu kam, dass auch politisch-taktische Erwägungen eine Rolle spielten: Auf der einen Seite sollte die Integration der Arbeiterschaft in das Staatswesen gefördert werden („Zuckerbrot“), auf der anderen Seite wurde die Arbeiterbewegung rigoros bekämpft („Peitsche“).

Versicherungsart	Krankenversicherung	Unfallversicherung	Altersversicherung
Beitragshöhe	2–3 % des Lohnes	unterschiedlich	1 % des Lohnes
Wer zahlt?	• 2/3 zahlt der Arbeiter, 1/3 zahlt der Unternehmer.	• Der Unternehmer zahlt allein.	• Arbeiter und Unternehmer zahlen je die Hälfte.
Welche Leistungen erhält der Arbeiter?	• Bezahlung der Arztbesuche und der Medikamente • Kosten für Krankenhausaufenthalt • bis zu 50 % des Durchschnittslohns als Krankengeld ab dem 3. Krankheitstag bis zu 26 Wochen	• Bezahlung der Heilungskosten • bei Erwerbsunfähigkeit Weiterzahlung von 2/3 des Einkommens • bei Unfalltod 1/5 des Lohns für Witwen	Altersrente ab 70 Jahren nach 30 Jahren Beitragszahlung

Unternehmen

Die meisten Unternehmer sahen keine Notwendigkeit dafür, die Situation ihrer Arbeiter zu verbessern. Eine Erhöhung der Löhne, eine Verringerung der Arbeitszeiten und Ausgaben für eine verbesserte Lebensqualität hätten ihre Gewinne schmälern können. Trotzdem gab es einige wenige Unternehmer, die sich dennoch für ihre Arbeiter einsetzten, und dies hatte hauptsächlich folgende Gründe:

- Die Unternehmer befürchteten, dass die Arbeiter streiken könnten oder es zu gewaltsamen Auseinandersetzungen in den Fabriken käme.
- Die Unternehmen wollten vermeiden, dass ausgebildete Arbeitskräfte zu anderen Unternehmen wechselten.
- Eine Vielzahl der Unternehmer betrachtete sich als patriarchalisch und glaubte, dass es ihre Pflicht sei, sich „väterlich" um ihre Arbeiter zu kümmern. Sie waren davon überzeugt, dass sie besser als die Arbeiter selbst wussten, was für diese gut war.

Mit kaufmännischem Geschick, gegebenenfalls technischen Kenntnissen, Risikobereitschaft und Glück konnten Fabrikherren sehr reich werden. So übernahm Alfred Krupp in Essen einen kleinen Familienbetrieb mit sieben Arbeitern. Bis zu seinem Tod, 60 Jahre später, baute er die Firma zu einem Weltunternehmen mit 21 000 Mitarbeiterinnen und Mitarbeitern aus.

1877 formulierte Krupp an seine Arbeiter: *„Ich habe den Mut gehabt, für die Verbesserung der Lage der Arbeiter Wohnungen zu bauen […], ihnen Schulen zu gründen und Einrichtungen zu treffen zur billigen Beschaffung von allem Bedarf."*
Krupp ließ bereits 1836 für seine Angestellten eine Betriebskrankenkasse einrichten und Werkswohnungen bauen. Daneben eröffnete er die Konsumanstalt, um seinen Mitarbeitern günstige Einkaufsmöglichkeiten zu geben. Allerdings erwartete er als Gegenleistung, dass sich die vielen Arbeitnehmer an die Firma banden und sich nicht in der Arbeiterbewegung engagierten oder gar streikten. Er betrachtete die Arbeiter vielmehr als sein Eigentum.

Werkswohnungen für Beschäftigte der Krupp-Werke: Siedlung Baumhof, erbaut 1872 (Foto 1910)

... Frage gelöst werden?

AUFGABEN

Gruppenarbeit

1 *Ordnet jedem Gruppenmitglied einen Lösungsansatz zu.*

2 *Lies dir die Perspektive (Marx, Staat oder Unternehmen) auf die soziale Frage durch und halte auf dem Placemat stichpunktartig die Forderungen fest.*

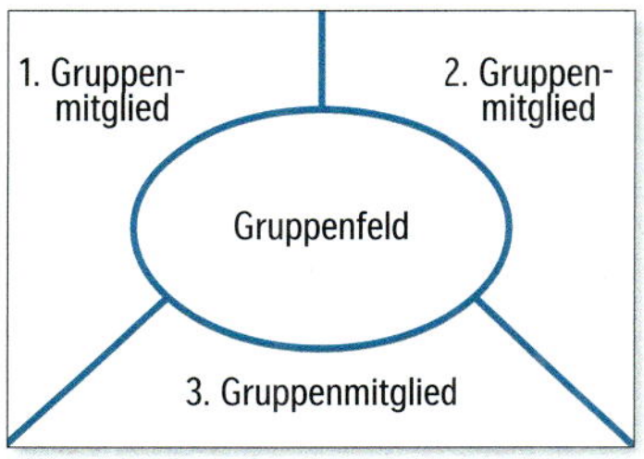

3 *Tragt euch die Ergebnisse des Placemats gegenseitig vor.*

4 *Formuliert gemeinsame eine Definition für die folgenden Begriffe:*
a) soziale Frage,
b) Proletariat.
Notiert sie in das Gruppenfeld.

5 *Welche Widersprüche zwischen den einzelnen Lösungsansätzen werden deutlich? Beschreibt diese stichwortartig in der Mitte des Placemats. Ergänzt eure Ideen zur Lösung der sozialen Frage.*

6 *Stellt euer Ergebnis der Klasse vor.*

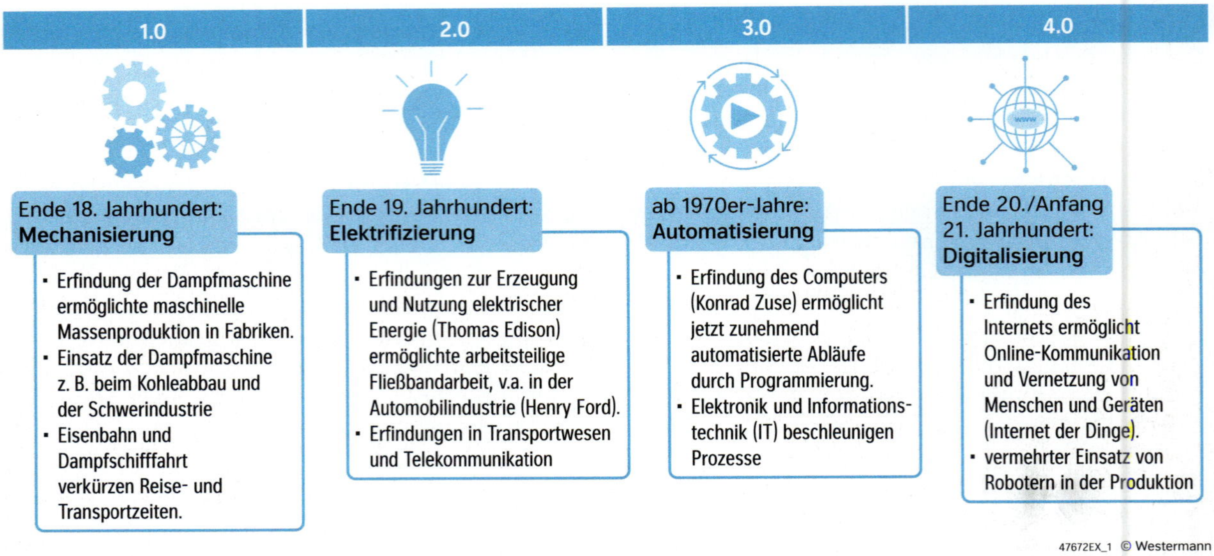

M1 Von der Industrie 1.0 bis 4.0

Wie wir morgen leben und arbeiten

Die Digitalisierung verändert die Wirtschaft so grundlegend wie einst die erste industrielle Revolution. Schwere körperliche Arbeit wird automatisiert, mehr und mehr Dienstleistungen werden von leistungsfähigen IT-Systemen übernommen, traditionelle Berufe verschwinden, neue entstehen.
Ein derartiger Veränderungsprozess, der sich auf die gesamte Gesellschaft auswirkt, wird als **Strukturwandel** bezeichnet. Er kann sich in unterschiedlichen Formen durchsetzen: als Wandel zwischen Wirtschaftsbereichen (sektoraler Strukturwandel), als Wandel innerhalb einer Wirtschaftsbranche (intrasektoraler Strukturwandel), als Wandel innerhalb einzelner Regionen (regionaler Strukturwandel).

primärer Sektor = Agrarsektor
Landwirtschaft (Agrarwirtschaft), Fischerei, Forstwirtschaft, Bergbau, Jagd, Viehzucht, Imkerei

sekundärer Sektor = industrieller Sektor
produzierendes Gewerbe: Industrie (Automobil, Lebensmittel, Textil, Maschinenbau etc.), Handwerk, Baugewerbe

tertiärer Sektor = Dienstleistungssektor
Handel, Verkehr, Transport/Logistik, Gastgewerbe, Tourismus, Banken und Versicherungen, Vermietungen, öffentliche Dienstleistungen (Verwaltung), Reinigung, Entsorgung, Sicherheit, Kultur und Kreativität

M3 Wirtschaftssektoren

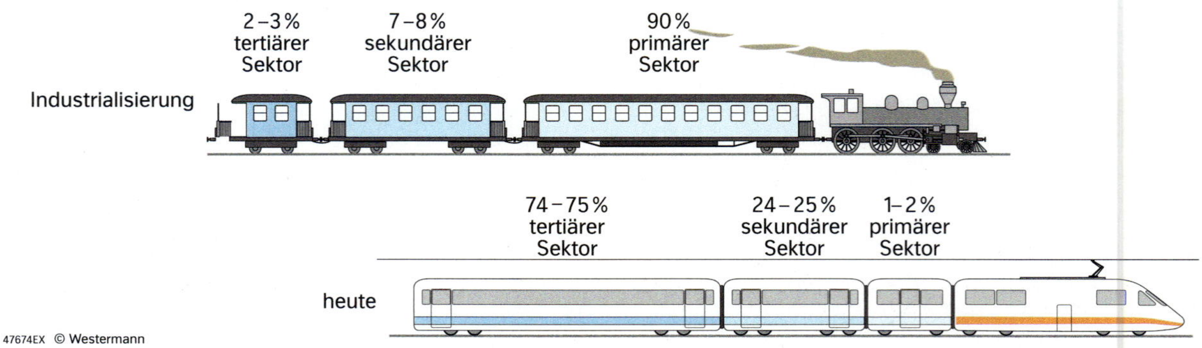

M2 Der sektorale Wandel

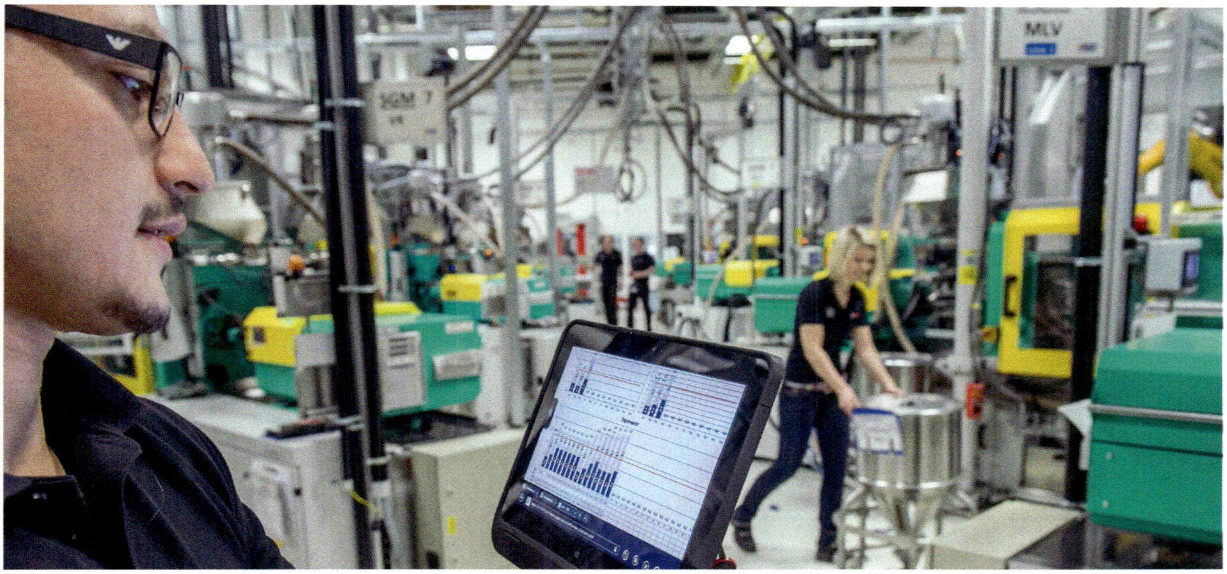

M4 Industrie 4.0 – ein Mitarbeiter prüft mit einem Tablet die Betriebsdaten von vernetzten Maschinen.

FACHBEGRIFF

Künstliche Intelligenz
(KI; engl.: artificial intelligence; AI). Bezeichnung für Computerprogramme, die (scheinbar) intelligent und selbstständig Aufgaben erfüllen und dabei versuchen, menschliche Intelligenz nachzuahmen. Während im 19. und 20. Jh. durch Mechanisierung und Automatisierung die physische menschliche Arbeit erleichtert und teilweise ersetzt wurde, zielt die Entwicklung und der Einsatz von Künstlicher Intelligenz darauf ab, menschenähnliche Wahrnehmungs- und Entscheidungsstrukturen nachzubilden. Dadurch sollen Computer in die Lage versetzt werden, bestimmte kognitive Aufgaben in einzelnen Bereichen genauso gut wie ein Mensch (oder sogar besser) auszuführen. Derzeit ist davon auszugehen, dass die menschliche Intelligenz in Bereichen wie Sozialkompetenz, Lernfähigkeit und Interessen nicht vollständig ersetzt werden kann.

M5 Homeoffice

AUFGABEN

1 *Erkläre den sektoralen Wandel und dessen Auswirkungen auf die Arbeitswelt (M2).*

2 *Erkläre, warum die gegenwärtige Umgestaltung der Arbeitswelt als „Industrie 4.0“ bezeichnet wird (M1).*

3 *Suche dir einen Beruf aus und erläutere, inwiefern Computer und Maschinen darin zum Einsatz kommen (M4, M5, Internet).*

4 *Begründe, ob du lieber in einer vollautomatisierten Werkstatt oder im Homeoffice arbeiten würdest.*

5 *Berichte, inwieweit du bereits Berührungspunkte mit KI hattest oder diese selbst genutzt hast.*

M1 Abbau von Kohle (Herten, 1987)

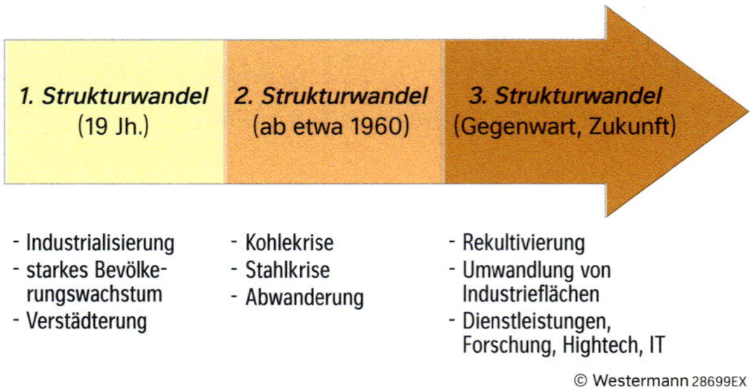

M2 Das Ruhrgebiet wandelt sich.

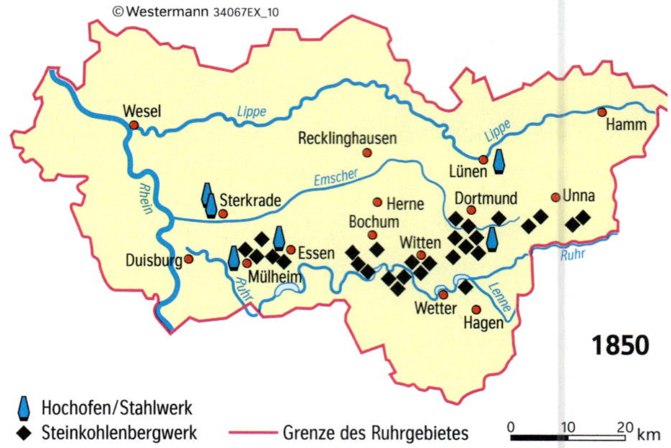

Eine Region verändert sich

Die Steinkohlenvorkommen waren eine wichtige Grundlage für die industrielle Entwicklung des Ruhrgebietes. Im Bergbau und in der Verarbeitung von Eisen und Stahl arbeiteten Hunderttausende Menschen. Heute sind alle Steinkohlenbergwerke geschlossen. Was sind Gründe für diese Entwicklung?

Jahr	Mitarbeiter
1945	282620
1955	478320
1965	306930
1975	159710
1985	124730
1995	70520
2005	29380
2015	7550
2018	3370

M3 Belegschaft im Steinkohlenbergbau im Ruhrgebiet

Zu Beginn des 19. Jahrhunderts war die Landwirtschaft der dominierende Wirtschaftsbereich im Ruhrgebiet. Äcker, Wiesen und Wälder prägten die Landschaft. Dank der Eisenerzvorkommen und des verstärkten Abbaus der Steinkohle begann etwa ab 1850 die wirtschaftliche Entwicklung des Ruhrgebietes.
Mit dem Bergbau entstanden erste Eisen- und Stahlwerke sowie andere Industriebetriebe. Sie siedelten sich in der Nähe der **Bergwerke** an. Neben der Steinkohle war die Nähe zu den Flüssen Ruhr und Rhein wichtig. So konnten Kohle und Stahlprodukte mit dem Schiff schnell und günstig vom Ruhrgebiet in andere Regionen transportiert werden.

M4 Der Abbau der Steinkohle im Ruhrgebiet begann im 19. Jahrhundert.

Obwohl die Eisenerzvorkommen nach wenigen Jahrzehnten bereits erschöpft waren, entwickelte sich das Ruhrgebiet zu einer der bedeutendsten Industrieregionen Europas. Es entstanden zahlreiche Bergwerke. Viele Menschen arbeiteten als Bergmann im Steinkohlenbergbau. Parallel dazu erlebte die Eisen- und Stahlindustrie im Ruhrgebiet einen starken Aufschwung. Im Ruhrgebiet wurden immer mehr Arbeitskräfte benötigt. Innerhalb weniger Jahre stieg dort die Bevölkerungszahl stark an.
Dörfer wurden zu Städten und vorhandene Städte wie Dortmund zu Großstädten. Es entstanden auch neue Verkehrswege, wie beispielsweise Straßen, Eisenbahnlinien und Kanäle.

M5 Der Steinkohlenbergbau im Ruhrgebiet boomte.

Ab Ende der 1950er-Jahre wurde immer weniger Steinkohle in der Industrie oder zum Heizen benötigt. Zudem wurde Kohle, die billig im **Tagebau** gefördert wurde, zunehmend aus dem Ausland eingeführt. Inzwischen wird im Ruhrgebiet keine Steinkohle mehr gefördert. Im Dezember 2018 stellte die letzte **Zeche** (Prosper Haniel) die Förderung ein. Auch die Stahlindustrie verlor ab Mitte der 1970er-Jahre an Bedeutung. Stahl wurde zunehmend durch Kunststoffe und Aluminium ersetzt. Die Produkte aus Aluminium und Kunststoffen waren billiger und leichter als Produkte aus Stahl. Weltweit kam es zu einer Überproduktion. Später konnten Eisen und Stahl preiswert aus anderen Ländern importiert werden.

M6 Das Ruhrgebiet veränderte sich.

AUFGABEN

1 *Beschreibe die Lage des Ruhrgebietes (Atlas).*

2 *Erkläre den Aufstieg und Niedergang des Kohlenbergbaus und der Stahlindustrie im Ruhrgebiet (M2–M6).*

3 *Stelle mithilfe einer Wandzeitung Gegenstände von damals und heute gegenüber, an denen Ursachen und Folgen des Wandels deutlich werden.*

Industrialisierung und unsere Umwelt

Durch den hohen Bedarf an Ackerfläche und Rohstoffen (Holz, Erz, Wasser), der sich durch den rasanten Bevölkerungsanstieg in ganz Europa ergab, griffen die Menschen unweigerlich immer stärker in die Natur ein. Umweltschutz war im 18. und 19. Jahrhundert unbekannt. Vermutlich gab es auch vorher kein Verständnis für die Konsequenzen menschlichen Eingreifens in die Natur. Die Gestaltung der Landschaft musste sich den Bedürfnissen der Industrialisierung unterordnen. Infrastruktur musste ausgebaut, Wohnraum geschaffen werden. Der immense Verbrauch an Kohle für Energie verursachte bei der Verbrennung dichte Rauchwolken, die die Luft und Umwelt verschmutzten und zu Gesundheitsproblemen bei den Menschen führten. Flüsse wurden zu Abwaserkanälen, weil Fabriken ihre giftigen Abfälle einfach hineinleiteten. Wälder wurden großflächig abgeholzt, um Platz für neue Fabriken und Städte zu schaffen oder Holz als Brennstoff zu nutzen.

Flussgott Vater Themse: „Ich wünschte, ich könnte dem Fluss hinab bis zum Meer folgen und mich waschen."

M3 Britische Karikatur über die Verschmutzung des Flusses Themse in London (1884)

Landschaft	Gewinnung von Rohstoffen (Kohle, Eisen), Bau von Verkehrswegen und großflächigen Industriebetrieben
Wälder	Abholzung für Brenn- und Bauholz
Gewässer	Flussbegradigung, Kanalisierung, Verschmutzung, Verseuchung von Trinkwasser
Luft	Belastung durch giftige Abgase wie Ammoniak, Chlorgas und Schwefeldioxid, das Bäume schädigt
Boden	Verschmutzung durch achtlos entsorgten Haushaltsmüll und Industrieabfälle, Verseuchung durch undichte Rohrleitungen von Industriebetrieben und Chemieunfälle

M1 Raubbau an Natur und Umwelt

M2 Das Burbacher Hüttenwerk

Im Juni 1905 wurde in der Nähe von Sobernheim ein größeres Fischsterben festgestellt. In einem Artikel in der Lokalzeitung wurde der Verdacht geäußert, die Kalkeinleitungen einer Leimfabrik könnten die Ursache gewesen sein. In einem Leserbrief heißt es dazu:

Wollte man aber auch annehmen, dass durch die Zufuhr der Abwässer ein Teil der Fische einginge, so steht die Stadt Sobernheim vor der Frage, ob sie unter allen Umständen die Fischzucht hochhalten und der Industrie die Wege verlegen will oder ob es ratsamer ist, einen Teil der Fische zugrunde gehen zu lassen und der Industrie die Wege zu bahnen. Bei der Beantwortung dieser Frage müssen folgende Tatsachen in Betracht gezogen werden: Die Fischereipacht bringt der Stadt jährlich zirka 200 Mark, die Firma Caesar & Ewald zahlt jährlich [...] alleine an Arbeiterlöhnen durchschnittlich 35 000 Mark. Die Firma muss den Betrieb einstellen, wenn sie ihre Abwässer nicht mehr los wird. Wollen wir also nur eine Bevölkerung haben, die Landwirtschaft treibt [...], so müssen wir die Industrie lahmlegen. Wollen wir aber [...] der ärmeren Bevölkerung Unterhalt verschaffen, dieselbe vor dem Auswandern schützen und damit den Verkehr und die Geschäfte heben, so ist es nicht zu umgehen, auf die Industrie Rücksicht zu nehmen.

Quelle: Jens Flemming (Hrsg.): Quellen zur Alltagsgeschichte der Deutschen 1871 – 1914, Darmstadt 1997, S. 56f

M4 Leserbrief aus Sobernheim

M5 Tagebau

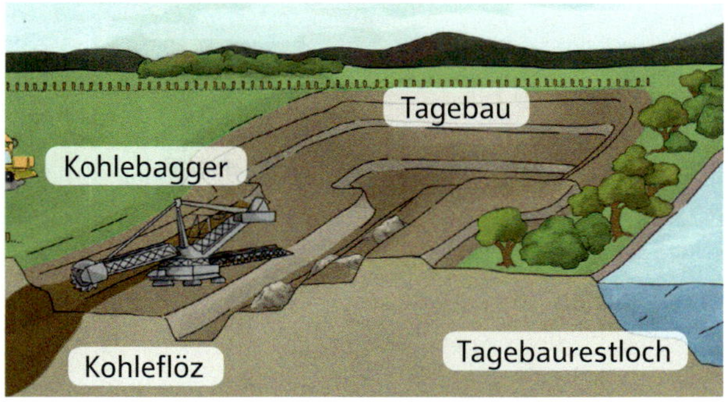

M7 Wenn der Tagebau weiterwandert, können aus Tagebaurestlöchern Erholungsgebiete werden.

Tagebaulandschaften im Wandel

Der Kohleabbau im Tagebau führt zur vollständigen Zerstörung der Landschaft. Zukünftig sollen solche massiven Eingriffe in die Natur vermieden werden, und die besonders umweltschädliche Nutzung von Braunkohle soll durch andere, umweltfreundlichere Energieträger ersetzt werden. Nach einem Beschluss der Bundesregierung aus dem Jahr 2020 soll die Nutzung von Braunkohle in Deutschland bis 2038 beendet werden.

Nach dem Ende des Kohleabbaus wird daher versucht, die Landschaft neu zu gestalten und wieder nutzbar zu machen. Diese Maßnahmen werden unter dem Begriff **Rekultivierung** zusammengefasst. Häufig entstehen dann Erholungsgebiete, wobei die Tagebaurestlöcher zu Seen umgestaltet werden. Sollen die Gebiete land- oder forstwirtschaftlich genutzt werden, muss auf die Kippen Muttererde aufgebracht werden. Nun können wieder Felder, Wiesen oder Wälder wachsen. Ziel ist es, dass naturnahe **Kulturlandschaften** entstehen. Allerdings dauert es zwei bis drei Jahrzehnte, bis gut rekultivierte Flächen ihr Potenzial erreichen.

Nach dem Ende des Tagebaus muss man entscheiden, wie die Rekultivierung aussehen soll. Das große Loch, das nach dem Abbau übrig bleibt, kann nicht verfüllt werden. Weil das Grundwasser nicht mehr abgepumpt wird, entsteht ein See. Die steilen Böschungen müssen gesichert oder abgeflacht werden. Die Abraumkippen werden eingeebnet und befestigt. Dabei ist die Bepflanzung aufwendig. Die Erdoberfläche ist unfruchtbar. Deshalb kommt eine landwirtschaftliche Nutzung nicht infrage. Meist werden Wälder mit Bäumen mit geringen Ansprüchen angelegt. Erholungsgebiete am Wasser sind oft eine gute Lösung.

M6 Eine Landschaftsgestalterin erzählt.

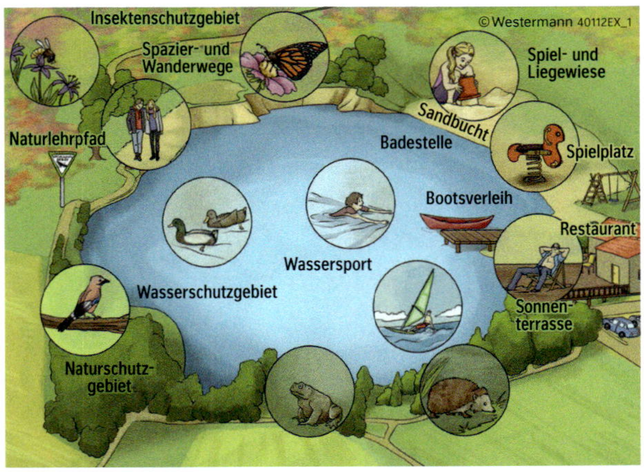

M8 Erholung und Naturschutz an einem neuen See

AUFGABEN

1 *Beschreibe die Umweltbelastungen durch die Industrialisierung für Landschaft, Luft, Gewässer und Boden (M1 – M3).*

2* *Erläutere, wie die Interessen von Unternehmen und Bevölkerung hinsichtlich der Umweltbelastungen aufeinanderprallten (M4).*

3 *Begründe, warum eine Rekultivierung notwendig ist (M5 – M8).*

4 *Recherchiere nach rekultivierten Landschaften in Hessen (Internet).*

ALLES KLAR?

Industrielle Revolution und Industrialisierung

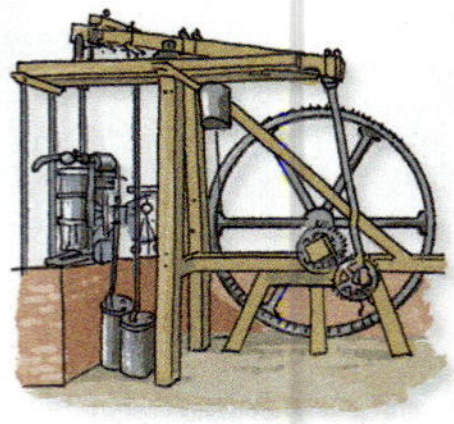

a) Gestalte einen Zeitstrahl über die Entwicklungen der Industrialisierung in Deutschland. Notiere mindestens acht Daten.
b) Erstelle eine Tabelle mit den Voraussetzungen für den Beginn der industriellen Revolution in Großbritannien. Vergleiche mit den Bedingungen in Deutschland.
c) „Erfindungen bringen Erfindungen mit sich."
Begründe, warum dieser Satz auf Großbritannien zutrifft.
d) Industrielle Revolution oder Industrialisierung?
Begründe, welchen Begriff du passender für die damaligen Entwicklungen in Großbritannien findest.

Von der ersten bis zur vierten industriellen Revolutionen

Ergänze das Schaubild und erläutere dazu, welche technologischen Veränderungen jeweils zum Wandel der Produktion geführt haben.

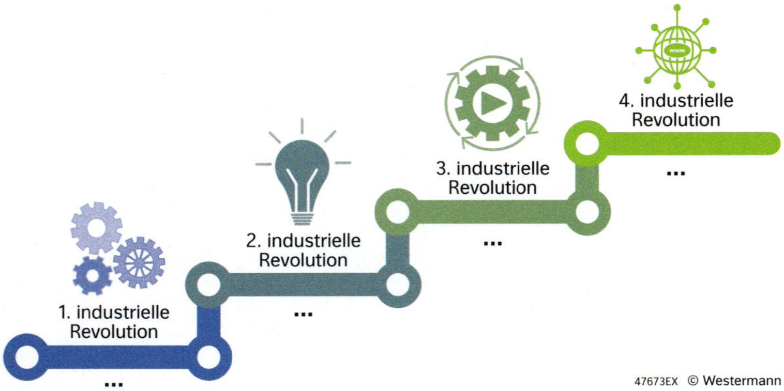

Wichtige Begriffe

Suche dir drei Begriffe aus dem Kasten aus und erkläre sie.

- industrielle Revolution
- Industrialisierung
- Montanindustrie
- Gewerkschaft
- Proletariat
- soziale Frage
- sektoraler Wandel
- KI
- Umweltbelastung
- Rekultivierung

Mindmap zum Thema „Industrialisierung"

a) Übertrage die Mindmap in dein Heft und ergänze sie mit folgenden Stichwörtern:
Maschinen ersetzen den Menschen, Mietskasernen, neue Berufe, Proletariat.
b) Erweitere die Äste der Mindmap mit weiteren Begriffen aus diesem Kapitel.

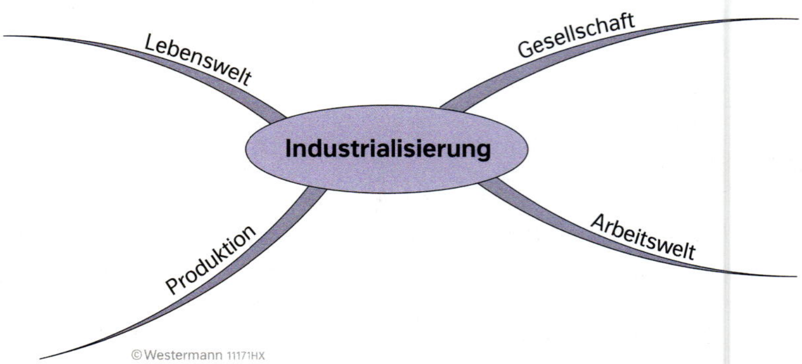

Schattenseiten der Industrialisierung

a) Erkläre, warum man die industrielle Revolution auch als Revolution mit Schattenseiten bezeichnen kann.
b) Notiere passende Bildunterschriften zu den beiden Fotos.

Die soziale Frage

a) Beschreibe das Bild.
b) Wähle dir eine der Personen aus und verfasse einen Brief an einen Verwandten auf dem Land zum Leben in der Stadt. Erläutere darin auch die Lebens- und Arbeitsbedingungen der übrigen Familienmitglieder.
c) Erkläre den Begriff der sozialen Frage mit eigenen Worten und stelle einen Lösungsversuch genauer vor.
d) Erstelle ein Schaubild oder eine Conceptmap zur sozialen Frage.

Richtig oder falsch?

a) Prüfe, ob die Aussagen richtig oder falsch sind.
b) Korrigiere die falschen Aussagen in deinem Hefter.
   1. Die industrielle Revolution meint den Übergang einer landwirtschaftlich geprägten Gesellschaft zu einer Industriegesellschaft.
   2. Die industrielle Revolution begann mit der Schwerindustrie (Kohle, Eisen und Stahl).
   3. Die industrielle Revolution begann auf deutschem Boden.
   4. Die Dampfmaschine konnte nur als Motor in Eisenbahnen eingesetzt werden.
   5. Der Erfinder des Telefons ist Graham Bell.
   6. Das Automobil wurde von Henry Ford erfunden.
   7. Kinderarbeit existiert heute nicht mehr.

Globalisierung

Was ist Globalisierung?

Mit ihrem Tablet, das in China für eine amerikanische Firma gebaut wurde, hält Viola Kontakt zu ihrer Schwester. Diese arbeitet für eine deutsche Firma in New York. Dazu haben sie sich, wie 2,9 Mrd. Nutzer aus aller Welt, bei einem sozialen Netzwerk angemeldet.

Es ist Viola wichtig, politisch mitreden zu können und sich zu engagieren. Wie viele Menschen in anderen Ländern hat sie sich schon online an Unterschriftenaktionen zum Klimawandel beteiligt.

Die Kaffeebohnen kommen aus Guatemala, der Kaffee wird von einer Kaffeehauskette aus den USA verkauft. Dazu hat Viola Sandwiches gekauft, die sie während ihres Praktikums im Ausland schon so toll fand.

Mit ihrem Smartphone streamt Viola die neuesten Songs ihrer Lieblingssängerin. Während eines Besuchs bei Freunden hat sie den weltbekannten Star in London live erlebt.

Viola liebt es, online preisgünstige Kleidung zu kaufen.

M1 Violas Zimmer

Häufig hört man den Begriff Globalisierung in den Nachrichten. Viele Menschen benutzen den Begriff, erklären können ihn aber nur wenige. Erstmals verwendet wurde er 1983 in den USA. Oft wird er im Sinne eines weltweiten Austauschs von Gütern verstanden.

Da die Völker der Welt aber schon lange Handel miteinander betrieben haben, gibt es das Phänomen Globalisierung wohl schon sehr viel länger als den noch jungen Begriff.

Was sich seit den 1980er-Jahren verändert hat, ist die Geschwindigkeit, mit der sich das Zusammenwachsen und Zusammenrücken der Welt fortgesetzt hat. Globalisierung ist nicht nur ein wirtschaftliches Phänomen (z. B. weltweite Produktion und weltweiter Handel), sondern kann auch in anderen Bereichen beobachtet werden. Vor allem die modernen Kommunikationstechnologien haben dazu beigetragen, Grenzen zu überwinden und Distanzen zu „verkürzen".

Kritiker behaupten, dass die Globalisierung zu größerer sozialer Ungleichheit führt. Auch die sich weltweit angleichenden Lebensstile werden kritisiert. Egal, ob man die Globalisierung positiv oder negativ sieht, sie ist aus unserem Leben nicht mehr wegzudenken.

AUFGABEN

1 *Viola lebt in einer globalisierten Welt. Nenne Beispiele dafür aus ihrem Leben.*

2 *Was bedeutet Globalisierung für dich? Finde eine eigene Definition.*

3 *Die Globalisierung hat auf Violas Leben auf den ersten Blick nur positive Auswirkungen. Nenne mögliche Nachteile der Globalisierung.*

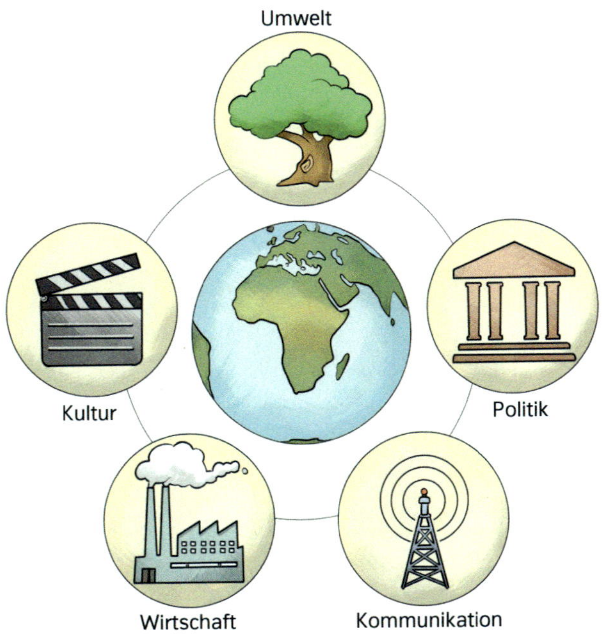

M 2 Bereiche der Globalisierung

Globalisierung der Kultur

Ernährung
Jeder kennt Fast-Food-Ketten, die Burger anbieten. Die größte Burger-Kette hat weltweit über 36 000 Filialen. Der Kunde kann sich darauf verlassen, dass der Burger in jedem Restaurant gleich schmeckt. In den meisten Ländern der Welt kann man auch indische Currys, chinesisches Chop Suey, italienische Pizza oder mexikanische Tortilla essen.

M1 Fast Food erobert die Welt.

Kleidung
Sportartikel- und Modeunternehmen haben nicht nur Produktionsstätten, die über die ganze Welt verteilt sind, sondern auch Design-Zentren. Weltweit sollen Modetrends aufgespürt und mitgeprägt werden. Auf diese Weise werden Trends lokal ermittelt, die anschließend zum globalen Trend (Mainstream) aufsteigen. Deshalb werden weltweit z. B. ähnliche Schuhmodelle verkauft.

M3 Trends sind grenzenlos.

Musik
Der Hip Hop ist ein Beispiel für die Globalisierung im Bereich der Musik. Es begann in den 1970er-Jahren in der Bronx (New York City). Auf Partys spielten die DJs die Songs plötzlich mit Übergängen ab. Andere begannen, zu den Songs Texte zu reimen (rappen). Daraus entwickelte sich eine Musikrichtung, die heute unter Jugendlichen sehr populär ist. Mittlerweile gibt es weltweit kaum eine Sprache, in der nicht gerappt wird.

M2 Globalisierung der Musik

Filme/Serien/Bücher
Beliebte Filme und Serien aus den USA werden weltweit in Kinos und über Streamingdienste ausgestrahlt. Die Darsteller erlangen weltweite Bekanntheit. Auch auf beliebte Bücher trifft das zu. Die erfolgreiche Bücherreihe über Harry Potter wurde in über 70 Sprachen übersetzt.

M4 Weltweit werden die gleichen Filme geschaut.

Bayerisches Oktoberfest in den USA

Indisches Holifest in Berlin/ Deutschland

Brauchtum und Tradition

In jedem Land bzw. in bestimmten Regionen eines Landes gibt es kulturelle Eigenheiten, die beständig sind. Das können Feste, Kleidung, Musik oder Bauweisen sein. Die Globalisierung hat einige dieser Eigenheiten in der ganzen Welt bekannt gemacht. Deshalb sind diese heute weltweit zu finden.

Halloween wurde in den USA populär und ist heute auch in Deutschland beliebt.

Birminghams Frankfurt Christmas Market

Kopie des Marktplatzes von Hallstatt

Die von chinesischen Touristen oft besuchte Stadt Hallstatt in Österreich wurde in China nachgebaut.

M5 Brauchtum verbreitet sich weltweit.

Sport

Auch im Bereich des Sports gibt es Globalisierungstrends. Manche Sportarten werden schon seit Langem weltweit betrieben und neue Trendsportarten verbreiten sich rasant. Großveranstaltungen wie die Fußball-Weltmeisterschaft werden auf allen Kontinenten verfolgt. Sportstars werden weltweit verehrt. Sie haben Verträge mit großen Unternehmen, die international mit diesen Stars für ihre Produkte werben. Der Super Bowl ist das Endspiel um die Meisterschaft im American Football in den USA. Im Jahr 2024 verfolgten ihn etwa 65,4 Mio. Menschen überall auf der Welt im Fernsehen.

M6 Sportereignisse

AUFGABEN

1 *Finde für drei der hier vorgestellten Bereiche weitere Beispiele für kulturelle Globalisierung.*

2 *Erläutere, was unter kultureller Globalisierung zu verstehen ist.*

3 *Simone (20) aus Wetzlar sagt: „Überall, wo ich Urlaub mache, gibt es die gleichen Geschäfte und Fast-Food-Ketten und in den Clubs läuft die gleiche Musik.“ Nimm Stellung zu dieser Meinung.*

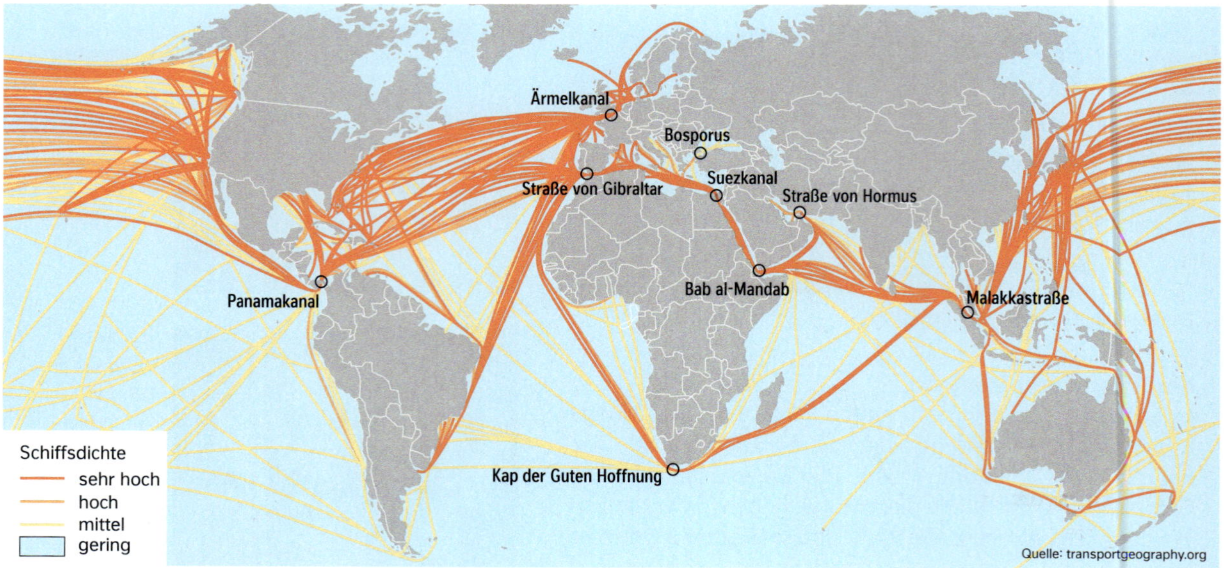

M1 Die wichtigsten internationalen Schifffahrtsrouten

Globalisierung – die Welt wird kleiner

Fortschritt beim Transport

Im Jahr 1956 wurde der weltweite Warentransport mit der Einführung des Containers revolutioniert. Wie beim Spielen mit Lego-Steinen können die mit Waren gefüllten Container nun auf Containerschiffen wie Steckbausteine aufeinander gestapelt werden. Der große Vorteil ist: Durch die weltweit identischen Container-Maße konnten Abläufe, z. B. beim Verladen, beschleunigt und automatisiert werden. Häfen auf der ganzen Welt haben Containerterminals errichtet, um die hohe Stückzahl an Containern händeln zu können. Insgesamt 24 000 Stück passen auf das derzeit größte Containerschiff. Und jeder Container fasst ein Volumen von 33 000 l.

Seitdem werden die Containerschiffe immer größer gebaut. Die Folge ist, dass auch Kanäle und Häfen angepasst und ausgebaut werden müssen. Daher wurde z. B. in Hamburg die Vertiefung der Fahrrinne der Elbe beschlossen, damit auch die größten Containerschiffe den Hamburger Hafen anfahren können.

Die Kosten für den Warentransport haben sich enorm reduziert – bis auf wenige Cent pro Stück. Über 90 Prozent des Welthandels werden daher über Containerschiffe abgewickelt. Ein Nachteil: Containerschiffe werden meist mit billigem Schweröl betrieben, wodurch große Mengen Kohlenstoffdioxid (CO_2) ausgestoßen werden, die zur Erderwärmung beitragen.

Fortschritt bei der Kommunikation

Neben der Vereinfachung des Warentransports gab es auch große Fortschritte bei der Kommunikation. Früher war es schwierig, Informationen und Nachrichten über weite Entfernungen hinweg zu teilen. Briefe und später Telefonate waren die Hauptmittel der Kommunikation. Mit dem Aufkommen des Internets hat sich alles verändert. Es ermöglicht Menschen, in Sekundenschnelle in Kontakt zu kommen und Informationen zu teilen. Unternehmen können ihre Produkte und Dienstleistungen online anbieten und Menschen können diese Angebote auf der ganzen Welt wahrnehmen.

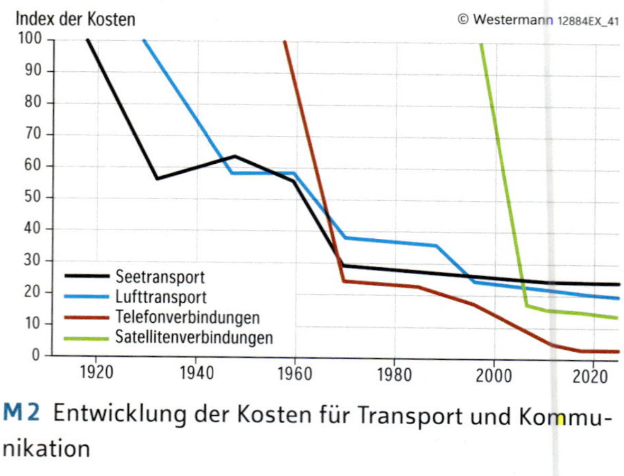

M2 Entwicklung der Kosten für Transport und Kommunikation

Entstehung von Lieferketten

Da Transport und Kommunikation mittlerweile so günstig sind, lohnt es sich für Unternehmen, ihre Produktion auf verschiedene **Standorte** aufzuteilen. Die einzelnen Bestandteile einer Gerätes können z. B. aus verschiedenen Ländern kommen. Diese internationale Arbeitsteilung führt zu weltweiten **Lieferketten**. Unternehmen versuchen, dadurch Kosten zu sparen und die Gewinnspanne zu vergrößern, denn die Produktionskosten unterscheiden sich von Land zu Land sehr stark. Dies liegt vor allem an der Höhe der Löhne, aber auch Energiekosten, Steuern oder Umwelt- und Sicherheitsauflagen spielen bei der Standortwahl eine große Rolle. Oft werden Teile der Produktion in andere Firmen, z. B. im Ausland, ausgelagert (**Outsourcing**) oder das Unternehmen gründet eigene Tochterfirmen im Ausland (**Offshoring**).

Der Nachteil globaler Lieferketten ist, dass äußere Umstände schnell zum Problem werden können, wenn dadurch die Lieferungen ins Stocken geraten. Seit Beginn der 2020er-Jahre gab es mehrere Ereignisse, die die Lieferketten erheblich gestörtet haben.

INFO

Das deutsche **Lieferkettengesetz** von 2023 verlangt, dass Unternehmen mit mindestens 1 000 Beschäftigten die Einhaltung von Menschenrechten und Umweltstandards bei ihren Zulieferern sicherstellen. Bei Verstößen drohen empfindliche Strafen. Unternehmen beklagen, dass die Kontrolle ihrer Zulieferer oft schwierig ist, da die Kontrollpflicht sowohl das eigene Unternehmen als auch das Handeln der Zulieferer umfasst.

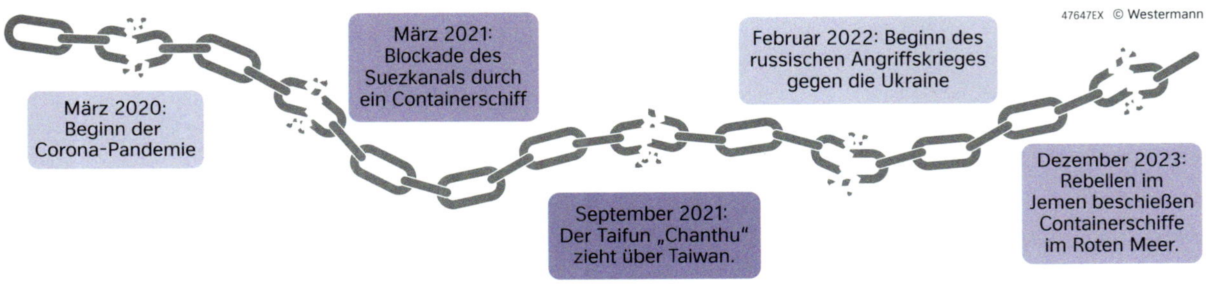

M3 Krisen, die zu gestörten Lieferketten führen

Die „Ever Given“ ist ein Containerfrachter, der im März 2021 weltweit Schlagzeilen machte, als er im Suezkanal im ägyptischen Teil des Kanals auf Grund lief und den Schiffsverkehr für fast eine Woche stilllegte. Das 400 m lange Schiff blockierte eine der wichtigsten Schifffahrtsrouten der Welt, was zu erheblichen Störungen im Welthandel führte, da Hunderte von Schiffen auf beiden Seiten des Kanals festsaßen.

M4 Das Containerschiff Ever Given im Suezkanal

AUFGABEN

1 *a) Beschreibe die weltweit wichtigsten Seefahrtsrouten (M1).*
*b) * Erkläre die Bedeutung des Panama- und des Suezkanals für den Welthandel (M1).*

2 *Erkläre, warum der Container und die Fortschritte in der Kommunikation den Welthandel revolutioniert haben (M2).*

3 *Erläutere, warum die in M3 genannten Ereignisse die Lieferkette störten (M3, M4).*

4 *Bewerte das Vorgehen vieler Unternehmen, ihre Standorte ins Ausland zu verlagern.*

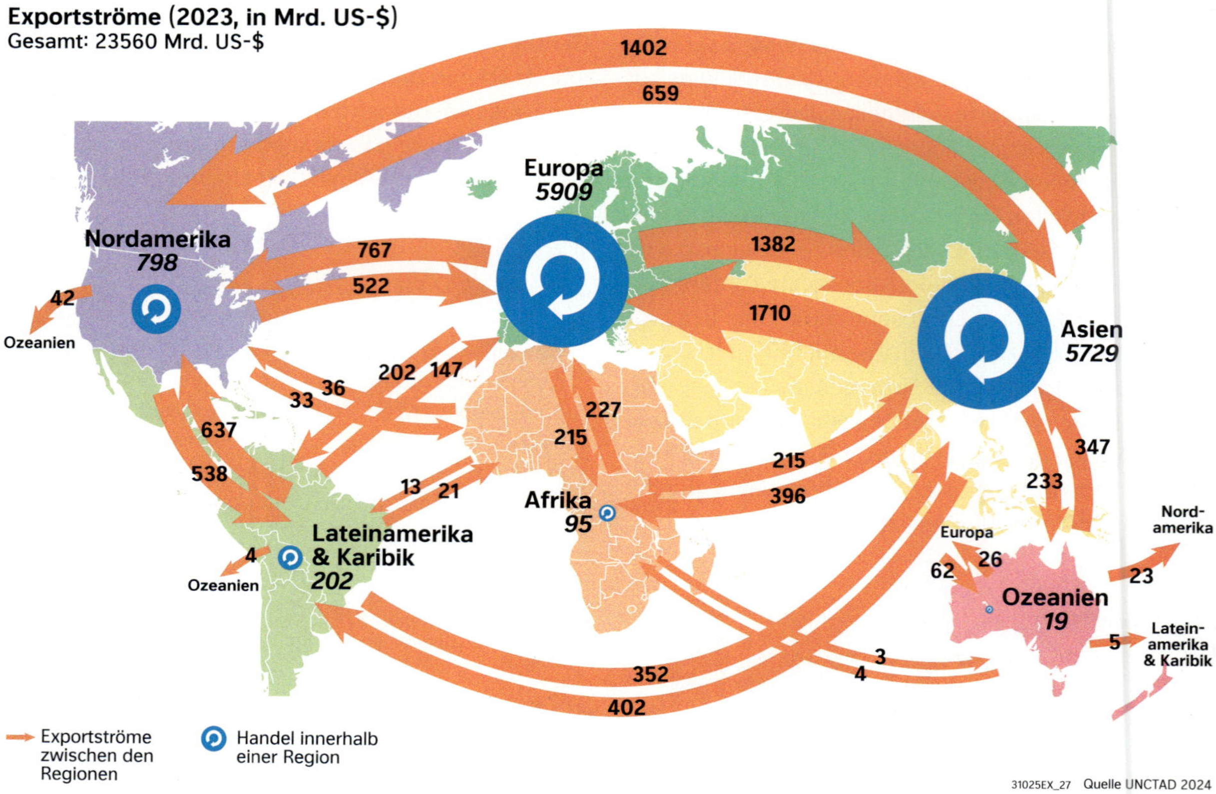

M1 Der Welthandel

Der weltweite Handel – Freihandel und wirtschaftliche Abschirmung

Auf der ganzen Welt werden deutsche Produkte geschätzt. Viele Verbraucher sehen die Herstellungsangabe „Made in Germany" gar als Gütesiegel an. Das gilt vor allem für deutsche Autos. Nicht ohne Grund gehören deutsche Kraftfahrzeuge zu den wichtigsten Exportgütern Deutschlands. Aber auch andere Produkte, für die viel technisches **Know-how** benötigt wird, werden aus Deutschland exportiert.

Von der Ausfuhr von Gütern hängen direkt oder indirekt viele Arbeitsplätze in Deutschland ab. Vor allem aus diesen Industriebereichen wird viel aus Deutschland geliefert: Geräte der Datenverarbeitung, Maschinen, Kraftfahrzeuge und Kfz-Teile sowie chemische Erzeugnisse.

Länder haben sich mit der Zeit auf bestimmte Waren und Dienstleistungen spezialisiert. Diese können dann anderen Ländern zum Handel angeboten werden. Dabei gibt es beim Handel über Ländergrenzen hinweg auch Hindernisse, wie z. B. **Zölle**.

Die Ausweitung des weltweiten Handels wird oft als ein Gewinn für alle beteiligten Länder angesehen. Diese können sich auf ihre Stärken konzentrieren und somit entstehen Möglichkeiten, Innovationen und Wachstum im Land zu fördern.

Allerdings kann der starke Wettbewerb zwischen einzelnen Ländern auch zu Arbeitsplatzverlusten führen. Zudem haben nicht alle Länder dieselben Möglichkeiten, ihre Produkte auf dem weltweiten Markt anzubieten.

FACHBEGRIFF

Export und Import
Unter **Export** (auch Ausfuhr) versteht man die Lieferung von Waren oder Dienstleistungen in andere Länder. Beim **Import** (auch Einfuhr) werden demzufolge Waren oder Dienstleistungen aus anderen Ländern bezogen.

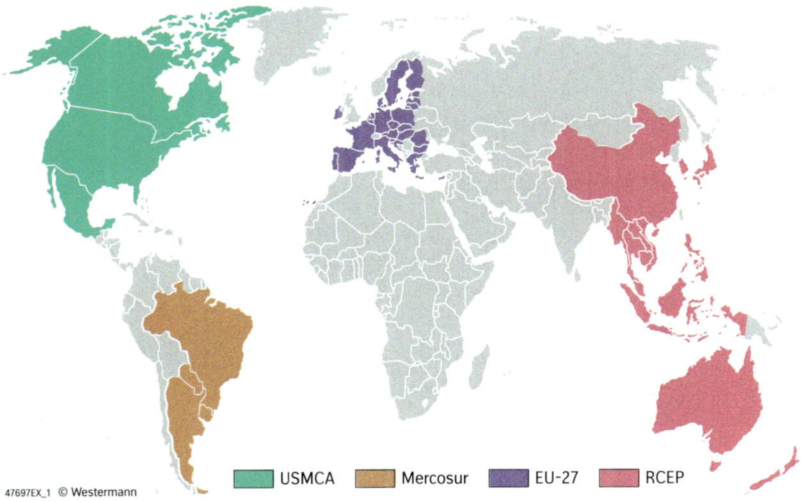

M 2 Auswahl an wichtigen Freihandelszonen der Welt

INFO

Bedeutung von Freihandelszonen
Laut Schätzungen beträgt die weltweite Wirtschaftsleistung im Jahr 2024 rund 105 Billionen US-Dollar.
Rund ein Drittel wird innerhalb der Freihandelszone RCEP erwirtschaftet, gefolgt von USMCA, EU-27 und Mercosur.

Freihandelszonen und Abschirmung

Da Zölle den Handel zwischen Ländern erschweren, sind mit der Zeit spezielle Bündnisse entstanden. In diesen Bündnissen gibt es keine Hemmnisse mehr, wie z. B. Zölle.
Daneben gibt es auch weitere Handelshemmnisse, beispielsweise Einfuhrhöchstmengen, komplizierte Anmeldevorschriften oder besondere Regeln, wie bei Arzneien. Staaten greifen zu diesen Mitteln, um die eigene Wirtschaft abzuschirmen (**Protektionismus**). Die eigene Warenproduktion soll vor zu viel Waren aus dem Ausland geschützt werden.
Wenn es keine Hemmnisse mehr gibt, spricht man von einem Freihandel. Die Waren können z. B. zwischen Deutschland und Italien frei ein- und ausgeführt werden.
Staaten in Europa, Nordamerika, Asien oder auch Südamerika bilden untereinander zollfreie Gemeinschaften, was man dann Freihandelszone nennt. Damit schließlich Waren schnell eingeführt, geprüft und weitertransportiert werden können, gibt es sogenannte Freihäfen. Das sind abgetrennte Bereiche vom eigentlichen Hafen. In Deutschland liegt solch ein Hafen z. B. in Hamburg.

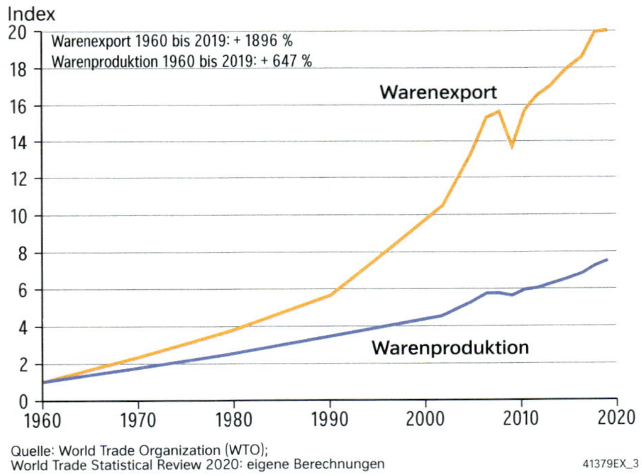

M 3 Entwicklung des internationalen Warenhandels

INFO

Freihandelszonen in der Zukunft
Seit einigen Jahren gibt es Bemühungen, Freihandelszonen über Kontinentgrenzen hinweg zu schließen. Geplant ist z. B. ein Abkommen zwischen der EU und Mercosur.

AUFGABEN

1* *Beschreibe die Weltwirtschaftsströme anhand der Karte M1 und die Entwicklung des weltweiten Warenhandels (M3).*

2 *Erkläre den Unterschied zwischen Freihandelszonen und wirtschaftlicher Abschirmung.*

3 *Erläutere die Gründe, weshalb Länder sich zu Freihandelszonen zusammenschließen oder sich wirtschaftlich abschirmen möchten.*

4 *Informiere dich über eine Freihandelszone (M2) und stelle diese deiner Klasse vor.*

Ein Mystery: Die Jeans als globales Produkt

Eigentlich möchte ich Fischer werden wie mein Großvater, aber mein Traum wird sich bestimmt nicht erfüllen.

M1 Doniyor aus Usbekistan

Ich liebe Tiere so sehr. Wenn ich Tierärztin werde, kann ich jeden Tag mit Tieren verbringen, aber das wird wohl nie passieren.

M2 Abida aus Bangladesch

Warum sind Anna und Lisa mitverantwortlich dafür, dass die Berufswünsche von Doniyor und Abida wahrscheinlich nicht in Erfüllung gehen werden?

M3 Problemfrage des Mysterys

M4 Die Jeans – ein beliebtes Kleidungsstück mit Problemen bei der Herstellung

Endlich Samstag, endlich shoppen! Diese Jeans sieht echt gut aus und kostet nur 49,99 €.

Wow, diese Jeans ist aber teuer!

M5 Anna und Lisa aus Deutschland

Nicht alle Kärtchen werden zur Beantwortung der Problemfrage im gleichen Maße benötigt. Ihr könnt Kärtchen, die ihr unwichtig und nebensächlich findet, aussortieren.

M6 Ein Tipp für die Durchführung

AUFGABEN

1 *Bearbeitet das Mystery (S. 250–253) und präsentiert eure Ergebnisse der Klasse.*

2 *Beschreibe, wie sich die Kosten einer Jeans zusammensetzen. In welchen Ländern wird das meiste Geld an der Jeans verdient?*

3 *Es gibt auch fair gehandelte Jeans, die aber teurer sind. Bist du bereit, für eine solche Hose mehr Geld auszugeben? Begründe.*

①

Viele von uns folgen den neuesten Modetrends, ersetzen schnell mangelhafte Teile oder gehen einfach gerne shoppen. So kaufte jeder Deutsche im Jahr 2023 rund 60 neue Kleidungsstücke. Die Zahl der auf dem Markt angebotenen Waren hat stark zugenommen. Zudem wurden im Jahr 2022 etwa 460 000 t gebrauchte Textilien exportiert.

②

Nur ein kleiner Teil des Verkaufspreises für eine Jeans kommt den Arbeitern in Bangladesch und Usbekistan zugute.

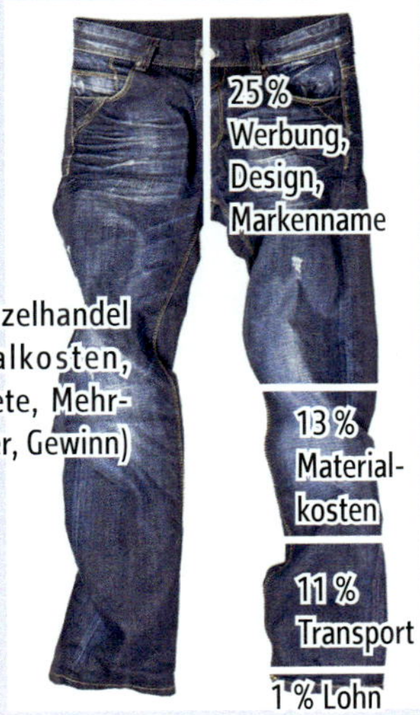

③

Die ausgewehten Salze, Dünger und Pestizide aus dem trockenen Aralsee und seiner Umgebung machen heute viele Menschen in Usbekistan krank. Sie versalzen und verseuchen Boden und Trinkwasser. Die Folgen sind: Allergien, Asthma, Krebs, Missbildungen, Leber-, Nieren-, Infektionskrankheiten und eine erhöhte Sterberate.

④

Die Baumwollpflanze ist eine einjährige Pflanze, die im Frühjahr gesät wird und eine Wachstumszeit von acht bis neun Monaten hat. Sie benötigt warme Temperaturen (optimal: 24 – 28 °C) und viel Sonnenschein. Für den Baumwollanbau werden extrem hohe Mengen an Düngemittel und Pestiziden verwendet. Keine andere Nutzpflanze benötigt so viel Wasser wie die Baumwollpflanze (25 000 l/kg Baumwolle).

⑤

Entwicklung der Gesamtfläche und des Salzgehaltes im Aralsee

Jahr	Gesamtfläche (in km², gerundet)	Salzgehalt (in g / l, gerundet)
1960	68 000	10
1995	38 000	30
2015	5 000	110

Die Verringerung der Gesamtfläche des Aralsees führt, dazu, dass die ehemalige Hafenstadt Muinak heute 150 km vom Ufer entfernt liegt. Sie ist die Heimat von Doniyor.
Bei der großen Distanz wurde es für die Familienangehörigen des Jungen unmöglich, weiter als Fischer zu arbeiten. Zudem führt der hohe Salzgehalt im See zum Aussterben vieler Fischarten.

⑥

Viele Menschen versammelten sich an den Trümmern des Rana-Plaza-Fabrikkomplexes in Bangladesch, um für die 1 135 Menschen zu beten, die beim Einsturz des Gebäudes am 24.4.2013 gestorben waren. In den Trümmern der Fabrik wurden unter anderem auch Waren für einen deutschen Discounter gefunden.

⑦

Um den hohen Bedarf an Wasser für den Baumwollanbau in Usbekistan zu decken, wurden die beiden Zuflüsse Amudarja und Syrdarja angezapft. Heute erreichen weniger als zehn Prozent der ehemaligen Wassermenge den Aralsee, der Rest wird auf die Baumwollfelder geleitet.

⑧

Durch die Globalisierung wurde die Produktion von Textilien in Länder mit niedrigen Lohnkosten verlagert. Dadurch sind die Herstellungskosten enorm gesunken. Viele Kleidungsstücke sind heute sehr billig.

⑨

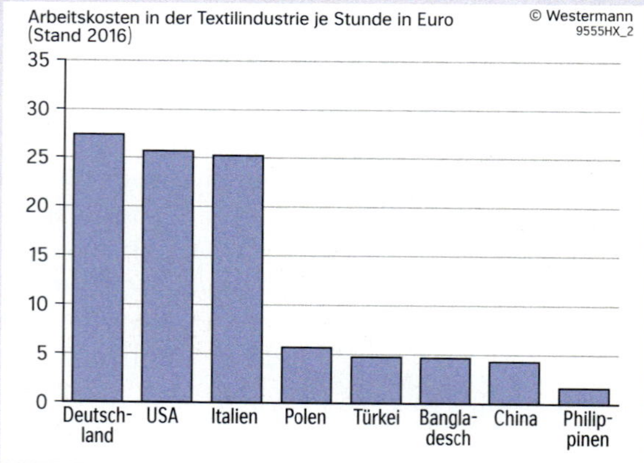

Aufgrund der deutlich niedrigeren Arbeitskosten wird eine Vielzahl von Kleidungsstücken in Billiglohnländern, wie z. B. Bangladesch, gefertigt.

⑩

Informationen zu Bangladesch: Menschen, die mit weniger als 1,90 US-Dollar pro Tag auskommen müssen, leben laut Weltbank unterhalb der Armutsgrenze. Der Anteil dieser Menschen betrug im Jahr 2022 12,5 Prozent.

⑪

Anna und Lisa shoppen gerne. Sie interessieren sich dabei kaum für die Folgen des Baumwollanbaus und die Arbeitsbedingungen in den Produktionsländern.

⑫

Im Gebiet des heutigen Usbekistans wird seit den 1960er-Jahren Baumwolle auf riesigen Plantagen angebaut. Baumwolle ist für das Land das wichtigste landwirtschaftliche Exportprodukt.

⑬

In Muinak holt Doniyor Wasser für sich und seine Familie aus einem Süßwasserbrunnen. Viele andere Wasserstellen sind bereits ausgetrocknet. Er kann nur hoffen, dass dieser Brunnen noch lange besteht. Ansonsten muss seine Familie die Gegend verlassen.

⑭

In einer Dokumentation über die Bekleidungsproduktion in Bangladesch wird gezeigt, wie ein Aufseher ein junges Mädchen beschimpft und schlägt. Der Film wurde von zwei Frauen heimlich gedreht.
Allein in dieser Fabrik schuften 40 Kinder von 11 bis 15 Jahren bis zu elf Stunden am Tag und stellen Jeans her. Kinder gelten als billige Arbeitskräfte.

⑮

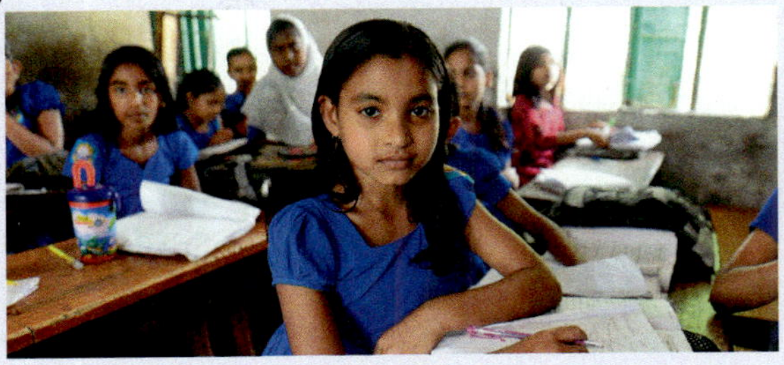

Abidas Familie ist sehr arm und braucht daher finanzielle Unterstützung. Deshalb trägt sie durch ihre Arbeit in der Fabrik dazu bei, das Familieneinkommen zu verbessern. Die Schule kann sie aus diesem Grund nicht mehr regelmäßig besuchen. Es ist daher fast unmöglich, einen guten Abschluss zu erreichen, der für ein Studium der Tiermedizin notwendig wäre.

⑯

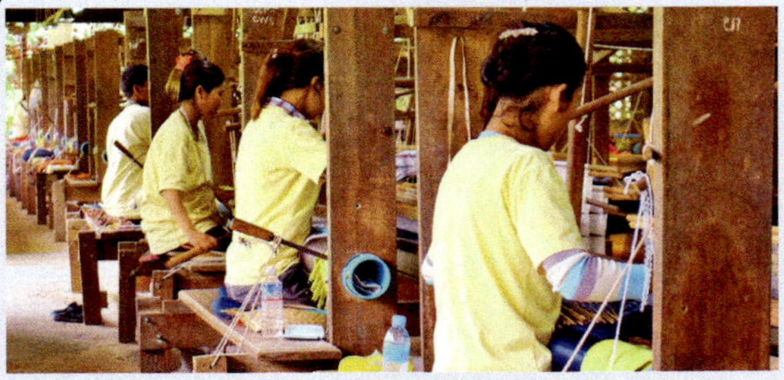

Bangladesch und seine Bekleidungsindustrie (2022):
- Bevölkerung: ca. 170 Mio.
- Beschäftigte in der Textilindustrie: 4,5 Mio.
- ca. 3500 Textilfabriken
- Mindestlohn im Monat: 8000 Taka (etwa 80 Euro)

⑰

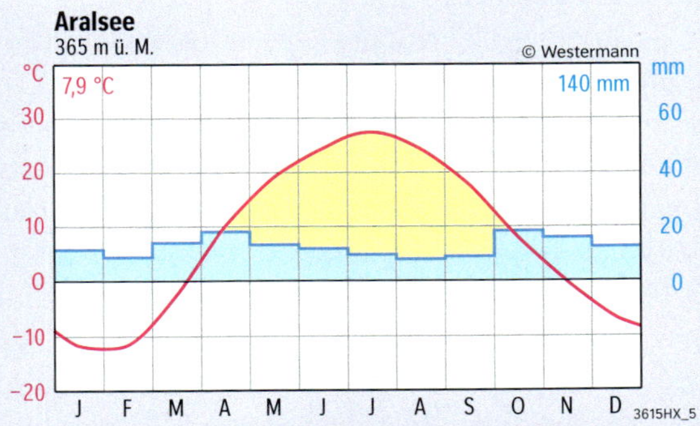

Das Gebiet um den Aralsee ist mit nur ca. 140 mm Jahresniederschlag (Fulda: 651 mm) äußerst arid. Die beiden Zuflüsse, der Amudarja und der Syrdarja, speisen aus entfernten, regenreichen Gebieten den Aralsee und dessen Umgebung mit Wasser.

⑱

Einige Textilketten üben einen großen Preisdruck auf ihre Lieferanten in Ländern wie Bangladesch aus. Dieser wird an die Angestellten der Lieferanten weitergegeben, sodass diese unter schwierigen Bedingungen und zu sehr geringen Löhnen arbeiten müssen.

M1 Gaspipelines aus Russland

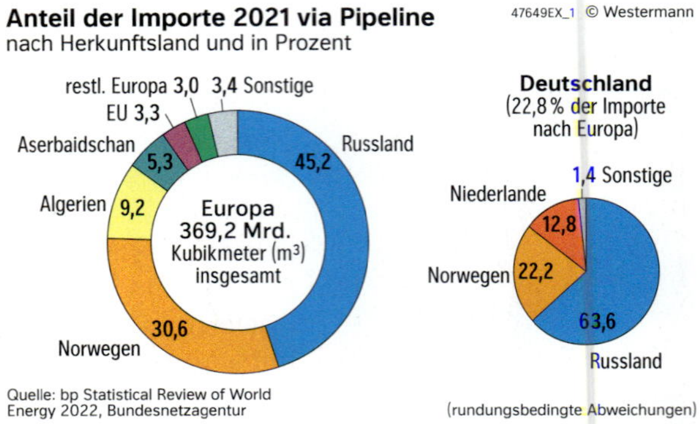

M3 Gasimporte

Deutschland – ein Industrieland mit starken Abhängigkeiten

Gas aus Russland

Am 31. August 2022 stoppte Russland die Gaslieferungen nach Deutschland. Die **Pipelines** blieben leer. Grund dafür waren **Sanktionen**, die Deutschland zusammen mit anderen Staaten gegen Russland verhängte, nachdem der russische Präsident Wladimir Putin im Februar 2022 einen Angriffskrieg auf die Ukraine gestartet hat. Für Deutschland hatten die eingestellten Gaslieferungen weit reichende Folgen. Aus keinem anderen Land importierte die Bundesrepublik so viel Gas – und das zu einem günstigen Preis. Es folgte eine Energiekrise. Die Preise für das Gas stiegen rasant, was dazu führte, dass auch die Heizkosten für viele Haushalte stiegen. Die Bundesregierung rief dazu auf, die Heizungen herunterzudrehen. Es wurden Notfallpläne entwickelt, was passieren sollte, wenn Deutschland wirklich das Gas ausginge. Dieses Worst-Case-Szenario ist dank verschiedener Maßnahmen ausgeblieben. Jedoch hat es der Politik und der Wirtschaft vor Augen geführt, wie verletzbar Deutschland aufgrund seiner großen Abhängigkeit ist. Und dies gilt nicht nur für Gas.

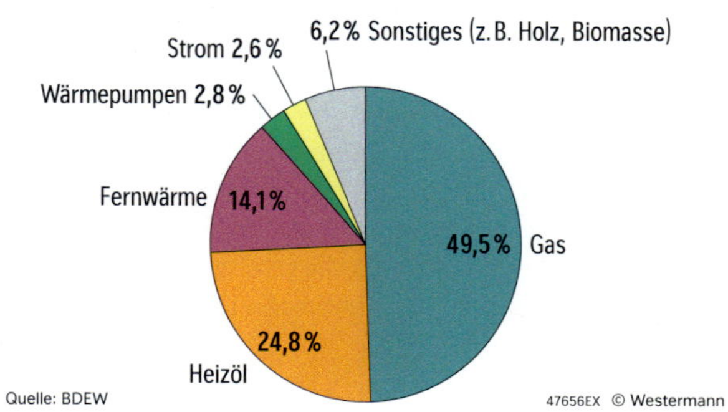

M2 Wichtigste Energieträger für Wohnheizungen 2021

Gründe für die Abhängigkeit

Die Abhängigkeiten resultieren zum einen daraus, dass Deutschland ein rohstoffarmes Land ist. Viele in der Industrie benötigten Rohstoffe sind hier nicht verfügbar und müssen zwangsläufig importiert werden. Zum anderen wurden in den letzten Jahrzehnten ganze Industriezweige oder zumindest Teile der Produktion in andere Länder verlagert. Deutsche Unternehmen aus der Automobilbranche, Textilindustrie oder der Chemiebranche sind besonders davon abhängig, dass bestimmte Teile oder Stoffe in anderen Ländern vorproduziert werden. Verschlechtern sich die Beziehungen zu anderen Staaten oder werden die Lieferketten durch äußere Ereignisse gestört, kann dies massive Auswirkungen auf die Versorgung in Deutschland haben.

Wie wird Deutschland unabhängiger?

Aufgrund dieser Erfahrungen sind europäische Firmen dazu übergegangen, wieder vermehrt Lagerhaltung zu betreiben. Das kostet zwar mehr Geld, aber es sichert die Unternehmen ein wenig ab. Zuvor setzten viele Firmen, z. B. in der Automobilindustrie, eher auf das Just-in-time-Verfahren, nach dem die Bauteile genau dann ankommen, wenn sie gebraucht werden.
Eine weitere Reaktion ist es, die Lieferketten stärker zu diversifizieren. Das bedeutet, dass man sich nicht nur auf einen oder wenige große Zulieferer in wenigen Ländern verlässt, sondern die benötigten Waren und Rohstoffe aus vielen verschiedenen Staaten importiert. Einige Unternehmen sind auch dazu übergegangen, die Produktion wieder zurück nach Deutschland zu verlegen (**Reshoring**) oder zumindest nach Europa (**Nearshoring**).

Deutschland ist ein relativ rohstoffarmes Land. Gleichzeitig steigt der Bedarf an hochtechnologischen Produkten (z. B. Mikrokameras, Roboter, Luft- und Raumfahrttechnik).
Um solche Produkte herzustellen, braucht man sogenannte kritische Rohstoffe (wie Lithium, Magnesium, Siliziummetall). 39 von 46 solcher kritischen Rohstoffe muss Deutschland importieren, da sie weder vor Ort noch in Europa zahlreich vorkommen.
Ein weltweit großer Förderer dieser Rohstoffe ist China.

Tagebau für Seltene Erden in Ganxian, Südchina

M4 Beispiel Seltene Erden

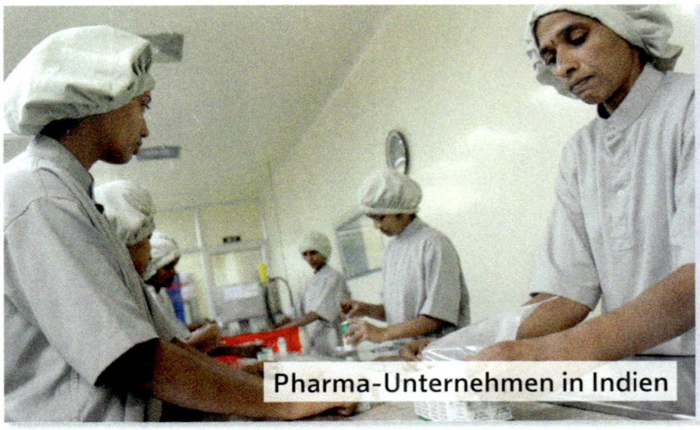
Pharma-Unternehmen in Indien

2023 machten Schlagzeilen die Runde, dass Fiebersäfte für Kinder knapp werden, was große Sorgen bei Eltern auslöste. Hunderte weitere Medikamente fehlten in deutschen Apotheken. Der Grund waren u. a. die Auswirkungen der Corona-Pandemie. Denn zwei Drittel der Medikamente kommen aus China und Indien und dort wurde die Produktion aufgrund von Lockdowns teilweise eingestellt. Besonders groß ist die Abhängigkeit von China, denn hier werden über die Hälfte der Wirkstoffe produziert, die zur Produktion von Medikamenten gebraucht werden.

M5 Beispiel Medikamente

Opel in Eisenach, VW in Wolfsburg und Ford in Köln – an allen drei Standorten standen Ende 2021 die Fließbänder still. Grund dafür waren Lieferengpässe, sodass wichtige Teile, wie z. B. Halbleiter aus Taiwan oder elektronische Teile aus Malaysia, fehlten.
Anfang 2022 dann der nächste Engpass. Weil Kabel aus der Ukraine aufgrund des Krieges nicht mehr geliefert werden konnten, ruhte auch die Produktion an mehreren BMW- und VW-Standorten. Tausende Autos konnten nicht gebaut werden. Verbraucher warteten Monate auf ihre bestellten Fahrzeuge.

Motorenmontagewerk in Malaysia

M6 Beispiel Automobilzulieferung

AUFGABEN

1 *Erkläre in eigenen Worten, welche Bedeutung russisches Gas für Deutschland hatte (M1 – M3).*

2 *Erläutere, worin genau Deutschlands Abhängigkeit von anderen Ländern besteht (M4 – M6).*

3 *Diskutiere mögliche Gefahren, wenn ein Land zu abhängig von anderen Ländern ist.*

4 *Nenne Strategien, mit denen deutsche Unternehmen versuchen, unabhängiger zu werden.*

Digitalisierung und Wettbewerb

Die Digitalisierung spielt in unserer globalisierten Welt eine entscheidende Rolle, um konkurrenzfähig zu bleiben. Staaten wie die USA, China oder Indien setzen viel daran, geeignete Voraussetzungen für Tech-Unternehmen zu schaffen und Innovationen zu fördern. In der Folge haben sich die genannten Länder auf unterschiedliche Felder spezialisiert: von der Software-Entwicklung bis hin zur Produktion der benötigten Mikrochips. Digitalisierung verändert aber auch die Art und Weise, wie wir arbeiten, leben und kommunizieren. Die Verwendung von Systemen mit künstlicher Intelligenz ist in der Wirtschaft lange schon Standard und hält nun auch Einzug ins Privatleben.

In den 1950er-Jahren entstand das Silicon Valley in den USA. Für die Herstellung von Computerchips wird das chemische Element Silizium verwendet (englisch: silicon). Da sich die Region zum Teil im Santa Clara Valley befindet, wird die Region daher als Silicon Valley bezeichnet.
Zunächst wurden hier nur **Halbleiter** hergestellt, bis sich schließlich erste Software- und Computerfirmen dort ansiedelten. Das Silicon Valley beheimatet Tech-Riesen wie Apple, Microsoft, Meta oder Google. Auch deshalb spielte das Silicon Valley eine entscheidende Rolle bei der Verbreitung heutiger sozialer Medien. Um das Wachstum voranzutreiben, gab es von Seiten der Regierung nur wenige Einschränkungen. Mittlerweile liegt ein großer Fokus auf künstlicher Intelligenz, autonomem Fahren und der Nutzung erneuerbarer Energien. Dennoch wären viele Vorhaben ohne Programmierfachkräfte aus Indien nicht möglich.

M1 Hightech-Standort in den USA

AUFGABEN

1 *Beschreibe, was das Silicon Valley so besonders macht (M1).*

2 *Nenne wichtige IT-Standorte Indiens (M4).*

3 *Erläutere, wie die chinesische Regierung die Digitalisierung nutzen möchte (M2).*

4 *Erkläre, warum die Rolle Taiwans als weltweiter Chiphersteller als Schutzschild vor China gilt (M3).*

INFO

Digitalisierung in Europa
Auch Europa versucht im Bereich der Digitalisierung mitzuhalten. So gibt es Pläne, Deutschland zum Zentrum der Chipherstellung in Europa zu machen. Im Jahr 2022 begann Intel mit der Planung einer Gigafabrik in Magdeburg. Zudem hat TSMC gemeinsam mit anderen namhaften Partnern wie Bosch und Infineon 2024 begonnen, in Dresden eine Halbleiterfabrik zu errichten.

Die Chinesen möchten mit ihrem Masterplan „Made in China 2025" zu einer digitalen Weltmacht aufsteigen. Lange versorgten sie den Weltmarkt mit Produkten des alltäglichen Bedarfs und China galt somit als „Werkbank der Welt". Dieses Image möchte die Regierung nun abstreifen. Dazu werden Forschung und Entwicklung in Digitalisierung mit viel Geld gefördert und ausländische Unternehmen wie Google oder Instagram ausgeschlossen, damit heimische Unternehmen keine Konkurrenz haben. Die Regierung konzentriert sich dabei auf Wirtschaftsbereiche, in denen zuvor ausländische Unternehmen führend waren. Nun gehören chinesische Unternehmen wie Tencent oder Alibaba zu den wertvollsten der Welt. So möchte man zu Industrieländern wie den USA aufschließen und diese überholen.

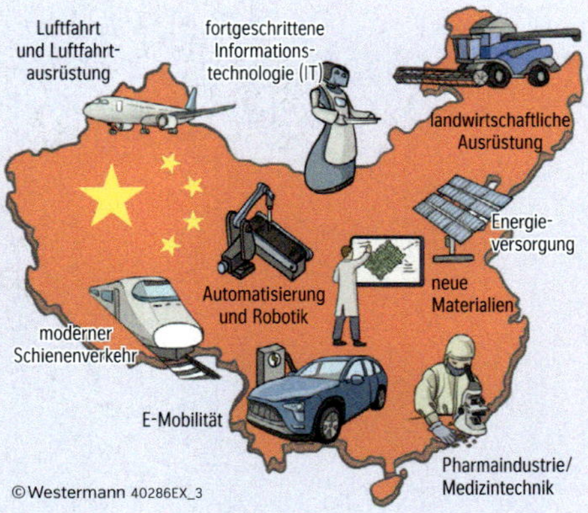

M2 „Made in China 2025"

Taiwan hat sich im Verlauf der Jahre zu einem der wichtigsten Zentren für die Herstellung von Mikrochips entwickelt. Diese sind in nahezu allen elektronischen Geräten zu finden, vom Smartphone bis zum Pkw. Der größte Hersteller ist TSMC, der neben der eigenen Produktion derzeit auch für viele weitere namhafte Chip-Hersteller wie AMD oder Nvidia Halbleiter herstellt. Aber auch ausländische Hersteller verlagern ihren Standort nach Taiwan, um vom Know-how zu profitieren. Dieser Erfolg kommt nicht von ungefähr, denn die Regierung, Unternehmen und Universitäten arbeiten Hand in Hand, um weiterhin technologische Durchbrüche zu erzielen. Taiwan ist somit für die Weltwirtschaft unentbehrlich und beliefert Unternehmen weltweit.

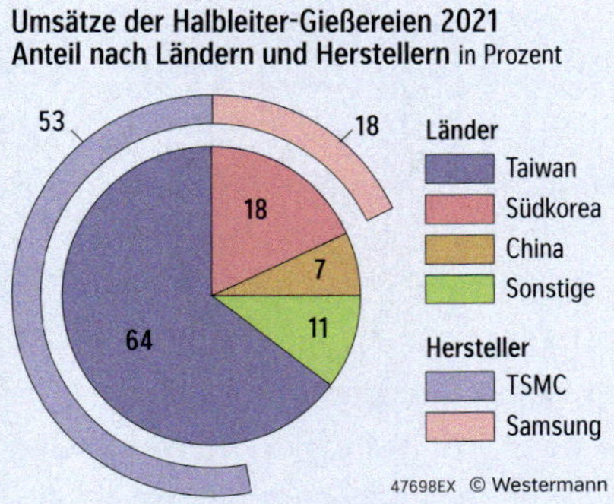

M3 Weltgrößter Chiphersteller in Taiwan

Die Entwicklung innovativer Apps für Smartphones hängt zu einem großen Teil mit Programmierern im indischen Mumbai oder auch in Bengaluru zusammen. Deshalb greifen Unternehmen weltweit auf diese Möglichkeit zurück. Es gibt viele gut ausgebildete Arbeitskräfte für Software-Unternehmen in Indien, weil der Staat die Universitäten und Hochschulen fördert. Zudem war Indien lange eine britische **Kolonie**. Daher ist Englisch bis heute eine offizielle Amtssprache und viele Inder können sich gut auf Englisch verständigen, weshalb App-Entwickler von Unternehmen aus der ganzen Welt angefragt werden.

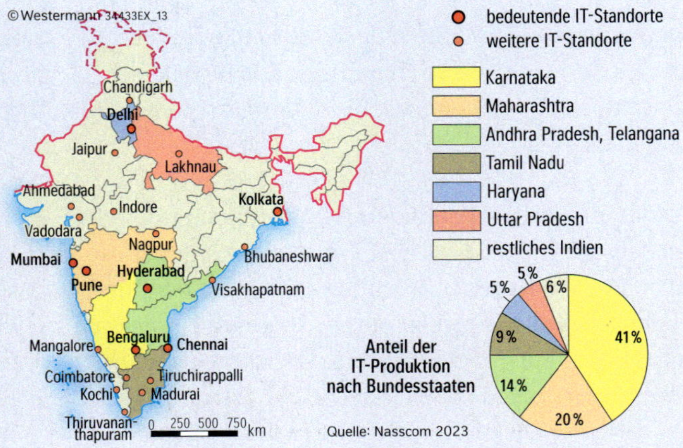

M4 App-Entwicklung in Indien

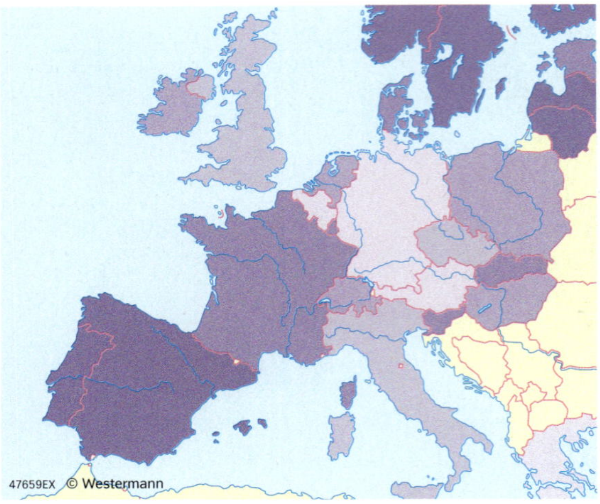

M1 Glasfaserausbau in Europa (Auswahl)

FACHBEGRIFF

Ein **Standort** verfügt über bestimmte wirtschaftliche, soziale und geographische Eigenschaften und Bedingungen, z. B.: Höhe der Steuern, Verkehrsanbindung oder die Nähe zu Bildungseinrichtungen. Diese können sich entweder positiv oder negativ auf einen Betrieb auswirken. Diese **Standortfaktoren** muss ein Unternehmen für die Wahl der Niederlassung berücksichtigen, da sie wirtschaftliche Vor- oder Nachteile bedeuten können.

Wie wettbewerbsfähig ist der Standort Deutschland?

Eine gute Infrastruktur umfasst ein ausgebautes Straßen- und Schienennetz, moderne Flughäfen und Häfen sowie eine zuverlässige Wasser- und Energieversorgung. Dies ist auch entscheidend für die Wettbewerbsfähigkeit in Deutschland. Experten kritisieren, dass die deutsche Wirtschaft ausgebremst wird. Den Grund dafür sehen sie unter anderem in den vielen maroden Brücken, dem langsamen Glasfaserausbau und den Funklöchern im Mobilfunknetz. Es gibt noch weitere Bedingungen und Eigenschaften eines Ortes, die Unternehmen bei ihrer Entscheidung beeinflussen, wo sie sich niederlassen oder produzieren sollen (Standortwahl).
Deutschland hat einige klare Vorteile wie die hohe Anzahl an gut ausgebildeten Arbeitskräften und eine starke Industrie. Außerdem ist die geographische Lage günstig, da es im Herzen Europas liegt und somit Zugang zu den vielen Märkten der Nachbarländer bietet. Des Weiteren bietet Deutschland eine stabile politische und rechtliche Umgebung, die für Unternehmen wichtig ist.

Allerdings sind die Lohnkosten in Deutschland vergleichsweise hoch, was die Produktion hier teurer macht. Besonders die Bürokratie kann für kleinere Unternehmen hinderlich sein, und es gibt immer wieder Diskussionen über die zukünftige Energieversorgung. In den letzten Jahren haben sich diese Umstände weiter verschärft. Vor allem in puncto Infrastruktur sehen rund ein Viertel der deutschen Unternehmen eine deutliche Beeinträchtigung.

Viele fordern, dass der Staat etwas gegen die bestehenden Standortnachteile unternimmt, um bessere Voraussetzungen für die Unternehmen zu schaffen. Das kann beispielsweise durch Investitionen in die Beseitigung der Missstände geschehen. Gleichzeitig lassen sich nicht nur Versäumnisse auf staatlicher Seite feststellen. Die Automobilindustrie beispielsweise, die zu den wichtigsten Zweigen der deutschen Wirtschaft gehört, hat lange Zeit nicht auf Elektromobilität gesetzt. So haben chinesische Unternehmen frühzeitig den Übergang zur E-Mobilität eingeleitet und können nun günstige E-Autos auf den Weltmärkten anbieten.

Auch Unternehmen können durch ihre Bereitschaft zu investieren, z. B. in Forschung und Entwicklung, erheblich dazu beitragen, dass ein Standort weiterhin attraktiv bleibt. Es sind daher Investitionen sowohl durch die Regierung als auch die Wirtschaft nötig, um den Anschluss an den Weltmarkt nicht zu verlieren.

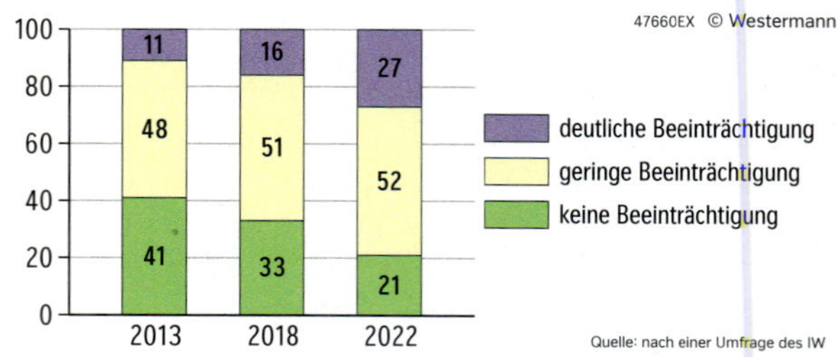

M2 Beeinträchtigung der Geschäftsabläufe durch Infrastrukturprobleme (Angaben in Prozent)

2019 begann der Ausbau des E-Highways auf der A5 als Pilotprojekt. Die zunächst 5 km lange Strecke zwischen dem Frankfurter Flughafen und Darmstadt wurde mittlerweile auf 12 km verlängert. Lkw können so während der Fahrt aus der Oberleitung Strom beziehen, mit welchem gefahren und gleichzeitig die Batterie aufgeladen werden kann.
Da die Kosten für den Ausbau sehr hoch sind, wird bezweifelt, ob das Projekt überhaupt flächendeckend umsetzbar ist. 2025 wurde die Teststrecke abgeschaltet und die Daten ausgewertet.

M3 Ein Versuch: E-Highway in Hessen

Die Bevölkerung wird immer älter und die Geburtenrate ist niedrig. Das kann zu einem Mangel an Fachkräften führen.

Bereits heute gibt es in manchen Branchen zu wenig qualifizierte Fachkräfte. Das beeinträchtigt das Wachstum der deutschen Wirtschaft.

Die hohe Steuerbelastung für Unternehmen kann die Wettbewerbsfähigkeit Deutschlands schwächen.

Wer ein Geschäft gründen will, muss viele, oft komplexe Vorschriften befolgen.Genehmigungsprozesse können langwierig sein.

Die Konkurrenz ist enorm: Deutsche Hersteller können mit den günstigen Preisen für E-Autos aus China, wo wesentlich niedrigere Löhne gezahlt werden, nicht mithalten.

Auflagen für Umweltschutz sind in Deutschland hoch. Das stellt Unternehmen vor zusätzliche Herausforderungen.

Deutschland muss die Infrastruktur weiter ausbauen. Dazu gehört auch das Vorantreiben der Digitalisierung.

Die Umstellung auf erneuerbare Energien ist ein wichtiges politisches Ziel, doch bringt sie eine Herausforderung für die Energieversorgung mit sich.

Mit vielen Regelungen werden die Arbeitnehmer in Deutschland vor schlechten Arbeitsbedingungen und niedriger Bezahlung geschützt.

In Deutschland ist die Arbeitsmoral geprägt von Pünktlichkeit, Effizienz und Genauigkeit.

M4 Fachmeinungen zum Standort Deutschland

AUFGABEN

1 *Beschreibe die Einschätzung der Unternehmen zur Infrastruktur in Deutschland (M2).*

2 *Erläutere, was Standortfaktoren sind.*

3 *a) Erstelle eine Tabelle zu den Standortvorteilen und Standortnachteilen in Deutschland (M1, M3, M4) .*
b) Diskutiert die Einschätzungen der Experten im Hinblick auf die Stärken und Schwächen des Wirtschaftsstandortes Deutschland (M4).

M1 Die Sonderwirtschaftszone Guangzhou in 1984 und 2019

China – eine neue Supermacht

Was erfahren wir aus der Geschichte Chinas?

Die Volksrepublik China existiert nun bereits seit über 70 Jahren. Sie wurde am 1. Oktober 1949 unter der Führung von Mao Zedong gegründet. Als er die Führung übernahm, gehörte China zu den ärmsten Ländern der Welt. Deshalb gestaltete Mao das Land nach kommunistischen Leitlinien um. Die eigentliche Idee war, dass allen Menschen gemeinsam das gehören sollte, was für den Lebensunterhalt notwendig ist. Jedoch setzte er diese Idee mit harter Hand um: Menschen, die Mao anzweifelten oder politische Gegner, wurden verhaftet oder gar getötet.

Die Führung Chinas legte auch fest, was und wie viel produziert werden sollte. Statt Reis anzubauen und zu ernten, wurden Bauern gezwungen, in Fabriken Stahl herzustellen. Die Folge war die größte Hungersnot der Menschheitsgeschichte, bei der etwa 30 Mio. Menschen starben. In den Folgejahren schottete sich das schwache Land immer weiter ab, indem es keinen Handel mit anderen Ländern betrieb.

Erst nach dem Tod Maos im Jahr 1976 wurden durch Deng Xiaoping Neuerungen im Land durchgesetzt, um China einen wirtschaftlichen Aufschwung zu verschaffen. Er nahm dabei in Kauf, dass nur Einzelne durch den wirtschaftlichen Erfolg reich wurden und die Ungleichheit im Land zunahm. Mehr Demokratie, was zu mehr persönlicher Freiheit der Menschen geführt hätte, lehnte er ab. Auch heute noch ist China eine Ein-Parteien-Diktatur.

M2 Mao Zedong auf einem Partei-Plakat (1969)

INFO

Ein **Ein-Parteien-System** ist eine politische Herrschaftsform, in der eine einzige politische Partei die uneingeschränkte Kontrolle über die Regierung und den Staat ausübt. In solchen Systemen ist diese Partei die einzige erlaubte politische Organisation, denn alle anderen politischen Parteien oder Gruppen werden unterdrückt, verboten oder stark eingeschränkt. Führer der politischen Partei werden hoch verehrt. Kritik an der Führung wird nicht geduldet.

Chinas wirtschaftlicher Aufschwung

In China wurden seit 1978 viele Neuerungen eingeführt. Dadurch konnten nun auch Unternehmen aus Europa Standorte in sogenannten Sonderwirtschaftszonen (SWZ) wie in Guangzhou gründen. Erst durch diese „Öffnung“ gegenüber dem Rest der Welt, die niedrigen Arbeitskosten und die effizienten Lieferketten konnte die chinesische Wirtschaft wachsen. Im Osten befindet sich viel Industrie. Medizinische Erzeugnisse, Elektrogeräte, Schiffe, Autos oder Satellitensysteme werden dort hergestellt und stark nachgefragt. Allein 2017 wurden etwa 70 Prozent aller weltweit produzierten Spielwaren in China hergestellt. Daher galt China lange als „Werkbank der Welt“. Dieser Titel ist nicht mehr zeitgemäß. Mittlerweile investiert China stark in Forschung und Entwicklung für technisch anspruchsvolle Produkte.

China ist heute weltweit vernetzt und betreibt Handel mit vielen Staaten. Ob die USA, Japan oder europäische Länder – sie alle sind wichtige Handelspartner. Deutschland beispielsweise importiert zahlreiche Waren aus China, während deutsche Autos in China beliebt sind. Da in China weiterhin vergleichsweise niedrige Löhne gezahlt werden, verlagern auch deutsche Firmen ihre Produktionsstätten direkt dorthin. Allerdings wird Chinas Handelspolitik zunehmend kritisch gesehen, da häufig kein Handel auf Augenhöhe stattfindet und China z. B. von ausländischen Unternehmen oft Zugang zu Technologien fordert. Trotz des wirtschaftlichen Aufschwungs wächst in China der Unterschied zwischen Arm und Reich stetig. Auf dem Land leben viele Menschen, die vom wirtschaftlichen Erfolg kaum profitieren.

M3 China – ungleiche Entwicklung (2019)

AUFGABEN

1 *Vergleiche die beiden Fotos in M1. Welche Unterschiede fallen dir auf?*

2* *Stelle Chinas wirtschaftliche Entwicklung in einer Zeitleiste dar (M1, M3).*

3 *Nenne Ursachen für den Aufstieg Chinas und erkläre, was unter einer Sonderwirtschaftszone zu verstehen ist.*

4 *Werte die Karte M3 aus.*

Wanderarbeiter in China

Hoffen auf ein besseres Leben

Die Wohlstandsunterschiede zwischen den Regionen im Inneren des Landes und denen an der Küste sind gewaltig. Auf dem Land gibt es wenige Perspektiven, auch weil es geringere Löhne für die gleichen Tätigkeiten gibt. Deshalb zogen in den letzten Jahren 295 Mio. Menschen in die **Megastädte** des Landes. Diese Wanderarbeiter arbeiten vor allem auf den Baustellen, in Fabriken, im Hotel- und Gaststättengewerbe sowie in den Bereichen Transport- und Lieferservice. Die Wanderarbeiter tragen durch ihre Arbeit dazu bei, die Wirtschaft Chinas aufrechtzuerhalten.

Allerdings ist dies nicht so einfach wie bei uns, denn in China gilt das Hukou-System. Das heißt, dass „Landbewohner" nicht einfach in jede Stadt ziehen dürfen, sondern eine staatliche Aufenthaltsgenehmigung dafür brauchen. Eine freie Wahl des Arbeits- und Wohnortes gibt es für die meisten Chinesen nicht. Um eine befristete Aufenthaltsgenehmigung zu erhalten, muss eine Arbeitsstelle nachgewiesen werden. Diese Aufenthaltsgenehmigung gilt nur für eine Person, die Familie muss zu Hause bleiben. Einen Großteil ihres Lohnes müssen die Wanderarbeiter für ihre Unterkunft und Lebensmittel ausgeben.

M3 Ankommende Wanderarbeiter

Dennoch entscheiden sich viele für diesen Weg, um ihre Familien auf dem Land finanziell unterstützen zu können.

Waren es zu Beginn hauptsächlich Männer, ziehen jetzt auch immer mehr Frauen in die Städte, um dort zu arbeiten. Häufig lassen Eltern ihre Kinder bei den Großeltern auf dem Land, um in der Stadt das Geld für die Familie zu verdienen.

M1 Karikatur

M2 Wanderung von (Personen-)Gruppen innerhalb Chinas

METHODE

Ein Lebensliniendiagramm erstellen

Viele Ereignisse im Leben, wie beispielsweise ein Umzug an einen anderen Ort oder der Wechsel der Arbeitsstelle, haben nicht nur räumliche Auswirkungen, sondern wirken sich auch auf unser Lebensgefühl aus. Diese Auswirkungen lassen sich mit einem Lebensliniendiagramm verdeutlichen.

1. Schritt: Diagramm erstellen

Erstellt ein Diagramm, das so groß ist, dass ihr alle Ereignisse eintragen könnt.

2. Schritt: Ereignisse einordnen

Entscheidet für jedes Ereignis neu, ob es positive oder negative Auswirkungen auf das Lebensgefühl einer Person hat und setzt dementsprechend euer Kreuz.

3. Schritt: Ergebnis auswerten und präsentieren

- Stellt euer Ergebnis vor und begründet eure Einschätzungen.
- Vergleicht euer Ergebnis mit dem der anderen Gruppen.

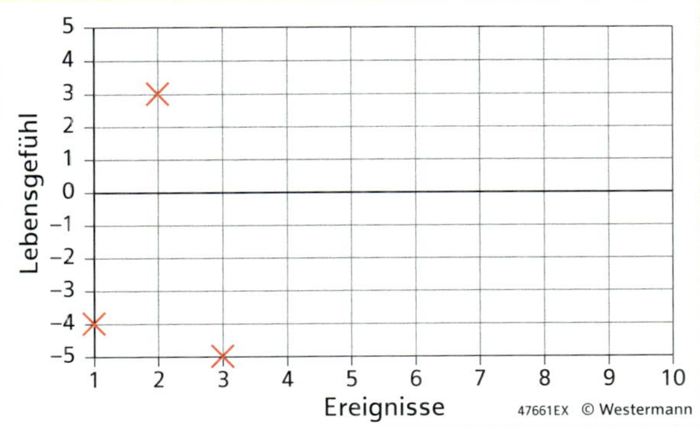

M4 Lebensliniendiagramm

1. Li Yang lebt mit seinen Eltern in Sichuan. Regelmäßig hilft er ihnen bei der schweren Feldarbeit.
2. Li Yang heiratet eine Frau aus seinem Dorf und sie bekommen einen Sohn.
3. Die Erträge aus der Landwirtschaft reichen oft nicht mehr aus, um die ganze Familie zu versorgen.
4. Um an dem Wohlstand der Menschen an den Küstenregionen teilhaben zu können, geht der junge Familienvater nach Peking. Dort will er als Wanderarbeiter Geld für die Familie verdienen.
5. In Peking heuert er bei einer Baufirma an. Diese errichtet einen Wolkenkratzer mit Luxusappartements.
6. Li Yang arbeitet an jedem Tag der Woche zwölf Stunden. Er wohnt in einem kleinen Zimmer in einem großen Arbeiterwohnheim. Dafür muss er über ein Viertel seines Lohnes bezahlen.
7. Er vermisst seine Familie. Er sieht sie nur einmal im Jahr zum chinesischen Neujahrsfest. Aber er kann regelmäßig ein wenig Geld nach Hause schicken, wovon die Familie dringend benötigte Lebensmittel kaufen kann.
8. Nach zehn Monaten bekommt er für zwei Wochen frei. Li Yang fährt nach Sichuan und hilft seiner Familie bei der Ernte.
9. Sein Vater ist erkrankt. Li Yang macht sich Sorgen, ob die Frauen die schwere Feldarbeit ohne ihn bewerkstelligen können.

M5 Ereignisse aus dem Leben eines Wanderarbeiters

AUFGABEN

1* *Erkläre mithilfe des Textes und M2, warum sich so viele Menschen vom Lande entscheiden, zum Arbeiten in die Städte zu ziehen.*

2 *Analysiere die Karikatur M1.*

3 *a) Erstelle ein Lebensliniendiagramm für Li Yang.*
b) Trage im gleichen Diagramm mit einer anderen Farbe die Kurve für Li Yangs Frau ein.

4* *Suche in einer Mediathek eines Fernsehanbieters nach aktuellen Dokumentationen über Wanderarbeiter und stelle ein Beispiel vor (Internet).*

Digital+
WES-112462-263

Die alte und neue Seidenstraße

Die alte Seidenstraße beschreibt einen ca. 6000 km langen Landweg von der Grenze zu Kasachstan bis in den Mittelmeerraum. Seide war damals das wichtigste Handelsgut Richtung Westen. Nach Osten wurden v.a. Edelmetalle und Wolle gehandelt. Neben dem Warenaustausch fand auch ein kultureller Austausch statt. Der berühmteste Reisende auf der Seidenstraße war der Italiener Marco Polo. Die Route hatte ihre Blütezeit zwischen dem 1. und 13. Jh. n. Chr.

M1 Die alte Seidenstraße

	Länge (km)	Zeit (Tage)	Kosten*
Schiene	11 250	16	6 350 US-$
See	20 050	32	2 400 US-$
Luft	8 800	4	32 490 US-$

M4 Festakt zur Einfahrt eines chinesischen Zuges in den Hafen von Duisburg; Tabelle: Transportkosten und -dauer auf der Strecke von Shanghai nach Hamburg (2017)

M2 Die neue Seidenstraße

Die Belt and Road Initiative (BRI) ist ein Entwicklungsprogramm zum Ausbau einer länderübergreifenden Infrastruktur, die China eng mit anderen Weltregionen vernetzen soll. Die Planungen betreffen rund 65 Staaten. Im Zuge des Projekts soll der Ausbau von Häfen, Straßen, Bahnstrecken, Öl- und Gaspipelines, Energienetzen sowie Glasfaserkabeln vorangetrieben werden. Die chinesische Regierung stellt Milliarden Euro bereit, um den Export chinesischer Produkte zu erleichtern.
Auf gleichem Weg können ausländische Rohstoffe und Produkte schneller nach China gelangen. Man erhofft sich, dass die Nachfrage nach (chinesischen) Produkten steigen könnte.
Die chinesische Führung bemüht sich, die Belt and Road Initiative als ein wirtschaftliches Projekt darzustellen, das für alle beteiligten Länder Vorteile bringe. Es zeichnet sich jedoch immer mehr ab, das nur die eigenen Interessen verfolgt werden.

„Wir sollten eine neue Art internationaler Beziehungen fördern, bei denen es um eine Win-Win-Kooperation geht, und wir sollten Partnerschaften des Dialogs ohne Konfrontation pflegen […].“

Quelle: Harald Brandt: Die Reise in den Westen. Eine Lange Nacht über die Neuen Seidenstraßen. Deutschlandradio, Köln, S. 6

M3 Zitat von Xi Jinping (Staatspräsident von China)

M5 Karikatur von Kostas Koufogiorgos (2019)

M6 Verlauf der Belt and Road Initiative

Die Belt and Road Initiative als Chance?

Der Trans-Eurasia-Express ist eine Eisenbahnverbindung von China bis nach Europa, auf der Waren transportiert werden sollen. Einer der Zielbahnhöfe dieser Eisenbahnlinie ist Duisburg. Über 30 Züge mit Containern kommen jede Woche im Duisburger **Binnenhafen** an. Über die Wasserwege Duisburgs können dann Container in viele weitere Länder transportiert werden. Dafür sorgen rund 35 000 Angestellte aus 250 Firmen, die am Hafen gelegen sind. Das Hafengebiet umspannt 40 km Uferlänge und verfügt über 21 Häfen. Unter anderem kommen in Duisburg Elektrogeräte und Kleidung an. Auf dem Weg zurück nehmen die Züge deutsche Autos und Konsumgüter mit. Die Stadt Duisburg erhofft sich durch die verstärkten Beziehungen zu China einen Aufschwung. Duisburg möchte, dass China die Anzahl der wöchentlichen Züge erhöht und sich chinesische Unternehmen in der Stadt ansiedeln. Im Jahre 2018 gab es etwa 100 chinesische Unternehmen in Duisburg. Eines dieser Unternehmen möchte in Duisburg ein Handelszentrum bauen. Von hier aus soll der Vertrieb chinesischer Waren nach Mitteleuropa organisiert werden. Die Stadt hofft auf zusätzliche 2 000 Arbeitsplätze.

Kritiker sehen in der BRI große Gefahren, wie z. B. die hohe Verschuldung der beteiligten Länder. Diese nehmen teilweise chinesische Kredite auf und machen sich wirtschaftlich von China abhängig, wie es z. B. in Sri Lankas größtem Hafen in Hambantota geschehen ist. Zudem wurden für den Bau der Straßen, Schienen und Häfen viele Waldflächen gerodet oder auch ganze Gemeinschaften umgesiedelt. Letztlich wird auch bemängelt, dass bei der Vergabe der BRI-Projekte vorrangig chinesische Unternehmen davon profitieren.

AUFGABEN

1 *Liste auf, welche Länder die BRI auf ihrem Weg von China nach Deutschland verbindet (M6, Atlas).*

2 *Stelle Vor- und Nachteile der BRI für Deutschland gegenüber (M1 – M4).*

3 *Beschreibe die Karikatur M5. Welche Befürchtung möchte der Zeichner verdeutlichen?*

4 *Recheriere den Verlauf der historischen Seidenstraße und vergleiche ihren Verlauf mit dem der BRI (M1, M6, Internet).*

EXTRA

M1 Elektroauto beim Laden

M3 Lithiumbatterie

Elektromobilität in Chile

Frau Riedl möchte sich ein neues Auto kaufen. Sie ist sehr naturverbunden und möchte die Umwelt schonen. Deshalb entscheidet sie sich für ein Elektroauto. Das Herzstück eines jeden Elektroautos ist eine wiederaufladbare Batterie. Vor dem Kauf liest Frau Riedl, dass die Herstellung einer solchen Batterie für die Umwelt problematischer sei, als sie anfangs dachte. Der wichtigste Rohstoff für die Herstellung der Batterien ist Lithium, das mit etwa zehn Kilogramm in jeder Batterie verbaut ist. Frau Riedl möchte unbedingt herausfinden, was es mit diesem Lithium auf sich hat, und begibt sich auf Spurensuche: Ein wichtige Spur führt nach Chile.

Hauptstadt: Santiago de Chile
Einwohner: 19,6 Mio. (2022)
Fläche: 756 102 km²
Maximale Ausdehnung in
- Nord-Süd-Richtung: 4 275 km
- West-Ost-Richtung: 440 km

Staatsform: Republik
Alphabetisierungsrate: 97,4 %
Vermögensverteilung:
- Auf ein Prozent der Bevölkerung konzentrieren sich zwei Drittel des Reichtums.
- Fast die Hälfte der Bevölkerung verdiente 2019 weniger als den chilenischen Mindestlohn (427 Euro).

Haupthandelspartner: China, USA, Brasilien, Japan, Südkorea

M2 Chile: Steckbrief

Chile ist neben Australien der größte Lithiumlieferant der Welt. Doch neben Lithium hat Chile auch noch andere bedeutende Rohstoffvorkommen (siehe M5). Woran liegt das eigentlich? Chile liegt an einer Subduktionszone, die Pazifische Platte schiebt sich hier unter die Südamerikanische. Das aufsteigende Magma hat in der Verbindung mit Wasser und bei großer Hitze zur Entstehung zahlreicher mineralischer Lösungen geführt. Diese setzten sich im Laufe von Millionen Jahren im Gestein fest und sind heute ein Grund für die enormen Rohstoffreserven des Landes.

M4 Warum ist Chile so reich an Rohstoffen?

Bergbauprodukt	Anteil an Weltproduktion	Rang (weltweit)	Verwendung (Beispiele)
Kupfer	27,7 %	1	elektrisch leitende Teile in Elektrogeräten, Dachrinnen, Dächern, Münzen
Lithium	44,0 %	1	siehe M7
Molybdän	20,9 %	2	Härtung von Stahl für schwer entflammbare Teile in Luft- und Raumfahrt
Rhenium	50,6 %	1	Beimischung in Metallen von Flugzeugturbinen
Silber	6,7 %	5	Schmuck, Münzen, Smartphones

M5 Chiles Bedeutung als Rohstoffexporteur (2020)

M6 Lithiumabbau in der Atacama-Wüste

Im Zentrum der Atacama-Wüste liegt ein großer Salzsee. Er weist im Inneren teils über 2000 m mächtige Salzschichten auf. Das Wasser, dass dem Salzsee zufließt, enthält neben anderen Elementen auch Lithium in relativ hoher Anhäufung.
Mithilfe von starken Pumpen wird das Salzwasser zuerst abgepumpt und anschließend in große Verdunstungsbecken geleitet. Durch die hohe Verdunstung lagern sich die Bestandteile als Salze nacheinander ab.

M9 Lithium – Entstehung und Ausbeutung der Lagerstätten

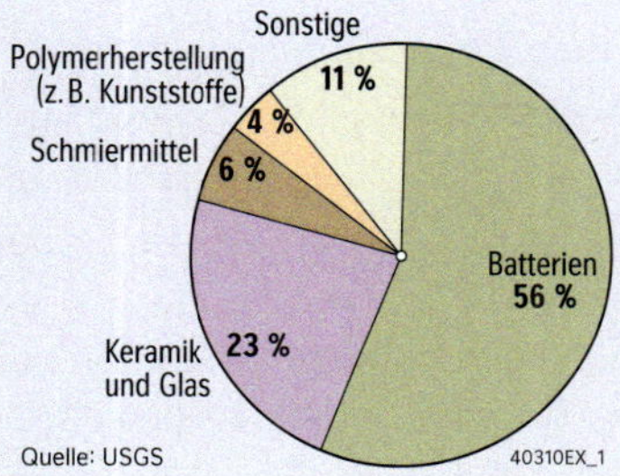

- Farbe von reinem Lithium: silbrig hell
- Dichte von 0,53 g/cm^3 (Zum Vergleich: Die 10-, 20- und 50-Cent-Münzen haben eine Dichte von etwa 7 g/cm^3.)
- weiches Metall, das sich mit einem normalen Messer schneiden ließe

M7 Verwendung und Eigenschaften von Lithium

Die wirtschaftliche Bedeutung der Lithiumgewinnung in der Atacama ist unbestritten. Man hat Arbeitsplätze geschaffen und das Einkommen der Bevölkerung verbessert. Trotzdem gibt es viele negative Seiten am Bergbau. Zum Beispiel sind die Eigentumsrechte problematisch, denn ursprünglich gehörte dieses Gebiet den „Atacameños", einer indigenen Gemeinschaft. Ein Umweltproblem stellen die von den Minen geförderten Wassermengen dar. Durch die Wasserentnahme sinkt der Grundwasserspiegel in der ohnehin sehr trockenen Region. In der Folge trocknen auch die Wasserbecken der Salzpfanne aus, die jedoch wichtige Lebens- und Rückzugsorte für viele, teilweise nur hier vorkommende, Tier- und Pflanzenarten sind. Der gefährdete Naturraum, eine einzigartige Wüste mit Salzsee, wird zudem durch den staubigen und lauten Lkw-Verkehr der Bergbauminen gestört.

M8 Der Journalist über die Probleme und Risiken der Lithiumgewinnung

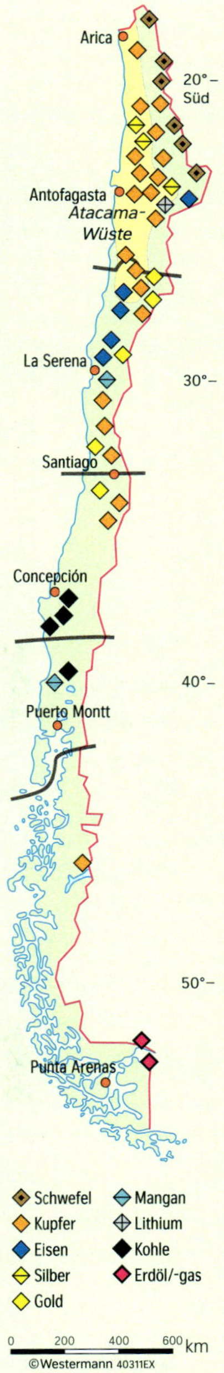

M10 Bodenschätze in Chile

AUFGABEN

1 *a) Beschreibe die Rohstoffverteilung in Chile (M10).*
b) Erkläre, warum es gerade in Chile so große Rohstoffvorkommen gibt (M4).

2 *Recherchiere: Welche Industrieprodukte werden von den Handelspartnern Chiles (M2) hergestellt, bei denen Rohstoffe aus Chile eingesetzt werden können (M3, M5)?*

3 *a) Sammelt Pro- und Kontra-Argumente zum Lithiumabbau in Chile.*
b) Erstellt eine Argumentationswippe, bei der ihr die Argumente auf den jeweiligen Seiten (pro und kontra) der Wippe anordnet. Diskutiert, zu welcher Seite die Wippe hinuntergeht, weil dort „schwerere", also bessere Argumente liegen (siehe S. 123).

ALLES KLAR?

Die Bereiche der Globalisierung

Globalisierung ist kein rein wirtschaftliches Phänomen, sondern vollzieht sich auch in weiteren Bereichen (siehe grafische Darstellung).

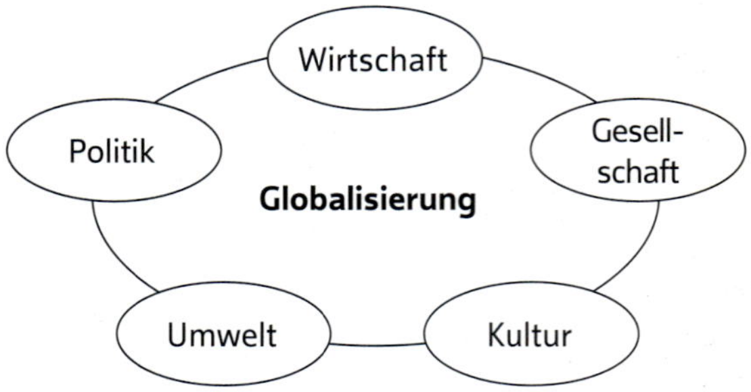

Übertrage die Grafik in dein Heft und notiere konkrete Beispiele, worin sich Globalisierung in den jeweiligen Bereichen zeigt.

Meinungen zur Globalisierung

Die Globalisierung ist ein Segen! Nie zuvor kamen die Menschen schneller an so viele Informationen.

Der Onlinehandel hat mein Geschäft zerstört. Ich muss meinen Laden in der City schließen.

Ein Leben ohne Globalisierung kann ich mir gar nicht mehr vorstellen. Die Welt ist ein Dorf – das ist doch klasse! Mein Freiwilliges Soziales Jahr werde ich in Bolivien verbringen.

Auch Dank der Globalisierung wuchs unser kleiner Familienbetrieb zu einem Unternehmen mit über 10000 Mitarbeitern weltweit.

Meine neue Jeans war so günstig, dass ich mir gleich noch ein passendes Shirt dazu gekauft habe.

1. Wer könnte die Aussagen getroffen haben?
2. Wähle zwei Aussagen aus und nimm Stellung dazu.

Aufgaben rund um die Globalisierung

1. Erkläre, was die Erfindung von Containern mit der Globalisierung zu tun hat.
2. Stelle einen Zusammenhang zwischen der Globalisierung und der Corona-Pandemie her.
3. Nenne je drei Vor- und Nachteile von Globalisierung.
4. Welche Herausforderungen ergeben sich für deutsche Unternehmen durch die Globalisierung?

Wir arbeiten mit dem Atlas

1. Nenne fünf Länder, die besonders viel nach Europa exportieren.
2. Nenne fünf Länder, in die Europa besonders viel exportiert.
3. Beschreibe anhand einer thematischen Karte Afrikas Rolle im Welthandel.

Globalisierung durch technischen Fortschritt

Wähle drei (technische) Errungenschaften aus und erkläre, welche weltweiten Veränderungen sich durch Erfindung dieser Medien ergeben haben.

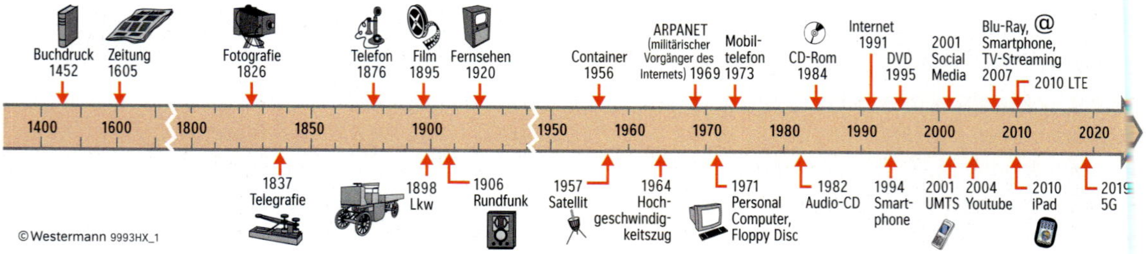

Globale Abhängigkeiten

Analysiere die Karikatur von Klaus Stuttmann.

Verschiedene Aspekte der Globalisierung

1. Erkläre, was die Bilder A – D mit der globalisierten Welt zu tun haben.
2. Ist auf den Bildern jeweils eine eher positive oder eher negative Entwicklung der Globalisierung dargestellt? Versuche, eine Wertung vorzunehmen.

A

B

C

D

Globale ökologische Heraus-

forderungen

AKTIV

Wir lernen die Herausforderungen der Welt kennen

Seitdem es die Menschen gibt, müssen sie mit bestimmten Herausforderungen zurechtkommen. Bis vor wenigen Jahrhunderten war die Beschaffung von Nahrungsmitteln die größte Herausforderung der Menschen im heutigen Europa. Durch die moderne Landwirtschaft stellt Hunger in weiten Teilen der Welt kein Problem mehr dar.
Auch unsere Lebens- und Wohnverhältnisse haben sich stark verbessert. Diese moderne Lebensweise stellt uns vor Probleme und Herausforderungen, die vor 200 Jahren noch unbekannt waren. Welche diese sind und wie mögliche Lösungsansätze aussehen, werdet ihr in diesem Kapitel erarbeiten.

Der Syndrom-Ansatz

Das Handeln der Menschen hinterlässt Spuren auf der Erde. Der Mensch nutzt die Natur und verändert sie dadurch. Wissenschaftler haben die Auswirkungen menschlichen Handelns auf die Umwelt untersucht und mittlerweile 16 Syndrome (Krankheitsbilder der Erde) diagnostiziert. Dazu zählen z. B. das Sahel-Syndrom, das Massentourismus-Syndrom und das Raubbau-Syndrom.

1. a) Beschreibe die Bilder auf Seite 273 und notiere für jedes Bild einen passenden Titel.
   b) Blättere durch die Seiten dieses Kapitels und finde heraus, welche Probleme die einzelnen Bilder ansprechen.
2. Welche der drei Themen, die im Kapitel angesprochen werden, interessieren dich am meisten?
3. Formuliert mögliche Leitfragen zur Bearbeitung dieses Kapitels.

Ich? Du? Wir? Alle!

Eine Herausforderung kann für jeden etwas anderes sein. Der Umgang damit fällt dem einen leichter/schwerer als dem anderen. Notiere aus deiner Sicht die größten Herausforderungen für ...
a) dich,
b) deine Familie,
c) deine Klasse,
d) Deutschland,
e) Europa,
f) die Welt.

Weltbevölkerung

Während du diesen Satz liest, werden auf der Erde etwa 48 Kinder geboren und 30 Menschen sterben. Die Zahl der Menschen auf der Erde nimmt also zu, und zwar pro Sekunde um 2,6 Menschen, pro Minute um 156 Menschen.

1. Berechne die Zunahme der Weltbevölkerung pro
   a) Stunde, b) Tag, c) Woche, d) Monat, e) Jahr.
2. Über den QR-Code-Link kannst du herausfinden, als wievielter Erdenbürger du geboren wurdest.
3. Beschreibe die Bevölkerungsverteilung auf der Erde (siehe Seite 289, M5). Stelle Vermutungen an, welche Herausforderungen sich durch die Bevölkerungsverteilung ergeben.

M1

M5

M2

M6

M3

M7

M4

M8

M 1 So könnte es vor 300 Mio. Jahren in Deutschland ausgesehen haben. Feucht-heißes Klima ließ dichte Sumpfwälder entstehen (Rekonstruktionszeichnung).

Das Klima – Änderungen über Jahrmillionen

Natürliche Klimaänderungen

Wissenschaftler kennen heute die Zeiträume in der Erdgeschichte, in denen das Klima auf der Erde wärmer oder kälter als heute war. Abkühlungen führten zu Kaltzeiten. Große Teile der Kontinente lagen unter einem mächtigen Eispanzer. Die Kaltzeiten wechselten ab mit Warmzeiten, in denen die Gletscher zurückgedrängt wurden. Die Vegetation auf der Erde nahm zu.
Jede Klimaänderung in der Erdgeschichte war zunächst ein ganz natürlicher Vorgang und lässt sich auf unterschiedliche Ursachen zurückführen:

- Die Erde umkreist die Sonne auf einer Umlaufbahn. Der Abstand dieser Umlaufbahn zur Sonne variiert in großen Zeitabständen.
- Die Sonne strahlt nicht immer mit der gleichen Energie. Deshalb schwanken auch die Temperaturen auf der Erde.
- Nach großen Vulkanausbrüchen und Meteoriteneinschlägen gelangen Schwebeteilchen wie Asche oder Staub in die Atmosphäre. Sie wirken wie ein Schirm und führen zu einem Rückgang der Sonneneinstrahlung.

Noch nie in der Erdgeschichte erwärmte sich die Erdatmosphäre so schnell wie in den letzten Jahrzehnten. Wissenschaftler führen diese Entwicklung darauf zurück, dass die Menschheit immer mehr **Kohlenstoffdioxid (CO_2)** in die Atmosphäre ausstößt. Dadurch verstärkt sie den natürlichen Treibhauseffekt und trägt so zum **Klimawandel** mit steigenden Temperaturen bei. Wissenschaftler nehmen an, dass ohne den Einfluss des Menschen die Erde auf dem Weg in eine neue Eiszeit wäre.

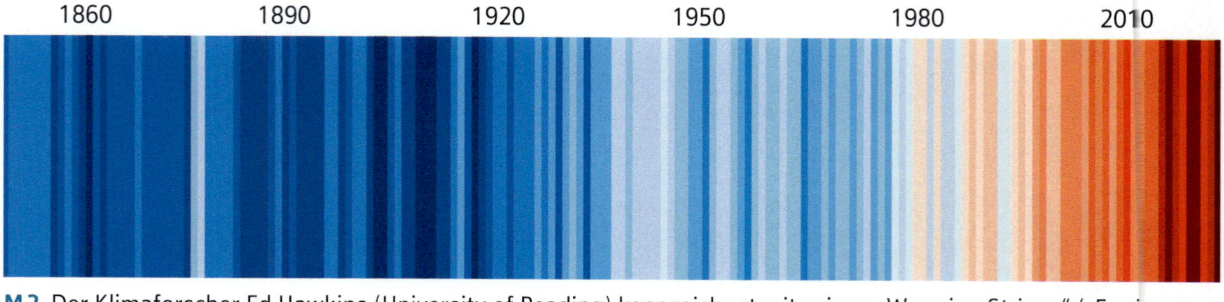

M 2 Der Klimaforscher Ed Hawkins (University of Reading) kennzeichnet mit seinen „Warming Stripes" („Erwärmungsstreifen") kältere und wärmere Jahre im Zeitraum 1850 bis 2023.

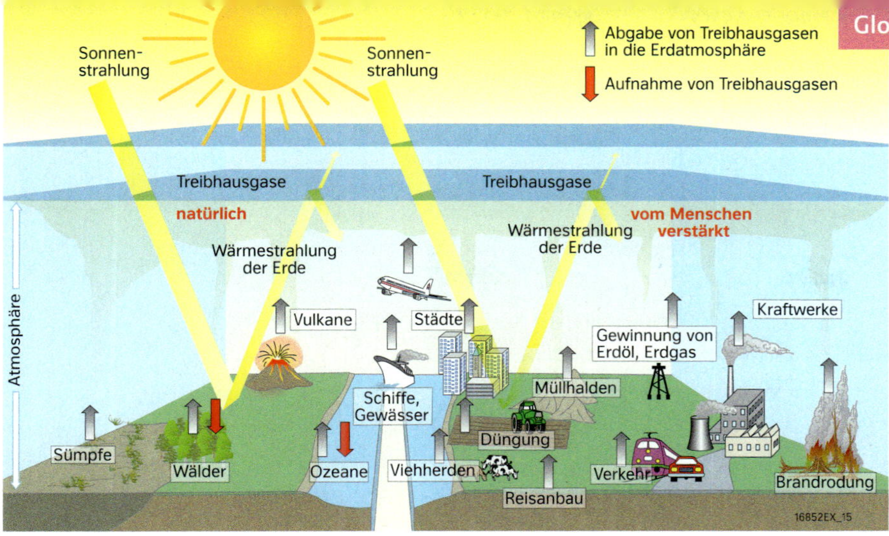

M3 Der natürliche und der vom Menschen verstärkte Treibhauseffekt

FACHBEGRIFF

Treibhausgase sorgen dafür, dass weniger Wärmestrahlung wieder an den Weltraum abgegeben wird und somit in der Atmosphäre verbleibt. Dadurch heizt sich die Atmosphäre auf.

Der natürliche Treibhauseffekt

Der Treibhauseffekt lässt sich mit den Vorgängen in einem Gewächshaus (M5) vergleichen. Zunächst durchdringt die Sonnenstrahlung das Glas bzw. die Atmosphäre und erwärmt die Erdoberfläche ①. Die Oberfläche strahlt einen Teil dieser Wärme mit einer veränderten Wellenlänge zurück ②. Ein Teil dieser Strahlung gelangt nicht zurück in das Weltall, sondern wird in der Atmosphäre von sogenannten **Treibhausgasen** wie dem Wasserdampf (H_2O) und dem Kohlenstoffdioxid (CO_2) wieder in Richtung Erdoberfläche zurückgeworfen ③. Die Treibhausgase wirken demnach wie die Glasfläche des Gewächshauses. Auf diesem Weg wird die Atmosphäre durch die zurückgeworfene Wärmestrahlung aufgewärmt.
Dieser Treibhauseffekt sorgt für eine Erhöhung der Temperaturen direkt über der Erdoberfläche um etwa 33 °C auf durchschnittlich +15 °C und ermöglicht so Leben auf der Erde.

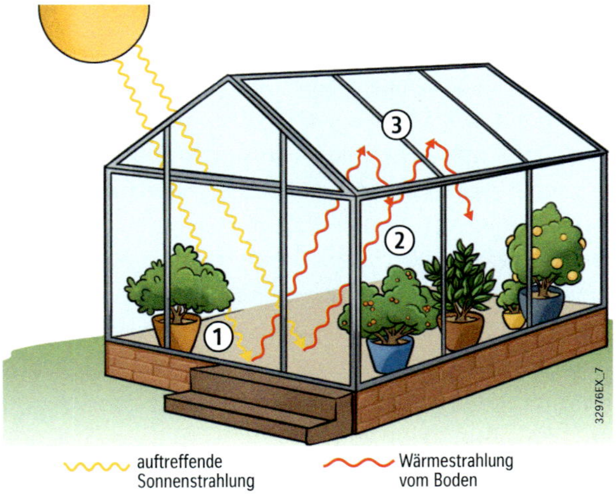

M5 Funktionsweise eines Treibhauses

M4 Vulkanausbruch in der Gegenwart

AUFGABEN

1 *Erkläre die natürlichen Ursachen für Klimaänderungen (M3, M4).*

2 *Erkläre, welche Vorgänge auf der Erde Einfluss auf den Temperaturanstieg seit 1910 (M3) nehmen.*

3 *Beschreibe den natürlichen Treibhauseffekt (M5).*

4 *Erläutere die Bedeutung des Treibhauseffekts für das Leben auf der Erde.*

5 *Beschreibe, wie es zu dem vom Menschen verstärkten Treibhauseffekt kommt (M3, M5).*

Digital+
WES-112462-275

M1 Der Mensch verbraucht Energie (Auswahl).

Ursachen für den vom Menschen verstärkten Klimawandel

Unser Lebensstil führt zum Klimawandel

Seit dem Beginn der Industrialisierung vor etwa 200 Jahren hat sich der Lebensstil vieler Menschen verändert. Rohstoffe wie Kohle, Erdöl und Erdgas wurden in großen Mengen abgebaut. Diese kohlenstoffhaltigen Rohstoffe werden verbrannt, um Energie zu erzeugen. Mit ihr werden elektrische Geräte betrieben, Produkte erzeugt, Häuser geheizt und unsere Mobilität ermöglicht. Besonders der Lebensstil der Menschen in den Industrieländern ist durch einen hohen Energie- und Ressourcenverbrauch gekennzeichnet.

Mit der Verbrennung von Kohle und Erdöl wurde in den **Kohlenstoffkreislauf** immer mehr Kohlenstoffdioxid (CO_2) eingebracht. Dieser vom Menschen verursachte CO_2-Ausstoß wird auch als CO_2-Emission bezeichnet (lat. emittere: aussenden, ausstoßen).

Da CO_2 ein sehr wirksames Treibhausgas ist, verstärkt das vom Menschen freigesetzte CO_2 den natürlichen Treibhauseffekt. Je höher die Konzentration von Treibhausgasen in der Atmosphäre ist, desto mehr Wärmestrahlung wird in der Atmosphäre zurückgehalten und kann nicht ins Weltall entweichen.

Dadurch nimmt die Erwärmung innerhalb der Erdatmosphäre immer mehr zu und wird zum Problem für die Natur und den Menschen.

FACHBEGRIFF

Als **Industrieländer** werden wirtschaftlich starke Staaten bezeichnet. Sie zeichnen sich durch ein hohes Pro-Kopf-Einkommen, eine hohe Produktivität, ein hohes Bildungsniveau und einen hohen Technologiestandard aus. Im Gegensatz dazu stehen die (wirtschaftlich schwachen) **Entwicklungsländer**, die diese Punkte weitestgehend nicht erfüllen. Als **Schwellenländer** bezeichnet man Staaten, die sich im Übergang befinden, weil sie in einigen Bereichen wirtschaftlich stärker geworden sind.

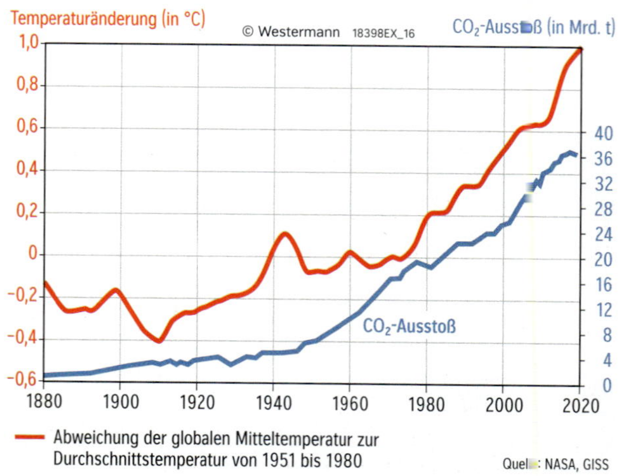

M2 CO_2-Anstieg und Temperaturentwicklung

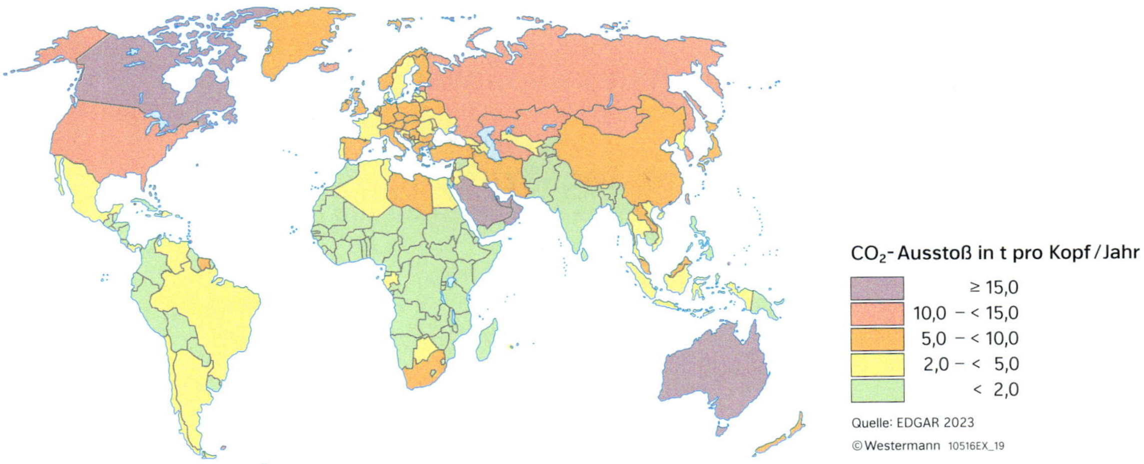

M3 CO_2-Emissionen pro Kopf nach Ländern

Wer hat Schuld am Klimawandel?

Alle Länder der Erde tragen mit ihrem Ausstoß von Treibhausgasen zum weltweiten Klimawandel bei. Die Menge der produzierten Treibhausgase variiert hierbei, hat sich aber durch den Lebensstil der Menschen immer weiter erhöht. Von besonderer Bedeutung für den Klimawandel ist das Treibhausgas Kohlenstoffdioxid (CO_2). Daneben kommt dem Ausstoß von Methan eine immer größere Rolle zu. Dieses entsteht, wenn organische Stoffe (z. B. Blätter) unter Luftabschluss verrotten. Dies passiert vor allem in der Landwirtschaft, aber auch bei der Energiegewinnung (z. B. Erdgas) oder der Freisetzung aus Abfällen.

M5 Schuldzuweisungen

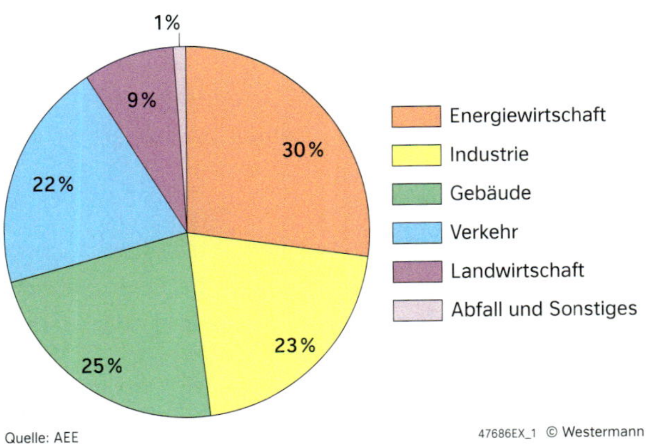

M4 Anteil der Sektoren am Treibhausgas-Ausstoß Deutschlands 2023

AUFGABEN

1 *Benenne Quellen von CO_2 (M1, M4).*

2 *Erkläre den Zusammenhang zwischen Energieverbrauch und Verstärkung des Treibhauseffekts (M2).*

3 *Beschreibe den Kohlenstoffkreislauf.*

4 *a) Benenne die Länder 1 – 10 in M3 mithilfe des Atlas.*
b) Vergleiche die Karte M3 mit einer Karte zu Industrie-, Schwellen- und Entwicklungsländern im Atlas.

5 *Analysiere die Karikatur M5.*

6 *Analysiere die Ursachen des vom Menschen gemachten Klimawandels (M1, M4).*

Einen Gruppenmix zu den Folgen des Klimawandels durchführen

Hessische Tageszeitung

Neueste Nachrichten aus Politik, Wissenschaft, Wirtschaft, Sport und Kultur

Die Folgen des Klimawandels

Die Experten sind sich einig: Der Klimawandel hat Auswirkungen auf das Leben von Menschen weltweit. Auch in Deutschland sind alle Lebensbereiche zunehmend betroffen ...

Folgen des Klimawandels

Während sich die Wissenschaft einig über den Ursprung der Klimaveränderungen ist, zeichnet sich bezüglich der Folgen noch kein eindeutiges Bild ab. Dies liegt nicht zuletzt daran, dass die Erde ein System ist, bei dem viele komplexe Wechselwirkungen bestehen. So kann beispielsweise eine Erhöhung der Ozeantemperaturen zu einer Zunahme der Stärke von Stürmen führen. Die Auswirkungen der Folgen des Klimawandels sind vielfältig und reichen von einer Zunahme der Hitzetage über den Anstieg des Meeresspiegels bis zu einem Abschmelzen der Gletscherregionen der Erde. Während einige der Folgen „positive" Aspekte mit sich bringen, ist man sich einig, dass die Nachteile deutlich überwiegen werden.

Klimawandel in Deutschland (S. 279)
Auch in Deutschland kann eine Zunahme der Temperaturen beobachtet werden, was verschiedene Folgen für die Menschen hat.

Miami versinkt (S. 280)

Der Meeresspiegel steigt weltweit. Besonders betroffen ist Miami im Bundesstaat Florida in den USA.

Das Eis schmilzt (S. 281)

Der Klimawandel sorgt für einen Rückgang der weltweiten Eisflächen. Auch die Gletscher in den Alpen sind auf dem Rückzug.

M1 Die verschiedenen Themen des Gruppenmix

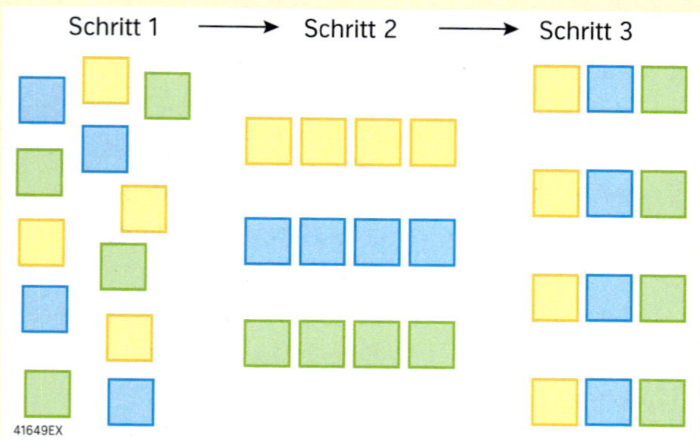

M2 Ablauf des Gruppenmix

1. Schritt

- Verteilt die drei Themen (M1) in der Klasse.
- Löst die Aufgaben eures Themas in Einzelarbeit.

2. Schritt

- Findet euch in Gruppen aus den Mitschülern zusammen, die das gleiche Thema aus M1 bearbeitet haben. Besprecht eure Lösungsvorschläge und überarbeitet diese, wenn nötig.

3. Schritt

- Stellt in gemixten Dreiergruppen die Ergebnisse vor.

Expertengruppe „Klimawandel in Deutschland“

Mit 41,2 °C wurde am 25. Juli 2019 in Deutschland ein neuer Temperaturrekord gemessen. Ist das nur ein Zufall oder gibt es einen messbaren Anstieg der Durchschnittstemperaturen und eine Häufung extremer Wetterereignisse in Deutschland?

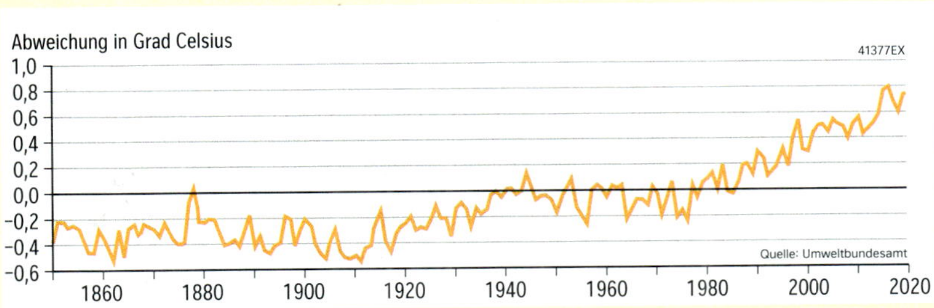

M3 Entwicklung der Durchschnittstemperaturen in Deutschland

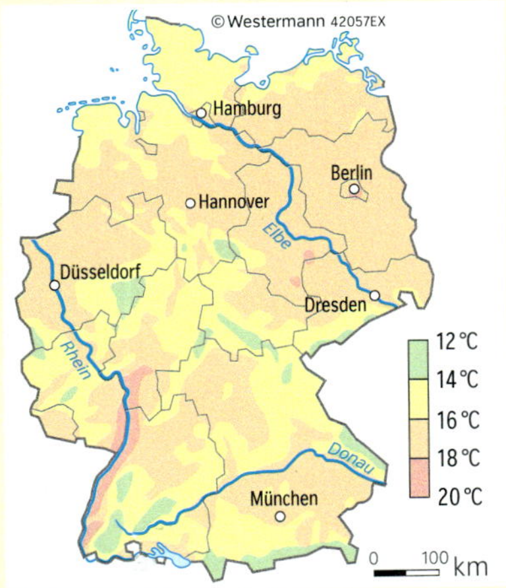

M4 Durchschnittstemperatur im Sommer (1961 – 1990)

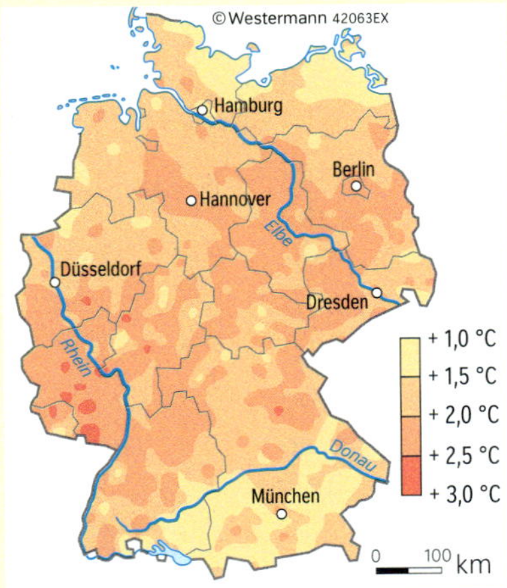

M6 Abweichung im Sommer 2020 von der Sommer-Durchschnittstemperatur (1961 – 1990)

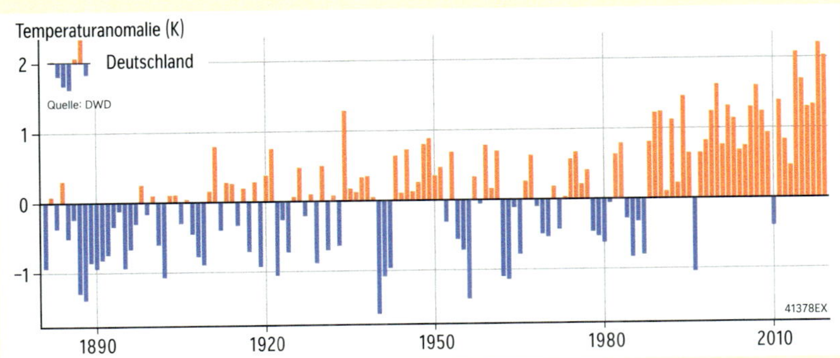

M5 Temperaturabweichung (Referenzzeitraum 1961 – 1990)

Die Auswertung von langfristigen Wettermessungen zeigt für Deutschland im Hinblick auf die Entwicklung der durchschnittlichen Temperaturen eine eindeutige Tendenz. Dabei ist die Verteilung der Temperaturzunahme von Region zu Region verschieden. Für Hessen wird bis 2100 eine Zunahme der Jahresmitteltemperatur von 1,1 °C bis 3,9 °C erwartet (im Vergleich zu 1971 – 2000).

Deutliche Veränderungen können auch im Hinblick auf die Niederschläge ausgemacht werden. Für Hessen wird mit einer Zunahme der Niederschläge im Winter und einer Abnahme der Niederschläge im Sommer gerechnet.

Zudem sagen Wissenschaftlerinnen und Wissenschaftler eine Zunahme extremer Wetterereignisse wie Hitzetage, Dürren und Starkregen voraus.

AUFGABEN

1 *Beschreibe die Entwicklung der Durchschnittstemperaturen in Deutschland (M3, M5).*

2 *Nenne Regionen, die von der Temperatur- und Niederschlagsentwicklung besonders betroffen sind.*

3 *Recherchiere die möglichen Folgen des Klimawandels für die Natur und die Menschen in Deutschland.*

Expertengruppe „Miami versinkt“

Eine halbe Million Menschen lebt in Miami, der zweigrößten Stadt Floridas. Jährlich besuchen über 20 Mio. Menschen die Stadt, die nicht nur mit Hurrikans, den tropischen Wirbelstürmen, sondern auch dem Klimawandel zu kämpfen hat.

Der Name „Miami“ kommt aus der Sprache der Ureinwohner (Mayaimi) und bedeutet „großes Wasser“. Und Wasser spielt in Miami nicht nur aufgrund der zahlreichen Wassersportmöglichkeiten im Sunshine State Florida eine zunehmend wichtigere Rolle.
Die Einwohner Miamis haben Erfahrung mit überschwemmten Straßen und gefluteten Häusern. Schließlich wird die Stadt regelmäßig von Hurrikans heimgesucht. Diese bringen von Juni bis November immer wieder heftige Regenfälle mit sich. Experten rechnen damit, dass die tropischen Wirbelstürme an Intensität zunehmen werden.
Hinzu kommt ein Anstieg des Meeresspiegels, der der Stadt Probleme bereitet. Dies liegt daran, dass der größte Teil der Stadt nur wenige Meter über dem Meeresspiegel liegt. Ein weiteres Problem ist der Untergrund, auf dem Miami gebaut wurde. Dieses Gestein ist so porös, dass Wissenschaftler sagen, es sei „löchrig wie ein Schweizer Käse“. Salziges Meerwasser kann so in die Häuser der Menschen und in Trinkwasserreservoirs eindringen.
Es gibt verschiedene Prognosen, wie stark Florida vom Anstieg des Meeresspiegels betroffen sein wird. Unabhängig davon, wie dieser ausfallen wird, ergreift man in Miami Gegenmaßnahmen. So werden stärkere Maschinen zum Abpumpen des Wassers installiert. Hauseinfahrten und Gehwege werden höhergelegt.

M1 Hurricane Season in Miami

M2 Szenario zum Anstieg des Meeresspiegels

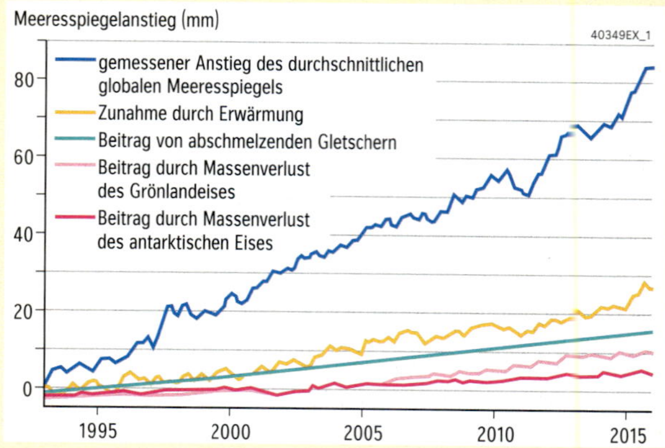

M3 Weltweiter Meeresspiegelanstieg seit 1993

AUFGABEN

1. *Beschreibe die Lage Miamis (Atlas).*
2. *Nenne die Auswirkungen des Klimawandels auf die Menschen in Miami und stelle mögliche Gegenmaßnahmen vor.*
3. *Beschreibe den Anstieg des Meeresspiegels (M3).*
4. *Nenne weitere Städte in Florida, die von einem Anstieg des Meeresspiegels betroffen wären.*

Expertengruppe „Das Eis schmilzt"

Weltweit gibt es etwa 198 000 Gletscher. Gletscher sind große Eismassen, die in Kaltzeiten anwachsen, in Warmzeiten hingegen schrumpfen. Seit Jahrzehnten beobachten Wissenschaftler, dass die Gletscher auf der Welt auf dem Rückzug sind.

Der Rhonegletscher in der Schweiz ist ungefähr acht Kilometer lang und zwei Kilometer breit. Wie viele andere Gletscher schmilzt auch er. Seit Ende des 19. Jahrhunderts verliert er jährlich fast neun Meter Länge. Bis zum Jahr 2100 wird er wahrscheinlich ganz verschwunden sein.

Gletscher sind ein attraktives Ausflugsziel für Touristen. Hinzu kommt eine enorme Bedeutung für die Trinkwasserversorgung, denn Gletscher speichern große Mengen Süßwasser. In den Sommermonaten versorgen sie damit die Natur und die Menschen in den Gebirgsregionen.

Um den Rückgang der Gletscher zu verlangsamen, deckt man beispielsweise in den Alpen Gletscherflächen mit heller Folie ab. Diese reflektiert die Sonnenstrahlen und sorgt so dafür, dass das Abschmelzen reduziert werden kann. Auch wenn die Maßnahme durchaus erfolgreich ist, bietet sie eher kurzfristige Erfolge, kann aber das Abschmelzen der Gletscher langfristig nicht aufhalten.

M5 Rückzug des Rhonegletschers (Computersimulation)

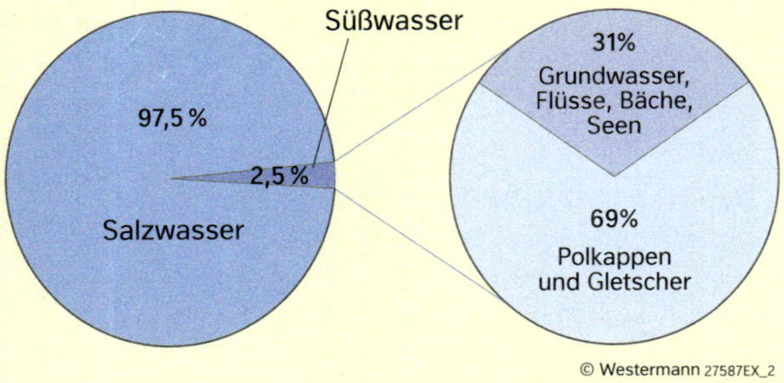

M4 Verteilung des Süßwassers auf der Erde

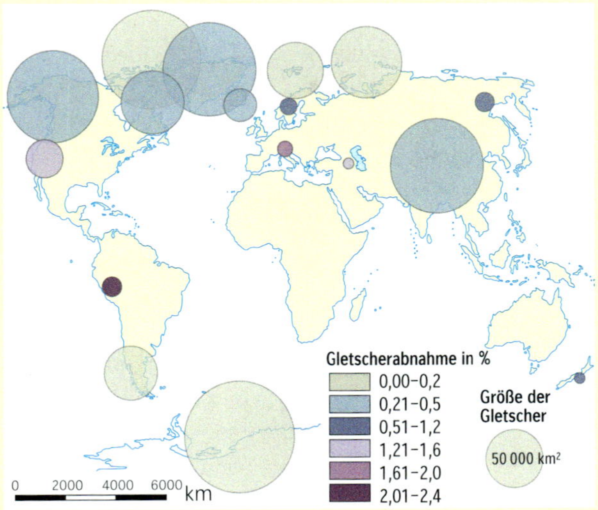

M6 Abnahme der Gletschermächtigkeit pro Jahr

AUFGABEN

5 *Beschreibe die beiden Bilder (M5).*

6 *Erkläre anhand von M4 die Bedeutung von Gletschern.*

7 *Werte die Karte zur Entwicklung der Gletscher aus (M6).*

8 *Recherchiere Probleme, die sich durch die Gletscherschmelze in den Alpen ergeben werden.*

M1 Das Ausmaß der Flutkatastrophe in Insul an der Ahr am 15. Juli 2021

Das nächste Wetterextrem kommt bestimmt – Starkregen

Eine Erscheinung des Klimawandels ist, dass Wetterextreme wie Starkregen und Stürme weltweit immer häufiger auftreten. Die globale Erwärmung sorgt dafür, dass mehr Wasser verdunsten kann. Das führt zur erhöhten Wolkenbildung und letztlich zu mehr Niederschlägen. Warme Luft kann zudem mehr Wasser aufnehmen. Das erhöht die Wahrscheinlichkeit von Starkregenereignissen.

Allgemein wird erwartet, dass trockene Regionen noch trockener werden, während der Niederschlag in ohnehin schon regenreichen Regionen steigt. Als Folge ist auf der einen Seite eine Häufung von Dürren, auf der anderen Seite eine Häufung von Überschwemmungen zu erwarten, da trockene Böden das Wasser nicht aufnehmen können.

Hinzu kommt, dass es auf der Erde auch immer mehr Menschen gibt, die von diesen Wetterextremen betroffen sein können. Dies führt dazu, dass es auf der Erde zu immer mehr Schäden und Todesopfern kommen kann.

Zu den in Deutschland auftretenden Wetterextremen zählen Hitzewellen, Frost, Starkniederschläge, Dürren und (Wirbel-)Stürme. In den vergangenen 20 Jahren ist nicht nur die Anzahl dieser Wetterextreme gestiegen, sondern es hat auch deren Heftigkeit zugenommen.

Ein Wetterextrem weist außergewöhnlich hohe oder niedrige Werte eines oder mehrerer Wetterelemente (z. B. Temperatur, Niederschlag) auf. Allerdings gibt es keine einheitliche Definition: Manchmal wird die Häufigkeit des Auftretens, manchmal die Heftigkeit genutzt.

M2 Wetterextreme

INFO

Der Deutsche Wetterdienst übermittelt mit der WarnWetter-App aktuelle Wettervorwarnungen.
Die App NINA (Notfall-Informations- und Nachrichten-App) bündelt Meldungen über verschiedenste Gefahrenlagen.

AUFGABEN

1 *Beschreibe, was das Auftreten eines Hochwassers begünstigt (M2 – M6).*

2 *Finde einen passenden Titel für M6.*

3 *Ordne die Nummern (1 – 4) in M4 den jeweiligen Textaussagen (a – d) in M5 zu.*

4 *Stelle Überlegungen an, welche Tipps du Architekten geben könntest, um das Risiko von Hochwasser zu minimieren.*

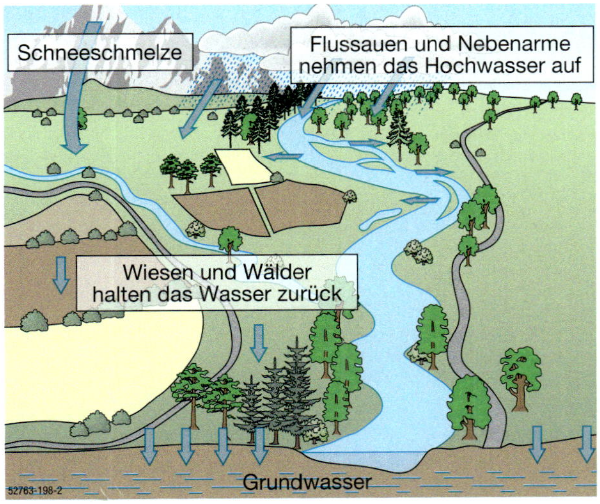

M3 Natürliche Flusslandschaft

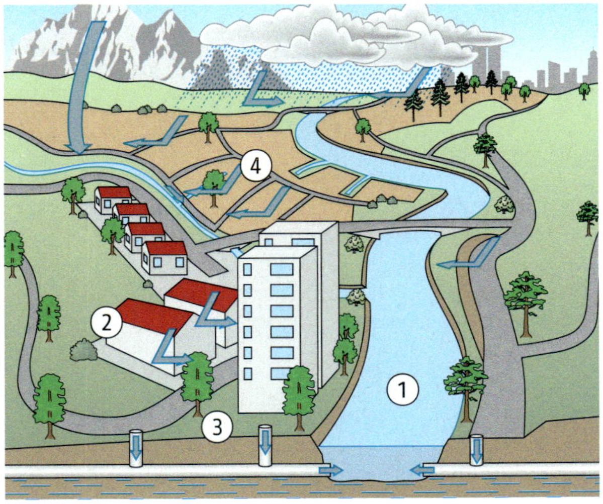

M4 Vom Menschen veränderte Flusslandschaft

Hochwasser und Überschwemmungen

Früher schlängelten sich die Flüsse wild durch die Landschaft, überschwemmten bei Hochwasser ihre natürlichen **Flussauen** und ließen Sumpflandschaften entstehen. Zu jener Zeit gab es in Deutschland sogar die gefährliche Krankheit Malaria. Im 19. Jahrhundert begann man, viele Flüsse zu begradigen und Sümpfe trockenzulegen. Dadurch sollte die Malaria bekämpft und gleichzeitig sollten Flächen für die Landwirtschaft und für Siedlungen gewonnen werden. 1809 wurden Pläne zur Rheinbegradigung vorgelegt. Es wurden Mäander durchgestochen und der Verlauf des Rheins wurde begradigt. Dadurch wurde seine Fließgeschwindigkeit höher und die **Tiefenerosion** nahm zu. Der Rhein grub sein Flussbett tiefer, sodass er seitdem zuverlässiger beschiffbar ist. Rohstoffe und Waren können jetzt ganzjährig auf der Wasserstraße Rhein transportiert werden. Der Straßenbau und die Ausdehnung der Ortschaften führten zu einer Versiegelung des Bodens. Das Niederschlagswasser wird dadurch nicht mehr vom Erdreich aufgenommen und gespeichert. Die Begradigungen der Flüsse und die **Versiegelung** der Böden sind für die schweren Überschwemmungen mitverantwortlich. Mit der **Renaturierung** versuchen die Planer heute, die Fehler von früher zu korrigieren. Begradigte Bäche und Flüsse werden in das alte Bett zurückverlegt. In den Flussauen darf nicht mehr gebaut werden. So können die Flüsse bei Starkregen in Ausweichflächen überlaufen. Die Wassermassen werden aufgefangen und überfluten nicht die flussabwärts gelegenen Siedlungen.

(a) Die Nebenarme der Flüsse werden trockengelegt und die Flussauen entwässert.

(b) Der Bau von Siedlungen und Verkehrswegen in ehemaligen Überschwemmungsgebieten führt zur Versiegelung der Oberfläche.

(c) Das Regenwasser wird in die Kanalisation geleitet und von dort in den Fluss.

(d) Die Flüsse werden begradigt, befestigt und eingedeicht. Dadurch fließen sie schneller.

M5 Menschen verändern die Flusslandschaft.

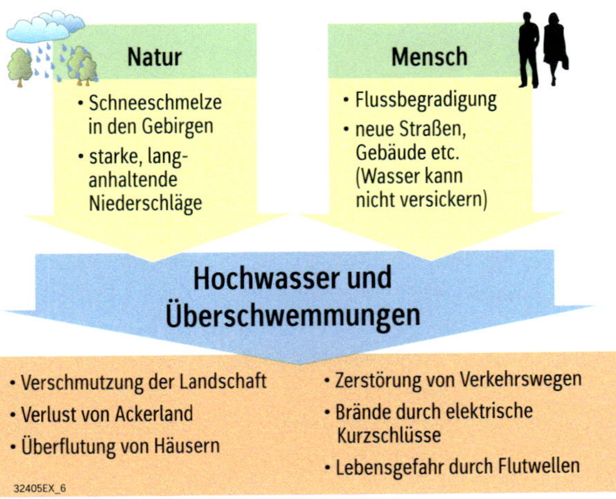

M6 Titel gesucht

Digital+
WES-112462-283

1979
1. Weltklimakonferenz in Genf
Einzelne Wissenschaftler weisen bereits auf einen menschengemachten Klimawandel hin. In der Öffentlichkeit findet das Thema jedoch noch keine Beachtung.

1992
Umweltgipfel in Rio de Janeiro
178 Mitgliedsstaaten der UN verabschieden die „Agenda 21“. Sie verpflichtet die Staaten zu einer nachhaltigen Entwicklung.

1997
Weltklimakonferenz von Kyoto
Erstmals werden Zielwerte für die Verminderung von Treibhausgasen verhandelt und im „Protokoll von Kyoto“ verabschiedet.

Weltklimakonferenzen

1978 1990 1992 1994 1996 1998 2000 2002 2004

M1 Weltklimakonferenzen (Auswahl)

Klima braucht Schutz

Die Weltklimakonferenzen

Der Klimawandel als ernsthaftes Problem, das die gesamte Welt betrifft, ist schon lange bekannt. 1992 trafen sich die Vereinten Nationen (UN) in Rio de Janeiro zur Konferenz für Umwelt und Entwicklung. Seit 1995 findet jedes Jahr eine Klimakonferenz statt. 2015 führte man diese in Paris durch. Dort einigte man sich darauf, die Erderwärmung auf möglichst 1,5 °C zu begrenzen. Dieses gemeinsame Abkommen unterschrieben alle Mitgliedsstaaten der UN. Die Industrieländer sicherten den wirtschaftlich schwächeren Ländern finanzielle Unterstützung zu, damit diese sich vor den Folgen des Klimawandels schützen können.

M2 Karikatur zur Weltklimakonferenz von Til Mette 2007

M4 Demonstration in Deutschland (2020)

Das auf der Weltklimakonferenz von Paris beschlossene Klimaschutzziel, die Erderwärmung auf 1,5 °C zu begrenzen, ist eine große Herausforderung für alle Staaten. Dies geschieht nicht ohne Konflikte, da die Länder auch an ihren wirtschaftlichen Fortschritt denken.
Um die Ziele des Pariser Abkommens zu erreichen, hat sich Deutschland verschiedene Ziele gesetzt. Bis 2045 soll Deutschland klimaneutral werden. Das heißt, dass nur noch so viel CO_2 produziert wird, wie anderswo kompensiert werden kann, z. B. durch **Aufforstung**. Eine Maßnahme dafür ist der Ausstieg aus der Braunkohleförderung. Das allein würde aber nicht ausreichen. Auch in der Industrie, im Verkehr, in der Landwirtschaft und in den privaten Haushalten müssen mehr Möglichkeiten zum Einsparen von CO_2 gefunden werden.

M3 Das 1,5 °C-Ziel von Paris

bis 2005
Unterzeichnung des Protokolls von Kyoto
191 Nationen treten im Laufe der Jahre dem „Protokoll von Kyoto“ bei. In weiteren Weltklimakonferenzen wird immer wieder um die Vereinbarungen gerungen.

2015
Weltklimakonferenz von Paris
Die Staaten verpflichten sich zu nationalen Klimaschutzzielen und einigen sich auf das 1,5°-Ziel (M3).

2019
Weltklimakonferenz von Madrid
Experten weisen auf die dramatischen Folgen der internationalen Klimapolitik hin. Trotzdem können sich die Länder auf keine weiteren Ziele einigen.

der Vereinten Nationen

2006 2008 2010 2012 2014 2016 2018 2020 2022

Ich bin an einem der privilegiertesten Orte der Welt aufgewachsen, [...] in einer Welt [...], die mir sagte, [...] dass, wenn die Wirtschaft wächst, es Schritt für Schritt allen Menschen auf der Welt gut gehen würde. Heute nenne ich das ein Märchen. [...] Für einen kurzen Moment im Jahr 2019 sah es so aus, als würde es klappen. Und jetzt sind wir hier, im Jahr 2023, und erleben, wie Kindheiten auf der ganzen Welt überflutet und verbrannt werden. Was mich jedoch erschreckt, ist [...] wie unsere Politiker auf die Krise reagieren. [...] In den letzten Jahren hat die große Mehrheit von ihnen eine Kehrtwende vollzogen und damit begonnen, alles zu tun, um die Interessen der fossilen Industrie zu befriedigen und einen echten Wandel zu verhindern. [...] Die Industrie für fossile Brennstoffe plant weiterhin ihre Expansion [...] – und all das, obwohl die Wissenschaft klar sagt: Jedes neue Projekt für fossile Brennstoffe gefährdet unsere planetare Sicherheitsgrenze. [...] Anstatt diejenigen zur Rechenschaft zu ziehen, die weiterhin fossile Brennstoffe verbrennen, haben die Regierungen begonnen, diejenigen zu kriminalisieren, die unsere Lebensgrundlagen verteidigen. [...] Früher hatte ich Angst, in der Klimakrise zu versagen, jetzt habe ich Angst, dass die Leute es gar nicht erst versuchen. [...] Es ist in Ordnung, Angst zu haben. Sie sollte nur niemanden davon abhalten, das zu tun, worum uns diese Zeit bittet. Damit wir unseren Kindern eines Tages keine Märchen mehr erzählen müssen. Sondern die Geschichte erzählen können, wie wir zu der Welt geworden sind, die wir ihnen hinterlassen wollen.

Quelle: Luisa Neubauer, 5.10.2023. zit. nach: Bildungswerk der Erzdiözese Köln e.V., Köln, 5.10.2023

M5 Auszug aus einer Pressekonferenz von Luisa Neubauer, Aktivistin der Klimaschutzbewegung (5.10.2023)

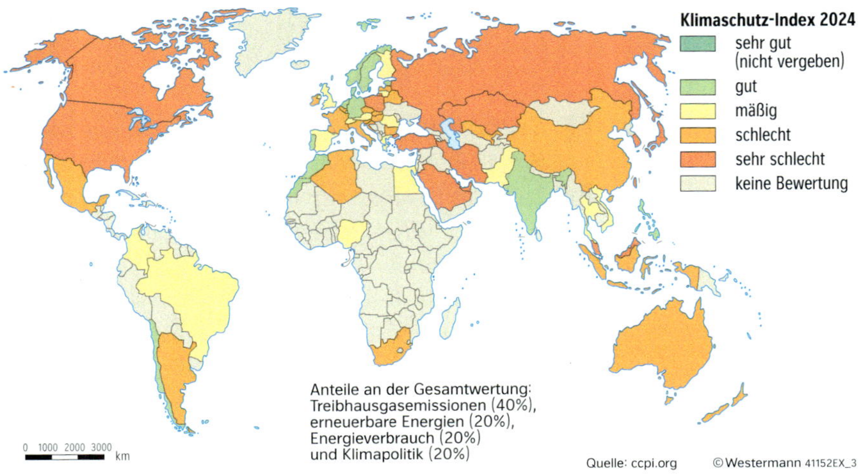

M6 Bemühungen einzelner Staaten zum Klimaschutz

AUFGABEN

1 *Analysiere die Karikatur M2.*

2* *Beschreibe die Karte M6 und bewerte die Bemühungen ausgewählter Staaten.*

3 *a) Fasse die Vorwürfe Luisa Neubauers an die Regierungen und Politiker zusammen (M5).*
b) Informiere dich im Internet über die Bewegung „Fridays for Future“ und erstelle eine Mindmap.

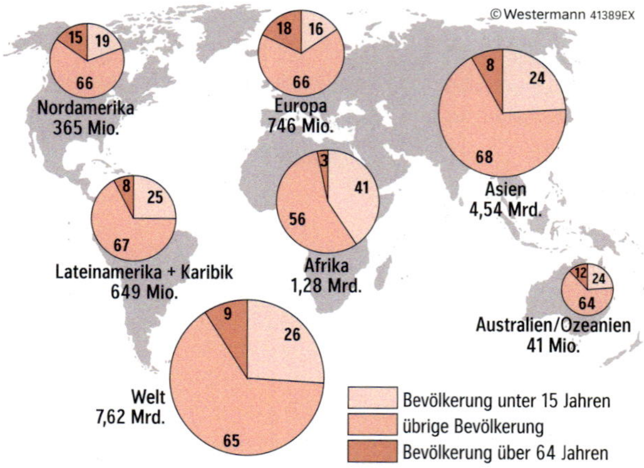

M1 Verteilung alte/junge Menschen weltweit

M3 Familie in Nigeria

Bevölkerungsentwicklung in verschiedenen Ländern

Deutschlands Bevölkerungszahl nimmt ab

In Deutschland lebten im Jahr 2023 etwa 83,4 Mio. Menschen. Damit lag Deutschland weltweit auf dem 18. Platz, innerhalb der EU auf Platz 1. Unter anderem aus Gründen der Vereinbarkeit von Beruf und Familie nehmen die Geburtenzahlen in Deutschland ab. Statistisch gesehen bekam im Jahr 2022 jede Frau in Deutschland 1,46 Kinder. Dieser Wert reicht nicht aus, um die Bevölkerungszahl eines Landes stabil zu halten. Folglich kommt es ohne Zuwanderung zu einem Rückgang der Bevölkerungszahl. Hinzu kommt durch die zunehmende **Lebenserwartung** (2022: 80 Jahre) eine **Überalterung**. Der Anteil der jungen Menschen unter 20 Jahren an der Gesamtbevölkerung lag 2022 bei etwa 24,5 Prozent (1967 etwa 30 Prozent).

Nigerias Bevölkerung wächst

Im Jahr 2022 lebten etwa 218 Mio. Menschen in Nigeria. Kein afrikanisches Land hat mehr Einwohner. Nigeria ist im Hinblick auf seine Bevölkerung das siebtgrößte Land der Erde. Wächst die Bevölkerung mit dem derzeitigen Tempo weiter, könnten bis Mitte des Jahrhunderts über 400 Mio. Menschen in dem westafrikanischen Land leben. Nigerias Bevölkerungsentwicklung ist durch eine hohe Geburtenrate von über fünf Kindern je Frau und eine niedrige Lebenserwartung gekennzeichnet. Dementsprechend gehört Nigeria zu den jüngsten Ländern der Welt. 2022 lag der Anteil der unter 15-Jährigen bei über 42 Prozent.

Kinder als Arbeitskräfte

hohe Kindersterblichkeit

fehlender Zugang zu Bildung

ungewollte Schwangerschaften

kulturelle Traditionen

Kinder als Absicherung im Alter (keine staatliche Rente)

M2 Einflussfaktoren auf die Bevölkerungsentwicklung in Entwicklungsländern

AUFGABEN

1 *Beschreibe die Grafik M1. Stelle Vermutungen an, warum in Afrika der Anteil an Kindern so hoch ist.*

2 *Stelle die Bevölkerungssituation Deutschlands und Nigerias in einer Tabelle gegenüber. Arbeite dazu mit den Texten.*

3 *Menschen in ärmeren Ländern haben viele Kinder zur Versorgung. Erkläre mithilfe von M2.*

4 *Ermittle Regionen mit hohem Anteil alter Menschen und Regionen mit einem hohen Anteil junger Menschen (M1, Atlas).*

METHODE

Ein Bevölkerungsdiagramm lesen

Was ist ein Bevölkerungsdiagramm?

Ein Bevölkerungsdiagramm ist eine Darstellungsform, in welcher du die Zusammensetzung der Bevölkerung eines Landes in Bezug auf das Alter und das Geschlecht ablesen kannst. Hieraus lassen sich z. B. Rückschlüsse ziehen, ob es Zuwanderung oder einen Krieg gab oder wie die Versorgung im Alter ist.

Ablesen eines Bevölkerungsdiagramms

1. **Schritt:** Das Land und das Jahr liest du über dem Diagramm ab.
2. **Schritt:** Benenne ggf. die Gesamteinwohnerzahl.
3. **Schritt:** Bei der Darstellung wird nach Geschlecht unterschieden: Die linke Seite des Diagramms bildet die Männer, die rechte Seite die Frauen ab.
4. **Schritt:** Mithilfe der x-Achse liest du die Einwohnerzahl ab (z. B. in Millionen oder in Prozent).
5. **Schritt:** Die y-Achse stellt das Alter der Einwohner in den einzelnen Jahrgangsgruppen dar (z. B. 0–5 Jahre).

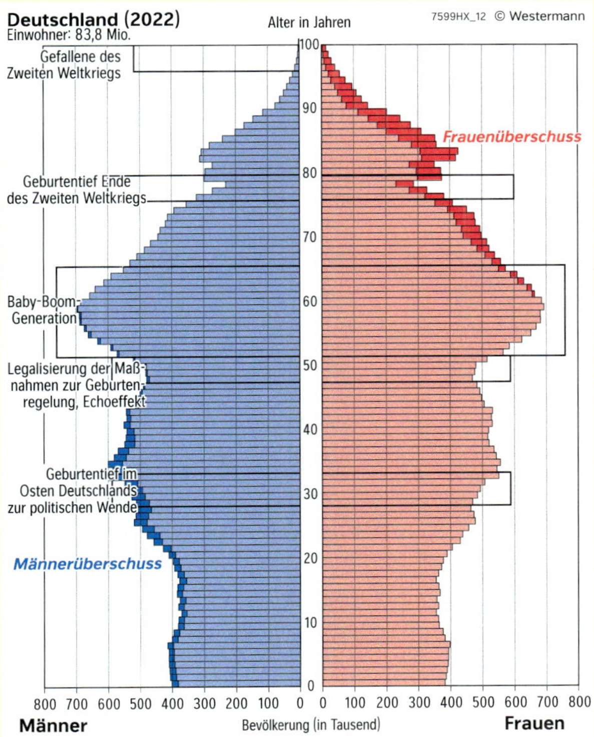

M4 Bevölkerungsdiagramm von Deutschland 2022

Beispiel

In Nigera lebten im Jahr 2022 insgesamt etwa 218 Mio. Menschen. Es lebten etwa 13 Mio. Jungen zwischen 10 und 14 Jahren. Mädchen gab es etwa 13,5 Mio..

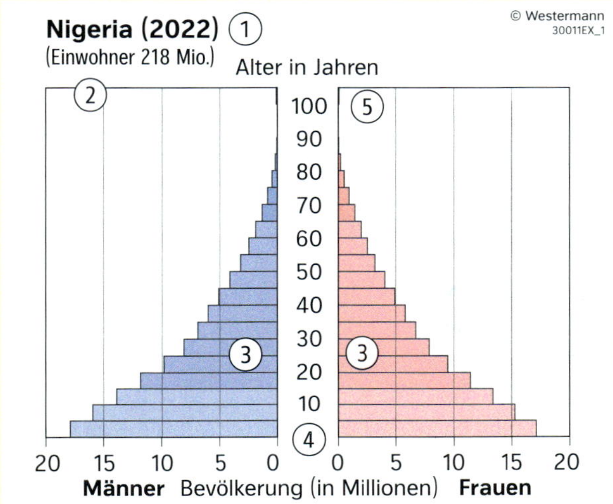

M5 Bevölkerungsdiagramm von Nigeria 2022

INTERNET

Es gibt verschiedene typische Verlaufsformen von Bevölkerungsdiagrammen. Die Pyramidenform Nigerias lässt sich in ähnlicher Form in vielen Entwicklungsländern wiedererkennen.

Digital+
WES-112462-287

AUFGABEN

5 *Erkläre, warum Deutschlands Einwohnerzahl in den letzten Jahren gewachsen ist, obwohl jede Frau nur 1,46 Kinder bekommt.*

6 *Ermittle die Anzahl der Frauen zwischen 35 und 39 Jahren in Nigeria (M5).*

7 *Stelle einen Zusammenhang zwischen dem Zweiten Weltkrieg und dem Bevölkerungsdiagramm Deutschlands her (M4).*

M 1 Karikatur

Im Eiltempo zur achten Milliarde

Noch nie lebten so viele Menschen auf der Erde wie heute. 2023 waren es über acht Milliarden und die Weltbevölkerung wächst weiter an. Jeden Tag werden mehr als 400 000 Babys geboren – doppelt so viele Menschen, wie Kassel Einwohner hat.

Das hohe Bevölkerungswachstum hat verschiedene Ursachen: Durch eine bessere medizinische Versorgung werden die Menschen immer älter und die **Kindersterblichkeit** konnte verringert werden. Zudem wurde die Versorgung mit Nahrungsmitteln durch verschiedene Maßnahmen verbessert. Hinzu kommt, dass in vielen Regionen der Erde nach wie vor der Wunsch nach zahlreichen Kindern besteht. Das große Bevölkerungswachstum bringt aber auch zahlreiche Probleme mit sich.

AKTIV

Wir stellen die Verteilung der Weltbevölkerung dar

Die Anzahl der Menschen auf der Erde wächst rasant an. Aber in welchen Ländern leben die meisten Menschen? Ordne die 16 Länder mithilfe eines Balkendiagramms nach ihrer Größe. Ordne die Länder anschließend den Kontinenten zu.

M 2 Die 15 bevölkerungsreichsten Länder als Wortwolke

Land	Einwohner (Mio.)	Land	Einwohner (Mio.)
Ägypten	117	Japan	123
Äthiopien	133	Mexiko	131
Bangladesch	174	Nigeria	235
Brasilien	212	Pakistan	253
China	1 417	Philippinen	116
Deutschland	84	Russland	144
Indien	1 457	USA	346
Indonesien	284	D.R. Kongo	111

M 3 Bevölkerungszahlen der 15 bevölkerungsreichsten Länder 2024 und Deutschlands

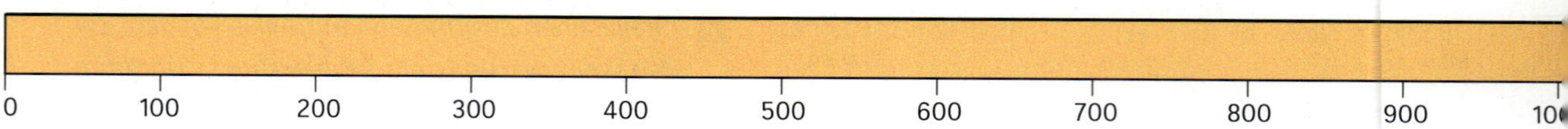

M 4

Wenn die Welt ein Dorf mit nur 100 Einwohnerinnen und Einwohnern wäre, wären davon:

2023 **59** aus Asien, **18** aus Afrika, **9** aus Europa, **8** aus Lateinamerika, **5** aus Nordamerika und **1** aus Ozeanien.

25 wären Kinder unter 15 Jahren.

10 Menschen wären älter als 65.

Im Durchschnitt bekämen Frauen **2,2** Kinder.

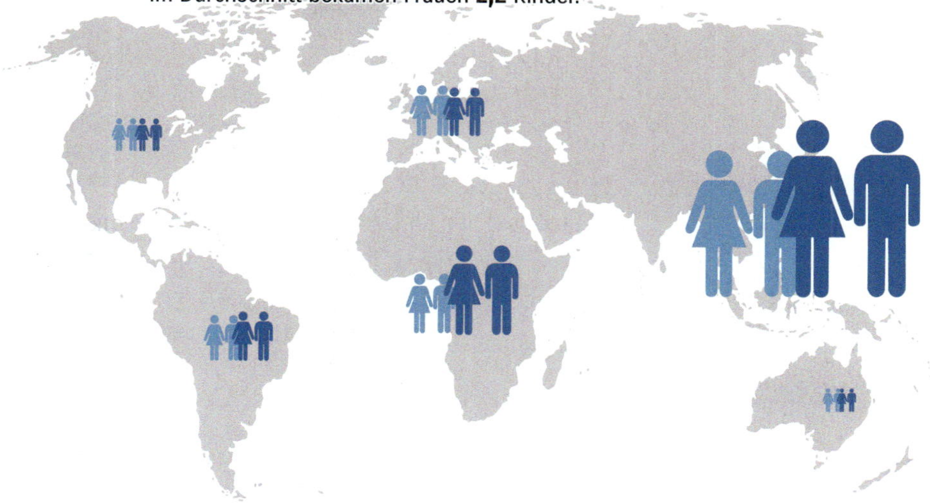

2050 Im Jahr 2050 würden 122 Menschen im Dorf leben.

67 aus Asien, **31** aus Afrika, **9** aus Lateinamerika, **9** aus Europa, **5** aus Nordamerika und **1** aus Ozeanien

41387EX_4

M5 Die Welt als Dorf

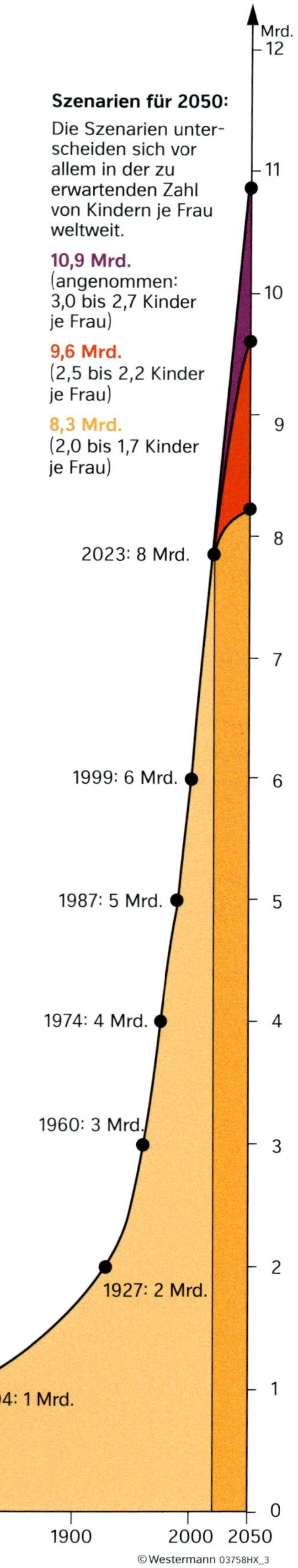

AUFGABEN

1 *Analysiere die Karikatur M1.*

2 *Erkläre M5 in eigenen Worten.*

3 *a) Beschreibe die Entwicklung der Weltbevölkerung (M4).*
b) Bestimme ausgehend vom Jahr 1804 die Zeiträume, in denen die Weltbevölkerung jeweils um eine Milliarde Menschen anwuchs (M4).
c) Beschreibe die verschiedenen Szenarien der Bevölkerungsentwicklung bis 2050 (M4).

4 *Recherchiere, welche Länder und Regionen aktuell das höchste Bevölkerungswachstum aufweisen (Internet).*

M1 Dürre in der Türkei

M3 Durch den Klimawandel vermehrt auftretende Heuschreckenplagen vernichten ganze Ernten.

Der Klimawandel verschärft den Hunger

Hunger hat viele Ursachen

Der weltweite Hunger stellt eines der größten Probleme unserer Zeit dar. Im Jahr 2022 hungerten über 735 Mio. Menschen auf der Erde. Laut der UNICEF (Kinderhilfswerk der UN) sterben jedes Jahr mehr als drei Millionen Kinder infolge von Hunger.

Hunger lässt sich in drei Arten unterteilen: Kurzzeitiger und plötzlicher Hunger kann beispielsweise durch eine Naturkatastrophe oder eine Missernte ausgelöst werden.

Chronischer Hunger entsteht durch eine Fehlernährung über einen längeren Zeitraum. Bei dieser Form des Hungers reichen die Folgen von Langzeitschäden bis hin zum Tod. Eine besondere Form von Hunger ist der versteckte Hunger. Die Menschen erhalten zwar hinreichend Energie, wichtige Zusatzstoffe stehen jedoch nicht in ausreichendem Maße zur Verfügung, sodass es zu gesundheitlichen Schäden kommt.

Obwohl auf der Welt ausreichend Nahrungsmittel für alle Menschen produziert werden können, stellt vielmehr die ungerechte Verteilung der Nahrungsmittel ein Problem dar. Die Ursachen für Hunger sind vielschichtig und hängen oft miteinander zusammen. So lebt beispielsweise ein Großteil der Hungernden in den ländlichen Regionen der Entwicklungsländer. Sie sind abhängig von den Nahrungsmitteln, die sie selbst produzieren, doch Dürren, Konflikte oder veraltete Anbaumethoden verringern ihre Erträge.

Der Bericht [zum Welthunger-Index] zeigt, dass der Klimawandel die Ernährungslage in den Ländern verschlechtert, die ohnehin von Hunger und Armut betroffen sind. Seit Anfang der 1990er-Jahre hat sich die Zahl der Wetterextreme verdoppelt, was zu Ernteverlusten bei den wichtigsten Anbaupflanzen und steigenden Lebensmittelpreisen geführt hat. „Die Verantwortung für den Klimawandel und seine Folgen sind sehr ungerecht verteilt. Die Menschen, die ihn am wenigsten verursacht haben, leiden am stärksten unter den Auswirkungen. Dürren, Überschwemmungen und Stürme haben dort verheerende Folgen. Für die Menschen in besonders betroffenen Regionen geht es dabei ums Überleben. [...] Auch wir müssen unser Konsumverhalten und unseren Lebensstil verändern und nachhaltig gestalten, um unseren Kindern und Enkelkindern eine lebenswerte Welt zu erhalten."

Quelle: Simone Pott: Welthunger-Index 2019 – Klimawandel verschärft Hunger. Deutsche Welthungerhilfe e. V., 15.10.2019

M2 Pressemeldung

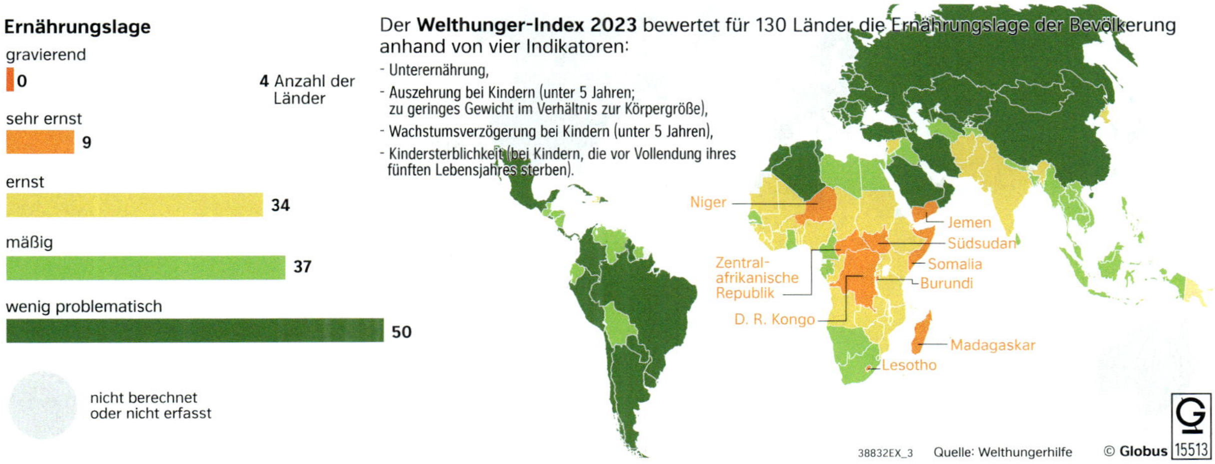

M4 Welthunger-Index (2023)

Nutzung der Anbauflächen für Exportprodukte | Anbaumethoden | Wetterextreme
Naturkatastrophen | Armut | Korruption
schwankende Preise | Kriege | Klima(wandel)

M5 Ursachen von Hunger (Auswahl)

INFO

Im Mai 2021 wurde der gelbe Mehlwurm als erstes Insekt überhaupt in der EU als Lebensmittel zugelassen. Die EU-Lebensmittelbehörde EFSA erklärte den Mehlwurm nach einer intensiven Prüfung als sicher. Er zählt zu den **Novel Foods**, den neuartigen Lebensmitteln. In einigen Länden Asiens ist der Verzehr von Insekten normal.

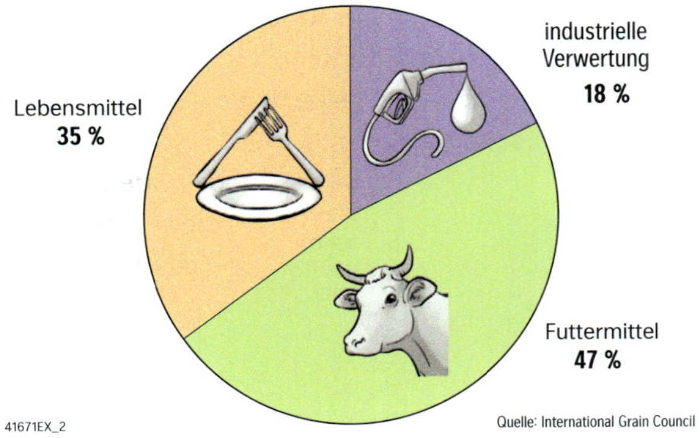

M6 Verwendung der Weltgetreideproduktion (2021)

M7 Ernährung über Pflanzen und Tiere

AUFGABEN

1 *Erkläre, wie die Fotos M1 und M3 mit dem Thema Hunger zusammenhängen.*

2 *a) Beschreibe die Verteilung des Hungers auf der Welt (M2, M4).*
b) Nenne zu jeder Region betroffene Länder (M4).

3 *Informiere dich über ein Land, in dem die Ernährungssituation besonders schlecht ist (M4). Woran könnte es liegen, dass die Versorgung mit Nahrungsmitteln dort so unzureichend ist?*

4 *a) Werte die beiden Diagramme M6 und M7 aus.*
b) Stelle einen Zusammenhang zwischen den Diagrammen und dem weltweiten Hunger her.*
c) Diskutiert Lösungsmöglichkeiten zur Bekämpfung des Hungers (M5).

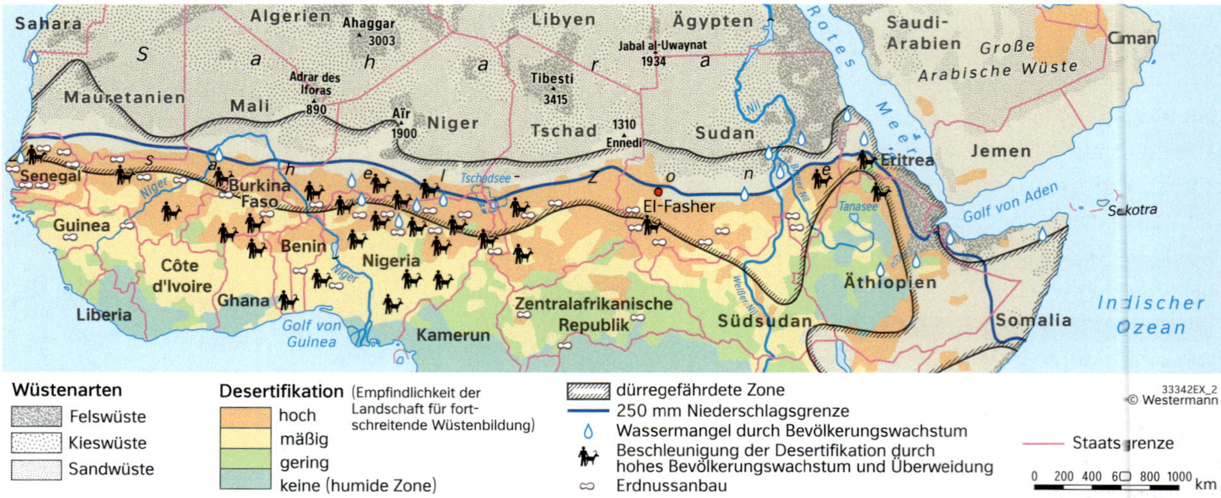

M1 Gefährdung der Sahelzone

Die Wüste wird größer

Die Nutzung der Sahelzone hat sich verändert

Die Sahelzone ist durch eine ausgedehnte Trocken- und eine kurze Regenzeit geprägt. Der Regen ermöglicht, dass Gräser und widerstandsfähige Büsche wachsen können. Mensch und Tier haben sich dem Wechsel von Regen- und Trockenzeit angepasst. Nomadenvölker wandern mit ihren Tierherden der Regenzeit und damit dem frischen Weideland entgegen. Sie bewirtschaften das Land also nachhaltig. In den vergangenen Jahren haben sich die Bevölkerungszahlen in Afrika stark vergrößert. Hierdurch steigt der Wasserverbrauch.

Außerdem haben viele Nomaden heute größere Herden, weil sie mehr Fleisch verkaufen wollen oder müssen. Dadurch werden die Grasflächen kahlgefressen und der Boden wird überansprucht. Der Klimawandel verstärkt und beschleunigt diese Entwicklung. Da der Boden dann keine schützende Pflanzendecke mehr hat und häufiger beweidet wird, kann er durch Wind abgetragen werden. Kostbare Nutzfläche geht verloren. Eine solch anhaltende Überweidung führt schließlich zur Ausbreitung der Wüste, zur **Desertifikation**.

M2 Sanddünen breiten sich aus.

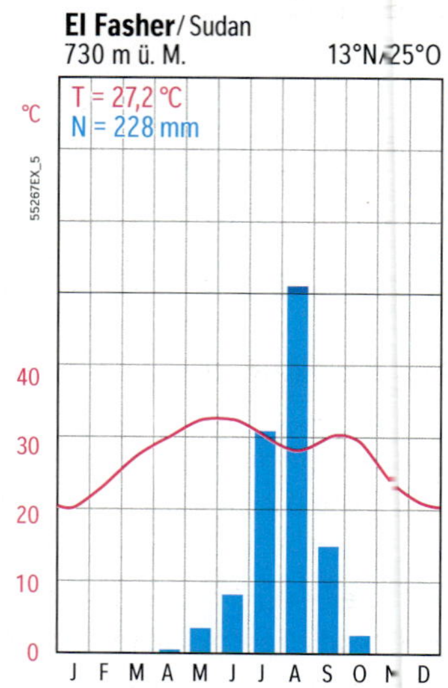

M3 Klimadiagramm

Kann die Wüstenausbreitung gestoppt werden?

Im Jahr 2007 wurde von der Afrikanischen Union ein Projekt beschlossen, um den Folgen des Klimawandels und der Desertifikation entgegenzuwirken. Afrikas Grüne Mauer hat das Ziel, ein 15 km breites und 7775 km langes Band aus Bäumen quer durch die Sahelzone zu schaffen. Aufforstungen und die Wiederherstellung beschädigter Böden sollen weitere Gebietsverluste durch Austrocknung verhindern.

In den ersten etwa zehn Jahren kamen die Maßnahmen aus Mangel an finanziellen Mitteln nur schlecht voran. Große Teile der auf dem Pariser Klimagipfel 2015 versprochenen Gelder sind nie geflossen. Einen neuen Schub für das Projekt gab es im Jahr 2021. Frankreichs Präsident Macron gab die Zusage, dass Frankreich einen großen Teil der Kosten bis 2030 tragen wird. Einige Industrienationen schlossen sich in der Folge an. Mittlerweile besteht wieder die Möglichkeit, dass dieses ehrgeizige Projekt doch noch sein Ziel erreicht und somit Menschen und Tiere die Möglichkeit bekommen, in ihrer Heimat zu überleben.

Schutz durch Wurzeln vor Bodenerosion

weniger Brennholz

Landschaftsschutz

Grundwasserspiegel steigt

Konzentration des Regenwassers auf eine Stelle

Windschutz

Rückgang der Desertifikation

mehr Schatten

weniger Verdunstung

M4 Mögliche Kärtchen für eine Kausalkette

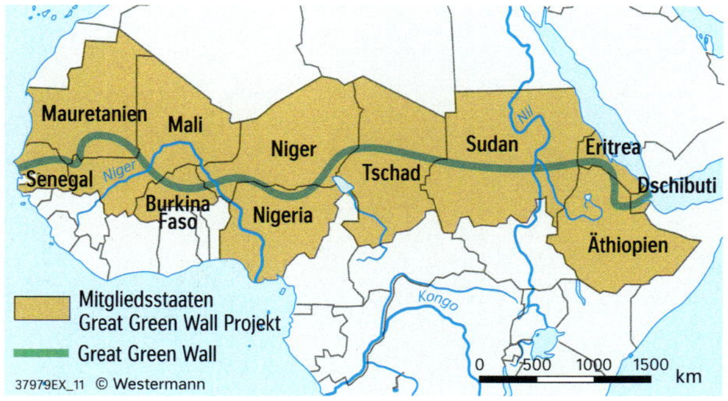

M5 Grüne Mauer durch Afrika

M6 Pflanzung im Rahmen des Projekts zur Grünen Mauer

INFO

Agroforstwirtschaft

Der Baum steht im Wald und das Getreide steht auf dem Acker: Diese Verteilung gilt bei der Agroforstwirtschaft nicht. Unter Agroforstwirtschaft wird zumeist der Anbau von Nutzpflanzen unter Bäumen verstanden. Diese Form der Landwirtschaft basiert auf einer alten bäuerlichen Tradition und schließt die Möglichkeit der Tierhaltung ein. Welche Pflanzen angebaut werden, hängt in erster Linie von den jeweiligen klimatischen Bedingungen ab.

Der Anbau unter Bäumen hat den großen Vorteil, dass die Erosion durch Wind und Wasser eingeschränkt wird. Außerdem wird der Boden unter den Schatten spendenden Bäumen kühl gehalten, was die Verdunstung verringert. Der Wasserspiegel steigt. Die Bäume liefern Holz und Früchte, was neue Einnahmequellen erschließt. Bis die Bäume jedoch die gewünschte Größe erreichen, vergehen mehrere Jahre.

AUFGABEN

1 *Beschreibe die Lage der Sahelzone und die Lage der von Desertifikation betroffenen Gebiete (M1).*

2 *Erkläre die Auswirkungen des jährlichen Niederschlags im Sudan (M3) auf die Vegetation (M2).*

3 *Erkläre die Auswirkungen von größeren Viehherden im Sahel.*

4 *Erstelle mithilfe von M4 eine Kausalkette zur Aufforstung durch die Grüne Mauer (M5, M6).*

Digital+
WES-112462-293

M1 Landwirtschaftliche Nutzfläche neben tropischem Regenwald in Brasilien

Weltweite Entwaldung

Situation auf der Erde und in Deutschland

Rund ein Drittel der Erdoberfläche ist von Wald bedeckt. Vergleicht man diese Menge mit der Waldfläche, die noch vor 10000 Jahren auf der Erde existiert hat, entspricht dies ungefähr einem Verlust von 50 Prozent. Nach wie vor gehen auf der ganzen Welt große Flächen an Wald verloren. Dies geschieht oftmals aus wirtschaftlichen Gründen, in unterschiedlichem Tempo und hat große Auswirkungen auf das globale Klima. Allerdings starteten in den letzten Jahren viele Aufforstungsprojekte weltweit.

Durch den Klimawandel sterben in weiten Teilen Deutschlands hohe Anteile der Wälder durch anhaltende Trockenheit und die daraus folgende Anfälligkeit für Schädlinge.

Dies hat auch Folgen für das Mikroklima. Bäume binden Schadstoffe aus der Luft und reinigen diese. Außerdem spenden sie Schatten und verdunsten Wasser, was für eine lokale Abkühlung vor allem in Städten sorgt. Fallen diese positiven Faktoren weg, wird es vor allem in Städten heißer.

M2 Durch die Folgen des Klimawandels abgestorbener Fichtenwald im Nationalpark Harz (Deutschland)

AUFGABEN

1 *Benenne die positiven Wirkungen von Bäumen auf das Klima.*

2 *a) Erstelle eine Tabelle, die zeigt, in welchen Ländern die Waldfläche abnimmt und in welchen es Zuwächse gibt. Ordne nach Kontinenten (M3).*
b) Ergänze deine Tabelle mit den vorherrschenden Gründen für die Waldverluste (M4).

3 *Erkläre, warum eine Aufforstung viele Jahre nach Rodungen schwierig ist.*

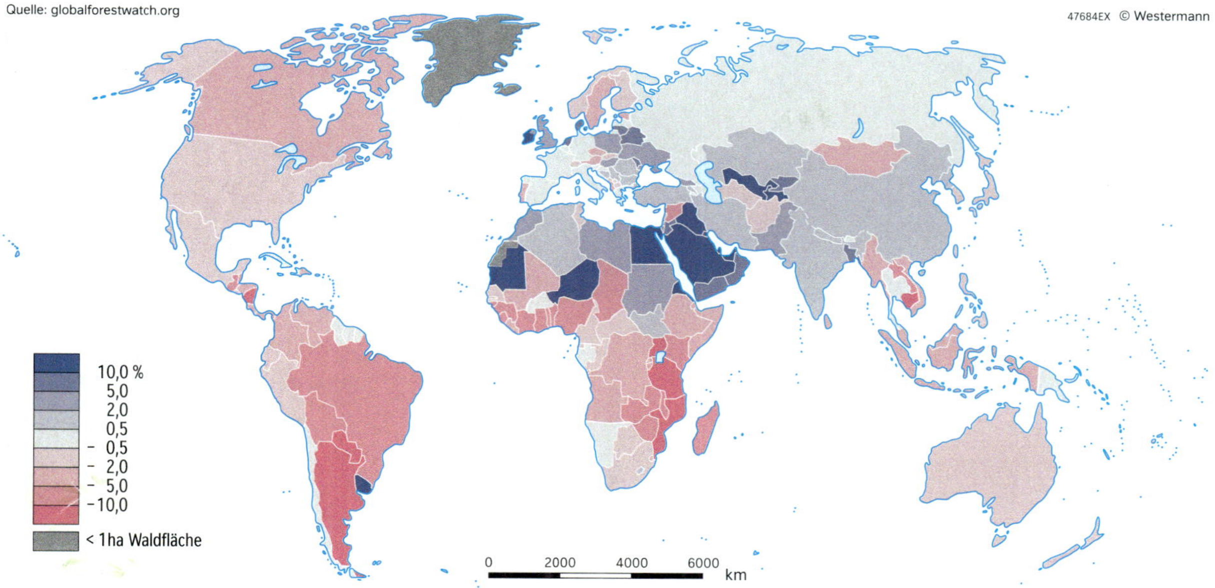

M3 Zu- oder Abnahme der Waldflächen von 2000 bis 2020

Situation in Südeuropa

Vor etwa 3000 Jahren herrschte im Mittelmeerraum ein milderes Klima. Es war wärmer und feuchter. Die Böden waren fruchtbarer als heute. Seit der Antike wurden die Wälder beispielsweise zum Bau von Schiffen, als Brennstoff oder zur Waffenherstellung abgeholzt. Da es nie eine Wiederaufforstung gab, kam es infolgedessen zur Austrocknung und Abtragung der Böden und zum Verlust biologischer Vielfalt. Heute gibt es im Mittelmeerraum kaum noch ursprüngliche Waldflächen, sondern vornehmlich Sträucher und Buschwälder, auch Macchie genannt.

Die Situation wird im Zuge des Klimawandels durch Waldbrände verstärkt.

M5 Macchie in Griechenland

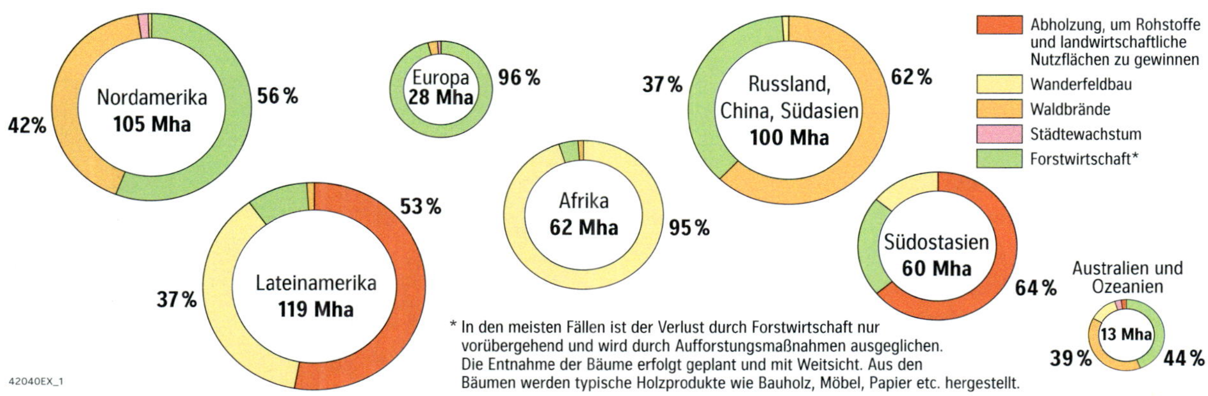

M4 Gründe für den Waldverlust (2001 – 2023)

Digital+
WES-112462-295

M1 Leben auf der Erde

M2 Gründe für den Biodiversitätsverlust (Auswahl)

Biodiversität – unverzichtbar für unser Überleben

Der Klimawandel ist nur eines von mehreren globalen Problemen, deren Ursache der Mensch ist. Unser Lebensstil und unsere wirtschaftlichen Aktivitäten haben oft Folgen in anderen Teilen der Welt. Dabei ist besonders die Biosphäre, also der Bereich der Pflanzen und Tiere, betroffen. **Biodiversität** beschreibt die Vielfalt von Menschen, Tieren und Pflanzen. Hierbei bieten verschiedenste Ökosysteme einen Lebensraum für an diesen Raum angepasste Lebewesen.
Das Artensterben ist eines der größten globalen Probleme. Die Ursachen des Artensterbens liegen zum einen in den wirtschaftlichen Aktivitäten des Menschen, zum anderen im Klimawandel.
Den größten Einfluss auf die Biodiversität hat die Zerstörung der Lebensräume von Pflanzen und Tieren. Ein Beispiel für diesen direkten Einfluss ist die Abholzung des Regenwalds. Hier wird z. B. Soja für Tierfutter angebaut, um letztlich unseren Fleischkonsum zu ermöglichen.

Gruppe 1: Korallenbleiche

Ein Beispiel für den indirekten Einfluss des Menschen auf das Artensterben ist die Korallenbleiche. Korallen sind Nesseltiere und leben unter Wasser. Durch ihre farbenprächtigen Zweigenden kann der Eindruck entstehen, es seien Blütenpflanzen. Die bekannteste Korallenart ist die Steinkoralle. Sie lagert Kalk ein, wodurch in der Folge Korallenbänke oder -riffe entstehen. Mit der von uns verursachten globalen Erwärmung der Atmosphäre erwärmen sich auch die Meere. Außerdem versauern die Meere, wenn sie CO_2 aus der Luft aufnehmen. Dazu kommt, dass wegen des steigenden Meeresspiegels weniger Licht bei den Korallenriffen ankommt. Die Korallen vertragen wärmeres und saureres Wasser sowie fehlendes Licht jedoch nicht. Sie sterben ab und werden bleich. Das größte Korallenriff der Welt findet sich an der nordöstlichen Küste von Australien. Es erstreckt sich über eine Länge von 2300 km und besteht aus 2900 Riffen. Seit 1997 ist die Anzahl der Korallen am Riff um mehr als 50 Prozent zurückgegangen. Korallenriffe sind ein Lebensraum für viele Fischarten.

AUFGABEN

1 *Nenne Gründe für das Artensterben.*
2 *a) Sammelt in der Klasse weltweite Beispiele für die Zerstörung von Lebensräumen von Tieren.*
b) Verortet die Beispiele auf einer Weltkarte (Atlas).
3 *Gruppenarbeit: Bearbeitet euer jeweiliges Arbeitsmaterial für die Gruppenaufgaben auf S. 297. Bereitet eine Präsentation dazu vor.*
4 *Nimm Stellung zur Aussage der Überschrift.*

Gruppe 2: Insektensterben

Im April 2020 erschien eine [...] große Übersichtsstudie zur Zahl der Insekten. [...] Das Ergebnis: Die Insekten an Land werden immer weniger. Ihre Zahl ist durchschnittlich um etwa ein Viertel in 25 Jahren gesunken. Allerdings zeigte die Arbeit, dass es im Detail viele Unterschiede gibt. [...] Und auch von Ort zu Ort sind die Unterschiede nach dieser Studie groß. [...] Dafür sind die Daten nicht aussagekräftig genug. [...] Doch klar ist, dass es ein massives globales Insektensterben gibt. Und das beeinflusst uns alle. [...]
Mehr als 85 Prozent aller Pflanzenarten sind abhängig von Bestäubung. Darunter viele Pflanzen, die zur Grundlage der weltweiten Ernährung zählen, wie Äpfel, Avocados, Karotten, Zucchini und Brokkoli. Bestäuber sind für etwa 35 Prozent der weltweiten Nahrungsmittelproduktion verantwortlich [...]. Ohne Insekten würde es weniger Früchte, Gemüse und Nüsse geben. Die Blüten müssten per Hand bestäubt werden.

Quelle: Monika Sax, Mathias Tertilt, Alexandra Hostert: Darum ist das Insektensterben ein echtes Problem. Quarks.de, Köln, 27.04.2020

Gruppe 3: Gefährdung der Fischbestände

AUFGABEN

Gruppenaufgaben zu **3**

a) Stellt einen Zusammenhang zwischen der Verkleinerung der Lebensräume und den Bildern M1 und M2 her.

b) Erklärt die Zunahme von Hunger und Armut in Bezug auf die globale Erwärmung der Meere (Gruppen 1 und 3) bzw. das Insektensterben (Gruppe 2).

Digital+
WES-112462-297

M1 Unterschiedlicher Umgang mit Wasser

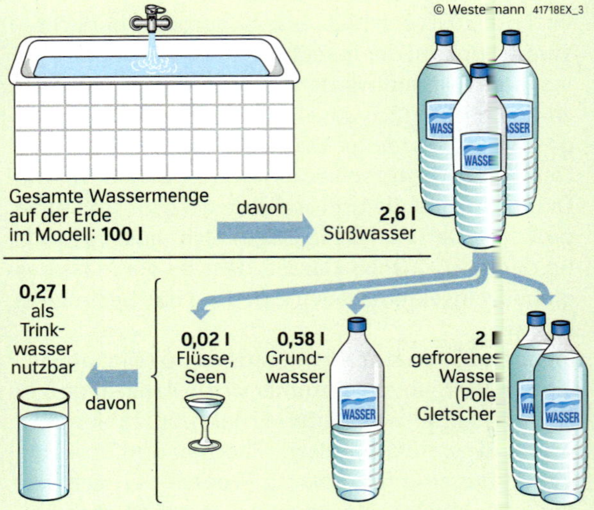

M3 Wasser auf der Erde

Wasser – ein kostbares Gut

Weltweit ist Wasser ungleich verteilt. Durch die Landwirtschaft und den Handel wird ein Teil des verfügbaren Wassers „exportiert", was die Wasserknappheit zusätzlich verstärkt.

Ohne Wasser kein Leben

Etwa 70 Prozent der Erde sind mit Wasser bedeckt. Von der gesamten Wassermenge sind aber nur ungefähr drei Prozent nutzbares Süßwasser.

Durch das weltweite Bevölkerungswachstum steigt auch der Süßwasserverbrauch. Am höchsten ist er in den Industrieländern. In den weniger entwickelten Ländern ist der Süßwasserverbrauch vergleichsweise gering. Aber auch ein geringer Verbrauch kann problematisch sein, wenn es sich um eine Region mit nur geringen Niederschlägen handelt.

Bei einer weiterhin ansteigenden Bevölkerungszahl sind Konflikte um Süßwasser vorprogrammiert, da weltweit über 250 Flüsse jeweils mehrere Staaten durchqueren. Mittlerweile sind auf der Erde über zwei Milliarden Menschen in über 40 Staaten von Wasserknappheit betroffen.

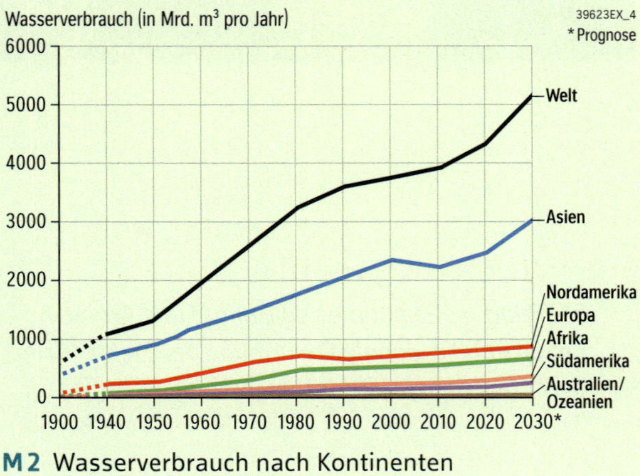

M2 Wasserverbrauch nach Kontinenten

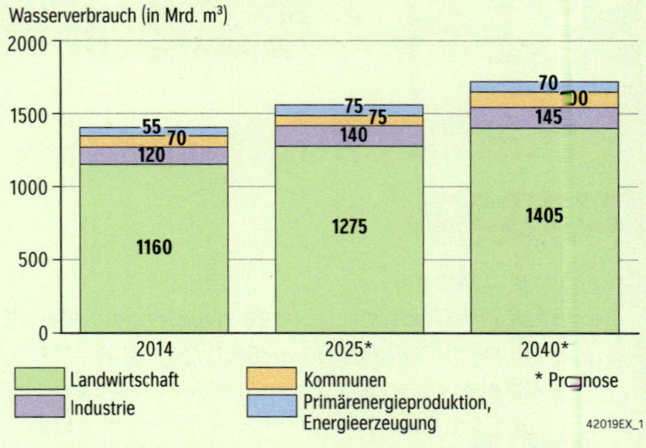

M4 Wasserverbrauch nach Nutzung (weltweit)

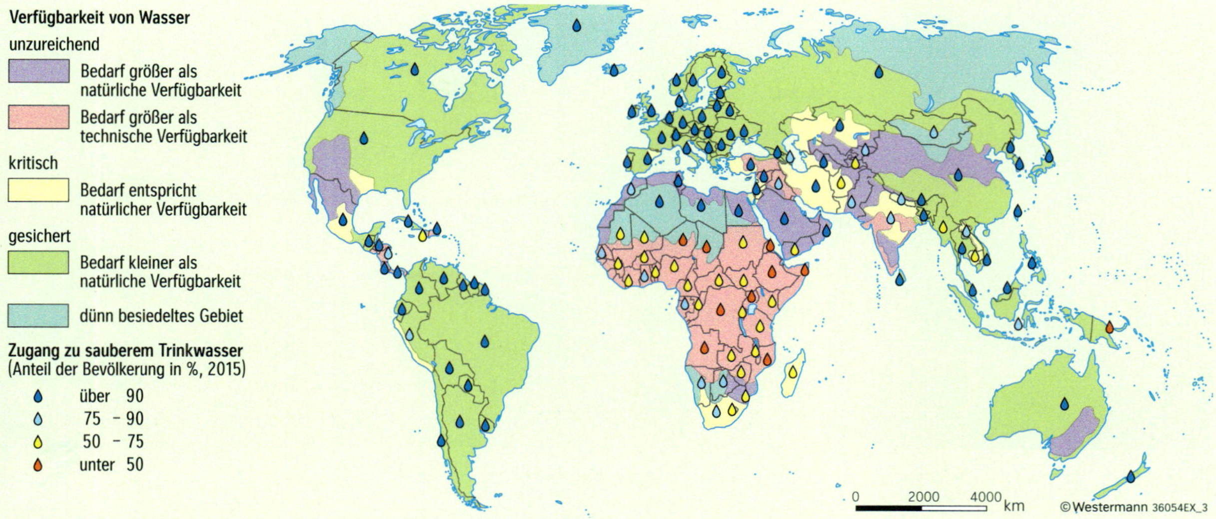

M5 Weltweite Verfügbarkeit von Wasser und Zugang zu sauberem Trinkwasser

Verstecktes Wasser

Ein Mensch in Deutschland verbraucht pro Tag etwas weniger als 130 l Wasser. Diese Zahl bezieht sich aber nur auf unseren direkten Verbrauch, ohne das „versteckte" Wasser, das wir verbrauchen. Dieser verborgene Wasserverbrauch bezieht auch die Menge an Wasser ein, die bei der Herstellung von Produkten anfällt, die wir tagtäglich konsumieren oder nutzen. Für Deutschland liegt dieser Wasserverbrauch pro Kopf bei über 4000 l pro Tag!
Ein Beispiel: Für die Produktion einer Jeans werden im Durchschnitt 800 Gramm Baumwolle verwendet. Diese benötigt bei dieser Menge mit etwa 8000 l viel Wasser zum Wachsen. Oftmals findet der Anbau in regenarmen Ländern statt, in denen sich in der Vergangenheit eine Grundwasserknappheit entwickelt hat. Einige große Seen sind ebenfalls nahezu ausgetrocknet. Dies führt zu einer Versalzung und somit zu Krankheiten bei Tieren und Menschen.

M6 Geschätzter Wasserverbrauch ausgewählter Produkte

AUFGABEN

1 *Beschreibe das Vorkommen von Wasser auf der Erde (M3).*

2 *Beschreibe den weltweiten Wasserverbrauch (M2, M4).*

3 *Erstelle eine Tabelle, die die weltweite Versorgung mit Wasser aufzeigt (M5). Ordne ausgewählte Länder nach Kontinenten und verwende verschiedene Signalfarben.*

4 *Erläutere, warum auch du das Wasser in anderen Regionen der Erde verbrauchst (M6).*

5 *Informiere dich, wo es bisher auf der Welt zu Konflikten um Wasser gekommen ist (Internet).*

6 *„Trinkwasser – täglich genutzt, selten geachtet." Begründe, für welche Regionen der Erde diese Aussage zutrifft (M1, M5).*

M1 Unfall auf einer Ölplattform

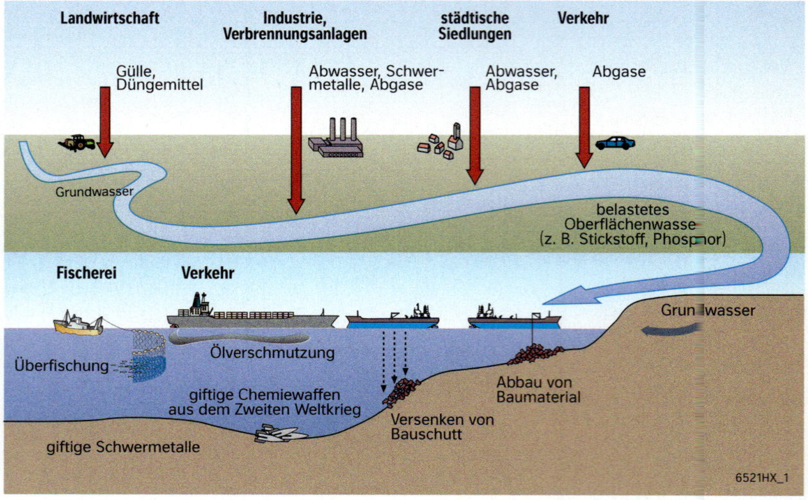

M3 Belastungen des Meeres (Auswahl)

Bedrohung des Weltmeeres

Die Verschmutzung der Meere wird vielen Menschen oft erst nach Ölkatastrophen bewusst – zum Beispiel bei Tankerunfällen mit riesigen Ölteppichen, ölverschmierten Stränden und sterbenden Seevögeln. Doch nur zehn Prozent der weltweiten Meeresverschmutzung beruhen auf Ölkatastrophen. Viel schwerwiegender ist die größtenteils unbeabsichtigte Verschmutzung durch Müll. Jährlich gelangen 6,4 Mio. t Müll zumeist über Flüsse in die Meere. US-Forscher beobachten seit 1986, dass der Müll entlang der Meeresströmungen kreist. Oftmals verfangen sich Tiere im Müll oder verwechseln ihn mit Nahrung und verenden schmerzvoll. In der Bucht von Manila (Philippinen) ist durch Verschmutzung kein Leben im Meer mehr möglich. Sie wurde für tot erklärt.

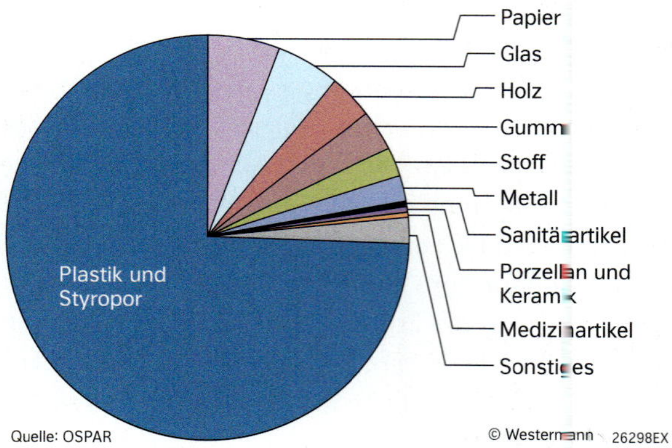

M4 Müllzusammensetzung (deutsche Nordseeküste)

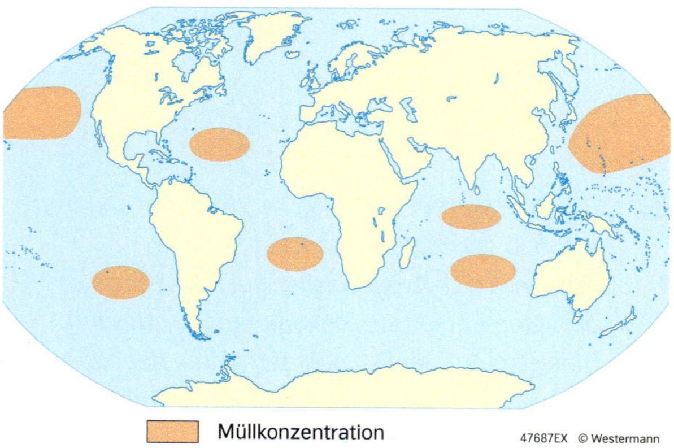

M2 Müllstrudel im Weltmeer

AUFGABEN

1. *Erläutere Auswirkungen von Ölunfällen auf die Natur (M1, M3).*
2. *Erkläre, wie Müll ins Meer gelangt.*
3. *Sammelt in der Klasse Beispiele, wie ihr Plastikmüll vermeiden könnt.*
4. *Erläutere die Problematik des Plastikmülls in den Meeren (M5, M6).*
5. *Stelle die Belastungen der Meere grafisch (z. B. in einem Wirkungsgefüge) dar.*

EXTRA

Plastikmüll im Meer

Auf der Welt werden jährlich 300 Mio. t Plastik produziert. Etwa acht Millionen Tonnen gelangen ins Meer. Doch nur 0,5 Prozent davon finden sich in den Garbage Patches, den riesigen Müllstrudeln im Meer. Wo ist der Rest? Die Wissenschaft hat erst in den letzten Jahren eine Antwort darauf gefunden: Mikroplastik. In den Ozeanen findet man praktisch alle Plastikmaterialien und Kunststoffgegenstände, die der Mensch nutzt: unter anderem Tüten, Getränkeflaschen, Fischernetze. Von Bedeutung ist auch der Reifenabrieb von Gummireifen. Dieser gelangt über die Flüsse auch in die Ozeane. Am auffälligsten sind jene Plastikabfälle, die auf der Wasseroberfläche treiben und dadurch gut sichtbar sind. Je länger die Plastikgegenstände im Wasser treiben, desto stärker werden sie durch die Sonnenstrahlen und das Salz im Meer angegriffen. Durch die Wellen werden sie in immer kleinere Bruchstücke zerkleinert. Viele werden von Fischen gefressen und gelangen so in die Nahrungskette des Menschen. Zudem werden bei dem Zerfall von Plastik giftige Chemikalien freigesetzt. Noch ist nicht klar, welche Auswirkungen diese Gifte und das Mikroplastik auf den Menschen haben.

Mikroplastik verteilt sich in den Ozeanen und sinkt in die Tiefsee. In der Tiefsee ist die Konzentration 1000-mal höher als an der Meeresoberfläche. Sogar im arktischen Eis wurde Mikroplastik nachgewiesen.
Über viele Jahre wurde Plastik von der breiten Öffentlichkeit als Problem kaum wahrgenommen. Infolge eines rasanten Anstieges des Plastikmülls, der Bilder von verschmutzten Stränden und den Müllstrudeln hat ein Umdenken eingesetzt.

M6 Im Hafen von Manila sammeln Kinder Plastikmüll, den sie verkaufen (Philippinen).

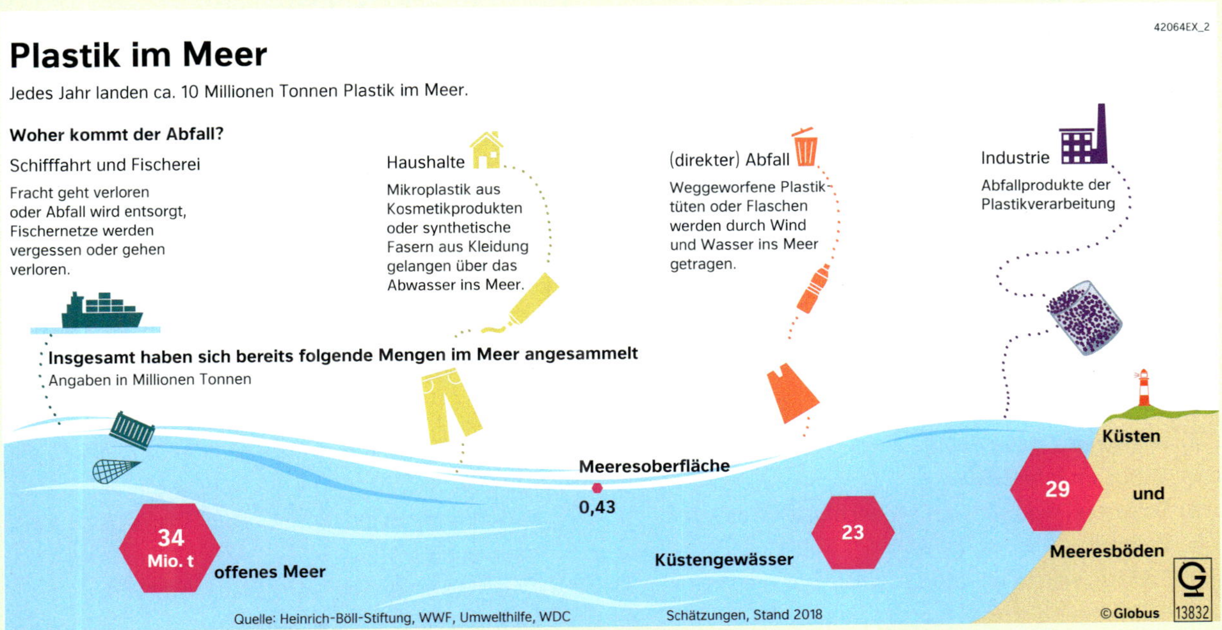

M5 Plastikmüll im Meer

ALLES KLAR?

Der Treibhauseffekt

Ordne die Aussagen dem natürlichen bzw. dem vom Menschen verstärkten Treibhauseffekt zu. Begründe deine Wahl.

① Wasserdampf, Staubpartikel und Treibhausgase reflektieren Wärmestrahlung zurück zur Erde.

② Erwärmung der Erde um 33 °C

③ Menschen produzieren Treibhausgase.

④ Durch stärkere Rückstrahlung erhitzt sich die Erde immer mehr.

⑤ Immer weniger Wärmestrahlung gelangt in den Weltraum.

Klimawandel

a) Nenne Ursachen für den vom Menschen verstärkten Klimawandel.

b) Erkläre den Zusammenhang zwischen dem Konsum von Fleisch und der Zerstörung des tropischen Regenwaldes bzw. dem Klimawandel.

c) Beschreibe Möglichkeiten, wie du deinen CO_2-Ausstoß reduzieren bzw. das Klima schützen kannst.

Fragen und Aufgaben zum Kapitel

1. Wie viele Menschen leben derzeit auf der Erde? Wie viele in Deutschland?
2. Auf welchem Kontinent befinden sich die bevölkerungsreichsten Länder der Welt?
3. Was bedeutet der Begriff „Desertifikation"?
4. Nenne drei Faktoren, die das Ökosystem Weltmeer bedrohen.
5. Nenne drei mögliche Faktoren, die Menschen veranlassen, ihre Heimat zu verlassen.
6. Nenne Gründe, warum auch heute noch Menschen Hunger leiden.
7. Wo befindet sich die Sahelzone?
8. 71 Prozent der Erdoberfläche sind mit Wasser bedeckt. Die Erde wird auch der Blaue Planet genannt. Begründe, warum Wasser dennoch ein kostbares Gut ist.

Karikatur

Analysiere die Karikatur.

Ein Meer aus Müll

a) Beschreibe das Erlebnis eines fiktiven Tauchgangs im Jahr 2050.

b) Erläutere, wodurch der Mensch das Ökosystem Weltmeer stark belastet.

c) Erkläre, welchen Einfluss Flüsse auf die Verschmutzung der Weltmeere haben.

25753EX_4

	2018	2050
Plastikproduktion (in Mio. t) weltweit	359	1124
Plastik-zu-Fisch-Verhältnis im Meer (nach Gewicht)	1:4	>1:1

CO_2-Vergleich

Schau dir die Wochenenden von Helin und Luca an und erläutere, wie sich ihre CO_2-Bilanzen voneinander unterscheiden.

Helin: *„Das gute Frühlingswetter habe ich mit meiner Familie für eine Radtour in unserer schönen Region Edersee genutzt. Dabei haben wir in unserem Nachbardorf eine Pause eingelegt, um auf dem Markt das erste Gemüse aus der Region zu kaufen. Anschließend sind wir an den Edersee gefahren und haben eine Runde Beachvolleyball gespielt. Abends ging es dann wieder mit dem Fahrrad in der Abendsonne zurück nach Hause. Ein wirklich schönes erstes warmes Wochenende."*

Luca: *„Am besten genießt man schönes Frühlingswetter am Meer! Deswegen sind wir spontan für das Wochenende auf die Insel Texel gefahren. Mit dem Auto konnten wir dabei auf einer Fähre übersetzen, was sehr aufregend war. Wir waren oft am Strand und sind dann noch einkaufen gegangen. Ich konnte meine Mutter überreden, Erdbeeren zu kaufen, die wir abends als Nachtisch gegessen haben. Besser kann ein Wochenende nicht sein."*

Insekten – Nahrungsmittel der Zukunft?

a) Werte die Grafik aus.

b) Diskutiere, für wie realistisch du Insekten als Nahrungsmittel der Zukunft hältst. Begründe.

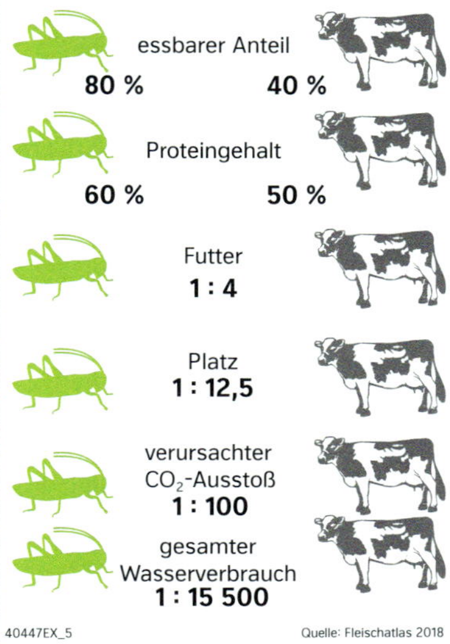

Zitate

„Der Mensch vertreibt die Tiere, die Pflanzen und die Bäume, verseucht das Gewässer und die Luft und vergisst dabei, dass er genau von alledem lebt." Beatrix Marth

„Mensch bedenke, die Erde braucht uns nicht, wir brauchen jedoch die Erde zum Überleben."
Beatrix Marth

„Mein Blickwinkel auf die Erde ist sehr verändert worden, dadurch, dass ich sie von oben gesehen habe. Ich habe die Erde plötzlich als Gesamtsystem gesehen, als Kugel, abgeschlossen mit einer hauchdünnen Atmosphäre. Die sieht unvorstellbar zerbrechlich aus, als ob man sie mit einem Hauch wegpusten könnte. Und man sieht, wie wir Menschen da Schadstoffe reinpusten. Und gleichzeitig wirkt das so zerbrechlich, und unsere Erde so einsam und klein, als unser einziges Raumschiff, das wir Menschen haben, mit dem wir durch das schwarze Universum fliegen. ..." Alexander Gerst

1. Wähle eines der Zitate aus und erkläre es.
2. Schreibe einen eigenen Text, der deine Einstellung zum Planeten Erde darstellt.

Operatoren

Schwierigkeitsstufe I: Wissen wiedergeben

Beschreiben / wiedergeben / herausarbeiten heißt, das Wichtigste aus einem Material oder mehreren Materialien in eigenen Worten und mit den richtigen Fachwörtern darzustellen.

Nennen / benennen heißt, Informationen (Begriffe oder Stichwörter) ohne Erklärung / Kommentar aufzuzählen.

Skizzieren heißt, die wichtigsten Punkte knapp aufzuschreiben.

Zusammenfassen heißt, zuerst einen Einleitungssatz zu formulieren, dann die wichtigsten Informationen aus einem Text / Material in eigenen Worten aufzuschreiben und dabei Fachsprache zu verwenden.

Schwierigkeitsstufe II: Erklären und Anwenden

Analysieren / untersuchen heißt, Texte und Materialien nach vorgegebenen Gesichtspunkten (Kriterien) zu untersuchen und die Zusammenhänge dann strukturiert deutlich zu machen.

Auswerten heißt, Informationen aus einem Material (z. B. Text, Grafik, Karte, Foto) zu sammeln und die wichtigsten Aussagen aufzuschreiben.

Charakterisieren heißt, Sachverhalte oder Personen in ihrer Eigenart zu beschreiben, typische Merkmale zu kennzeichnen und diese dann zusammenzufassen. Dabei passende Adjektive verwenden.

Darstellen heißt, Sachverhalte mithilfe von Materialien und mit Fachbegriffen zu beschreiben und Zusammenhänge aufzuzeigen.

Einordnen / zuordnen heißt, die Informationen, die du aus den Materialien gewinnen kannst, zusammenzustellen und in einen Zusammenhang zu bringen.

Erklären heißt, Materialien oder Sachverhalte deutlich zu machen, in einen größeren Zusammenhang einzuordnen und zu begründen.

Erläutern heißt, Inhalte und Zusammenhänge mithilfe des gelernten Wissens ausführlicher aufzuschreiben und mit (eigenen) Beispielen deutlich zu machen.

Herausarbeiten heißt, aus Materialien bestimmte Sachverhalte zu erschließen, die nicht genannt werden, z. B. herauszufinden, was der Autor / das Material aussagen möchte, oder zwischen den Zeilen lesen.

Vergleichen / gegenüberstellen heißt, Gemeinsamkeiten, Ähnlichkeiten und Unterschiede mithilfe von Kriterien / Merkmalen / Aspekten herauszufinden.

Schwierigkeitsstufe III: Urteilsfähigkeit

Begründen heißt, Argumente zu sammeln, die eine Aussage bestätigen.

Beurteilen heißt, im Anschluss an die Bearbeitung eines Themas oder eines Materials eine Aussage zu treffen, ob ein Sachverhalt richtig ist. Dabei sollst du keine persönliche Wertung und keine eigene Meinung äußern (im Gegensatz zu „bewerten / Stellung nehmen").

Bewerten / Stellung nehmen bedeutet die gleiche Aufgabenstellung wie beim Operator „beurteilen", diesmal aber ist eine eigene Meinung zu äußern und diese zu begründen.

Diskutieren heißt, mithilfe von Fachwissen, Argumenten und Werten eine eigene Meinung zu formulieren und sie gegen andere zu vertreten.

Entwickeln heißt, zu einem Thema oder Problem ein Konzept / eine Lösung zu formulieren.

Erörtern heißt, Pro- und Kontra-Argumente zu sammeln, abzuwägen / gegenüberzustellen und abschließend eine eigene Meinung aufzuschreiben.

Gestalten / erstellen / entwerfen / verfassen heißt, eine Aufgabe kreativ so zu lösen, dass ein neues Produkt dabei herauskommt. Ein Produkt kann z. B. ein Plakat, eine Zeichnung oder ein Text sein.

Interpretieren heißt, eigene Überlegungen zu dem aufzuschreiben, was der Autor / das Material aussagen möchte. Oft müssen dazu vorher Materialien analysiert und erläutert werden.

Überprüfen heißt, mithilfe von Fachwissen eine Aussage zu bestätigen oder zu widerlegen.

Starthilfen

1 Leben im Mittelalter

Seite 11, Aufgabe 3:
Um ein Bild richtig „lesen" zu können, muss man systematisch vorgehen:
1) Zunächst ist die Entstehungszeit für das Verständnis der Quelle wichtig. Ohne die Kenntnis der korrekten Zusammenhänge lassen sich die einzelnen Details nicht deuten. Kläre daher zunächst die für das Verständnis wichtigen Fakten, Ereignisse, Personen.
- Was ist wann passiert?
- Wer spielte für das Ereignis eine Rolle?
- Warum sind diese Ereignisse wichtig?

2) Anschließend wird das Dargestellte genau beschrieben. Dabei geht man vom Zentrum der Bildquelle aus. Sinnvoll ist es, einen „roten Faden" einzuhalten und nicht zwischen den einzelnen Aspekten hin und her zu springen. Bei der Beschreibung der Details können folgende Fragen helfen:
- Welche Situation ist dargestellt?/Was ist das Thema der Quelle?
- Welche Personen sind abgebildet? Wie sind sie dargestellt (Gestik, Mimik, Kleidung)? Wie ist das Verhältnis der Personen untereinander (Position im Bild, Größe)?
- Welche Gegenstände sind dargestellt? Wie sehen sie aus?
- Beinhaltet das Bild Text?

3) Nun werden die beschriebenen Details mithilfe deines Wissens zur Entstehungszeit erklärt:
- Wer sind die abgebildeten Personen? Welche Aufgaben/Funktionen haben sie?
- Warum wurden die Personen auf diese Art und Weise dargestellt?
- Warum ist die Bildquelle auf diese Art und Weise aufgebaut?
- Verbirgt sich hinter den einzelnen Gegenständen eine Symbolik?
- Was ist die Kernaussage der Bildquelle?
- Welches Ziel verfolgte der Verfasser der Quelle?

Seite 13, Aufgabe 2:
Fakten, die dein Steckbrief enthalten sollte, sind: Name, Lebensdaten, Regierungsdaten und Titel, Eltern, Kinder, wichtige Feldzüge, wichtige Leistungen, Herrschaftsgebiet.

Seite 16, Aufgabe 1:
Auch eine Karte muss man richtig lesen, um ihr alle Informationen entnehmen zu können:
1) Zunächst ist auch hier die Entstehungszeit für das Verständnis wichtig. Ohne die Kenntnis der korrekten Zusammenhänge lassen sich die einzelnen Details nicht deuten. Kläre daher zunächst die für das Verständnis wichtigen Fakten, Ereignisse, Personen.
- Was ist wann passiert?
- Wer spielte für das Ereignis eine Rolle?
- Warum sind diese Ereignisse wichtig?

2) Nun wird die Karte beschrieben.
- Welches Thema hat die Karte?
- Welchen geographischen Ausschnitt zeigt die Karte?
- Welche Gebiete sind durch farbige Markierungen hervorgehoben?
- Welche Informationen erfährt man durch die Legende?
- Zeigt die Karte einen Zustand oder eine Entwicklung?

3) Wie bei anderen Bildquellen müssen auch bei der Auswertung von Karten die beschriebenen Details untersucht werden:
- Welcher Sachverhalt wird dargestellt?
- Wie ist der Sachverhalt dargestellt?
- Welche Einzelinformationen können der Karte mithilfe der Legende entnommen werden?
- Welche Zusatzinformationen über die Entstehungszeit (siehe 1) sind zum Verständnis der Karte wichtig?
- Wie hilft die Farbgebung, den Inhalt zu verstehen?
- Was ist die Kernaussage der Karte?

Seite 17, Aufgabe 4:
Hilfreiche Fragen könnten sein: Wer darf wählen? Wie viele Menschen leben in diesem Land?
Es kann auch hilfreich sein zu überlegen, wie Klassensprecherwahlen verlaufen.

Seite 19, Aufgabe 4:
Bearbeite diese Aufgabe mithilfe einer Tabelle:

beteiligte Personen	*Handlung*	*notwendige Gegenstände/ Insignien*	*Bedeutung der Gegenstände*
...	...	...	...

Fülle für jeden Abschnitt eine Zeile in der Tabelle aus.

Seite 19, Aufgabe 5:
Ein Standbild ist wie ein Foto nur mit echten Menschen. Es zeigt eine Szene mit Menschen in erstarrter Körperhaltung. Teilt eure Klasse in Gruppen ein. Jede Gruppe bekommt einen Schritt der Krönungszeremonie zugeteilt und stellt das Geschehen als Standbild dar: Verteilt die Rollen in eurer Gruppe und bestimmt einen „Regisseur", der die Haltung, Gestik, Mimik und Positionierung der anderen Gruppenmitglieder steuert. (Hinweis: Nicht in jeder Szene treten alle Personen auf. Deshalb müssen auch nicht alle Personen in eurem Standbild vertreten sein.)
Gemeinsam überlegt ihr nun, wie ihr die ausgewählte Szene darstellen wollt: Wer steht wo? Wie müssen die verschiedenen Personen stehen? Welchen Gesichtsausdruck haben die verschiedenen Personen?... Natürlich könnt ihr für euer Standbild auch Requisiten bauen (z. B. Krone).
Formuliert anschließend für jede Person in eurem Standbild eine Aussage.
Präsentiert abschließend eure Standbilder und Monologe in der Klasse.

Seite 20, Aufgabe 1:
siehe Starthilfe zu S. 11, Aufgabe 3

Seite 21, Aufgabe 6:
siehe Starthilfe zu S. 11, Aufgabe 3

Seite 21, Aufgabe 7:
siehe Starthilfe zu S. 13, Aufgabe 2

Seite 22, Aufgabe 1:
Beginne mit der Bildmitte: Beantworte dabei zunächst die Frage, wer in der Bildmitte ist und beschreibe die Darstellung dieser Person. Beschreibe anschließend die beiden Personengruppen rechts und links von der Bildmitte: Wie sehen die Personen aus und für welchen Stand stehen sie (Woran erkennst du das?). Beschreibe abschließend die Personengruppe im unteren Bildbereich unter den gleichen Kriterien wie die ersten beiden Personengruppen.

Seite 25, Aufgabe 1:
Deine Tabelle könnte so aussehen:

unfreie Bauern (leisteten ...)	*freie Bauern (leisteten ...)*	*Grundherren (leisteten ...)*
...	...	...

Seite 27, Aufgabe 1:
Erklärung ausgewählter Begriffe:
A Turmverlies: Gefangenen befinden sich im Burgverließ.
C Herrenhaus (Palas): Wohngebäude der Burgherrenfamilie
F offener Wehrgang: Gang über der Burgmauer zur Überwachung der Umgebung.
G Zinnen mit Schießscharten: Aufbauten auf der Mauer mit Löchern, durch die man Pfeile oder Kugeln schießen konnte, um die Burg zu verteidigen.
H Toilettenerker: Toilettenhäuschen als Vorbau an der Außenmauer über dem Burggraben.

Seite 27, Aufgabe 5:
Lies hierfür noch einmal den Absatz „Fehden und Raubrittertum". Erkläre dann mithilfe eines Beispiels aus deinem Alltag, was fair und anständig sein bedeutet. Vergleiche deine Erklärung abschließend mit dem Verhalten einiger Ritter, die Fehden hatten oder zu Raubrittern wurden.

Seite 29, Aufgabe 1:
Deine Mindmap könnte folgendermaßen beginnen.
Nutze das nachfolgende Grundgerüst und schreibe an die äußeren Kreise passende Begriffe:

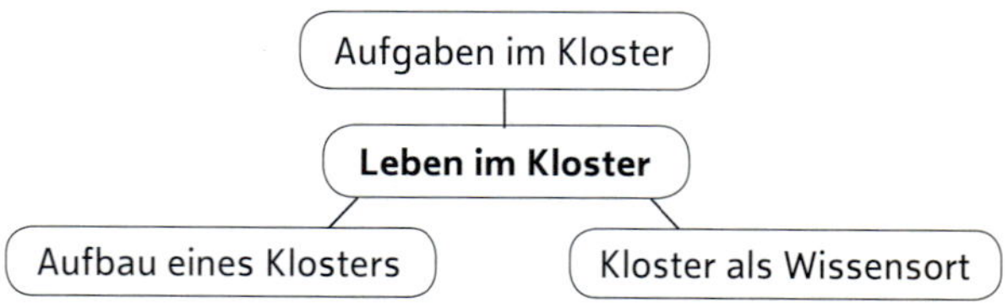

Seite 31, Aufgabe 2:
Überlege dir, wer im Mittelpunkt des islamischen Glaubens steht und welche Rolle Mohammed in dem Glauben spielt. Denke darüber nach, wie Glaube und Respekt miteinander verknüpft sind.

Seite 31, Aufgabe 4:
Deine Mindmap sollte folgende Äste enthalten:
Begegnungsorte: Nenne Orte, an denen der islamische Glaube praktiziert wird.
Regeln und Rituale: Nenne Regeln und Rituale des islamischen Glaubens.
Gott: Beschreibe, an wen Muslime glauben.
Leben nach dem Tod: Beschreibe, ob und wie Muslime an ein Leben nach dem Tod glauben.
Werte: Nenne Werte des Islam.
religiöse Praktiken: Nenne religiöse Praktiken aus dem Alltag der Muslime.

Seite 35, Aufgabe 4:
Beginne mit der Stadt Köln, Clermont oder Toulouse. Miss mit dem Lineal jeweils den Abstand bis zum nächsten Wegpunkt und rechne deinen Wert mithilfe des Maßstabes auf M4 um. Ein durchschnittlicher Mensch schafft pro Tag ca. 20 km.

2 Städte: früher – heute -morgen

Seite 44, Aufgabe 2:
Beschreibe, was auf den beiden Achsen zu sehen ist. Gehe danach darauf ein, in welchen Epochen und Jahrzehnten die meisten Städte gegründet wurden und vergleiche mit anderen Epochen. Nenne beispielhaft auch konkrete Zahlen.

Seite 47, Aufgabe 2:
Orientiere dich dabei z. B. an Merkmalen wie Beruf, finanzielle Situation, Kleidung, Wohnung, Rechte.

Seite 47, Aufgabe 3:
Berücksichtige z. B. das Einkommen und die Rechte.

Seite 49, Aufgabe 5:
Berücksichtige vor allem den Aspekt Wettbewerb. Welche Auswirkungen haben Zünfte auf den Wettbewerb zwischen den Handwerkern? Ist das gut oder schlecht?

Seite 51, Aufgabe 2:
Deine Mindmap könnte folgendermaßen beginnen:

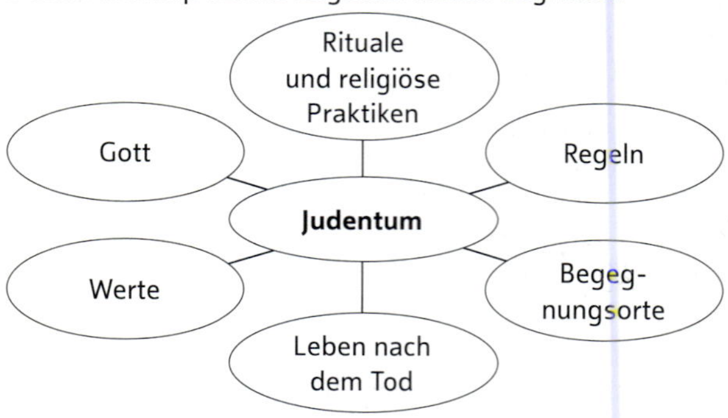

Seite 53, Aufgabe 2:
Mögliche Vergleichskriterien können z. B. die Größe der Wohnung oder das Zusammenleben in der Nachbarschaft sein.

Seite 53, Aufgabe 3:
Finde mithilfe der Karte im Internet heraus, wie die eingezeichneten Stadtteile heißen.

Seite 57, Aufgabe 6:
Orientiere dich dabei z. B. an Merkmalen wie Stadtteile, Einwohnerzahl, Bürgermeister, Anzahl der Stadtverordneten, Sehenswürdigkeiten ...

Seite 65, Aufgabe 2:
Beschreibe zunächst, was die Grafik darstellt bzw. um was es in der Grafik überhaupt geht. Gehe dann näher darauf

ein, welche Erkenntnisse du daraus gewinnst. Wie steht Hessen im Vergleich zum Bundesdurchschnitt da? Wie steht Hessen im Vergleich zu den anderen Bundesländern da? Arbeite auch beispielhaft mit (gerundeten) Zahlen.

Seite 73, Aufgabe 5:
Überlege, was für eine junge Familie bei der Auswahl eines neuen Wohnortes wichtig sein könnte. Gibt es in deiner Stadt Arbeitsplätze für die Eltern, Kitas, Schulen und Spielplätze für die Kinder sowie Freizeitaktivitäten für die ganze Familie? Versuche diese Punkte attraktiv darzustellen.

Seite 74, Aufgabe 3:
Orientiere dich an folgender Struktur: Wie hat sich die Weltbevölkerung innerhalb der letzten 70 Jahre entwickelt (M5)? Welche Städte sind in den letzten 60 Jahren besonders stark gewachsen (M3)? Wo auf der Welt leben die meisten Menschen in Städten? Wo leben noch viele Menschen auf dem Land (M4)? Wo liegen die am schnellsten wachsenden Städte der Welt?

3 Unruhige Erde

Seite 80, Aufgabe 2:
Schaue dir in Abbildung M3 Südamerika und Afrika an. Was fällt dir beispielsweise bei der braunen Signatur (Gebirge aus gleichem Gestein) auf?

Seite 84, Aufgabe 3:
Beginne mit Baustein A. Achte dann auf die Entwicklung der Temperatur.

Seite 87, Aufgabe 4:
Bedenke, wo sich Faltengebirge bilden. Verwende dazu auch die Karte auf S. 86.

Seite 90, Aufgabe 1a):
Vervollständige die Skizze. Achte auf die verschiedenen Schichten. Achte darauf, dass ein Schildvulkan in die Breite, nicht in die Höhe wächst.

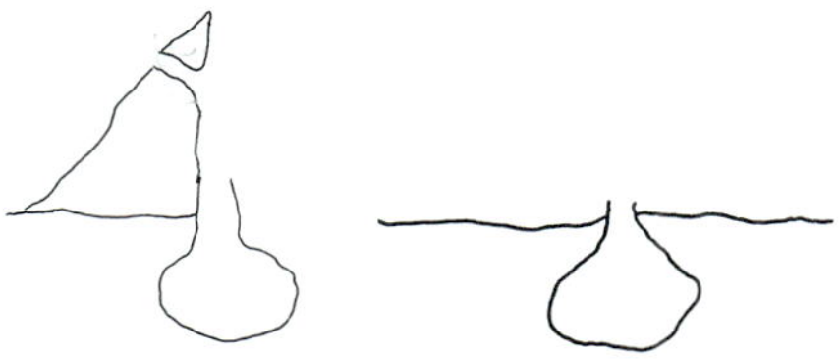

Seite 92, Aufgabe 2:
Folgende Stichwörter können dabei hilfreich sein: Tourismus, Handel, Landwirtschaft, Flugverkehr, Nahrungsmittelvorräte, Börse.

Seite 98, Aufgabe 2a:
Flussdelta, Mäander, Düne, tief eingeschnittene Flusstäler, U-Tal, Steilküste, Pilzfelsen, See, Küstenlinie

Seite 100, Vulkanismus, Aufgabe 1:
Magmaherd, Vulkanschlot, Gas/Rauchwolke, Lava, Bomben, Ascheregen, Krater, Ascheschicht

Seite 100, Wenn die Erde bebt, Aufgabe 1:
Nutze folgende Begriffe: 20, San Francisco, San-Andreas-Verwerfung, 1906, Pazifische, Richterskala, südöstliche

4 Neue Zeit – neue Welt

Seite 105, Aufgabe 1:
Fragen, die dir dabei helfen können, sind:
- Wer ist zu sehen?
- Wie viele Menschen sind zu sehen?
- Was tun sie?
- Welche Gegenstände sind zu sehen?
- Gibt es Gemeinsamkeiten?
- Gibt es Unterschiede?
- Welche Arbeit würdet ihr lieber verrichten? Warum?

Seite 107, Aufgabe 3:
Eine Tabelle kann helfen, die Gemeinsamkeiten, aber vor allem die Unterschiede der Weltbilder zu erklären:

Was ist im Mittelpunkt des Universums?	*Bewegen sich die Planeten? Wenn ja: Wie?*	*Gibt es weitere Sonnensysteme?*	*Gibt es weitere Planeten?*
...	...	...	...

Seite 111, Aufgabe 3b):
Die Darstellung M1 kann dir helfen.

Seite 113, Aufgabe 2:
Die Aufgabe kann z. B. in Tabellenform bearbeitet werden:

Waren	*Länder*
...	...

M1 Verlegersystem (Grafik zur Starthilfe: S. 111, Aufgabe 3b)

Seite 115, Aufgabe 4:
Mögliche Punkte, die der Steckbrief enthalten kann:
- Wie hieß der Entdecker?
- Wann lebte der Entdecker?
- Welche Nationalität hatte der Entdecker?
- Für welches Land war er in Diensten?
- Welche Länder entdeckte er?
- Auf welchem Weg kam er dort hin?
- Auf welche Schwierigkeiten stieß er dabei?
- Wie bewerteten die Zeitgenossen seine Entdeckungen?
- Wie bewerten die Menschen heute seine Entdeckungen?

Seite 117, Aufgabe 2:
Schritt 1: Textquelle einordnen
- Wer ist der Autor?
- Wann und wo wurde der Text geschrieben?
- Welche Ereignisse prägten die Zeit?

Schritt 2: Inhalt erfassen
- Lies den Text zweimal durch.
- Notiere Wörter, die du nicht verstehst. Kläre sie mithilfe eines Lexikons.
- Welche Überschrift trägt der Text?
- Worum geht es in dem Text?
- Welche Einzelheiten erfährst du?

Schritt 3: Textquelle bewerten
- Gibt der Autor ein Urteil ab?
- Ergreift er Partei für jemanden?

Seite 117, Aufgabe 3:

	Quelle 1	*Quelle 2*
Wer hat die Quelle verfasst?		
Wann wurde die Quelle verfasst?		
Wo wurde die Quelle verfasst?		
Wie werden Kolumbus und seine Männer beschrieben?		
Wie werden die Indigenen beschrieben?		
Gibt die Quelle ein Urteil ab? Wenn ja, welches?	...	...

Seite 119, Aufgabe 1:
Die Aufgabe kann in Form einer Tabelle gelöst werden:

Merkmale	*Aztekenreich*
repräsentative Bauten	...
Handelsstädte	...
Arbeitsteilung	...
Religion	...
Wissenschaft	...
Hierarchie	...
Schrift	...
geplante Landwirtschaft	...
Verwaltung	...
Kalender	...

Seite 125, Aufgabe 1a):
Erstelle Karteikarten mit den Begriffen „Amerika“, „Afrika“, „Europa“ und lege sie entsprechend ihrer geographischen Lage auf ein DIN-A3- Blatt.
Verbinde die drei Kontinente nun durch Pfeile, sodass sich ein Dreieck ergibt.
Notiere die Begriffe „Rohstoffe“, „Sklaven“ und „billige Waren sowie Waffen“ ebenfalls auf Karteikarten.
Lege die Karteikarten mit den „Waren“ nun so an die Pfeile, dass deutlich wird, welche Waren von wo nach wo transportiert wurden.

Seite 127, Aufgabe 1:
Hilfestellung bietet dir der Methodenkasten auf S. 158.

Seite 131, Aufgabe 5:
Fragen, die dir helfen können, sind:
- Was wollten die Inquisitoren erreichen?
- Welche Mittel setzten sie ein?
- Welche Folgen hatten diese Mittel für die betroffenen Menschen?
- Wie wirkten diese Mittel auf die nicht unmittelbar betroffenen Menschen?
- Welche Gefühle können dich dazu bringen, etwas zu tun bzw. etwas nicht zu tun?
- ...

Seite 133, Aufgabe 2:
Wie sehen die Hexen aus? Welche Kleidung tragen Hexen? Wo wohnen Hexen? Was tun Hexen? Sind Hexen gut oder böse? ...

Seite 135, Aufgabe 2:
siehe Starthilfe zu S. 11, Aufgabe 3

5 Absolutismus und Revolutionen

Seite 140, Aufgabe 4
Lies dir für diese Aufgabe noch einmal die drei Schritte (Beschreiben, Analysieren und Deuten) durch und gleiche sie mit M2 ab. Beachte auch die Informationen zu M2.

Seite 147, Aufgabe 5:
Diese Diskussion könnte mithilfe von M1 verdeutlicht werden. Führt eure Diskussion am Beispiel des Königreichs Spanien und des Heiligen Römischen Reiches Deutscher Nation. Beschreibt, was passiert wäre, wenn diese beiden unmittelbaren Nachbarn Frankreichs ebenfalls den Merkantilismus eingeführt hätten.

Seite 149, Aufgabe 1:
Bearbeite diese Aufgabe mithilfe der Grafik M1. Starte deine Beschreibung mit dem König und arbeite dich nachfolgend nach unten bis zu den Menschen ohne Stand.

Seite 151, Aufgabe 2:
Kennst du die Redewendung „Mir geht ein Licht auf!“? Du schreibst eine Arbeit und plötzlich passiert etwas mit deinen Gedanken. Beschreibe, was damit gemeint ist.

Seite 153, Aufgabe 2:
Der Begriff Tea Party hört sich eher nach einem netten Teekränzchen an. Die Boston Tea Party hat zwar etwas mit Tee zu tun, aber ...

Seite 157, Aufgabe 1:
Startpunkt deiner Beschreibung könnte die Bildmitte sein. Beschreibe die Menschen, ihre Kleidung und ihre mögliche Handlung. Achte anschließend auf die Menschen außen, ihre Stimmung, und betrachte abschließend das Licht auf dem Gemälde.

Seite 157, Aufgabe 2:
Vergleiche beide Situationen. Wer hätte die Mehrheit bei einer Abstimmung nach Ständen? Wer hätte die Mehrheit bei einer Abstimmung pro Kopf?

Seite 161, Aufgabe 1:
Was hat sich im Vergleich zu den Inhalten der vorherigen Seiten verändert?

Seite 161, Aufgabe 2:
Achte vor allem auf die Art. 1, 4, 6, 10, 11 und 17 der Erklärung der Menschen- und Bürgerrechte sowie auf die Art. 2, 3, 4, 5, 14 und 20 des Grundgesetzes.

Seite 163, Aufgabe 1:
Arbeite von unten nach oben und folge den Pfeilen. Gehe dann auf die Legislative ein. Verdeutliche vor allem die Stellung der Nationalversammlung und des Königs.

Seite 163, Aufgabe 4:
Welche Institutionen passen zusammen? Achte auf die kursiv gedruckten Begriffe. Wo siehst du Ähnlichkeiten? Wo siehst du Unterschiede?

Seite 165, Aufgabe 3:
Überlege dir, was absolute Herrschaft für einen König bedeutete, und vergleiche dies mit der Macht eines Königs in einer konstitutionellen Monarchie.

Seite 167, Aufgabe 6:
Die Menschen hatten durch die Menschen- und Bürgerrechte einen Schutz vor der Willkür des Staates. Vergleiche diese Information mit dem, was Robespierre sagte. Steht seine Aussage in einem Widerspruch zu dem, was die Menschen- und Bürgerrechte zusichern, ja oder nein? Mache dies am Beispiel der Schreckensherrschaft deutlich.

Seite 169, Aufgabe 7:
Beachte hier zunächst die Bildunterschrift und suche nachfolgend auf dem Gemälde die kirchlichen Würdenträger. Beschreibe, was diese auf dem Gemälde tun. Betrachte abschließend die Bildmitte – wer ist im Zentrum des Bildes zu sehen? Beschreibe die Handlung dieser Person.

Seite 171, Aufgabe 7:
Noch heute feiern viele Franzosen Napoleon als Nationalhelden, genau wie vor 200 Jahren. Aus Sicht der Deutschen war seinerzeit die Meinung zu dem Herrscher mehrheitlich anders. Suche Beispiele dazu heraus, sie könnten dir helfen.

Seite 173, Aufgabe 7:
Für diesen Vergleich ist es sinnvoll, zu beiden Bildern jeweils eine kurze Bildbeschreibung anzulegen. Fokussiere dich dabei auf die Personen (Wer ist dargestellt?), ihre Handlungen (Was tun sie?) und die Stimmung (Wie wirkt das Bild?). Vergleiche deine Ergebnisse miteinander.

Seite 175, Aufgabe 1:
Achte darauf, wo die Grenzen des Deutschen Bundes verliefen sowie auf die Regionen, in denen Deutsch gesprochen wurde. Überprüfe, ob innerhalb der damaligen deutschen Grenzen nur Deutsch gesprochen wurde. Überprüfe auch, ob alle deutschsprachigen Gebiete innerhalb der deutschen Grenzen liegen.

Seite 175, Aufgabe 3:
Vergleiche nach folgenden Kategorien: Wie viele Teilnehmer gab es? Wer waren die Teilnehmer? Was forderten die Teilnehmer? Wie reagierten die Fürsten?

Seite 177, Aufgabe 1:
Achte auf die Stimmung in der Bevölkerung und auf das Datum.

6 Jugend und Recht

Seite 186, Aufgabe 4:
Unter den Links hinter dem QR-Code kannst du deine Recherche beginnen und Argumente sammeln:

Digital+
WES-112462-309

Seite 189, Aufgabe 2:
Erstelle dafür eine Tabelle mit folgenden Kategorien: Um welche Fälle geht es? Welches Gesetzbuch dient als Quelle? Wer klagt? Wer ist beim Prozess anwesend? Mit welchen Ergebnissen kann der Prozess zu Ende gehen?

Seite 203, Aufgabe 3a):
Eure Umfrage könnte
- allgemein die Nutzung folgender Medien abfragen: TV, Radio, PC, Tablet, Handy, ...
- spezifisch die Nutzung folgender Medien abfragen: Streaming Dienste (Netflix, Disney Plus, Amazon Prime ...), soziale Netzwerke (WhatsApp, Instagram, TikTok,...), Youtube, Computerspiele, ...
- folgende zeitlichen Kategorien nutzen: nie, an einem Tag in der Woche, an 2 – 3 Tagen in der Woche, an 4 – 5 Tagen in der Woche, an 6 – 7 Tagen in der Woche

Seite 203, Aufgabe 4a):
Du kannst dein Medientagebuch als Tabelle (siehe S. 310 M1) gestalten, in der du den Tag, die genutzten Medien und den Zeitraum bzw. die Dauer der Nutzung sowie den Zweck einträgst. Immer, wenn du den Bildschirm eines Geräts einschaltest, nutzt du das Medium!

Tag	Wann?	Welches Medium?	Welche Tätigkeit?	Welcher Zweck?	Wie lange?
Montag	vormittags (beim Frühstück) vormittags (in der Schule) ...	- Smartphone - Smartphone ...	- Chatten - Internetrecherche ...	- Kommunikation mit Freunden - Hausaufgaben in GL ...	15 min 20 min ...
Dienstag	...	...	...	...	...
...	...	...	...	...	...

M1 Beispiel für ein Medientagebuch (Tabelle für Starthilfe zu S. 203, Aufgabe 4a)

Seite 205, Aufgabe 1c):
Die Aufgabe eines Moderators ist es, in das Thema der Diskussion einzuführen, die einzelnen Redebeiträge anzumoderieren, das heißt, von Redebeitrag zur Redebeitrag überzuleiten, und schließlich die Ergebnisse der Diskussion zusammenzufassen.
- Recherchiert dazu die wichtigen Aspekte und Fragen zum Thema und formuliert auf dieser Grundlage eine kurze Einleitung/Begrüßung.
- Recherchiert Pro- und Kontra-Argumente. Auf der Basis eurer Rechercheergebnisse könnt ihr zwischen den Redebeiträgen überleiten.
- Macht euch während der Diskussion Stichpunkte, um anhand dieser Punkte am Ende der Diskussion eine kurze Zusammenfassung der Positionen liefern zu können.

7 Industrialisierung

Seite 217, Aufgabe 4:

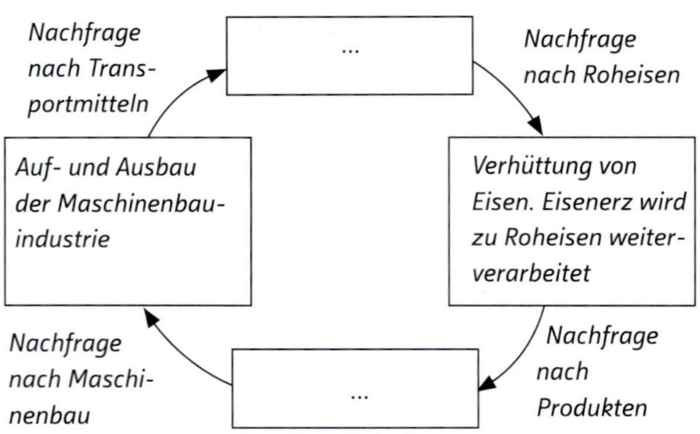

Seite 219, Aufgabe 1c):
Lies gegebenenfalls auf S. 48/49 noch einmal nach.

Seite 219, Aufgabe 2:

	Großbritannien	Deutschland
geographische Lage	...	...
Rohstoffe	...	...
Innenpolitik	...	...
Bevölkerung	...	...
Mentalität des Investierens und Erfindens	...	...
staatliche Förderung	...	...
...	...	...

Seite 223, Aufgabe 3a):
Um den Tagesablauf eines Arbeiters zu besprechen, beginne z. B. so:
Ein Arbeiter steht um ... Uhr auf, um sich für die Arbeit fertig zu machen und den Arbeitsweg anzutreten.
Zwischen ... und ... Uhr arbeitet er.
Ab ... Uhr hat er für eine Stunde Mittagspause.
Im Anschluss ...

Seite 229, Aufgabe 2b):
Um das Verhalten und die Emotionen der Figuren zu besprechen, nutze z. B. folgende Adjektive:

- aufgeregt
- aufgebracht
- aggressiv
- gewaltbereit
- wütend
- unkontrolliert
- niederträchtig
- erregt
- diskutierend
- überzeugt
- souverän
- kompromissbereit
- besorgt
- betroffen

Seite 237, Aufgabe 2:
Um die Interessen von Unternehmen und Bevölkerung hinsichtlich der Umweltbelastung zu erläutern, fülle den folgenden Lückentext aus:
Der Autor des Leserbriefes stellt die unterschiedlichen Interessen hinsichtlich der Fischzucht in der Stadt ... gegenüber. Er wirft die Frage auf, ob man die Fischzucht in der Stadt weiterhin fördert und in Kauf nimmt, dass ... . Alternativ könnte man einen Teil der Fische ... lassen und die Industrie dafür ... . Der Vorteil davon wären die Arbeitsplätze, die mit der Industrie einhergehen.
Dabei stellt er zwei Zahlen gegenüber: Die Fischerei bringt der Stadt ... jährlich ein, wohingegen der jährliche Arbeitslohn ... beträgt.
Er fragt sich, ob Sobernheim eine Bevölkerung haben möchte, die auf ... spezialisiert ist oder eine Stadt ist, die den Armen einen ... schafft, sie vom ... abhält und damit den ... und die ... fördert.

8 Globalisierung

Seite 247, Aufgabe 1b):
Überlege, welche Aufgabe Kanäle haben. Recherchiere gegebenenfalls im Internet.

Seite 249, Aufgabe 1:
Gehe bei deiner Antwort darauf ein, welche Regionen besonders viel exportieren und importieren. Nenne auch Regionen, bei denen der Binnenhandel von großer Bedeutung ist.

Seite 261, Aufgabe 2:
Erstelle eine Zeitleiste von 1949 bis zur Gegenwart. Trage Folgendes ein: prägende Politiker, Jahreszahlen, Merkmale der Wirtschaftspolitik, Pro-Kopf-Einkommen.

Seite 263, Aufgabe 1:
Verwende weitere Karten im Atlas, um zu erklären, warum die Wanderarbeiter vom Land in die Stadt ziehen.

Seite 263, Aufgabe 4:
Verwende die Mediatheken von ARD und ZDF. Dort kannst du mit den Schlagwörten „Wanderarbeiter China" gezielt nach Filmen zum Thema suchen.

9 Globale ökologische Herausforderung

Seite 285, Aufgabe 2:
Welche Länder schneiden beim Klimaschutz-Index besonders gut ab, welche besonders schlecht? Überrascht dich der Klimaschutz-Index mancher Länder? Wenn ja, warum? Wie zufrieden bist du mit den Bemühungen der Staaten?

Seite 291, Aufgabe 4b):
Vergleiche: Wie viele Menschen kann man durch den Anbau von Kartoffeln auf einem Hektar Land ernähren? Wie viele Menschen kann man durch die Zucht von Rindern zur Fleischproduktion auf einem Hektar Land ernähren?

Minilexikon

Ablasshandel (S. 126)
Im 15./16. Jh. kauften die Menschen von der Kirche päpstliche Ablassbriefe, um sich von ihren Sünden zu befreien und dem Fegefeuer zu entgehen. Die Kirche finanzierte mit diesem Geld das aufwendige Leben der Bischöfe und Kardinäle und baute neue, prunkvolle Kirchen.

absolutes Mehrheitswahlsystem (S. 60)
Beim absoluten Mehrheitswahlsystem gewinnt der Kandidat oder die Kandidatin, der oder die mehr als die Hälfte aller abgegebenen Stimmen erhalten hat. Das bedeutet, dass mehr als 50% der Wählerinnen und Wähler für diese Person gestimmt haben müssen, damit sie gewählt ist.

Abt (S. 15)
siehe M2 auf S. 15

Adliger (S. 11)
Ein Adliger ist eine Person, die zu einer besonderen gesellschaftlichen Schicht gehört, die früher oft besondere Rechte und Privilegien hatte und Herrschaft ausübte. Adlige Familien hatten oft Titel wie Graf oder Herzog.

Agroforstwirtschaft (S. 293)
siehe Info-Box auf S. 293

Aktiengesellschaft (S. 217)
Eine Aktiengesellschaft ist ein Unternehmen, dessen Eigentum in viele kleine Teile, die Aktien genannt werden, aufgeteilt ist. Menschen können diese Aktien kaufen und werden dadurch Miteigentümer des Unternehmens und können an dessen Gewinnen beteiligt werden.

Allmende (S. 23)
Allmende ist ein gemeinschaftlich genutztes Land (Feld oder Wald) oder Gewässer, das von allen Mitgliedern einer Gemeinschaft genutzt werden darf. Früher konnten Bauern z. B. ihre Tiere auf der Allmende weiden lassen.

American Native (S. 152)
American Native ist eine Bezeichnung für die indigene Bevölkerung Nordamerikas. Diese hatte schon lange auf dem Kontinent gelebt, bevor die Europäer dort ankamen.

anatomisch / Anatomie (S. 108)
Anatomie ist die Wissenschaft, die sich mit der Struktur, den Formen und den inneren Organen des menschlichen Körpers und dem anderer Lebewesen befasst.

Atlantischer Dreieckshandel (S. 124)
Das ist der Handel, der sich vom 16. bis zum 19. Jh. zwischen den europäischen Staaten und ihren Kolonien in Afrika und Amerika entwickelte. Die Europäer tauschten in Afrika billige Waren (Stoffe, Waffen und Alkohol) gegen Sklaven ein und verschifften diese nach Amerika. Dort wurden sie als Arbeitssklaven verkauft und auf Plantagen oder in Bergwerken eingesetzt. Die abgebauten Bodenschätze sowie Nutzpflanzen und andere Rohstoffe wurden dann weiter nach Europa transportiert.

Aufforstung (S. 284)
Aufforstung bedeutet, dass neue Bäume gepflanzt werden, um Wälder zu vergrößern oder wiederherzustellen. Dies wird oft gemacht, um die Umwelt zu schützen und Lebensräume für Tiere zu schaffen.

Azteken (S. 118)
Die Azteken waren ein Volk, das im heutigen Mexiko gelebt und eine große Zivilisation aufgebaut hatte. Sie waren bekannt für ihre beeindruckenden Städte, Tempel und ihre fortschrittliche Kultur.

Beigeordneter (S. 56)
siehe Material-Box M2 auf S. 56

Bergwerke (S. 234)
Ein Bergwerk ist eine Anlage, um tief unter der Erde liegende Bodenschätze abzubauen.

Berufung (S. 187)
Damit ist ein Rechtsmittel gemeint, um ein Gerichtsurteil des Amtsgerichts in einer höheren Instanz überprüfen zu lassen.

Bewährung (S. 187)
Bewährung ist eine Zeit, in der jemand, der eine Strafe bekommen hat, beweisen kann, dass er sich bessert, ohne ins Gefängnis zu müssen. Wenn die Person sich gut verhält, muss sie die Haft nicht antreten.

Binnenhafen (S. 265)
Ein Binnenhafen ist ein Hafen, der sich im Inneren eines Landes und nicht an der Küste befindet. Er wird oft für den

Handel und Transport von Gütern über Flüsse und Kanäle genutzt.

Biodiversität (S. 296)
Das ist ein Maß dafür, wie viele verschiedene Arten von Tieren und Pflanzen in einem bestimmten Gebiet leben.

Bischof (S. 15)
siehe M2 auf S. 15

boykottieren (S. 152)
Boykottieren bedeutet, dass man etwas absichtlich nicht kauft, nutzt oder macht, um gegen etwas zu protestieren oder eine Veränderung zu bewirken.

Briefwahl (S. 61)
Bei der Briefwahl können Wähler ihre Stimme per Post abgeben, anstatt in ein Wahllokal zu gehen.

Bruchstufe (S. 95)
In der Plattentektonik bezeichnet eine Bruchstufe einen Bereich entlang einer tektonischen Platte, an dem die Erdkruste entlang einer Verwerfungslinie gebrochen ist.

Budget (S. 65)
Ein Budget ist ein Plan, wie viel Geld man für verschiedene Dinge ausgeben möchte oder kann. Es hilft dabei, die Finanzen im Blick zu behalten und nicht zu viel Geld auszugeben.

Bund (S. 58)
Der Bund bezeichnet in Deutschland die Bundesebene der Regierung, die über den Bundesländern steht. Der Bund kümmert sich um Aufgaben, die das ganze Land betreffen, wie z. B. Verteidigung und Außenpolitik.

Bürgerliches Gesetzbuch (BGB) (S. 188)
Das Bürgerliche Gesetzbuch ist eine der wichtigsten Gesetzessammlungen in Deutschland. Es regelt die Rechtsbeziehungen zwischen Privatpersonen.

Bürgermeister (S. 56)
Der Bürgermeister ist Leiter der Gemeindeverwaltung und Vorsitzender des Magistrats. Er wird von den Bürgern gewählt.

Bürgerrechte (S. 160)
siehe Fachbegriff-Box auf S. 161

Burschenschaft (S. 174)
Eine Burschenschaft ist eine studentische Vereinigung, die oft traditionell und politisch orientiert ist. Mitglieder, die Burschen genannt werden und meist Männer sind, engagieren sich für gemeinsame Werte und pflegen ihre Traditionen.

Byzantinisches Reich (S. 10)
Das Byzantinische Reich war ein großes und mächtiges Reich, das aus dem östlichen Teil des Römischen Reiches entstand und von 330 bis 1453 existierte. Seine Hauptstadt war Konstantinopel, das heutige Istanbul.

Daseinsvorsorge (S. 62)
siehe Info-Box S. 62

Deliktsfähigkeit (S. 189)
Deliktsfähigkeit beschreibt die Fähigkeit einer Person, für unerlaubte Handlungen (Delikte) rechtlich verantwortlich gemacht zu werden. Dies hängt oft vom Alter und der geistigen Reife der Person ab.

Desertifikation (S. 292)
Das ist die Ausbreitung der Wüste in Trockenräumen durch menschliche Eingriffe, z. B. die Umwandlung der Savanne in eine Wüste durch Überweidung oder Grundwasserabsenkung.

Deutscher Bund (S. 172)
Der Deutsche Bund war ein lockerer Staatenbund, der sich 1815 nach der Niederlage Napoleons bildete. Die Mitgliedsstaaten blieben eigenständig. Es war v. a. ein Sicherheitsbündnis, aus dem sich auch ein Wirtschaftsbündnis entwickelte. 1866 löste sich der Deutsche Bund auf.

digitale Revolution (S. 104)
Die digitale Revolution bezeichnet den tiefgreifenden Wandel der Gesellschaft durch die Einführung und Verbreitung digitaler Technologien wie Computer und Internet. Sie hat viele Bereiche des Lebens wie z. B.Kommunikation, Arbeit und Unterhaltung, grundlegend verändert.

diktatorisch / Diktatur (S. 166)
Das ist eine staatliche Herrschaftsform. Zumeist ist die Diktatur eine Gewaltherrschaft einer Minderheit über die Mehrheit eines Volkes.

Direktorium (S. 166)
Ein Direktorium ist eine Gruppe von Personen, die gemeinsam die Leitung einer Organisation oder eines Staates übernehmen. Historisch bekannt ist das französische Direktorium, das nach der Revolution die Regierung bildete.

Divergenz (S. 82)
Bei der Plattentektonik ist damit der Vorgang gemeint, bei dem zwei tektonische Platten auseinanderdriften. Dies geschieht in der Regel an mittelozeanischen Rücken, wo Magma aus dem Erdmantel aufsteigt und neues ozeanisches Krustenmaterial bildet.

Droge (S. 200)
siehe Fachbegriff-Box auf S. 200

Entwicklungsland (S. 276)
siehe Fachbegriff-Box auf S. 276

Epizentrum (S. 95)
Das ist der Ort an der Erdoberfläche, der sich direkt über dem Erdbebenherd im Untergrund befindet. Dort werden die stärksten Erschütterungen verzeichnet.

Erdbebenwelle (S. 95)
siehe Fachbegriff-Box auf S. 95

Erdkern (S. 85)
Das Erdinnere ist aus mehreren Schalen aufgebaut, wobei der Erdkern im Zentrum des Erdinneren liegt. Man unterscheidet einen äußeren und einen inneren Kern.

Erdkruste (S. 84)
Das Erdinnere ist aus mehreren Schalen aufgebaut. Die Erdkruste ist die äußerste Schale. Man unterscheidet die kontinentale und die ozeanische Kruste.

Erdmantel (S. 85)
Dieser liegt zwischen Erdkruste und Erdkern. Es wird zwischen einem oberen und einem unteren Erdmantel unterschieden.

Ermittlungsverfahren (S. 186)
Bei einem Ermittlungsverfahren versuchen Polizei oder Staatsanwaltschaft herauszufinden, wer ein Verbrechen begangen hat. Dazu sammeln sie Hinweise und Beweise wie Fingerabdrücke, Zeugenaussagen und manchmal sogar Videoaufnahmen, die für eine mögliche strafrechtliche Verfolgung (vor Gericht) gebraucht werden.

Erosion (S. 98)
Die Erosion ist die Abtragung von Boden und Gesteinen, hauptsächlich durch Wasser, Eis und Wind.

Eruption (S. 88)
Das ist eine Erscheinungsform des Vulkanismus und bezeichnet das Aufsteigen und den Ausbruch von Magma und Gasen an die Erdoberfläche.

exogene Kraft (S. 98)
Das sind Kräfte, die von außen auf die Erde einwirken und dadurch die Erdoberfläche gestalten, z. B. Wasser, Wind oder Eis (Verwitterung, Erosion, Sedimentation).

Faltengebirge (S. 86)
Das sind Gebirge (z. B. Alpen, Anden, Himalaya), die durch Auffaltung von Gesteinsschichten entstanden sind. Durch seitlichen Druck wurden ursprünglich waagerecht liegende

Gesteinsschichten aufgewölbt und verschoben.

Flussaue (S. 283)
Gebiet beiderseits eines Flusses, das regelmäßig bei Hochwasser überschwemmt wird und daher eine typische Vegetation aufweist. Hier findet man feuchte Wiesen und Auenwälder.

Föderalismus (S. 21)
siehe Fachbegriff-Box auf S. 21

Föderalstaat (S. 58)
Ein Föderalstaat ist ein Staat, der aus mehreren Teilstaaten besteht, die eine gewisse Selbstständigkeit haben, aber unter einer gemeinsamen Zentralregierung stehen. Deutschland ist ein Beispiel für einen Föderalstaat.

Fossil (S. 86)
Ein Fossil ist ein Überrest oder Abdruck eines Lebewesens, das vor vielen Millionen Jahren gelebt hat und versteinert ist.

Fraktion (S. 61)
Eine Fraktion ist eine Gruppe von Abgeordneten in einem Parlament, die einer gleichen politischen Partei oder Parteien mit ähnlichen politischen Zielen angehören. Die Abgeordneten arbeiten zusammen, um ihre gemeinsamen Interessen und Ziele zu vertreten.

Franken (S. 10)
siehe Fachbegriff-Box auf S. 11

Frostverwitterung (S. 98)
Das ist ein physikalischer Verwitterungstyp in Klimazonen mit Frostwechsel. Wasser dringt in Gesteinshohlräume ein und gefriert bei Frostwechsel. Dadurch dehnt es sich aus. Somit wird Druck auf die umgebenden Gesteinswände ausgeübt, der langfristig zur Zerstörung der Gesteinsstruktur führt.

Fürst (S. 10)
siehe Fachbegriff-Box auf S. 16

Gated Community (S. 75)
Das ist eine geschlossene Wohnanlage der Ober- oder Mittelschicht, die durch zahlreiche Maßnahmen (z. B. Mauern, Wachdienste) vom Rest der Siedlung und der Gesellschaft abgetrennt ist. Oftmals ist der Grund dieser Abschottung die Furcht vor Verbrechen, manchmal auch der Wunsch der Absonderung von anderen Gesellschaftsgruppen.

Geistlicher (S. 22)
Ein Geistlicher ist eine Person, die in einer religiösen Gemeinschaft eine besondere Rolle übernimmt, wie z. B. ein Priester, Pastor oder Imam. Geistliche leiten religiöse Zeremonien und unterstützen die Gläubigen in der Ausübung ihres Glaubens.

Generalstände (S. 156)
Im Absolutismus waren dies die Vertreter der Geistlichkeit (Erster Stand), des Adels (Zweiter Stand) und der Bürger und Bauern (Dritter Stand) aus allen Gebieten Frankreichs. Wollte der König z. B. neue Steuern erheben, musste er die Generalstände einberufen.

Gewaltenteilung (S. 162)
Mithilfe der Gewaltenteilung soll die staatliche Macht begrenzt werden. Die staatliche Gewalt ist dabei dreigeteilt: Die Legislative (gesetzgebende Gewalt) beschließt Gesetze. In Deutschland ist der Bundestag die Legislative. Die Exekutive (ausführende Gewalt) wird z. B. von der Regierung wahrgenommen, aber auch von Staatsanwaltschaft, Polizei und Gemeindeverwaltungen, die für die Einhaltung der Gesetze sorgen. Die Judikative (rechtsprechende Gewalt) ist unabhängig von der Politik und wacht darüber, dass Regierung und Parlament sowie die Bürger die Gesetze richtig anwenden.

Gewaltmonopol (S. 184)
Der Staat allein hat das Recht, Verbrechen zu verfolgen (wobei auch notfalls auch körperliche Gewalt angewendet werden dar) und Urteile zu sprechen.

Gewerkschaft (S. 229)
Gewerkschaften sind Zusammenschlüsse von Arbeitnehmern, um bestimmte wirtschaftliche und soziale Ziele (z. B. höhere Löhne, kürzere Arbeitszeiten, bessere Arbeitsbedingungen) gegenüber den Arbeitgebern durchzusetzen.

Ghetto (S. 50)
Das ist ein in sich geschlossenes städtisches Wohngebiet, in dem Bevölkerungsgruppen (z. B. Juden) oft unter beengten Wohnbedingungen leben, die in einem Land oder Gebiet in der Minderzahl und die oft marginalisiert und/oder verfolgt sind.

Gletscher (S. 98)
Ein Gletscher ist eine große Eismasse, die sich langsam auf einem Landstück bewegt. Es entsteht durch den Druck von Schnee, der sich über Jahre hinweg ansammelt und zu Eis wird.

Gottesgnadentum (S. 11)
Gottesgnadentum ist der Glaube, dass ein Herrscher seine Macht direkt von Gott erhalten hat. Dieses Konzept war im Mittelalter weit verbreitet und diente dazu, die Autorität von Königen und Kaisern zu legitimieren.

Graf (S. 15)
siehe M2 auf S. 15

Grundherrschaft (S. 24)
Grundherrschaft bedeutet, dass eine Person, der Grundherr, Land besitzt und andere Menschen dort leben und arbeiten lässt. Diese Menschen müssen dem Grundherrn dafür Abgaben zahlen oder Dienstleistungen erbringen.

Haftung (S. 189)
Haftung bedeutet, dass man für etwas Verantwortung übernehmen muss, z. B. wenn etwas kaputt geht oder jemand durch das eigene Verhalten einen Schaden erleidet. Man muss dann dafür zahlen oder den Schaden wiedergutmachen.

Halbleiter (S. 256)
Halbleiter sind spezielle Materialien, die Strom nicht so gut leiten wie Metalle, aber besser als Isolatoren. Sie werden oft in Computern und anderen elektronischen Geräten verwendet, weil man mit ihnen elektrische Schaltungen bauen kann.

Haushalt (S. 65)
Der Haushalt einer Kommune ist ein Plan darüber, wie sie ihr Geld einsetzt und verwaltet. Er umfasst alle Einnahmen und Ausgaben, die für die öffentlichen Dienstleistungen und Projekte vorgesehen sind.

Heiliges Römisches Reich (HRR) (S. 18)
Das ist die Bezeichnung für den Herrschaftsbereich der römisch-deutschen Kaiser vom Mittelalter bis zum Jahr 1806. Im späten 15. Jh. erhielt dieses Reich den Zusatz „Deutscher Nation".

Herzog (S. 15)
siehe M2 auf S. 15

Hoftag (S. 17)
Hoftage waren im Mittelalter unregelmäßige Treffen bzw. Versammlungen des Königs oder Kaisers mit seinen wichtigsten Vasallen und Beratern.

Hufenland (S. 24)
Hufenland war früher ein Stück Land, das dem Grundherrn gehört und von unfreien Bauern bewirtschaftet wurde. Eine Hufe war eine Maßeinheit für diese Fläche und die dazugehörigen Gebäude und Tiere.

Humanismus (S. 106)
siehe Fachbegriff-Box auf S. 106

Hypozentrum (S. 95)
Das ist der Entstehungsort von Erdbeben im Erdinnern, auch Erdbebenherd genannt.

Indiz (S. 185)
Ein Indiz ist ein Hinweis oder ein Anzeichen, das auf etwas Bestimmtes hinweist, aber es nicht beweist. In der Polizei- und Detektivarbeit sind Indizien oft wichtige Spuren, die helfen, einen Fall zu lösen.

Indianer (S. 115)
Kolumbus' Irrglaube, den Weg nach Indien gefunden zu haben, brachte ihn dazu die Menschen, auf die er traf, „Indianer" zu nennen. Heute wird dieser Begriff nicht mehr verwendet, weil er diskriminierend und rassistisch ist.

Indigene (S. 119)
Nachfahren der ersten Bewohner einer Region. Sie haben eine eigene Kultur, Sprache und Tradition. Der Begriff wird heute verwendet anstelle der früher gebräuchlichen und diskriminierenden Begriffe „Ureinwohner", „Indianer" oder „Eingeborene".

Industrieland (S. 276)
siehe Fachbegriff-Box auf S. 276

Infrastruktur (S. 62)
Die grundlegenden Einrichtungen eines Raumes (z. B. einer Stadt oder Region eines Landes) werden Infrastruktur genannt. Dazu gehören z. B. Bildungseinrichtungen, Krankenhäuser, Verkehrswege oder Strom- und Wasserleitungen.

Inquisition (S. 107)
siehe Fachbegriff-Box auf S. 107

Insignie (S. 19)
Eine Insignie ist ein besonderes Symbol oder Abzeichen, das die Zugehörigkeit zu einer bestimmten Gruppe, Organisation oder Position kennzeichnet. Insignien können verschiedene Formen haben, wie z. B. ein Wappen, ein Abzeichen, eine Uniform oder ein spezieller Gegenstand.

Investitionen (S. 65)
Investitionen sind Geldbeträge, die in Unternehmen, Projekte oder Vermögenswerte angelegt werden, um langfristige Gewinne zu erzielen. Wenn jemand investiert, bedeutet das, dass er Geld für etwas nutzt, das in der Zukunft an Wert gewinnen soll.

Investitur / Investiturstreit (S. 20)
siehe Info-Box auf S. 20

Jakobiner (S. 164)
siehe Info-Box auf S. 167

Judentum (S. 50)
siehe Info-Box auf S. 50

Jugendgerichtshilfe (S. 192)
siehe Info-Box auf S. 192

Jugendstrafrecht (S. 192)
Ein Strafrecht, das Jugendliche und junge Erwachsene bis maximal 20 Jahre anders behandelt als Erwachsene, nennt man Jugendstrafrecht. Die Strafen sind dem Entwicklungsstand der Betroffenen angepasst und sollen eine Wiedereingliederung in die Gesellschaft ermöglichen.

Kaiser (S. 12)
siehe Info-Box auf S.13

Kalif (S. 10)
Weltlich-religiöse Anführer von muslimischen Gemeinschaften nennen sich oft Kalifen. Dieser Titel bedeutet so viel wie Nachfolger des Propheten.

Karolinger (S. 11)
Die Karolinger waren eine Herrscherdynastie, die nach Karl dem Großen benannt wurde und die im Frühmittelalter über weite Teile Europas herrschte. Sie folgten auf die Merowinger.

Ketzer / Ketzerei (S. 107)
siehe Fachbegriff-Box auf S. 107

Kindersterblichkeit (S. 288)
Das ist die Anzahl der Todesfälle bei Kindern unter dem fünften Lebensjahr je 1000 Lebendgeburten.

Klimawandel (S. 274)
Unter dem Begriff Klimawandel wird die langfristige Veränderung der Durchschnittswerte der Klimaelemente einschließlich der daraus folgenden Auswirkungen verstanden. Ursache dafür ist die globale Erwärmung infolge des vom Menschen verstärkten Treibhauseffekts.

Kloster (S. 15)
Das Kloster ist ein Ort, an dem Mönche oder Nonnen eines Ordens zusammenleben. Die Klöster des Mittelalters übernahmen oft die Pflege kranker und bedürftiger Menschen. Überdies besaßen sie Bibliotheken.

Knecht (S. 25)
Ein Knecht ist ein Arbeiter, der oft für Kost und Logis tätig ist. Sie waren früher z. B. wichtige Helfer in der Landwirtschaft.

Know-how (S. 248)
Know-how, englisch für Wissen, Können, ist für die wirtschaftliche Entwicklung eine wichtige Voraussetzung. Es steht für gut ausgebildete Fachkräfte, die durch ihr Wissen beispielsweise neue technische Erfindungen hervorbringen oder Arbeits- und Produktionsabläufe verbessern.

Koalition (S. 61)
Wenn nach einer Wahl keine Partei die absolute Mehrheit hat (über 50 Prozent der Sitze im Parlament), dann bilden zwei oder mehrere Parteien eine Koalition, um die Regierung zu bilden.

Kohlenstoffdioxid (S. 274)
Das ist ein Molekül, das aus den Elementen Kohlenstoff und Sauerstoff besteht. In der Atmosphäre ist das CO_2 gasförmig und gehört zu den Treibhausgasen. Es trägt dazu bei, dass es auf der Erde wärmer wird.

Kohlenstoffkreislauf (S. 276)
Der Kohlenstoffkreislauf beschreibt den Transport, die Speicherung und die Freisetzung von Kohlenstoff im Erdsystem. Gespeichert oder abgelagert wird der Kohlenstoff im Boden und Gestein, im Meer und in Lebewesen (z. B. in Bäumen). Der Kohlenstoff kann wieder freigesetzt werden, z. B. in Form des Treibhausgases CO_2 bei der Verbrennung fossiler Brennstoffe. Aber auch bei der Atmung von Lebewesen gelangt Kohlenstoff als Gas zurück in die Atmosphäre.

Kolonie (S. 120, 257)
siehe Info-Box auf S. 120

Kommune (S. 58)
Eine Kommune ist eine Verwaltungseinheit, die eine Stadt, ein Dorf oder eine Gemeinde umfasst. Sie ist für lokale Angelegenheiten zuständig.

Konfession (S. 129)
Der Begriff stammt vom lateinischen „confessio" und bedeutet „Bekenntnis". Er ist eine Bezeichnung für eine bestimmte Glaubensrichtung innerhalb einer Religion.

König (S. 10)
siehe Info-Box auf S.13

Kontinentalverschiebung (S. 81)
(Kontinentaldrift) Das ist die von Wegener angenommene langsame Verschiebung der Kontinente. Später erkannte man, dass sich nicht die Kontinente, sondern die Platten der Lithosphäre bewegen (Plattentektonik).

Konvektionsstrom (S. 82)
Das ist die auf- und absteigende Magmaströmung im oberen Erdmantel, die zu Bewegungen der Platten der Erdkruste und damit z. B. auch zur Gebirgsbildung führt.

Konvergenz (S. 82)
Konvergenz tritt in der Plattentektonik auf, wenn sich zwei tektonische Platten aufeinander zubewegen. Es kann verschiedene Arten von Plattenkollisionen geben: Bei einer ozeanischen Platte, die auf eine kontinentale Platte trifft, taucht die dichtere ozeanische Platte unter die kontinentale Platte (Subduktion). Wenn zwei kontinentale Platten aufeinandertreffen, können sie kollidieren und Gebirgszüge bilden.

Krater (S. 88)
Ein Vulkankrater ist eine Vertiefung oder Mulde an der Spitze oder Flanke eines Vulkans, die durch explosive vulkanische Aktivitäten entsteht. In dieser Vertiefung können sich Magma, Lava, Asche und Gas ansammeln oder sie können ausströmen, wenn der Vulkan ausbricht.

Kulturlandschaft (S. 237)
Kulturlandschaften sind Gebiete, die von Menschen über eine lange Zeit verändert und genutzt wurden. Sie beinhalten Felder, Wiesen, Dörfer und Städte. Diese Landschaften zeigen, wie Menschen die Natur für Landwirtschaft, Siedlungen und andere Zwecke gestaltet haben.

kumulieren (S. 60)
Kumulieren bedeutet, bei einer Wahl mehrere Stimmen auf einen einzigen Kandidaten zu bündeln, wenn dies erlaubt ist. Dies erhöht die Chancen des Kandidaten, gewählt zu werden.

künstliche Intelligenz (KI) (S. 233)
Künstliche Intelligenz ist ein Bereich der Informatik, der Maschinen und Computer dazu bringt, Aufgaben zu lösen, die normalerweise menschliche Intelligenz erfordern. Dazu gehören Sprachverarbeitung, Lernen und Problemlösung.

Land (Bundesland) (S. 58)
Ein Bundesland (kurz: Land) ist ein Teilstaat in einem föderalen System wie Deutschland. Jedes Bundesland hat seine eigene Regierung und bestimmte Rechte, die in der Verfassung festgelegt sind.

Landkreis (S. 59)
Ein Landkreis ist ein Zusammenschluss von mehreren Gemeinden. Was eine Gemeinde allein nicht schaffen würde, also z. B. weiterführende Schulen oder ein Krankenhaus bauen, funktioniert besser, wenn sich mehrere Gemeinden zusammenschließen und die Aufgabe gemeinsam angehen.

Lava (S. 88)
Das ist die Bezeichnung für den aus einem Vulkan ausströmenden, glutflüssigen, meist über 1 000° C heißen Gesteinsbrei. Solange sich der Gesteinsbrei im Erdinneren befindet, nennt man ihn Magma.

Lebenserwartung (S. 286)
Das ist die im Durchschnitt zu erwartende Lebenszeitspanne eines Menschen (von Geburt bis Tod). Am häufigsten wird die Lebenserwartung ab Geburt berechnet.

Lehnsherr (S. 14)
Im Lehnssystem verlieh der Lehnsherr (z. B. der König) seinen Gefolgsmännern Land, Ämter und/oder Privilegien als Lehen. Dafür schuldeten diese ihrem Lehnsherrn lebenslange Treue, militärische Dienste und/oder Abgaben.

Lehnsmann (S. 14)
Ein Lehnsmann war im Mittelalter ein Vasall, der Land, Ämter oder Rechte von einem Lehnsherrn erhalten hatte. Im Gegenzug musste der Lehnsmann dem Lehnsherrn militärische Dienste leisten, Treue schwören oder Abgaben zahlen.

Liberalismus (S. 175)
Liberalismus ist eine politische Einstellung, die die Freiheit des Einzelnen, Demokratie und Rechtsstaatlichkeit betont. Liberale setzen sich für individuelle Rechte, freie Märkte und geringe staatliche Eingriffe ein.

Lieferkette (S. 247)
Eine Lieferkette umfasst alle Schritte und Akteure, die notwendig sind, um ein Produkt vom Rohstoff bis zum Endverbraucher zu bringen. Sie umfasst Produktion, Transport, Lagerung und Verkauf.

Mäander (S. 98)
Ein Mäander ist eine Schleife oder Krümmung in einem Flusslauf, die durch die natürliche Erosion und Ablagerung des Flusswassers entsteht. Mäander formen sich oft in flachen Landschaften.

Magd (S. 25)
Eine Magd ist eine weibliche Hilfskraft, die in der Landwirtschaft oder im Haushalt arbeitet. Sie übernimmt verschiedene Aufgaben wie Melken, Kochen oder Putzen.

Magistrat (S. 56)
siehe Material-Box M2 auf S. 56

Magma (S. 81)
Das ist ein gashaltiger, glutflüssiger Gesteinsbrei im Erdinneren. Sobald er an die Erdoberfläche tritt, nennt man ihn Lava.

Montanindustrie (S. 216)
Zusammenfassende Bezeichnung für die Eisen- und Stahlindustrie sowie für den Steinkohlenbergbau (mit angeschlossenen Kokereien und Brikettfabriken).

Manufaktur (S. 146)
siehe Fachbegriff-Box auf S. 147

Megastadt (S. 262)
Eine Megastadt ist eine sehr große Stadt mit mehr als zehn Millionen Einwohnern. Beispiele sind Tokio, New York und Mumbai.

Menschenrechte (S. 160)
Das sind Rechte, die jedem Menschen zustehen, z. B. das Recht auf Leben, Unverletzlichkeit der Person, Freiheit, Eigentum, Religionsausübung.

Merkantilismus (S. 146)
Der Merkantilismus ist die Wirtschaftsform des Absolutismus. Seine Merkmale sind: Einfuhr von billigen Rohstoffen und Ausfuhr von teuren Fertigwaren.

Merowinger (S. 10)
Die Merowinger waren die erste Dynastie der fränkischen Könige, die von Chlodwig I. begründet wurde. Sie herrschten vom 5. bis zum 8. Jh. in Teilen Westeuropas.

Metropolregion (S. 66)
Das ist ein großes städtisches Gebiet, das aus einer zentralen Metropole und den umliegenden Städten und Gemeinden besteht. Es ist durch wirtschaftliche, soziale und infrastrukturelle Verbindungen eng miteinander verknüpft und bildet einen wichtigen Ballungsraum mit hoher Bevölkerungsdichte und bedeutender wirtschaftlicher Aktivität.

Missionierung (S. 120)
Dieser Begriff bezeichnet das Vorgehen von Personen, ihren Glauben unter anderen Menschen zu verbreiten, die keinen oder einen anderen Glauben haben.

Mittelalter (S. 10)
So nennt man die Zeit zwischen Altertum und Neuzeit. Das Mittelalter beginnt mit dem Untergang des Weströmischen Reiches und endet mit den Entdeckungen und der Reformation (um 1500).

mittelozeanische Rücken (S. 81)
Das sind langgestreckte, untermeerische Erhebungen, die in Ozeanen vorkommen. Sie entstehen an Grenzen von Erdplatten, die sich voneinander wegbewegen.

Nachhaltigkeit (S. 68)
Nachhaltig zu handeln oder Produkte nachhaltig zu produzieren bedeutet, dass man bei der Deckung seiner Bedürfnisse oder bei der Produktherstellung darauf achtet, dass keine Schäden in der natürlichen Umwelt auftreten (Ökologie), sich die Lebensbedingungen der Menschen verbessern (Soziales) und trotzdem wirtschaftliche Gewinne (Ökonomie) erzielt werden

Nationalismus (S. 175)
siehe Fachbegriff-Box auf S. 175

national-liberal (S. 174)
National-liberal beschreibt eine politische Haltung, die nationale Interessen, wie den Wunsch nach einem gemeinsamen Staat, und liberale Werte wie individuelle Freiheit kombiniert. In der Geschichte Deutschlands bezeichnete es eine politische Strömung im 19. Jh.

Nationalstaat (S. 174)
Ein Nationalstaat ist ein Staat, dessen Bevölkerung überwiegend einer Nation oder einem Volk angehört. Nationalstaaten haben oft eine gemeinsame Sprache, Kultur und Geschichte.

Nearshoring (S. 254)
Das ist die Verlagerung von Geschäftsprozessen oder der Produktion in nahegelegene Länder.

Neuzeit (S. 106)
ist die Epoche der Geschichte, die auf das Mittelalter folgt. Sie beginnt etwa um 1500 mit Ereignissen wie der Entdeckung Amerikas, der Reformation und der Renaissance. Die Neuzeit ist geprägt von technischen Fortschritten, der Aufklärung, der Industrialisierung und der Entstehung moderner Staaten.

Oberbürgermeister (OB) (S. 56)
siehe Material-Box M2 auf S. 56

öffentliches Recht (S. 188)
siehe Fachbegriff-Box auf S. 188

Offshoring (S. 247)
Das bezeichnet die Verlagerung von Geschäftsprozessen oder die Produktion in ferne Länder, oft um Kosten zu sparen.

Opposition (S. 61)
In einer Demokratie bilden die Parteien, die im Parlament vertreten sind, aber nicht der Regierung angehören, die Opposition.

Orden (S. 28)
siehe Fachbegriff auf S. 28

Outsourcing (S. 247)
Das ist die Auslagerung von bisher in einem Unternehmen selbst erbrachten Leistungen an externe Auftragnehmer.

panaschieren (S. 60)
Panaschieren bedeutet, bei einer Wahl Kandidaten aus verschiedenen Listen zu wählen. So kann ein Wähler seine Stimmen auf verschiedene Parteien oder Gruppierungen verteilen.

Parlament (S. 57)
siehe Fachbegriff-Box auf S. 57

Partei (S. 60)
Menschen mit gleichen politischen Zielen schließen sich in einer Partei zusammen. Die Ziele werden in Partei- und Wahlprogrammen veröffentlicht.

Patrizier (S. 46, 47)
Der Begriff bezeichnet die wohlhabenden Einwohner der mittelalterlichen Stadt. Sie waren zumeist Kaufleute und besetzten die wichtigsten Ämter der Stadt.

Pest (S. 51)
Die Pest ist eine hoch ansteckende und tödliche Infektionskrankheit, die im Mittelalter als „Schwarzer Tod" bekannt war. Sie wird durch Bakterien verursacht und von Flöhen übertragen, die auf Ratten leben.

Pfalz (S. 14)
siehe Info-Box S. 14

Pipeline (S. 254)
Als Pipeline bezeichnet man eine Rohrleitung zur Beförderung von Gasen und Flüssigkeiten (z. B. Erdöl) über große Entfernungen hinweg. Pipelines werden entweder am Boden oder auf dem Meeresgrund verlegt.

Plattentektonik (S. 82)
Das ist eine Theorie über den Krustenbau der Erde sowie die Entwicklung der Kontinente und Ozeane. Nach dieser Theorie besteht die Erdkruste aus verschiedenen Platten, die in langsamer Bewegung sind.

Plattenzug (S. 82)
So nennt man die Antriebskraft für die Bewegung von Erdplatten. Die schwerere Platte sinkt durch ihr Gewicht unter die andere Platte und zieht somit die gesamte Erdplatte mit sich.

Pogrom (S. 51)
Ein Pogrom ist eine gewaltsame Verfolgung und Tötung einer ethnischen oder religiösen Minderheit. Pogrome sind oft durch Vorurteile und Hass motiviert.

Privatrecht (S. 188)
Es regelt die Rechtsbeziehungen einzelner Bürger zueinander.

Privileg (S. 148)
Hier: gesellschaftliches Sonderrecht des Ersten und Zweiten Standes im französischen Absolutismus, das vom Herrscher verliehen wurde. Privilegien waren die Steuerbefreiung und die Besetzung hoher Posten in Armee und Kirche.

Protektionismus (S. 249)
Protektionismus ist eine Wirtschaftspolitik, die den eigenen Markt durch Zölle, Einfuhrbeschränkungen und andere Maßnahmen vor ausländischer Konkurrenz schützen will. Ziel ist es, heimische Unternehmen zu unterstützen.

Protestanten (S. 129)
Protestanten sind Anhänger des Protestantismus, einer christlichen Glaubensrichtung, die aus der Reformation im 16. Jh. hervorging. Sie lehnen bestimmte katholische Lehren ab und betonen individuelle Bibelauslegung und Glaubensfreiheit.

Rasse / Rassismus (S. 123)
siehe Info-Box auf S. 123

Rechtssicherheit (S. 184)
Rechtssicherheit bedeutet, dass die Gesetze klar und verständlich und öffentlich sind. Bürger können darauf vertrauen, dass ihre Rechte und Pflichten durchgesetzt werden.

Rechtsstaat (S. 184)
In einem Rechtsstaat gelten Gesetze für die Regierung und Verwaltung, an die sich diese in ihrem Handeln halten müssen, es herrscht eine Gewaltenteilung. Die Bürger und Bürgerinnen eines Rechtsstaats haben Grundrechte.

Rechtswegegarantie (S. 184)
Die Rechtswegegarantie sichert das Recht jedes Bürgers, im Falle einer Rechtsverletzung den Rechtsweg zu beschreiten und vor Gericht Gehör zu finden. Sie ist ein wichtiger Bestandteil des Rechtsstaats.

Reformation (S. 128)
(von lat. reformatio = Wiederherstellung, Erneuerung) beschreibt die kirchliche Erneuerungsbewegung zwischen 1517 und 1648, die zur Spaltung des westlichen Christentums in verschiedene Konfessionen (katholisch, lutherisch, reformiert) führte.

Regierungsform (S. 162)
Die Art und Weise, wie eine Regierung strukturiert und organisiert ist, z. B. Demokratie, Diktatur, Monarchie.

Reichsacht (S. 129)
Die Reichsacht war eine Strafe im Heiligen Römischen Reich, bei der jemand für vogelfrei erklärt und aus der Gemeinschaft ausgeschlossen wurde. Diese Person hatte keinen rechtlichen Schutz mehr und konnte straflos getötet werden.

Reichskirchensystem (S. 18)
Das Reichskirchensystem steht für die enge Verbindung von Kirche und Staat im Heiligen Römischen Reich. Bischöfe und Äbte hatten politische Macht und besaßen oft große Ländereien.

Reichsstadt (S. 54)
Eine Reichsstadt war im Heiligen Römischen Reich eine Stadt, die direkt dem Kaiser unterstellt war und nicht einem lokalen Fürsten. Diese Städte hatten besondere Rechte und Freiheiten.

Reichstag (S. 17)
Der Reichstag war die regelmäßig stattfindende Versammlung des Königs/Kaisers mit den Fürsten, um Gesetze zu erlassen und politische Entscheidungen zu treffen.

Rekultivierung (S. 237)
Die Wiederherstellung von Landschaften, die durch den Abbau von Kohle im Tagebau zerstört wurden, wird Rekultivierung genannt. Die riesigen Löcher werden wieder mit Erde aufgefüllt. In einigen entstehen Seen. Wälder werden gepflanzt und Grünflächen angelegt. Außer zur Erholung kann eine rekultivierte Landschaft auch landwirtschaftlich genutzt werden.

Renaissance (S. 106)
siehe Fachbegriff-Box auf S. 106

Renaturierung (S. 283)
Das sind alle Maßnahmen, die zur Wiederherstellung einer zerstörten Landschaft erforderlich sind. Nach Förderung von Bodenschätzen im Tagebau wird versucht, die Abbaufläche wieder in den ursprünglichen Zustand zurückzuverwandeln.

Republik (S. 153)
(lat. res publica = öffentliche Angelegenheit), Das ist eine Staatsform mit einem Präsidenten an der Spitze, die sich am Gemeinwohl orientiert und als Gegenmodell zur Monarchie (= Königsherrschaft) verstanden wird.

Reshoring (S. 254)
Das ist die Rückholung von zuvor ins Ausland verlagerten Geschäftsprozessen oder der Produktion ins Heimatland.

Resozialisierung (S. 194)
Die Wiedereingliederung eines Straftäters in die Gesellschaft nennt man Resozialisierung.

Restauration (S. 172)
Restauration bezeichnet die Wiederherstellung alter politischer Verhältnisse nach einer revolutionären Veränderung. Im 19. Jh. bedeutet es die Rückkehr der Monarchien nach der Herrschaft von Napoleon.

Revision (S. 187)
Revision ist die Überprüfung und mögliche Änderung eines Gerichtsurteils durch ein höheres Gericht. Das dient der Fehlerkorrektur und Sicherung der Rechtsanwendung.

Revolutionsgericht (S. 166)
Ein Revolutionsgericht ist ein spezielles Gericht, das während oder nach einer Revolution eingerichtet wird, um Verbrechen gegen die revolutionäre Ordnung zu bestrafen. Bekannt ist das Revolutionsgericht während der Französischen Revolution.

Rheinbund (S. 170)
Auf Initiative Napoleons traten 1806 mehrere kleine Staaten aus dem Heiligen Römischen Reich Deutscher Nation aus und schlossen sich zum Rheinbund zusammen. Dieser bildete eine Art Puffer zwischen Frankreich, Österreich und Preußen und ging ein Militärbündnis mit Frankreich ein. Der Rheinbund löste sich nach der Niederlage Napoleons 1813 auf.

Ritter (S. 15)
siehe M2 auf S. 15

Rückenschub (S. 82)
Das ist eine der Antriebskräfte für die Bewegung der Erdplatten in der Plattentektonik. Wenn die neu gebildete Erdkruste von den mittelozeanischen Rücken auf den weiteren Plattenverlauf drückt, spricht man vom Rückenschub.

Sanktion (S. 254)
Eine Sanktion ist eine Strafe oder Maßnahme, die verhängt wird, um ein bestimmtes Verhalten zu bestrafen oder ein anderes Verhalten zu erzwingen. Sanktionen können wirtschaftlich, politisch oder rechtlich sein.

schuldfähig (S. 192)
Schuldfähig ist eine Person, die alt genug und geistig in der Lage ist, die Folgen ihrer Handlungen zu verstehen und daher rechtlich zur Verantwortung gezogen werden kann.

Schwellenland (S. 276)
siehe Fachbegriff-Box auf S. 276

Sedimentation (S. 99)
Gesteinsmaterial, das z. B. im Fluss mittransportiert wird, lagert sich in Mulden, Gebirgsrändern, in Tälern, Seen oder Meeresbecken ab und wird aufgeschüttet.

Seebeben (S. 97)
siehe Fachbegriff-Box auf S. 97

Segregation (S. 52)
Oft teilen sich einzelne soziale Gruppen, vor allem in Siedlungseinheiten, auf und grenzen sich anschließend in bestimmten Fällen voneinander ab. Die Mitglieder dieser Gruppen haben untereinander haben. Sie sprechen die gleiche Sprache, kommen aus dem gleichen Land oder haben eine gemeinsame Kultur. In manchen Fällen ist die Segregation erzwungen, z. B. wenn eine soziale Gruppe von anderen ausgeschlossen wird. Andererseits kann die Segregation auch erwünscht sein.

Selbstjustiz (S. 184)
Selbstjustiz bedeutet, dass jemand das Recht in die eigene Hand nimmt und ohne rechtliche Grundlage andere bestraft. Dies ist in den meisten Gesellschaften illegal, da es die Rechtsordnung untergräbt.

Staatsanwaltschaft (S. 186)
siehe Fachbegriff-Box auf S. 186

Staatsform (S. 162)
Das bezeichnet die grundsätzliche Struktur eines Staates, wie z. B. Republik oder Monarchie.

Stadtrat (S. 56)
siehe Material-Box M2 auf S. 56

Stadtverordnetenversammlung (SVV) (S. 56)
siehe Material-Box M2 auf S. 56

Stadtwerk (S. 62)
Ein Stadtwerk ist ein kommunales Unternehmen, das öffentliche Dienstleistungen wie Energie-, Wasser- und Abfallversorgung anbietet. Stadtwerke gehören oft der Stadt und sind für die Infrastruktur zuständig.

Stand (S. 22)
siehe Info-Box auf S. 22

Standort (S. 247)
siehe Fachbegriff-Box auf S. 258

Standortfaktor (S. 258)
siehe Fachbegriff-Box auf S. 258

Steuern (S. 64)
Steuern sind Abgaben an den Staat, die dieser auf privatwirtschaftliche Aktivitäten erhebt. Die Steuern dienen dazu, gesamtstaatliche Aufgaben wie Bildung, Gesundheitswesen, Wissenschaft und Infrastrukturmaßnahmen zu finanzieren.

Stichwahl (S. 60)
Eine Stichwahl ist eine zweite Wahlrunde, wenn bei der ersten Wahl kein Kandidat die erforderliche Mehrheit erreicht hat. In der Stichwahl treten die beiden bestplatzierten Kandidaten gegeneinander an.

Strafantrag (S. 186)
Ein Strafantrag ist ein Antrag, den ein Geschädigter bei der Polizei oder Staatsanwaltschaft stellt, um eine Straftat verfolgen zu lassen. Er ist oft bei geringeren Delikten wie Beleidigung notwendig.

Strafanzeige (S. 186)
Das ist die Meldung einer Straftat bei der Polizei oder Staatsanwaltschaft. Jeder Bürger kann eine Strafanzeige stellen, um die Strafverfolgung in Gang zu setzen.

Strafbefehl (S. 186)
Ein Strafbefehl ist ein schriftliches Urteil bei geringeren Straftaten, das ohne eine Gerichtsverhandlung ergeht. Der Angeklagte kann dagegen Einspruch einlegen und eine Verhandlung verlangen.

Strafgesetzbuch (StGB) (S. 186)
In Deutschland ist es das StGB, in dem man die Strafvorschriften und die Art und Höhe der Strafen, die bei Vergehen drohen, findet. Ein Vergehen ist eine Straftat, das kann z. B. ein Raub sein oder wenn jemand eine andere Person absichtlich verletzt.

strafmündig (S. 192)
Ab einem bestimmten Lebensjahr wird einem Menschen vom Gesetzgeber zugetraut, die Folgen seiner Handlungen zu überblicken, wenn diese bewusst anderen schaden und er daher für seine Handlungen bestraft werden kann/muss. Voll strafmündig ist man ab dem 18. Geburtstag.

Stratosphäre (S. 93)
Die Stratosphäre ist die zweite Schicht der Erdatmosphäre, die sich oberhalb der Troposphäre befindet. In der Stratosphäre steigt die Temperatur mit der Höhe an, und sie enthält die Ozonschicht.

Streik (S. 228)
Streik ist eine Arbeitsniederlegung, um bestimmte Interessen durchzusetzen (mehr Lohn, bessere Arbeitsbedingungen).

Strukturwandel (S. 232)
In der Wirtschaft unterscheidet man zwischen dem primären (Landwirtschaft, Bergbau, Viehzucht), sekundären (Industrie und produzierendes Gewerbe) und tertiären (Dienstleistungen) Sektor. Ein Strukturwandel bedeutet, dass sich die Berufe und Tätigkeitsbereiche in und zwischen den verschiedenen Sektoren verändern – neue Sektoren werden wichtiger, während alte weniger bedeutend werden.

Tagebau (S. 235)
Bodenschätze, die nicht sehr tief unter der Erde liegen und daher direkt von der Erdoberfläche aus abgebaut werden, gewinnt man im Tagebau (Braunkohle).

Tarifvertrag (S. 228)
Das ist ein Vertrag zwischen Arbeitgebern und Gewerkschaften, der hauptsächlich die Arbeitsbedingungen und Löhne regelt. Die Vereinbarung schützt die Rechte der Arbeitnehmer und sorgt für gerechtere Arbeitsverhältnisse.

Tatverdächtiger (S. 190)
Ein Tatverdächtiger ist eine Person, die im Verdacht steht, eine Straftat begangen zu haben. Die Polizei und Justiz ermitteln, ob der Verdacht begründet ist.

Tiefenerosion (S. 283)
Tiefenerosion ist die Abtragung von Boden und Gestein durch fließendes Wasser, das sich in die Tiefe eines Flussbetts eingräbt. Dies kann tiefe Schluchten und Täler schaffen.

Transformstörung (S. 95)
siehe Fachbegriff-Box auf S. 95

Treibhausgas (S. 275)
Das ist ein Gas in der Erdatmosphäre, das die Wärmestrahlung der Erde aufnimmt und wieder abstrahlt und so die Atmosphäre und die Erdoberfläche erwärmt.

Tsunami (S. 96)
siehe Fachbegriff-Box auf S. 97

Überalterung (S. 286)
Durch den Geburtenrückgang kommt es zu einer Überalterung der Bevölkerung. Wenigen jüngeren Menschen im arbeitsfähigen Alter von 15 bis 65 Jahren stehen viele ältere Menschen über 65 Jahre gegenüber.

Unabhängigkeit (S. 152)
Unabhängigkeit bedeutet, dass ein Land oder eine Person frei und selbstständig ist und keine Kontrolle oder Unterdrückung durch andere erfährt. Politisch gesehen ist es das Streben eines Landes, sich von fremder Herrschaft zu lösen.

Vasall (S. 14)
Im Mittelalter wurde jemand als Vasall bezeichnet, der von einem Lehnsherrn für seine Treue, militärische Dienste oder Abgaben ein Lehen (Land/Ämter/Privilegien) erhielt. Vasallen waren Geistliche und Adelige.

Verfassung (S. 156)
Die Verfassung regelt die politische Grundordnung eines Staates. Die deutsche Verfassung heißt Grundgesetz.

Vergehen (S. 186)
siehe Fachbegriff-Box auf S. 186

Verlegerprinzip (S. 110)
Das ist ein System, bei dem Händler oder Großhändler selbstständigen Handwerkern Rohstoffe und Arbeitsmaterialien verkaufen. Die Handwerker produzieren dann daraus Waren, die wiederum die Händler oder Großhändler ihnen abkaufen.

Versiegelung (S. 283)
Fachleute bezeichnen das Asphaltieren und Betonieren von Flächen als Bodenversiegelung. Dabei wird der natürliche Boden, z. B. durch Gebäude, Straßen, Plätze, zugebaut.

Verwerfung (S. 95)
siehe Fachbegriff-Box auf S. 95

Veto (S. 163)
Ein Veto ist das Recht, eine Entscheidung oder ein Gesetz zu blockieren oder abzulehnen. Es wird oft von Staatsoberhäuptern oder internationalen Organisationen genutzt.

vogelfrei (S. 129)
Vogelfrei bedeutet, dass jemand außerhalb des gesetzlichen Schutzes steht und straflos verletzt oder getötet werden kann.

Vogt (S. 54)
Ein Vogt war im Mittelalter ein Verwalter oder Richter, der im Auftrag eines Fürsten oder Klosters bestimmte Verwaltungs- und Gerichtsfunktionen ausübte. Der Vogt hatte oft auch militärische Aufgaben.

Wahlbenachrichtigung (S. 61)
Eine Wahlbenachrichtigung ist ein Schreiben, das Bürger informiert, dass sie bei einer anstehenden Wahl wahlberechtigt sind. Es enthält Infor-

mationen über den Wahltag und das Wahllokal.

Wählergruppe (WG) (S. 60)
siehe Info-Box auf S. 60

Wohlfahrtsausschuss (S. 166)
Der Wohlfahrtsausschuss war ein revolutionäres Gremium während der Französischen Revolution, das die öffentliche Sicherheit und Wohlfahrt überwachte. Er hatte weitreichende Befugnisse und war maßgeblich an der Terrorherrschaft beteiligt.

Wucher (S. 110)
Wucher ist das Verlangen nach übermäßig hohen Zinsen oder Preisen, die in keinem Verhältnis zur Leistung oder Ware stehen. Wucher ist in vielen Ländern gesetzlich verboten.

Wucherer (S. 50)
Ein Wucherer ist jemand, der durch Wucher ungerechtfertigte Gewinne erzielt. Er verlangt überhöhte Zinsen oder Preise und nutzt die Notlage anderer aus.

Zeche (S. 235)
Ausdruck für Kohlebergwerk. Eine Zeche besteht aus der Gesamtheit der Anlagen unter und über Tage, die der Förderung und Aufbereitung von Kohlen dienen.

Zins (S. 50)
Zins ist eine Abgabe in Geld, die für geliehenes Geld bezahlt werden muss. Der Zins wird als Prozentsatz des geliehenen Betrags berechnet und kann fest oder variabel sein.

Zivilrecht (S. 188)
siehe Fachbegriff-Box auf S. 188

Zoll (S. 17, 248)
Als Zoll bezeichnet man eine Abgabe, die fällig wird, wenn z. B. ein Händler mit seiner Ware in ein anderes Land einreist, um dort seine Produkte zu verkaufen.

Zunft (S. 48)
In den Städten des Mittelalters schlossen sich die Handwerker des gleichen Berufes zu einer Zunft zusammen. Sie unterstützten sich gegenseitig im Alter und in Notzeiten. Die Zunft regelte die Ausbildung, die Höhe der Löhne und setzte den Preis sowie die Menge der herzustellenden Waren fest.

Bildquellenverzeichnis

Frank 204.1; XtravaganT - 111.2. |GEOMAR Helmholtz-Zentrum für Ozeanforschung Kiel, Kiel: Foto: GEOMAR / Schmidt Ocean Institute / CSSF 83.8. |Getty Images, München: AFP 244.3; Al Bello 245.7; Anadolu Agency 6.2, 271.1; Bernetti, Martin 89.5; Bloomberg 244.2; Brazil Photos 273.1, 294.1; Bronstein, Paula 273.4; Celis, Noel 74.2; Charlesworth, Peter / LightRocket 260.1; Countess, Jemal 276.5; De Agostini Editorial 274.1; Heritage-Images / Print Collector 236.1; Hulton Archive/Print Collector 212.3; Rastelli, Vittoriano 88.1; Stringer/AFP 101.3; VCG 6.1, 241.1; Walter, Phil 89.4. |Getty Images (RF), München: Labate, Filippo 89.6; Rastelli, Vittoriano 89.3. |Google Earth: 72.1. |Güttler, Peter - Freier Redaktions-Dienst (GEO), Berlin: 80.2, 80.3, 81.1, 81.2. |Hawkins, Ed, Reading: Prof. Ed Hawkins, National Centre for Atmospheric Science, University of Reading/www.ShowYourStripes.info 274.2. |Hessen-Luftbild/Axel Häsler, Langenselbold: 64.2. |HüttenWerke, Klaus Kühner, Hamburg: 14.1, 16.1, 16.2. |Imago, Berlin: B. Trapp 295.1; IPON 161.2; Nature Picture Library 290.2. |Imago Creative, Berlin: imagebroker/Moxter, Martin 277.1; Shotshop 63.1; Westend61 65.2. |Imago Editorial, Berlin: photothek 193.1; Schüler, Marc 57.1; Xinhua/Winston Zhou 153.2; ZUMA Press/Carconi, Angelo 285.1. |iStockphoto.com, Calgary: AJ_Watt 63.4; AleksandrYu 196.4; alxpin 32.2; ArtistGNDphotography 191.1; assalve 77.1; audioundwerbung 196.7; BackyardProduction 278.2, 280.1; Beat The Bucketlist 98.1; Carillet, Joel 34.2; CasarsaGuru 196.3; catshiles 253.2; chabybucko 196.6; daboost 266.3; de Ruiter, Peter 227.2; Deklofenak 196.2; drbimages 199.4; duncan1890 131.1, 131.3; F4-Bilder.de 65.1; Flashvector 15.3, 19.4; fotoVoyager 82.1, 87.1; Gaspari, Orietta 245.5; Grafissimo 104.2; guenterguni 82.3; Habur, Izabela 196.8; hadynyah 269.4; Halfpoint 191.3; hanohiki 189.1; Heiko119 294.2; hepatus 101.1; Jarretera 298.1; javarman3 32.1; jgarfinkel 34.4; kadmy 63.5; kali9 250.2, 252.2; kodachrome25 98.4; luiginifosi 91.1; manxman 253.1; martin-dm 233.2; Mattomedia Werbeagentur 184.1; Mlenny 196.9; nicoletaionescu 188.3; ollo 259.1; pandapix 153.1; PeopleImages 161.3; praetorianphoto 196.5; pwmotion 185.1; PytyCzech 98.2; Radist 196.1; RainervonBrandis 296.5; Ralfoto 189.2; Rost-9D/Getty Images 84.2; Rudzhan Nagiev 15.1; shibanuk 188.1; SiberianArt 15.2, 15.4, 19.2; sturti 190.1; the8monkey 49.2; venemama 55.1; vuk8691 251.1; ZU_09 114.2; zuperia 15.5, 15.6. |Karto-Grafik Heidolph, Dachau: 31.1, 83.1, 83.2, 83.3, 83.4, 83.5, 83.6, 90.1, 95.1, 95.3, 97.1, 113.1, 113.2, 275.1, 283.1, 283.2, 291.3, 298.3, 300.2, 302.3. |Kartographie Michael Hermes, Hardegsen Hevensen: 85.1, 95.2, 249.1, 267.2, 278.4, 279.2, 279.3, 280.3, 288.2, 291.2, 295.2, 298.4, 303.2. |Kassing, Reinhild, Kassel: 180.1. |laif, Köln: Imke Lass 251.5; REA 89.2. |LAVA Laboratory for Visionary Architecture: 70.2. |Main-Taunus-Kreis, Hofheim: 5.1, 183.1. |mauritius images GmbH, Mittenwald: Glöckner 83.7. |Mette, Til, Hamburg: 284.1. |Micaël: 70.3. |Mithoff, Stephanie, Egestorf: 28.1, 30.2, 87.3, 126.2, 192.1, 200.1, 200.2, 200.3, 200.4, 200.5, 200.6, 200.7, 200.8, 200.9, 200.10, 200.11, 200.12, 200.13, 200.14, 237.2, 243.1, 257.1, 262.2, 277.1. |Müller, Bodo, Bartensleben: 26.1. |Naumann, Andrea, Aachen: 136.4. |PantherMedia GmbH (panthermedia.net), München: lufimorgan 73.8. |Perkmann, Roman, I-Laas: 87.2. |Photographie Markus Hertrich, Hamburg: 250.3, 253.4. |Picture-Alliance GmbH, Frankfurt a.M.: AA/Castaneda, Sebastian 121.2; AFP/Mufti_Munir 273.6; akg-images 137.2, 175.1, 185.2; AP Photo/Alan Diaz 280.2; AP/Probst, Michael 282.2; ASSOCIATED PRESS 282.3; Bernhart, Udo 3.2, 41.1; blickwinkel/Luftbild Bertram 111.1; Caro/Seeberg 161.1; Charisius, Christian 284.2; dieKLEINERT.de / Agostino Natale 76.2; dieKLEINERT.de/Koufogiorgos, Kostas 264.4; dpa 96.2; dpa-infografik 291.1, 301.2; dpa-Zentralbild/euroluftbild.de/Grahn, Robert 73.11; dpa/AFP/POOL/Lohnes, Thomas 187.1; dpa/Armer, Nicolas 193.2; dpa/Berg, Oliver 234.1; dpa/duisport 264.1; dpa/H. Ossinger 237.1; dpa/Haid, Rolf 49.3; dpa/Icc 260.3; dpa/Karmann, Daniel 108.4; dpa/Maurer, Daniel 233.1; dpa/Roessler, Boris 73.2; dpa/Rumpenhorst, Frank 56.1, 60.2; dpa/Weigel, Armin 193.3, 194.2; dpa/Zucchi, Uwe 184.2; euroluftbild.de/Alfons Rath 52.2; Goldmann, Ralph 19.8; imageBROKER 69.1; imageBROKER/Schöfmann, Karl F. 48.4, 48.5, 48.6, 48.7, 48.8, 48.9, 48.10, 48.11, 48.12, 48.13, 48.14, 48.15, 48.16, 48.17, 48.18, 48.19; JOKER/Hengesbach, Martina 191.2; Koch, Maximilian 63.2; Koenig, Christine 84.3; Leemage 165.2; Mary Evans Picture Library 174.2; NurPhoto/Ying Tang 229.1; Photoshot 293.1; Probst, Michael 282.1; REUTERS/ALVARADO, IVAN 267.1; REUTERS/Rosenberg, Ilan 34.1; Socher/ Eibner-Pressefoto 60.1; Tack, Jochen 264.3; Wang qimeng - Imaginechina 297.1; ZB/Wolf, Jens 186.1; ZUMA Press/Coleman, Ernest 245.1; ZUMA Press/mr7 273.8, 300.1. |Radfahrbüro Stadt Frankfurt am Main, Frankfurt am Main: 73.1. |Sakurai, Heiko, Köln: 302.2. |Schreiber, Marco, Frankfurt: 52.3. |Schwarzstein, Yaroslav, Hannover: 101.2, 307.3. |Shutterstock.com, New York: A and N photography 73.9; Abdul Razak Latif 255.3; Aruta Images 73.10; Asier Romero 73.3; Avigator Fortuner 269.5; AYO Production 199.3; Bash, Mohammad 94.1; BAZA Production 244.4; brodin 101.4; Cookie Studio 73.7; Cosmin Sava 63.3; Cromagnon 83.9; dominika zara 269.2; Everett Collection 239.1; Flashon Studio 199.1; Fly_and_Dive 96.1; Frame Stock Footage 188.2; Ground Picture 73.5; Gvozdikov, Anton 193.4; Halfpoint 190.2; IG Digital Arts 19.9; J. Hackemann 111.3; Johan Swanepoel/NASA 101.5; Kaewkhammul, Anan 252.1; Krakenimages.com 73.4; Kryhin, Uladzik 256.1; Lanimart, Viktor 163.1, 163.2, 163.3, 163.4; Leonidas, Dimitris 215.5; Link, Igor 73.6; magr80 55.2; Morphart Creation 115.2; Naci Yavuz 102.1; Naeblys 94.2; Natata 102.3, 102.4, 103.2, 103.3; NotionPic 49.1; Ntguilty 115.1; Peyker 19.5; PHammer 52.1; Photo Kozyr 161.4; Pinar Alver 253.5; Prometheus72 290.1; Roberts, Kent E 121.3; rynoise 92.1; ssuaphotos 276.1; Stockbym 127.2; TTstudio 127.1; Vectorfair 114.1; VectorMine 296.1, 296.2, 296.3, 296.4; Wead 3.3, 79.1; zakir1346 253.3; zevana 74.1. |Söllner, Eva, Liederbach am Taunus: 57.2. |Spangenberg, Frithjof, Konstanz: 23.1, 107.1, 107.2. |Stadtarchiv Rüsselsheim, Rüsselsheim am Rhein: 220.2. |stock.adobe.com, Dublin: Arhelger, Tobias 67.2; Bayer, Tom 276.2; Beboy Titel; Blickfang 108.2; Borealis, Corona 247.1; Christian 273.7; cut 251.3; etfoto 68.18; GloriaG 275.2; Gustincich, Franz 112.3; Halfpoint 63.6; Herr Loeffler 266.1; Horras, Christian 297.2; Isnurnfoto. 98.5; Katho Menden 278.1, 279.1; kranidi 137.1; LioTou 303.1; Loocid GmbH 245.4, 303.4; Masnovo, Alberto 89.1; metamorworks 68.14; milosr 98.3; mojolo 66.1; orinocoArt 112.1; Patryssia 303.3; PRILL Mediendesign 215.6; Rohde, Gabriele 86.1; roibu Titel; Stockwerk-Fotodesign 68.10; Tartila 198.1, 198.2, 198.3, 198.4, 198.5, 198.6; thakala 74.3; travelview 67.3; valiza14 199.2; Wunderlich, Lukas 67.1; Wylezich, Bjoern 267.3; xiaoliangge 266.2; yu 260.2; ¿S 122.1. |Stuttmann, Klaus, Berlin: 194.1, 269.1. |Süddeutsche Zeitung - Photo, München: Rue des Archives/CCI 106.1, 136.1. |Tonn, Dieter, Bovenden-Lenglern: 46.4. |toonpool.com, Berlin, Castrop-Rauxel: Tomaschoff, Jan 64.1. |Trebels, Rüdiger, Düsseldorf: 272.1. |ullstein bild, Berlin: 103.1; Archiv Gerstenberg 129.1. |United Nations, New York, NY: https://www.un.org/sustainabledevelopment/ "The content of this publication has not been approved by the United Nations and does not reflect the views of the United Nations or its officials or Member States" 68.1, 68.2, 68.3, 68.4, 68.5, 68.6, 68.7, 68.8, 68.9, 68.11, 68.12, 68.13, 68.15, 68.16, 68.17, 68.19, 68.20, 68.21. |VG BILD-KUNST, Bonn: Müller, Jörg, Auf der Gasse und hinter dem Ofen. Eine Stadt im Mittelalter, 1995 © VG Bild-Kunst, Bonn 2024 42.2. |Winkler, Stefan, Würzburg: 278.3.

ASIEN
Beringstraße
Kap Barrow
Beaufortsee
Alaska
6190
Denali (Mt. McKinley)
Mackenzie
Küstengebirge
Rocky Mountains (Felsengebirge)
Kanadischer Archipel
Barren Grounds
Baffin Bay
Baffin-Insel
Davisstraße
3231
Grönland
Kap Farvel
Spitzbergen
Europäisches Nordmeer
Nördlicher Polarkreis
Island
Skandinavien
Hudson-Bay
Kanadischer Schild
Labrador
Vancouver
NORD-AMERIKA
Winnipeg
Missouri
Oberer See
Neufundland
Britische Inseln
Nordsee
Ostsee
London
Berlin
Paris
Donau
Alpen
Mont Blanc 4810
Rom
EU
Sierra Nevada
San Francisco
Great Plains (Prärien)
Mississippi
Appalachen
New York
Azoren
Lissabon
Casablanca
Madeira
Atlas
Mittel
Hochland von Mexiko
New Orleans
Bermuda-Inseln
Sargassosee
Atlantischer
Kanaren
6225
Golf von Mexiko
Kuba
Nördlicher Wendekreis
Ahaggar
Sahara
Tibesti
Mexiko-Stadt
5636
Citlaltépetl
Große Antillen
9219
Karibisches Meer
Mittelamerika
Kapverden
Kap Verde
Niger
Clipperton-Insel
Panama-Stadt
Llanos
Bergland von Guayana
AFRI
Monrovia
Asande-
Galapagos-Inseln
Quito
Äquator
São Paulo
7758
Golf von Guinea
Kongobecke
Niederguineaschwelle
Kinshasa
5897 Cotopaxi
Amazonas
Amazonasbecken
Belém
Pazifischer
Punta Pariñas
SÜDAMERIKA
Anden
Kap Branco
Ascension
Ozean
La Paz
Brasilianisches Bergland
St. Helena
Lu
Namib
Ozean
8066
Gran Chaco
Paraná
Rio de Janeiro
Südlicher Wendekreis
Osterinsel
Pampa
Aconcagua 6962
Santiago
Buenos Aires
Kapstadt
Kap der Guten Hoffnung
Tristan da Cunha
Patagonien
Falkland-Inseln (Malwinen)
Landhöhen
über 1500 m
1000–1500 m
500–1000 m
200– 500 m
0– 200 m
Depression
Inlandeis
Meerestiefen
0– 200 m
200–2000 m
2000–4000 m
4000–6000 m
6000–8000 m
über 8000 m
Südgeorgien
Bouvet-Insel
Feuerland
Punta Arenas
Kap Hoorn
Südsandwich-Inseln
8428
Südlicher Polarkreis
Weddellmeer
0 500 1000 1500 2000 2500 km
© westermann 24191EX_1
Mount Vinson 4897
ANT